Grillparzers Werke.

Erster Band.

Meyers Klassiker-Ausgaben

herausgegeben von Prof. Dr. **Ernst Elster.**

Grillparzers Werke.

Herausgegeben

von

Rudolf Franz.

Kritisch durchgesehene und erläuterte Ausgabe in fünf Bänden.

Erster Band.

Leipzig und Wien.

Bibliographisches Institut.

Vorwort des Herausgebers.

Die vorliegende Ausgabe wird Grillparzers Haupt-
werke in fünf Bänden enthalten, die alles das
bringen, was für einen weiteren Kreis gebildeter Leser
wertvoll erscheint. Die ersten vier Bände umfassen neben
einer Auswahl der bedeutenderen Gedichte die sämtlichen
großen Dramen des Dichters. Der letzte Band bringt die
beiden Erzählungen „Das Kloster bei Sendomir" und
„Der arme Spielmann", sowie Abschnitte aus den Prosa-
schriften über Ästhetik, Geschichte und Literatur; auch
einiges aus den persönlichen Erinnerungen des Dichters
hat hier Aufnahme gefunden.

Für die Bearbeitung gelten durchweg die von der
Redaktion der Meyerschen Klassiker-Bibliothek aufge-
stellten und seit Jahren bewährten Grundsätze. Der Text
ist im wesentlichen der in der fünften Gesamtausgabe
von August Sauer mit Benutzung des besten zugänglichen
Materials hergestellte. An Sprache und Ausdruck ist
nichts geändert; in der Schreibung ist die für Deutschland
und Österreich vereinbarte Orthographie durchgeführt.
Die Interpunktion sucht überall das richtige Verständnis
und Lesen zu unterstützen.

Die Erläuterungen unter dem Text sollen einerseits
Einzelheiten erklären, die dem gebildeten, aber nicht ge-

lehrten Leser nicht immer gegenwärtig sein dürften, außerdem aber bei schwierigeren Stellen das Verständnis fördern durch Erklärung oder Hinweis auf den Grundgedanken und Zusammenhang. Die Anmerkungen hinter dem Text bringen literarische Nachweise über die Entstehung und Bedeutung der einzelnen Dichtungen, Angabe der Quellen des Dichters, verwandte Gedanken und ähnliches. In dem Verzeichnis der Lesarten sind bei den Gedichten die ersten Drucke angegeben, sodann die hauptsächlichen Abweichungen von der aufgenommenen letzten Textgestalt, so daß die Geschichte des Textes anschaulich wird.

Das diesem Bande beigegebene Faksimile bildet eine von Herrn Bankier Alexander Meyer Cohn zu Berlin dem Goethe- und Schiller-Archiv zu Weimar geschenkte Gedichthandschrift nach, die Herr Geheimer Hofrat Prof. Dr. B. Suphan freundlichst zur Verfügung stellte. Die Radierung gibt Schmellers Zeichnung von Grillparzer wieder, wie sie in den „Schriften der Goethe-Gesellschaft", Bd. 10, Nr. 22, reproduziert ist.

Dortmund, 1. August 1903.

Rudolf Franz.

Grillparzers Leben und Werke.

Erster Abschnitt: Jugendjahre. 1791—1815.

1. Elternhaus und Kindheit.

Wien ist die Heimat Franz Grillparzers. Hier wurde er im To-
desjahre Mozarts, am 15. Januar 1791, geboren. Dr. Wenzel
Grillparzer, sein Vater, hatte damals das 30. Lebensjahr noch nicht
erreicht. Von einfachen, unbemittelten Eltern stammend, hatte er
nach einer entbehrungsreichen Jugend juristische Studien gemacht
und war dann zur Advokatur gelangt. Aber die Geschäfte gingen
bei den mißlichen Zeitumständen nicht glänzend, und bald erhöhte die
wachsende Familie die Sorgen. Dieser äußere Druck mochte bei dem
an sich ernsten, zurückhaltenden Manne mehr und mehr ein herbes,
schroffes Wesen ausprägen. Es fehlte ihm zwar nicht an Empfindung
und Phantasie, aber er verschloß diese Regungen in sich und zeigte
nach außen nur den kühlen Verstandesmenschen. Damit verband er
eine strenge Rechtschaffenheit und eine in dem Zeitalter Josephs II.
wurzelnde freie Auffassung von Staat und Religion. Diese Anschauungen vererbten sich zum Teil auf den Sohn, ebenso die Vaterlandsliebe
und die Abneigung gegen den französischen Eroberer und gegen das
Slawentum. Die tiefe Demütigung, die 1809 nach einer begeisterten
Erhebung das Land niederdrückte, rieb, allzufrüh für die Seinen, den
durch Sorge und Krankheit geschwächten Mann auf. Er starb, erst
47 Jahre alt, am 10. November 1809 und ließ seine Familie in großer
Not zurück.

Den Kindern hatte eine solche Natur persönlich nicht nahe treten
können. Er war von ihnen mehr gefürchtet als geliebt. Die poetischen
Neigungen seines ältesten Sohnes mußten sich vor ihm verbergen, denn
jede Träumerei und Rührseligkeit bekämpfte er als unwürdig und
schädlich mit aller Strenge. „Verse schienen ihm affektiert", schrieb

7*

später der Sohn[1], „und er haßte sie wie alles Affektierte. Er hatte
daher auch für mich jederzeit das Beispiel einiger schlechter Poeten unse-
rer Bekanntschaft bei der Hand, die er mir als Schreckensbild aufstellte,
indem er mir in seiner kräftigen Sprache sagte: ‚So wird's dir auch er-
gehen, trotz mancher Anlagen wirst du zuletzt auf dem Miste krepieren!'‛
Um so mehr Verständnis und Förderung fand der Sohn bei der
Mutter. Diese entstammte einer angesehenen Wiener Juristenfamilie.
Ihr Vater, Christoph Sonnleithner, hatte ein offenes Haus geführt und
als begeisterter Förderer der Musik Haydn und Mozart nahe gestanden. Seine Söhne verbanden gleichfalls mit ihrer amtlichen Tätigkeit
lebhafte Teilnahme für Musik, Literatur und Theater. Der ältere,
Joseph Ferdinand Sonnleithner, gründete die Gesellschaft der Musikfreunde in Wien und war der erste Redakteur des Taschenbuchs „Aglaja",
das später sein Freund Schreyvogel herausgab. Einen noch glänzen-
deren Namen hat der jüngere Sohn, Ignaz Sonnleithner. Als Jurist
und Gelehrter anerkannt, beliebt wegen seiner Gewandtheit und seines
Witzes, ausgezeichnet durch hohe Titel und durch die Adelswürde,
öffnete er sein Haus der musikalischen Welt Wiens; unter andern fand
Franz Schubert bei ihm einen starken Rückhalt. Älter als die beiden
Brüder war Marianne Sonnleithner, die Mutter unseres Dichters,
(geb. 1767) seit 1789 mit Wenzel Grillparzer vermählt. Auch bei ihr
treten die künstlerischen Anlagen der Familie Sonnleithner hervor. Sie
war eine zarte, leicht erregte Frau von großer Herzensgüte, leidenschaftlich der Musik ergeben. Das tiefe Verständnis, das sie den Werken der Tonkunst entgegenbrachte, erschloß trotz unzulänglicher Jugend-
bildung ihren Sinn für das Schöne überhaupt. So konnte sie das
sinnende Wesen und die poetischen Neigungen ihres ältesten Sohnes,
der so viel von ihrer eignen Art an sich hatte, verstehen und erlebte noch
die Freude, seine ersten Werke reifen und mit Beifall darstellen zu sehen.

Die Empfindsamkeit und nervöse Reizbarkeit der Mutter ging auf
ihre vier Söhne in gesteigertem Maße über und wurde für sie ein gefährliches Erbe. Der jüngste von ihnen, Adolf, machte nach einer leicht-
sinnigen Jugend schon in seinem 18. Lebensjahre freiwillig seinem Leben
ein Ende. Die beiden andern Brüder waren nur wenig jünger als
der älteste. Karl, schon als Knabe scheu und verschlossen, wurde Soldat
und führte in den Napoleonischen Kriegen ein Abenteurerleben. Später

---

[1] „Zur Selbstbiographie" (1822).

erhielt er durch Vermittelung seines Bruders Franz eine Aufseherstelle im Zolldienst. Auch bei ihm zeigte sich Lebensüberdruß, so daß er sogar im Jahre 1836, um ein Ende zu machen, sich fälschlich eines Mordes anklagte. Anders geartet war der dritte Bruder, Camillo. Dem schönen, lebhaften Knaben von weichem Gemüt wandte sich aller Gunst zu; dabei war er musikalisch sehr beanlagt. Aber je älter er wurde, desto mehr verfiel er bei mangelnder Willenskraft in selbstquälerische Grübeleien. So hat auch er sich den Aufgaben des Lebens nicht gewachsen gezeigt.

Mehr als seinen Brüdern war Franz Grillparzer Selbstzucht und Fähigkeit zu geistiger Sammlung eigen, ja er zeigt sich oft als ein Mann von kühl abwägendem und tief eindringendem Verstande; aber neben diese Eigenschaften der väterlichen Natur treten bei ihm der Mutter künstlerische Anlagen, ein empfindsames Herz und eine leicht entzündete Einbildungskraft. Diese in sich widerspruchsvolle Natur in ein gewisses Gleichgewicht zu bringen, wäre vielleicht freundlichen Jugendeindrücken und einer zielbewußten Erziehung gelungen. Beides ward ihm nicht zu teil. Die Wohnung, in der er geboren war und aufwuchs, hatte zwar geräumige Zimmer, lag aber in dem winkeligsten Teile der alten Stadt und ging auf ein enges, schmutziges Sackgäßchen hinaus, so daß sie nur selten von einem Sonnenstrahl erreicht wurde. Das Unheimliche der dunkeln Winkel und Gänge war dazu angetan, früh die Phantasie des Knaben mit düstern, gespenstischen Vorstellungen zu erfüllen. Nur der Sommer, den die Familie auf dem Lande zuzubringen pflegte, da der Vater ein eifriger Natur= und Gartenfreund war, gab freundlichere Eindrücke.

Auf dem Lande empfing der frühreife Knabe auch den ersten Leseunterricht. Bald, schon im 6. Lebensjahre, zeigte er eine unersättliche Leselust. Das Textbuch zur „Zauberflöte" und eine alte Übersetzung von Curtius' „Leben Alexanders" gaben seiner kindlichen Phantasie die erste Nahrung; die Abenteuer von Rittern und Räubern, die Qualen der Märtyrer beherrschten seine Vorstellungen und Wünsche. Je mehr es bei diesem Treiben an Aufsicht und Leitung fehlte, um so mehr entwickelte sich in dem Knaben die Verschlossenheit und der Hang zu einem grübelnden Innenleben. Beim Eintritt in die Schule, eine der väterlichen Wohnung in der Stadt gegenüberliegende Privatanstalt, setzte man ihn wegen seiner Fertigkeit im Lesen sofort in die höhere Klasse; aber man versäumte die Mängel in Sprachlehre und Rechnen rechtzeitig zu beseitigen.

Sehr früh begann die musikalische Unterweisung. Die Mutter konnte es bei ihrer leidenschaftlichen Liebe für die Tonkunst nicht abwarten, bis ihr Ältester Klavier spielen konnte. Mit ungeduldigem Eifer zwang sie das Kind zum Notenlernen und zu Fingerübungen und bereitete ihm damit nie vergessene Qualen. Doch erwarb er schon mit sieben Jahren eine gewisse Sicherheit auf dem Instrument, das ihm später bis ins hohe Alter hinein ein vertrauter Freund werden sollte. Nicht groß war die Förderung, die er seinem Musiklehrer verdankte. Dieser war zwar ein ausgezeichneter Kontrapunktist, aber träge und liederlich, so daß mehr sein Spiel als sein Unterricht auf seinen Schüler wirkte. Daher wurde die geregelte Unterweisung bald aufgegeben; aber die Neigung führte den Jüngling doch immer wieder zum Klavier zurück, und er erlangte nach und nach eine solche Fertigkeit im Improvisieren, daß er stundenlang phantasieren konnte. Was ihn in der Musik vorzüglich ansprach, war der Ton, der Klang, „der als Nervenreiz Gemüt und Phantasie aufregt, wäre es auch, um sie dann dem Spiel mit ihren eigenen Bildern zu überlassen"[1]. In dieser Beschränkung blieb ihm die Musik durch das ganze Leben Schmuck und Trost. Auch in seinen Dichtungen nehmen Ton und Sang eine bevorzugte Stelle ein.

Stetigkeit und Überwachung, die wir in den ersten Lehrjahren des Knaben vermissen, fehlte auch seiner weitern Ausbildung. Die Gymnasialfächer wurden zunächst privatim getrieben. Man traf aber in dem Hauslehrer eine höchst unglückliche Wahl, so daß nach Jahresfrist, vor dem Eintritt ins Gymnasium, das Versäumte hastig nachgearbeitet werden mußte. Bei dieser Vorbildung blieb Grillparzer im Gymnasium zu St. Anna, das er von 1801—1804 besuchte, ein mittelmäßiger Schüler, zumal die pedantischen und wunderlichen Lehrer eher seinen Spott als seine Achtung weckten und seine Lesewut in den Büchersammlungen des Vaters und der Verwandten neue Nahrung fand. Reisebeschreibungen und Weltgeschichte, die Märchen aus „Tausendundeiner Nacht", aber auch die deutschen Dichter nahmen ihn in Anspruch. Diese Beschäftigung kam freilich dem künftigen Poeten zu statten und bildete schon früh seinen Stil aus, so daß wenigstens seine deutschen Arbeiten die seiner Mitschüler überragten. Auch führten diese Neigungen zu einem freundschaftlichen Verkehr mit einem gereif-

---

[1] „Tagebuchblätter" (1822).

teren Mitschüler, Mailler, der auf die Klärung und Festigung seines inneren Wesens einen günstigen Einfluß ausübte und in den ersten dichterischen Versuchen mit ihm wetteiferte.

So näherte sich die Schulzeit ihrem Abschluß, ohne daß ein gefestigtes Wissen oder auch nur die Einsicht in den Wert und die Notwendigkeit systematischer wissenschaftlicher Arbeit erworben war. Das hatte zwei üble Folgen. Nie hat den Dichter eine gewisse Mißachtung gegen die Gelehrten und die Wissenschaft als solche verlassen. Den anderen Mangel hat er selbst später beklagt. „Von Kindheit auf mir selbst überlassen", so schrieb er 1830 in sein Tagebuch, „in den Schulen elenden Lehrern hingegeben, die weder für sich noch für ihren Gegenstand Interesse zu erwecken wußten, überließ ich mich einer desultorischen Lektüre, einem launenhaften Studium, einer abgerissenen Verwendung, die unter diesen Umständen noch das möglichst beste war, mir aber die eigentliche, die standhaft verfolgte, folgerechte Arbeit fremd machte, die eigentlich doch die Bedingung zu allem Bedeutenden ist." Dadurch sei er ein Mensch der Stimmung geworden, die zwar das wirksamste von allem sei, deren Fehlen aber ihn zum untüchtigsten aller Menschen mache.

2. Studien.

Stimmung und Neigung beherrschen auch die Universitätszeit des jungen Grillparzer. Zunächst folgten nach dem vorgeschriebenen Lehrgang auf das Gymnasium die philosophischen Studien (1804—1807). Obwohl er keine Vorlesung versäumte, zogen ihn die ästhetischen Vorträge und das trockene philosophische System ebensowenig an wie die Lektüre von Ciceros „Tuskulanen" oder der in Überfülle gebotene mathematische Lehrstoff. Größere Teilnahme erweckten die geschichtlichen Vorlesungen. Daneben ruhte die Lektüre nicht, die sich, unter stetem Gedankenaustausch mit dem Freunde Mailler, mehr und mehr der schönen Literatur und besonders dem Drama zuwandte. Schillers Jugenddramen wurden gelesen, auch bot sich Gelegenheit, sie auf der Bühne zu bewundern. Ja, nach dem Vorbilde des „Don Carlos" entstand in langsamer Ausarbeitung (1807—1809) das erste Trauerspiel, „Blanca von Kastilien".

Der Stoff dieses Jugendwerks ist derselbe, den auch Heine im „Romancero" behandelt hat. Geführt von des Königs Halbbruder Heinrich von Trastamara, erhebt sich Kastilien gegen den despotischen Don Pedro. Auch der andere Halbbruder des Herrschers, der edle Fedriko

11*

de Guzman, Großmeister des Ordens von Sant Jago, der bis dahin
seinem Fürsten die Treue gehalten, wird in den Kampf hineingezogen,
als er in der grausam geknechteten Gemahlin seines königlichen Bruders, Donna Blanca von Bourbon, seine Jugendgeliebte wiederfindet.
So vereinigt Fedriko in seiner Person die Rollen des Freiheitshelden
Posa und des Liebhabers der Königin, Don Carlos. Auch die Prinzessin Eboli fehlt nicht: Maria de Padilla, die Geliebte des Königs.
Ihr Charakter freilich ist sehr verschieden von dem der Prinzessin. Prunk-
liebend und herrschsüchtig, von zügellosem Begehren und starkem Wollen,
überragt sie den haltlosen Pedro, das „königliche Wiegenkind‟, ähnlich
wie Medea über Jason, Kunigunde über Ottokar steht. Verraten schon
diese Versuche einer schärferen Charakteristik das dramatische Talent des
Jünglings, so bewundern wir noch mehr die Sicherheit, mit der er die
ersten Akte aufgebaut hat. Leider entsprechen aber die folgenden Teile
des Stückes dem Anfang nicht. In den Vorgängen und ihrer Verknüp-
fung herrscht oft Willkür und Äußerlichkeit, manche Bilder und Gleich-
nisse sind verfehlt, die Rhetorik vielfach überladen und verstiegen, Menschen und Verhältnisse verzeichnet. Der Hauptmangel aber liegt in
der voreiligen Lösung des Knotens. Nachdem der leichtgläubige König
sich hat bestimmen lassen, das Todesurteil über Fedriko und Blanca
zu unterzeichnen und ihren Gegnern auszuhändigen, ist die dramatische Verwickelung eigentlich abgeschlossen; die breit ausgesponnenen,
in Einzelheiten zersplitterten letzten Akte wirken daher ermüdend. So
begreifen wir das verwerfende Urteil des Oheims Sonnleithner, der als
Sekretär des Theaterpächters Grafen Palffy das Stück zurückwies.
Seitdem ruhte es in dem Pulte des Dichters, und erst in der 4. Auflage der sämtlichen Werke hat August Sauer diesen Jugendversuch, der
immerhin für die Entwickelung des Dichters von Bedeutung ist, veröffentlicht.

  Während der Arbeit an „Blanca von Kastilien‟ hatte Grillparzer
seine Rechtsstudien begonnen. Auch sie wurden (1807—11) ohne
Lust und ohne wissenschaftlichen Zusammenhang betrieben, wenngleich
es, besonders vor den Semesterprüfungen, an äußerem Fleiß nicht
fehlte und zur Freude des Vaters anerkennende Zeugnisse heimgebracht
wurden. Inhalt und Bedeutung gaben diesen ersten Studentenjahren
andere Interessen. Die Jugendfreundschaft trat in ihr Recht. Im Hause
ihres Studiengenossen Joseph Wohlgemuth vereinte sich (1808) ein
Kreis von begabten Jünglingen zu einer „Gesellschaft zur gegenseiti-

gen Bildung". Unter ihnen gewann Grillparzers Herz vor allen
Georg Altmütter, ein gewandter Dialektiker von scharfem Verstand und
überlegenem Witz. Sie durchstreiften zusammen die Umgebung von
Wien und schmiedeten stolze Pläne für die Zukunft. Bei solchem Ver=
kehr ergänzten sich manche Lücken in der Bildung des Jünglings.
Man beschäftigte sich mit Kant und Fichte, und wenn die Philosophie
auch nicht die letzten Fragen beantworten konnte, die der dem Kirchen=
glauben längst Entfremdete aufwarf, so blieb doch seitdem sein nach=
denklicher Geist philosophischen Reflexionen zugewandt.

Der akademische Kreis trat allwöchentlich zu einer Sitzung zu=
sammen, in der Aufsätze der Freunde vorgelesen und besprochen wur=
den. Grillparzer behandelte historische und literarische Gegenstände,
indem er eine Abhandlung über das Jahrhundert der Kreuzzüge, eine
Rede zum Lobe Rudolfs von Habsburg und „Zerstreute Gedanken
über das Wesen der Parodie" vortrug. Das letzte Thema führte ihn
selbst zur literarischen Tätigkeit, denn die dort verteidigte travestierte
„Äneis" von Blumauer verlockte zu einer Nachahmung mit dem Titel
„Mein Traum". Doch auch seine ernsthaften poetischen Versuche hat
er wohl dem Freundeskreise unterbreitet, zumal nach dem frühen Tode
des bisherigen literarischen Vertrauten Mailler. Romanzen und grö=
ßere epische Dichtungen beschäftigten ihn, daneben aber die „Blanca
von Kastilien" und andere dramatische Pläne. Diese Richtung erhielt
gerade im Hause Wohlgemuth neue Nahrung, da der Hausherr, ein
großer Theaterfreund, seine Kinder und deren Freunde zum Spiel auf
seiner Hausbühne ermunterte. Grillparzer, der schon als Knabe mit
seinen Brüdern Komödie gespielt hatte und auch hier Beifall errang,
wurde so mit der Bühne vertraut und erweiterte zugleich seine Men=
schenkenntnis. Der Verkehr mit der Tochter des Hauses und deren
Freundinnen setzte sein leicht entzündetes Gemüt in Flammen, er
durchlebte die Seligkeit und die Qualen der Liebe, lernte aber dabei
auch die Eigenart des weiblichen Charakters kennen.

Wie mußten alle diese Eindrücke, verbunden mit dem Einleben in
die dramatische Welt Schillers und Goethes, seine poetischen Triebe ent=
wickeln! Und doch ward er sich noch keineswegs klar über sein Talent.
„Es ist wahr", so heißt es 1808 in seinem Tagebuch, „ich habe eine
lebhafte, eine glühende Einbildungskraft, viele glückliche, viele traurige
Stunden meines Lebens, die Zerrüttung meiner körperlichen Gesund=
heit und meine näheren Bekannten bezeugen dies, ich habe heftige

13*

Leidenschaften, was zwar mit dem Vorigen alles eins ist, und gewiß, das muß ein Mensch besitzen, der nur einigermaßen Anspruch auf den Namen eines Dichters machen will. Aber qualifizieren sie auch allein zu einem Poeten, sind nicht andere Eigenschaften, die ich weder kenne noch besitze, notwendig, um sich in die Zahl der Priester der Muse zu stellen?"

3. Hofmeisterdienst und Amt.

Der Zweifel an dem eigenen Können, die Unfähigkeit, in gesammelter Kraft irgend einen der größeren poetischen Pläne zu vollenden, kennzeichnen auch die nächsten Lebensjahre Grillparzers [1]. Trat doch zu der inneren Unsicherheit gerade im Jahre 1809 mit dem Ableben des Vaters noch der äußere Druck. Noch vor Beendigung der Studien sah der eben 19jährige Jüngling sich gezwungen, selbst für seinen Unterhalt zu sorgen, ja, als im Jahre 1811 durch eine neue Finanzordnung die Witwenpension der Mutter auf lächerliche 90 Gulden Papiergeld zusammenschmolz und über die Hinterlassenschaft des Vaters förmlicher Bankrott erklärt werden mußte, fiel ihm, dem ältesten Sohn, auch die Unterstützung der Mutter zu. Zum Glück blieb ihm zunächst noch ein schon früher bezogenes Stipendium, obwohl er vom Besuche der öffentlichen Vorlesungen befreit wurde und nur am Semesterschlusse in einer Prüfung die Fortschritte der Privatstudien nachzuweisen hatte. So gewann er Zeit für eine Erwerbstätigkeit. Seine bisherigen Lehrer an der Universität, die eine gute Meinung von seinen Kenntnissen hatten, empfahlen ihn für juristische Informationsstunden bei jungen Kavalieren. Im Frühjahr 1812, nach Beendigung der Studien, übernahm er eine dauernde Stellung im Hause des reichen Grafen von Seilern, eines ehemaligen Gesandten am bayerischen Hofe. Er hatte anfänglich sich nur wenige Stunden mit seinem Zögling, dem Neffen des Grafen, zu beschäftigen, da einem Hofmeister die Hauptaufgabe zufiel; daher blieb ihm viel Zeit für Privatstudien, die eine besonders mit englischen Werken reich ausgestattete Bibliothek des Hauses unterstützte. Als man jedoch im Sommer sich auf die Güter des Grafen nach Mähren begab, erfuhr Grillparzers Stellung eine unangenehme Veränderung. Der Hofmeister wurde entlassen, und nun fiel jenem die Verantwortung für den Zögling während des ganzen

---

[1] Vgl. das Gedicht „Als mein Schreibpult zersprang", Bd. 1, S. 8 dieser Ausgabe.

Tages zu. Diese Gebundenheit, die auch nach der Rückkehr in die Stadt nicht aufhörte, empfand er um so drückender, je weniger ihm die adelsstolze, bigotte und ungebildete Familie zusagte, der er sogar seine dichterischen Neigungen und Arbeiten verbergen mußte. Kein Wunder, daß er sich höchst unglücklich fühlte und nur aus Rücksicht auf die Mutter in dieser Zwangslage ausharrte. Einen Gewinn brachte aber doch diese Zeit des Herrendienstes. Sie machte ihn bekannt mit dem Leben und den Anschauungen der adligen Gesellschaftskreise und gab ihm Vorbilder für seine späteren Dichtungen[1].

Die Hofmeistertätigkeit währte bis in den Herbst 1813, obwohl Grillparzer bereits im März bei der k. k. Hofbibliothek als Konzeptspraktikant Anstellung gefunden hatte. Gute Zeugnisse über seine philosophischen und juridischen Studien und ausreichende Beherrschung der französischen, italienischen, spanischen und englischen Sprache hatten seine Bewerbung unterstützt, und doch hatte es einer zweijährigen Wartezeit und wiederholter Eingaben bedurft, bis er zu dieser unbesoldeten Beschäftigung zugelassen wurde. Die dienstlichen Aufgaben der Stellung waren sehr leicht, da von systematischer Bibliothekararbeit an diesem Institut damals keine Rede war. Dagegen boten die dortigen Literaturschätze reichen Ertrag. Der junge Hilfsarbeiter vergrub sich mit einem gleichstrebenden Kollegen in das Manuskriptenkabinett und las dort, von allen Hilfsmitteln umgeben, mit großem Eifer die griechischen Autoren. Wenn später sein Interesse für das klassische Altertum stets rege geblieben ist und vor allem Homer und die Tragiker ihn durchs Leben begleitet haben, so ist das mehr diesen stillen Stunden auf der Hofbibliothek als den Gymnasialstudien zuzuschreiben. Noch bedeutsamer aber für seine Zukunft war die eindringende Beschäftigung mit der spanischen Sprache und Literatur. Schlegels Übersetzung einiger Stücke Calderons erschien ihm durchaus mangelhaft. Er warf sich daher, in der Absicht, den großen Dichter selbst würdigen zu lernen, auf die spanische Sprache und zwar, „um das Brett zu bohren, wo es am dicksten war", unmittelbar auf Calderon. So entstand die Übersetzung eines längeren Abschnitts von dem Stücke „Das Leben ein Traum" in gereimten Versen.

Die Stellung im Hause des Grafen hatte er inzwischen notgedrungen beibehalten. Ja, er erbat sich, um sie nicht aufgeben zu

---

[1] Vgl. das Lustspiel „Weh dem, der lügt!"

müssen, im Sommer 1813 von der Verwaltung der Hofbibliothek Urlaub zu einem zweiten Aufenthalt in Mähren. Es war die unruhige Zeit des Befreiungskampfes, an dem teilzunehmen gerade jetzt Österreich sich anschickte. Auch in dem einsamen Schlosse Lukov, das nahe der ungarischen Grenze liegt, machte sich der Krieg geltend. Die Zufuhr war erschwert, und man mußte sich einschränken. Die ungewohnte Kost scheint den zarten Körper des Jünglings geschwächt zu haben. Als nun bei einer Fahrt zur Kirche in den benachbarten Wallfahrtsort Maria=Stip ein heftiger kalter Regen ihn durchnäßte, trat ein hitziges Nervenfieber ein. Die Not war nun groß. Aus Furcht vor Ansteckung brachte man den Kranken aus dem Schloß und quartierte ihn im Hause eines Baders ein[1]. Ja, man war herzlos genug, nach kurzer Zeit samt dem Chirurgen, der zuerst die Behandlung übernommen hatte, abzureisen und den Hilflosen in den Händen des unwissenden Baders allein zurückzulassen. Tagelang lag er in schweren Fieberphantasien, endlich aber siegte die Jugend und seine zähe Natur. Er genas[2] und konnte, gerade als der Jubel über den Leipziger Sieg durchs Land zog, die Heimreise wagen. Aber kaum war er in Wien, da trat ein Rückfall ein, die Kräfte sanken mehr und mehr, und nur der Kunst eines treuen Arztes und der Pflege der Mutter war die abermalige Rettung zu verdanken. In das Haus des Grafen kehrte er nicht mehr zurück, wenn auch der Unterricht des Neffen noch kurze Zeit fortdauerte. Von jetzt an lebte der Sohn eng vereint mit der Mutter.

Kurz vor dem Schlusse des Jahres 1813 trat eine bedeutende Veränderung in Grillparzers äußeren Verhältnissen ein. Ein hoher Finanzbeamter, der mit seinem Vater bekannt gewesen war, veranlaßte den Übergang des jungen Juristen zur Zollverwaltung. Auf sein Gesuch wurde er bei der „k. k. Bancalgefällen=Administration in Österreich unter der Enns" angenommen und eröffnete nun am 20. Dezember 1813, zunächst wieder als unbesoldeter Konzeptspraktikant, seine Beamtenlaufbahn. Nach Jahresfrist hatte er sich, wie eine Prüfung nachwies, in die Geschäfte so weit eingearbeitet, daß dem nun Vier-

---

[1] Diesen Ort hat er im „König Ottokar", IV. Aufzug (B. 1989 ff.), verewigt:
   „Ein ärmlich Badhaus steht dort in der Tiefe,
   Von Menschen abgesondert und Verkehr,

   Ein Ort, zum Sterben mehr, als um zu leben."
— [2] Vgl. das Gedicht „An eine matte Herbstfliege", Bd. 1, S. 9 dieser Ausgabe.

undzwanzigjährigen eine freigewordene Stelle mit einer Einnahme (Adjutum) von 300 Gulden übertragen wurde. Diese stieg wieder ein Jahr später, als nach einer neuen Prüfung der Übergang an die Hofkammer erfolgte, um 100 Gulden.

Mit diesem spärlichen Gehalt hat er dann zehn Jahre in verschiedenen Abteilungen der Hofkammer arbeiten müssen. Freilich war der Dienst nicht schwer, da das österreichische Beamtentum der vormärzlichen Zeit nichts von der straffen Zucht und geistigen Regsamkeit kannte, die seit Friedrich Wilhelm I. den preußischen Beamten kennzeichneten, sondern gemütlich in dem alten Gleis weiterging. Trotzdem fühlte sich Grillparzer in der Abhängigkeit und geistigen Enge je länger desto mehr unbefriedigt. Auf der anderen Seite hatte freilich jene Lässigkeit des Dienstes auch ihr Gutes. Bei höhern Ansprüchen an seine Zeit und Arbeitskraft hätte seine literarische Tätigkeit verkümmern müssen. So bewiesen seine Vorgesetzten immer wieder Entgegenkommen bei den Gesuchen um längere Dienstbefreiung und Nachsicht bei Überschreitung des Urlaubs.

- - -

Zweiter Abschnitt: Früher Ruhm. 1816—1825.

1. Der erste Erfolg.

Das Jahr 1816 bringt in das Leben des nun Fünfundzwanzigjährigen eine entscheidende Wendung. Joseph Schreyvogel (1768 bis 1832), der „österreichische Lessing", der schon unter Joseph II. als Schriftsteller und Theaterkritiker sich hervorgetan und bei einem längeren Aufenthalt in Jena und Weimar mit Schiller, Wieland und Goethe persönliche Beziehungen angeknüpft hatte, war schon früher einmal von nachwirkendem Einfluß auf Grillparzer gewesen. Das „Sonntagsblatt", das er seit 1807 unter dem Namen Thomas West herausgab, hatte scharf und witzig die Romantiker bekämpft und mit warmer Begeisterung auf Goethe hingewiesen. Auch Grillparzer war dadurch mehr zu diesem hingeführt worden und hatte eine Zeitlang sogar sein früheres Vorbild Schiller ganz verleugnet. Jetzt sollte Schreyvogel noch mächtiger auf ihn einwirken. Seit 1814 Sekretär und Dramaturg am Burgtheater, entfaltete er, obwohl selbst nur ein mittelmäßiger Dichter, durch Auswahl und Bearbeitung der Stücke eine in der Geschichte dieser berühmten Bühne epochemachende Tätigkeit. Neben Shakespeare kam diese auch den spanischen Dramatikern zu statten, besonders hat seine „Donna Diana" (nach Moreto) einen dauernden Erfolg gehabt. Im Jahre 1816 hatte er nun auch Calderons Drama „Das Leben ein Traum" übersetzt und zur Aufführung eingerichtet, eben jenes Stück, von dem Grillparzer vordem einen größeren Abschnitt in schwungvolle Reimverse übertragen hatte. Zufällig erzählte dieser in den Tagen, als man das Stück auf der Bühne erwartete, einem Bekannten von seiner Arbeit und händigte sie diesem auf seine Bitten ein. So wurde sie auch dem Herausgeber der literarisch=kritischen „Wiener Modezeitung", Wilhelm Hebenstreit, bekannt, und Grillparzer ließ sich bestimmen, diesem sein Fragment zur gelegentlichen Veröffentlichung zu überlassen. Hebenstreit aber benutzte diese Gelegenheit zu einem hämischen Angriff auf Schreyvogel, indem er jene Übertragung am Tage nach der Aufführung in sein Blatt setzte und auf Grund dieser wirklich poetischen Leistung den Dramaturgen verkleinerte.

Grillparzer, der erst aus dem Theaterzettel ersehen hatte, daß West, also Schreyvogel, der Autor jener Bearbeitung sei, bedauerte es sehr, unabsichtlich einen Mann gekränkt zu haben, dem er sich persönlich verpflichtet fühlte und der auch seinem Vater und seiner Familie nahe gestanden hatte. Es bot sich Gelegenheit, durch einen gemeinsamen Bekannten Schreyvogel über den Sachverhalt aufzuklären, und nun ruhte dieser edeldenkende Mann nicht eher, als bis der junge Dichter, dessen Talent er mit sicherm Blick erkannt hatte, sich persönlich ihm vorstellte. Er empfing ihn „wahrhaft väterlich" und erkundigte sich nach Grillparzers eignen dramatischen Arbeiten. So hörte er nicht nur von dem „endlosen Trauerspiel" („Blanca von Kastilien") aus den Knabenjahren des Dichters, sondern auch von einem dramatischen Stoffe, den er gerade jetzt, schon im einzelnen geordnet, im Kopfe trug. Es war die Fabel zur „Ahnfrau", die nun, mit Lebhaftigkeit ausführlich erzählt, den Kritiker zu dem Ausrufe veranlaßte: „Das Stück ist fertig, Sie brauchen es nur niederzuschreiben". Alle Einwendungen zurückweisend, nahm er dem Dichter das Versprechen ab, darüber weiter nachzudenken. Aber noch eines zweiten Anstoßes bedurfte es, ehe die Arbeit in Fluß kam. Gegen Ausgang des Sommers traf Schreyvogel mit Grillparzer auf dem Spaziergang zusammen. Als er nun auf seine Frage nach der „Ahnfrau" hörte: „Es geht nicht!" erwiderte er, dieselbe Antwort habe er einst Goethen gegeben, als dieser ihn zu literarischer Tätigkeit aufmunterte; Goethe aber habe gemeint:

„Man muß nur in die Hände blasen, dann geht's schon!" Diese Worte des großen Meisters rüttelten den zaghaften Dichter gewaltig auf. Noch auf dem Spaziergang entstanden die ersten Verse des Dramas, die dann abends niedergeschrieben wurden. Nach einer erregten, in Fieberhitze verlebten Nacht beginnt dann die eigentliche Arbeit. Gedanken und Verse strömen dem Dichter so reichlich zu, daß die Feder kaum Schritt halten kann; in drei oder vier Tagen vollendet er den ersten Akt, auf Schreyvogels Zuspruch hin ebenso rasch die beiden folgenden und dann, nach kurzer Unterbrechung, der Folge eines Witterungswechsels, die letzten Teile, so daß das ganze Stück in kaum drei Wochen (August=September 1816) geschrieben wurde.

Nun sollte Schreyvogel das Ganze beurteilen. Er zeigte sich bereit, es auf die Bühne zu bringen, verlangte aber mit Rücksicht auf den Geschmack des Publikums eine wesentliche Umgestaltung. Die Sünde der Ahnfrau solle durch Vererbung auf den Charakter und die Schuld des nachlebenden Geschlechts bestimmend einwirken und die Schicksalsidee noch schärfer herausgebildet werden. Nur ungern ging der Dichter auf diese Forderung ein; trotzdem konnte er sich später nicht dazu entschließen, das Drama nach der ursprünglichen Auffassung zur Herausgabe zu bearbeiten. So wurde denn die Aufführung des umgeänderten Stückes vorbereitet. Schwierigkeiten, die jetzt wie bei den nächsten Vorstellungen von seiten der Zensur erhoben wurden, wußten die mitwirkenden Schauspieler zu beseitigen, die von ihren Rollen entzückt waren und dem bescheidenen Dichter bei den Proben die wärmsten Huldigungen darbrachten. Indem Sophie Schröder und der pensionierte Hofschauspieler Lange als Gäste die Hauptrollen übernahmen, ging das Stück bei auch sonst ausgezeichneter Besetzung am 31. Januar 1817 auf dem Theater an der Wien zum erstenmal über die Bühne.

Der Erfolg war außerordentlich. Der Dichter freilich, der der ersten Aufführung mit der Mutter und dem jüngsten Bruder beiwohnte, hatte persönlich einen widerlichen Eindruck davon; es war ihm, als ob er einen bösen Traum verkörpert vor sich sähe; der starke Beifall erkläre sich, so meinte er, lediglich durch die treffliche Darstellung und werde bei Wiederholungen von selbst schwinden. Als sich aber der Erfolg des ersten Abends herumgesprochen hatte, war bei jeder neuen Aufführung das Theater wie belagert, und bald eroberte sich das wirkungsvolle Drama die Bühnen in ganz Deutschland. Die Kritik verhielt sich dagegen, in Österreich wie sonstwo, scharf ablehnend. In einseitiger Auffassung erhob sie immer wieder den einen Vorwurf, das Stück sei nichts als eine Schicksalstragödie ärgster Art und unterscheide sich nicht von anderen Werken dieser Gattung. Jahrzehnte hindurch haben die Besprechungen und Literaturgeschichten diesen einen Gesichtspunkt in den Vordergund geschoben und danach sogar den Dichter überhaupt beurteilt und einer dramatischen Gruppe eingereiht. Man übersah darüber, wenigstens außerhalb Österreichs, fast die anderen Schöpfungen Grillparzers; man übersah auch an dem Stücke selbst die poetische Sprache, die Stimmungsmalerei, die treffende Charakterzeichnung und die brausende Leidenschaft, Vorzüge, die die „Ahnfrau" himmelhoch über jene Tragödien von Zacharias Werner und Müllner hinausheben, mit denen man sie in einem Atem zu nennen pflegte.

Trotz alledem hat der Erfolg dieses ersten Stückes eine außerordentliche Bedeutung für die Literatur überhaupt wie für den Dichter selbst. Sein Name war, seit die Buchausgabe ihn verraten hatte — denn bei der Aufführung hatte er sich nicht genannt — in aller Munde. Man begann wieder in Deutschland die Blicke zu richten auf das entlegene Österreich, auf dessen Boden nach langem Ruhen ein so lebensstarkes Reis erwachsen war. Seitdem zählt die österreichische Dichtung wieder mit in der deutschen poetischen Literatur. Seine volle Würdigung in Deutschland sollte sich freilich erst viel später Bahn brechen; dann aber ebnete er zugleich den besten seiner Landsleute den Weg durch alle deutschen Gaue. Wenn heute Adalbert Stifter und Ludwig Anzengruber, Peter Rosegger und Marie von Ebner-Eschenbach im Reich nicht weniger geschätzt werden als in ihrer österreichischen Heimat, so haben sie es zum guten Teil Grillparzer zu verdanken.

2. Auf der Höhe.

Schon bald nach dem Drucke der „Ahnfrau" dachte Grillparzer an eine neue Arbeit. Weil man ihm Effekthascherei vorgeworfen hatte, sollte jetzt ein einfacher Stoff gewählt werden, an dem die bloße Macht der Poesie ihre Wirkungen zeigen könne. Jedoch vergingen Frühling und Sommer 1817, ohne daß das geeignete Thema sich fand. Da suchte, wie die Selbstbiographie erzählt, ein Bekannter, den Grillparzer auf dem Spaziergang längs der Donau traf, ihn zur Abfassung eines Operntextes für den Musiker Weigel zu bestimmen und empfahl dazu als Stoff das Schicksal der Sappho. Das schlug ein: die gesuchte ein-

fache Fabel zu dem neuen Trauerspiel war gefunden. Noch auf dem
Gange durch den Prater gestaltete sich der Plan, am folgenden Tage
begann die Arbeit. Mit klarem Bewußtsein erstrebte der Dichter Mäßigung und Formschönheit; das antike Drama und seine modernen
Nachbildungen, Goethes „Iphigenie" und „Tasso", waren seine Muster.
So herrscht in dieser Dichtung bei aller Leidenschaft, die hindurch-
weht, doch die Selbstzucht und Ruhe des gebildeten Geistes. Dabei ist
sie durch Folgerichtigkeit und Geschlossenheit ausgezeichnet, ein Werk
aus einem Gusse. Denn auch die „Sappho" wurde in wenig mehr
als drei Wochen (1. bis 25. Juli 1817) vollendet, obwohl die äußeren
Verhältnisse jener Zeit die Arbeit keineswegs begünstigten. Grillparzer
lebte nämlich mit seiner Mutter bei deren gleichfalls verwitweter, aber
besser gestellten Schwester, Frau von Paumgarten, und mußte die zum
Schaffen nötige Ruhe bei der beschränkten Wohnung mit mancher Un-
bequemlichkeit erkaufen.

Auch diesmal erhielt der väterliche Freund und Berater Schreyvogel das Stück zur Beurteilung. Er mochte zuerst überrascht sein
über den Charakter des neuen Werkes, das mit dem des Vorjahres so
gar nichts Verwandtes hatte, aber er erwärmte sich bald und nahm,
diesmal ohne eine Abänderung zu verlangen, die Inszenierung in die
Hand. Die Hauptrolle fiel wieder der Tragödin Sophie Schröder zu,
für Phaon war der Schauspieler Korn, für Melitta dessen Gattin ausersehen. Das Hofburgtheater selbst öffnete sich jetzt dem Dichter, und
am 21. April 1818 ging das Stück in Szene. An dem Gelingen hatte
Grillparzer selbst unmittelbaren Anteil, der noch bei der Hauptprobe
der Madame Korn, die sich eine wunderlich gekünstelte Darstellung der
Melitta zurechtgelegt hatte, über den natürlichen Ton, den die Rolle
erfordere, einen entscheidenden Wink gab. So machte das Stück un-
glaubliche Sensation. „Ich selbst", erzählt der Dichter in der Selbstbiographie, „befand mich, meinem Vorsatze getreu, nicht unter den Zu-
sehern, sondern auf der Bühne. Meine Mutter aber, die einen Sperr-
sitz in der dritten Galerie innehatte, wurde von einigen erkannt und
sonach vom Publikum umringt, die ihr zu ihrem Sohn und seinem
Erfolge Glück wünschten, so daß die gute Frau vor Freude weinend
nach Hause kam."

Auch in ganz Deutschland wurde die „Sappho" mit Begeisterung
aufgenommen und unzählige Male dargestellt. Der klingende Lohn
entsprach dem freilich sehr wenig. Die deutschen Bühnen gaben da-

21*

mals nur ein lächerlich niedriges Honorar, nach der Veröffentlichung eines Stückes überhaupt gar keins mehr. Für den Druck erhielt Grillparzer zwar lohnende Anträge von deutschen Verlegern, aber er blieb, diesmal wie später, aus Lokalstolz bei seinem Wiener Buchhändler Wallishauser, sehr zum Schaden der Verbreitung seiner Arbeiten. Einen geringen Ersatz für diese Einbußen bot dem mittellosen Dichter eine Ehrengabe dankbarer Kunstfreunde und die Besoldung als Theaterdichter des Burgtheaters, die sein einflußreicher Gönner, der Minister Graf Stadion, erwirkte. Grillparzer mußte sich verpflichten, jährlich ein Stück zu liefern und erhielt dafür, bis zu seiner Beförderung im Amte, 2000 Gulden (Papiergeld) jährlich.

Diese Verbesserung der äußern Verhältnisse und das schöne Gelingen der „Sappho" stärkte den Mut, sich an noch höhere Ziele zu wagen. Zunächst beschäftigte den Dichter, im Anschluß an einen kleinen Roman von Voltaire, der Plan zu einem phantastischen Spiel, das später unter dem Titel „Der Traum ein Leben" auf die Bühne kam. Schwierigkeiten, die ein Schauspieler erhob, welcher für die Darstellung des Schwarzen Zanga bestimmt war, brachten die Arbeit ins Stocken, und als gar das Theater an der Wien ein anderes Stück mit einem ähnlichem Motiv aufführte, wurde dieser Plan vorläufig ganz aufgegeben.

Bald sollte dem Dichter ein reicher Ersatz dafür zufallen. Bei einem Landaufenthalt in Baden bei Wien, den die Ärzte dem von allen Erregungen der letzten Jahre stark angegriffenen Manne angeraten hatten, führte ihm der Zufall beim Durchblättern eines mythologischen Wörterbuchs den Artikel „Medea" vor die Augen. Und auf einmal gliederten sich ihm die einzelnen Ereignisse, um das goldene Vlies als Symbol des fortwirkenden ungerechten Gutes geordnet, zu einem dramatischen Ganzen. Die Geschichte dieses Vlieses aber und die Entwickelung des Hauptcharakters, der Medea, bis zu der schrecklichen Tat des Kindermordes erforderten ein weites Ausholen und zwangen zu einer Zerlegung des übergewaltigen Stoffes. So mußte sich Grillparzer, wenn auch widerwillig, zu der Form der Trilogie entschließen. Der Ausführung trat zunächst eine ernste Erkrankung hemmend entgegen. Aber eine Badekur in Gastein[1] gab Kraft und Arbeitsfreudigkeit zurück. So ging er denn an die Riesenaufgabe des „Vlieses",

---

[1] Vgl. das Gedicht „Abschied von Gastein", Bd. 1, S. 13 f. dieser Ausgabe.

seines tiefsten und großartigsten Werkes. Diese Zeit ist der Höhepunkt seines poetischen Schaffens, nie hat er mit soviel Lust gearbeitet. Nach umfassenden und eindringenden Vorstudien in den antiken Quellen über die Argonautensage wurde in rascher Folge, vom 29. September bis 5. Oktober 1818, der „Gastfreund" vollendet. Eine kurze Zeit der Sammlung für den zweiten Teil, und auch dieser schritt, am 20. Oktober begonnen, erfreulich vorwärts, ohne daß die gefürchtete Erkältung der Phantasie und der poetischen Begeisterung eintrat. Anfangs November waren auch die drei ersten Akte der „Argonauten" bewältigt: da riß ein schwerer Schicksalsschlag den Dichter jählings heraus aus dem freudigen Schaffen.

3. Unterbrechung.

Die Mutter, mit der Grillparzer seit Jahren in harmonischem Zusammenleben vereint war, hatte seit Vollendung ihres 50. Jahres viel gekränkelt. Jetzt, gegen den Winter, wurde ihr Zustand ernst. Sie mußte das Bett hüten, ihre Nervenschwäche steigerte sich zeitweis bis zu völliger Geistesverwirrung. Eine unmittelbare Gefahr sah zwar der Arzt nicht, fürchtete aber ein langes, trauriges Hinsiechen. Der Sohn ließ alle poetische Arbeit ruhen und widmete sich hingebend der Pflege der teuren Kranken. Da trat unerwartet eine schreckliche Katastrophe ein. In der Nacht zum 24. Januar 1819 wird er in das Krankenzimmer gerufen und findet dort seine Mutter leblos an der Wand zu Häupten ihres Bettes stehend. Sie hatte, wie es scheint, in einem erneuten Anfall von Irrsinn, ihrem Leben durch Erhängen ein Ende gemacht. Wie furchtbar dieser Verlust und dieser Schrecken auf die zarte und empfindsame Natur des Dichters wirkte, läßt sich denken. Er brach völlig zusammen; seine Nerven waren erschüttert, sein Gemüt verdüstert. Man fürchtete für sein Leben, und die Ärzte rieten dringend zu einer Reise in südlichere Gegenden. Da lag es denn am nächsten, Italien zu wählen, das ihn seit langem gelockt hatte. Das Gesuch um einen dreimonatigen Urlaub ging ab. Grillparzer betonte darin nicht nur, daß diese Reise seinem Körper und Geiste die Spannkraft wiedergeben müsse, durch die allein alles Leben und Wirken bedingt sei, sondern gestand auch, daß er hoffe, durch das Berühren jenes klassischen Bodens die erschlaffte Kunsttätigkeit in sich wieder zu wecken. Nach beiden Richtungen ist die Reise denn auch fruchtbringend gewesen.

Am 24. März trat Grillparzer die Fahrt nach Italien an und zwar mit einem Grafen Deym, der mit eigenem Wagen dem kaiserlichen Paar nachreiste, das mit großem Gefolge im Süden weilte. Zunächst ging's ohne Aufenthalt nach Triest. Das Meer erschloß sich hier zwar nicht in seiner ganzen Erhabenheit, aber die Schönheit des sanften, gebändigten Elements machte doch einen starken Eindruck auf den Dichter: es gemahnte ihn an eine Geliebte, die gezürnt hat und nun doppelt hold den Geliebten schmeichelnd zu versöhnen sucht. Bald ziehen auch Stadt und Umgebung, das Gewimmel der südlich lebhaften Menschen und das Getriebe im Kriegshafen seine Aufmerksamkeit auf sich; der Spätnachmittag ist einer Fahrt auf dem wundervoll beleuchteten Golf, der Abend dem Theater gewidmet, wo Bühne und Zuschauer zur Kritik reizen. So vergeht der erste Tag auf italienischem Boden. Ihm gleichen die anderen. Natur und Kunstschätze, Baudenkmäler und Volksleben, die Erinnerung an eine große Vergangenheit und die traurigen Zustände der Gegenwart finden in dem feinfühligen Dichter einen scharf beobachtenden Beurteiler. Sein Tagebuch verzeichnet die Eindrücke und Gedanken, die sie angeregt haben. Auf dem Seewege wird die Reise nach Venedig fortgesetzt, das auf Grillparzers Gemüt einen tiefen Zauber ausübt; dann geht es zu Lande weiter nach Padua und über den Po ins eigentliche Italien und in die Pracht des südlichen Frühlings hinein. Rom wird noch eben zum Osterfest erreicht. So erlebt er die Austeilung des päpstlichen Segens vom Altan der Peterskirche, eine Feierlichkeit von unauslöschlichem Eindruck; auch die Metten in der Sixtina während der Karwoche ergreifen sein musikalisches Empfinden mächtig. Aber stärker als aller Glanz und alle Kunst der Kirche, die ihm doch gar äußerlich und mechanisch erscheinen, wirken die Denkmäler der Vorzeit auf seinen Geist, vorab das gewaltige Kolosseum: hier regt sich zuerst wieder der Dichter in ihm, es entsteht das Gedicht „Die Ruinen des Campo Vaccino" (20. April 1819), ein herbes Klagelied auf die Zerstörung des alten Rom durch den neuen Glauben[1]. Unter den Kunstwerken sind es weniger die antiken Statuen des Vatikanischen Museums, die ihn anziehen, als die Gestalten und Kompositionen Raffaels in den Stanzen und die Bildwerke in Thorwaldsens Werkstätte.

Inzwischen begann das Klima und die Überanstrengung bei Kunstbesichtigungen und antiquarischen Exkursionen nachteilig auf seine Gesundheit zu wirken. Die weiten Wege hatten meist zu Fuß gemacht

---

[1] Vgl. das Gedicht „Die Ruinen des Campo Vaccino in Rom", Bd. 1, S. 18 ff.

werden müssen, schon weil die zahlreichen Fremden, die die Anwesenheit des österreichischen Kaiserpaares angelockt hatte, alle Wagen mit Beschlag belegten. Die Nerven versagten wieder, ja, eine ernste Erkrankung stellte sich ein, die erst durch den Arzt des Fürsten Metternich gehoben wurde. In derselben Zeit trat in der äußeren Lage eine Änderung ein. Während Grillparzer bisher meist für sich gelebt hatte, da der Reisegefährte ganz andere Interessen verfolgte, wurde er jetzt, gegen Ende April, in die Umgebung des österreichischen Herrscherpaares gezogen. Graf Wurmbrand, der Oberhofmeister der Kaiserin, beschied ihn zu sich, um ihm seinen Reisepaß auszuhändigen, der inzwischen von Wien angekommen war. Befremdet über das üble Aussehen des Dichters, riet er ihm, nach Neapel zu gehen und lud ihn sogar, da wegen der Abreise des Hofes keine Pferde zu haben waren, freundlich ein, mit ihm in seinem Vierspänner die Reise zurückzulegen. Daher hielt Grillparzer am 27. April einen feierlichen Einzug in Neapel, unter Glockengeläute und Kanonendonner. Das Wohlwollen des Grafen ging noch weiter. Er bot ihm seine Wohnung an und erbat sich dafür, um den Vorschlag annehmbar zu machen, seine Beihilfe bei den Rechnungsarbeiten für die Kaiserin.

Diese nahen Beziehungen zum Grafen Wurmbrand engten zunächst die Selbständigkeit Grillparzers wenig ein, der nach Gefallen genoß, was Neapel und seine Umgebung boten, und sich in heiterer Gesellschaft sogar auf den Vesuv wagte. Aber bald zeigten sich unerwünschte Folgen jenes Verhältnisses. Es verbreitete sich im kaiserlichen Gefolge die Ansicht, Grillparzer sei zum Sekretär der Kaiserin ausersehen. In der Tat scheint sein Gönner etwas Ähnliches beabsichtigt zu haben, da er gern eine Begegnung des Dichters mit der hohen Frau herbeigeführt hätte. Aber dieser wich aus. Bei aller Verehrung für die Fürstin war ihm seine Freiheit lieber; auch fühlte er, wie wenig seine Ansichten zu ihrer strengen Religiosität paßten. Um so unwillkommener waren ihm jene Gerüchte, die sich sogar bis Wien verbreiteten und dort um so eher Glauben fanden, als Grillparzer, nach Verlängerung seines Urlaubs durch den Kaiser, bei dem Grafen Wurmbrand blieb, der auf dem englischen Admiralschiff einen Unfall erlitten hatte. Dadurch verzögerte sich die Abreise von Neapel um Wochen (bis Ende Juni), und schließlich mußte Grillparzer, dem die Reisemittel ausgingen, auch dem Wunsche des Grafen entsprechen und ihn bis nach Wien zurückbegleiten. So wurde er bei seinem zweiten Aufenthalt in Rom sogar Gast des Quirinals und kam mit den höchsten Würdenträgern der Kirche, ja mit dem Papste selbst in Berührung.

Die Heimreise begann am 5. Juli. Sie führte durch das herrliche etruskische Land über Terni und Perugia nach Florenz. Hier traf man den Hof und legte dann, nach nur dreitägigem Verweilen, den Heim= weg in rascher Fahrt zurück, auch diesmal über Venedig, so daß sich Grillparzers Absicht, über Mailand, Verona und die italienischen Seen nach Tirol zu reisen, nicht verwirklichte.

Die italienische Reise sollte sich in ihren Folgen für den Dichter als eine wahre „Pandorenbüchse" erweisen. Als der Kaiser in Neapel Grillparzers Urlaub auf unbestimmte Zeit verlängerte, hatte er ver= sprochen, die Hofkammer hiervon benachrichtigen zu lassen. Sei es nun, daß diese Mitteilung nicht rechtzeitig erfolgte oder daß man dem Ge= rücht, Grillparzer sei in den Dienst der Kaiserin getreten, Glauben schenkte: er wurde bei einer inzwischen eingetretenen Vakanz in der Be= förderung übergangen. Dasselbe wiederholte sich bald nachher bei einer zweiten und dritten Gelegenheit. Diese Zurücksetzung verbitterte ihn sehr, und nur der Zuspruch des Grafen Stadion, der ihm zugleich einen weiteren Urlaub zur Vollendung seiner poetischen Arbeit erwirkte, ver= hütete seinen Austritt aus dem Staatsdienste. Noch ärgerlicher und länger nachwirkend waren die Folgen, die die Veröffentlichung des oben erwähnten Gedichtes über die „Ruinen des Campo Vaccino" mit sich brachte. Es hatte, neben anderen Gedichten von Grillparzer, im Jahrgang 1820 von Schreyvogels Almanach „Aglaja" Aufnahme ge= funden. Da erhob sich, noch vor Versendung des Bandes, von streng kirchlicher Seite ein Entrüstungssturm. Auf Anordnung des Polizei= ministers von Sedlnitzky wurde das Gedicht aus den noch erreichbaren Exemplaren des Almanachs entfernt, gegen den Dichter selbst aber von höchster Stelle aus eine Untersuchung angeordnet. Kaiser Franz nahm es besonders übel, daß, während er in Rom so glänzend aufgenommen worden war, ein Mann, der gewissermaßen zu seinem Gefolge gehört hatte, so ketzerische Äußerungen gegen die Kirche zu tun gewagt hatte. Nun hätte sich Grillparzer leicht hinter der Zensur decken können, die sein Gedicht unbeanstandet gelassen hatte; er nahm aber, um seinen Freund Schreyvogel, den Zensor, zu schonen, alles auf sich und suchte in einem Aufsatze dem Polizeiminister gegenüber die Ausdrücke und Gedanken seines Gedichtes zu rechtfertigen und zu mildern. Es erfolgte auch weiter keine Bestrafung, doch stand der Dichter seitdem unter dem

Eindruck, daß man ihn für einen Religionsspötter und halben Jako-
biner halte und ihm das Fortkommen in der amtlichen Laufbahn er-
schwere, weil er die „Geschichte mit dem Papst" gehabt habe. Diese
vielen Widerwärtigkeiten mußten die gute Wirkung der italienischen Reise
beeinträchtigen, obwohl sich an diese ein erneuter Aufenthalt in dem
„freundlichen Gastein", und zwar in Begleitung des Jugendfreundes
Wohlgemuth, angeschlossen hatte. Wiederholt ließ sich Grillparzer den
Urlaub verlängern, freilich auch zur Vollendung der wieder aufgenommenen dramatischen Arbeit.

4. Neues Schaffen.

Nicht leicht war es für den Dichter, nach allen Erschütterungen
und neuen Eindrücken Stimmung und Sammlung zu seiner großen
dichterischen Aufgabe wiederzufinden. Er hatte im Vorjahre nach seiner
Gewohnheit keine Aufzeichnungen über seinen Plan gemacht. Jetzt,
wo er die Arbeit wieder aufnehmen will, ist alles, der Standpunkt,
den er dem Stoff gegenüber eingenommen, wie auch alle Einzelheiten,
„wie weggewischt". Fruchtlos sucht er in seiner Erinnerung. Da gerät er eines Tages beim Musizieren mit der Tochter seiner Freundin,
der geistvollen Schriftstellerin Karoline Pichler, auf jene Symphonien
seiner Lieblingsmeister, die er damals, als der Argonautenstoff seinen
Geist beschäftigte, mit seiner Mutter gespielt hatte. Und wie mit einem
Schlage ist die Erinnerung erwacht. Er weiß wieder, was er früher
gewollt hat, und obwohl er den „eigentlich prägnanten Standpunkt der
Anschauung nicht mehr rein gewinnen" kann, so hellt sich doch die Absicht und der Gang des Ganzen auf.

Nun geht es wie in einem wachen Traum weiter. Gerade ein
Jahr nach jener Unterbrechung, am 2. und 3. November 1819, wird
der 4. Aufzug der „Argonauten" hinzugefügt, die „Medea" in den folgenden Winterwochen. Grillparzer arbeitet in rasender Eile, schreibt
selbst im Vorzimmer des Polizeipräsidenten, vor einer stürmischen
Audienz, das Lied der Kreusa im 2. Akt nieder und bringt die beiden
letzten Akte in je zwei Tagen zu Papier. Am 20. Januar 1820 ist
das große Werk vollendet.

Freilich ganz ohne Einfluß ist jene lange Unterbrechung nicht geblieben. Nach des Dichters eigenem Geständnis hat sie eine Lücke in der
Motivierung hervorgerufen, indem die große Umwandlung Medeas
wie auch Jasons, die auf der langen Seereise von Kolchis nach Grie-

chenland unter inneren Kämpfen und herben Erfahrungen vor sich
geht, mehr als wünschenswert zurücktritt. Aber abgesehen davon ist
das Kunstwerk fest in sich zusammengefügt: die drei Teile gehören so
eng zusammen, daß die Losreißung des dritten Stückes von den übrigen,
die aus szenischen Gründen üblich geworden ist, ebenso gegen die Ver-
nunft verstößt wie etwa die alleinige Aufführung von „Wallensteins
Tod". Mit Fug und Recht stellte daher der Dichter bei Einreichung
der Trilogie die Bedingung, daß sie an zwei unmittelbar aufeinander
folgenden Tagen gegeben würde. Dies sei durchaus notwendig, damit
die Dichtung als ein Ganzes erfaßt werde, und weil die beiden Abteilungen sich wechselseitig bedingten und erklärten.

Zum erstenmal ging die Trilogie am 26. und 27. März 1821
über die Bühne. Graf Stadion hatte sich persönlich für die Vorberei-
tung interessiert und für die Rolle der kolchischen Amme eine Altsänge-
rin der Hofoper, Frau Vogel, zur Verfügung gestellt. Kreusa war
durch Frau Löwe, die Heldin des Stückes selbst auch diesmal durch Frau
Sophie Schröder vertreten. Sie feierte in dem Schlußstück Triumphe;
der jugendlichen Medea der ersten Stücke war sie dagegen nicht mehr
gewachsen. Auch dies war ein Grund, daß man sich in der Folge auf
die „Medea" beschränkte, die dann auf den anderen deutschen Bühnen
allein Eingang gefunden hat.

Schon während der Arbeit an der „Medea" hatte sich der Dichter
mit der Absicht getragen, nunmehr geschichtliche Stoffe dramatisch zu
gestalten. Dem Spiel der Phantasie und der romantischen Neigung
entsagte er damit freilich nicht, ja gleichzeitig mit den ernsten Studien
zu historischen Tragödien beschäftigte ihn das germanische Reich der
Feen und Undinen in dem Märchenspiel „Melusine". Kein geringerer
als Beethoven gab dazu den Anstoß; er ließ den jungen Dichter bitten,
ihm den Text zu einer Oper zu schreiben. Die Komposition kam dann
allerdings nicht zu stande, vermutlich weil dem Meister das zarte Liebes-
idyll nicht Kraft und Leidenschaft genug hatte, aber diese Annäherung
führte doch zu einem Verkehr zwischen den beiden bedeutenden Männern,
die in den Jahren 1823—26 öfter zusammentrafen und literarische
und musikalische Fragen erörterten. Als dann (am 26. März 1827)
der große Tonmeister starb, da feierte ihn der Dichter in zwei Reden
voll erhabener Kraft und rhythmischem Wohlklang, die bei seiner Bestattung und dann bei der Enthüllung seines Grabmals vorgetragen
wurden.

Lange schwankte Grillparzer, welches geschichtliche Thema er für sein nächstes Drama wählen solle. Eine große Fülle von Plänen und Entwürfen beschäftigte ihn. Tragische Gestalten aus dem alten Testament, wie Saul und Judith, Herodes und Marianne, schwebten vor seiner Phantasie; das Geschick des Krösus lag schon in dramatischer Gliederung vor ihm ausgebreitet; noch weiter gedieh der kühne und umfassende Plan eines gestaltenreichen Zyklus, „Die letzten Römer“, der von Marius und Sulla zu Octavianus Augustus führen sollte. Alle diese Absichten sind nicht zur Verwirklichung gediehen, wenn auch ihre Spuren in den späteren Dramen erkennbar sind. Sie traten zurück vor dem Entschluß, die Geschichte des eigenen Volkes dramatisch zu gestalten. Die vaterländische Geschichte hatte Grillparzer schon früh gelockt. Bereits 1809 hatte er ein historisches Schauspiel „Friedrich der Streitbare“ erwogen, das jetzt wieder hervorgeholt und von neuem durchdacht wurde. Aber auch dieses mußte schließlich weichen vor dem Kampfe zwischen Rudolf von Habsburg, dem Stifter der österreichischen Monarchie, und Ottokar von Böhmen. Dieser Stoff, der auch schon früher, in einem 1819 entworfenen Epos „Die Schlacht am Marchfelde“, den Dichter beschäftigt hatte, erhielt um so eher den Vorzug, als Charakter und Geschick des Böhmenkönigs eine gewisse Ähnlichkeit mit denen Napoleons I. boten, dessen Persönlichkeit seit den ersten Jugendeindrücken in seinen Vorstellungen eine bevorzugte Stelle eingenommen hatte. Zudem erkannte er mit sicherem Blick, daß Ottokars Schicksal, wie es Geschichte und Sage überliefern, ohne wesentliche Umgestaltung und Ergänzung sich zum Drama fügte.

Mit dieser Wahl betrat der Dichter ein neues Arbeitsgebiet. Neben die geschlossene Form und mehr typische Charakteristik der griechischen Tragödien und die volkstümlichen Bühnenstücke einer phantasiereichen Zauber= und Märchenwelt („Ahnfrau“, „Melusine“) tritt nun das historische Drama mit verwickelter, breit sich ausdehnender Handlung, einem großen Aufwand von Nebengestalten, einer individuellen Charakterisierung. Aufs eingehendste befaßt sich der Dichter mit seinen Quellen, exzerpiert mit großem Fleiß, namentlich die mittelalterliche Reimchronik Ottokars von Hornek. Dann folgt auch diesmal wieder, noch unterstützt durch längere Zimmerhaft infolge eines Halsübels, eine rasche Ausarbeitung im Winter 1822 auf 1823. Die neuen Aufgaben, die das reiche Tatsachenmaterial stellt, werden leicht überwunden, indem die Handlung mit Schillerscher Meisterschaft zusammen-

29*

gerückt und fest ineinander gefügt, die Personen nach Shakespeares Vorbild mit scharf unterscheidenden Einzelzügen ausgestattet werden. Dieser Individualisierung entspricht die knappe, aber die einzelnen Personen eigenartig zeichnende Ausdrucksweise, die außergewöhnlich hohe Anforderungen an die Interpretation und Darstellung des Schauspielers stellt. Freilich konnte der Dichter in dieser Hinsicht auf die Kräfte der Wiener Bühne rechnen. So wanderte denn das etwa im Oktober 1823 vollendete Stück, nachdem es den rückhaltlosen Beifall Schreyvogels gefunden, zur Zensur. Mit Zuversicht sahen die beiden Freunde der Entscheidung entgegen, da der Stoff selbst, die Erhebung des habsburgischen Herrscherhauses, einen durchaus patriotischen und loyalen Inhalt von selbst mit sich gebracht hatte.

Zu derselben Zeit nahmen auch die äußeren Verhältnisse Grillparzers eine erwünschte Wendung, indem er endlich zum Konzipisten aufrückte und von dem Finanzminister Stadion in dessen unmittelbaren Dienst gezogen wurde. Diese Stellung führte ihn während des Sommers 1823 mit seinem Vorgesetzten auf dessen Güter und brachte ihn mit dem geistig bedeutenden und charaktervollen Manne und seiner Familie in täglichen Verkehr. So sehr er den Minister selbst schätzte, so erkältend wirkte der steife und gedankenleere Ton der Unterhaltung in jenen Kreisen auf ihn, so daß er im nächsten Jahre diesem Zusammensein auswich.

So vergingen zwei Jahre seit Einreichung des „Ottokar", aber das Stück kam nicht aus der Zensur heraus. Was niemand erwartet hatte, man trug Bedenken, das loyale Stück zur Aufführung zuzulassen; man nahm Rücksicht auf die jüngsten geschichtlichen Ereignisse (den Sturz Napoleons) und auf das empfindliche Nationalgefühl der Tschechen. Vergebens richtete der Dichter an den Grafen von Sedlnitzky, den Präsidenten der obersten Polizei- und Zensur-Hofstelle, ein Schreiben, in dem er ausführte, durch das Verbot des „Ottokar" werde ihm die Frucht jahrelanger Arbeit, seine Aussicht auf die Zukunft vernichtet und mit ihm zugleich andere aufkeimende Talente gelähmt, die „sich zur Gemeinheit der Journale oder der Poesie der Leopoldstädter Bühne flüchten" würden. Weder dieser maßgebende Beamte noch Fürst Metternich wollten von Aufführung und Druck etwas wissen. Der Dichter forschte vergebens nach dem Verbleib seines Manuskripts. Da kam endlich Erlösung von der höchsten Stelle aus. Grillparzer erzählt in der Selbstbiographie, die Kaiserin habe während einer Erkrankung das

Stück gelesen und dessen Freigabe veranlaßt; doch hat sich ergeben, daß Kaiser Franz selbst nach längeren Verhandlungen die Aufführung angeordnet hat.

Auch diesmal waren die Rollen vorzüglich besetzt: Anschütz gab den Ottokar, Sophie Schöder die kleine, aber wichtige Rolle der Margarete, Heurteur den Rudolf von Habsburg. Am 19. Februar 1825 fand die Aufführung statt. Der Andrang der Besucher war so stark wie nie, doch mehr aus Neugier für das von der Zensur so lange zurückgehaltene Stück als aus künstlerischem Interesse. Aber doch machte die Dichtung einen gewaltigen Eindruck; in kürzester Zeit war die erste Buchauflage vergriffen. Anerkennende Besprechungen fehlten nicht; der Historiker Hormayr begrüßte in Grillparzer den endlich erschienenen vaterländischen Dichter. Auf der anderen Seite traten freilich auch heftige Angriffe hervor. Das Mißfallen der Tschechen, die in der Zeichnung Ottokars und seines Volkes eine Verunglimpfung ihrer Nation sahen, steigerte sich noch, als ihre politischen Gegner das Stück für ihre Zwecke auszunutzen suchten. Außerhalb Österreichs fand das Drama wegen seines Stoffes von vornherein wenig Beachtung. So sah denn der Dichter, der überzeugt war, sein Bestes hineingelegt zu haben, sich schlecht für sein begeistertes Streben belohnt. Kein Wunder, daß Verstimmung und Verbitterung sich immer mehr seiner bemächtigten. Freilich trugen zum frühzeitigen Erlahmen seiner Dichterkraft noch andere äußere und innere Erfahrungen bei.

5. Kurzes Liebesglück.

Frauenschönheit und Anmut hatten von jeher einen starken Eindruck auf die leicht erregte Dichternatur Grillparzers gemacht. Er erzählt selbst, wie in seinen Studentenjahren eine Schauspielerin, die den Cherubin in „Figaros Hochzeit" gab, ihn zu einem liebeglühenden Gedicht begeistert habe[1]. Später, als die „Ahnfrau" und „Sappho" ihn rasch berühmt gemacht hatten, wandte sich ihm die Gunst der Frauen in besonderem Maße zu. Auch seine äußere Erscheinung war anziehend. Nach damaligen Bildern wie nach einer Beschreibung in den „Denkwürdigkeiten" von Karoline Pichler haben wir ihn uns vorzustellen als einen schlanken Mann von mehr als Mittelgröße, nicht schön, aber mit eindrucksvollen blauen Augen, dunkelblonden Locken und durch-

---

[1] Vgl. das Gedicht „Cherubin", Bd. 1, S. 7.

geistigtem, blassem Gesicht, noch ohne die spätere Herbheit und Verschlossenheit, der Mund nicht frei von einem sinnlichen Zug. Nimmt
man dazu seine reiche Bildung und sein edles Gemüt, so begreift man
den Eindruck, den er auf das Frauenherz machte. Nach der italienischen
Reise schenkte ihm eine junge Frau, die mit seinem Vetter von Paumgarten vermählt war, Charlotte, geborene Jetzer, ihre Gunst. Mehrere Jahre dauerte dies Verhältnis, für Grillparzer eine Zeit von Auf-
regungen und innerer Qual. Rührend ist die Liebe, die Marie Piquot,
die Tochter eines preußischen Legationsrats am Wiener Hofe, ihm
heimlich weihte. Er selbst erfuhr dies erst nach ihrem frühen Tode
(1822) aus dem Testament, in dem sie den Ihrigen ihren geliebten
„Tasso" empfahl, der „so gut als allein stehe in der Welt" und „gewiß viele Bewunderer, aber vielleicht nicht einen einzigen wahren, sor-
genden Freund habe". Es fällt auf, wie wenig dieser Beweis einer so
innigen Liebe den Dichter ergriffen hat; sein Tagebuch berichtet über
seine Kälte bei diesem „Erlebnis" mit Bedauern und Selbsttadel; aber
sein Herz hatte eben nicht für das junge Mädchen gesprochen, es war
im Banne einer anderen, er liebte Katharina Fröhlich.

Katharina war die zweitjüngste von vier Schwestern. Durch
reiche musikalische und künstlerische Begabung ausgezeichnet, hatten
diese wackeren Mädchen, als der Wohlstand ihrer Eltern sank, unverzagt
ihr Geschick selbst in die Hand genommen. Anna (Netti), die älteste,
eine Schülerin Hummels, war seit 1819 mit großem Erfolg als Ge-
sanglehrerin an einer Musikschule tätig; sie war kleiner und weniger
hübsch als die Schwestern, aber lebhaften Temperaments und durch
ihre geschäftliche Rührigkeit die Seele des Hauswesens. Josephine
(Pepi), die jüngste, wirkte als Konzertsängerin in Wien und Kopenhagen mit Beifall. Dagegen wollte für die Oper ihre sonst schöne und
reine Altstimme nicht ausreichen, so daß sie, nach wenig glücklichem
Auftreten in Wien sowie in Dresden, Venedig und Mailand, zu den
Ihrigen zurückkehrte und den bescheideneren Beruf der ältesten Schwester
wählte. Am vielseitigsten, aber auch am auffallendsten, war die zweite
Schwester, Barbara (Betty), keck und derb, in höherem Alter, nach dem
Tode ihres Gatten Ferd. Bogner und ihres Sohnes Wilhelm, mehr
und mehr scharf und abstoßend, so daß sie sich zuletzt von den Ihrigen
trennte. Auch sie besaß eine gute Altstimme; ihr Hauptgebiet aber
war die Malerei, in der M. Daffinger sie unterrichtet hatte. Als
Blumenmalerin und Zeichenlehrerin hat sie lange in großem Ansehen

gestanden. Alle drei Schwestern traten als Sängerinnen in öffent=
lichen und privaten Konzerten Wiens mit großem Beifall auf; die
Musik fand in ihrem Kreise eine ebenso begeisterte Pflege wie Poesie
und Theater; nicht nur Grillparzers, auch Schuberts Andenken ist mit
ihnen eng verbunden. In diesen Kranz der Anmut und der künstle=
rischen Begabung reiht sich nun als die schönste und anmutigste Blüte
Katharina (Kathi). Sie war 1800 (10. Juni) geboren, also neun
Jahre jünger als Grillparzer, und hatte schon als Kind den jugend=
lichen Castelli zu einem Gesang begeistert; ja, Kaiser Franz hatte bei
einer Begegnung in der Hofburg freundlich ihr dunkles Lockenköpfchen
gestreichelt. Lebhaft und schlagfertig, schwärmend für Musik und Kunst,
mit guter Stimme und großem mimischen Talent ausgestattet, hätte
sie wohl auf der Bühne ihr Glück gemacht, und Sophie Schröder
wünschte sie auszubilden: aber da kreuzte Grillparzer ihren Weg und
gab ihrem Leben eine ganz andere Richtung.

Der Dichter hat seine ersten Begegnungen mit Katharina und
ihren Schwestern in einem Briefe an seinen Schulfreund Altmütter
geschildert. Die beiden ältesten Schwestern Fröhlich habe er wegen
ihres Gesanges schon längst geschätzt, von Katharina nur gelegentlich
gehört, auch bei der ersten Begegnung im Winter 1820/21 kaum auf sie
geachtet. Das war natürlich, da ihn gerade damals die Leidenschaft für
Charlotte Paumgarten beherrschte. Erst ein Vierteljahr später wird seine
Aufmerksamkeit auf Kathi gezogen, als sie die Schwestern in ein Privat=
konzert begleitet hat. „Wer ist jene vierte in der Mitte der anderen",
so fragt er verwundert, „über sie hervorragend an Gestalt und durch
eine gewisse Sicherheit des Benehmens, in rotem Kleid, mit dem ge=
ringelten schwarzbraunen Haar? Jene — mit den Augen, hätte ich
bald gesagt, denn es war, als hätte niemand Augen als sie, und als
wäre sie selbst nur da in ihren Augen, so blitzten die dunkelbraunen
Bälle, scharffassend, leicht beweglich, alles bemerkend, jede Bewegung,
jedes Wort einträchtig begleitend." — An dem nämlichen Abend noch
knüpfen sich nähere Beziehungen. Die Schwestern laden den Dichter
in ihr Heim ein, wo er mit Franz Schubert zusammentreffen und neue
Musikstücke hören solle. So tritt er denn in diesen lieblichen Kreis,
dessen Frohsinn und Anmut ihn, den ernsten, verschlossenen Mann,
mit ungewohntem Reiz umspannen.

Zunächst ziehen ihn alle vier Schwestern gleichmäßig an: „Ich
muß alle vier lieben und kann keine wählen." Aber bald hat sein Herz

sich entzündet für die lieblichste unter ihnen, und in ihrer Gegenliebe
findet er ein schönes, reines Glück. Diese beseligte Stimmung spiegelt
sich in den Liedern jener Zeit[1], die bald feierlich weihevoll und ernst,
bald frisch, leicht, ja schalkhaft aus seinem Herzen quellen. So die
Schilderung jener Stunde, „als sie zuhörend am Klavier saß"[2] und
er, von ihrer Schönheit und ihrer Andacht entzückt, doch nicht wagte,
ihr mit seinem Geständnis zu nahen; so jenes Jubellied auf die Augen
der nun schon gewonnenen Braut[3]:

> „Wo ich bin, fern und nah',
> Stehen zwei Augen da,
> Dunkelhell
> Blitzesschnell,
> Schimmernd wie Felsenquell,
> Schattenumkränzt."

Nie in seinem Leben hat Grillparzer so sonnige Tage gehabt wie
damals in der ersten Zeit seines Liebesglücks; nie auch hat er so freudig, so fruchtbar und erfolgreich als Dichter geplant und geschaffen.
Alle Gebiete der Dichtkunst, auf denen er sich überhaupt versucht hat,
tragen ihm jetzt reiche Früchte: Lyrik und Novelle, dramatischer Scherz
und Operndichtung, vor allem aber das ernste Drama. Nicht nur ge-
deiht der „Ottokar" in dieser frohen Zeit zum Abschluß, eine Fülle
von Stoffen und Gestalten drängt sich in der Phantasie, und die
meisten seiner späteren Schöpfungen („Des Meeres und der Liebe
Wellen", „Esther", „Libussa", „Ein Bruderzwist in Habsburg") gehen
in ihrem Ursprung auf diese Zeit zurück, die wahre Mittagshöhe seines
Lebens.

Doch schon bald kündigt sich der Nachmittag an. Das ungetrübte
Verstehen und Sicheinsfühlen der Liebenden ist nur von kurzer Dauer.
Es treten Gegensätze hervor, die sich zur Kluft erweitern und am
meisten dazu beitragen sollten, das Jahrzehnt, das auf die schönste
Zeit seines Lebens folgte, zum traurigsten zu machen.

Dritter Abschnitt: Trübe Jahre. 1825—1835.
1. Trauriger Brautstand.

Grillparzer, der sich viel und gern mit Rousseau beschäftigt hat,
glaubte einst in den „Confessions" sein eigenes Bild zu sehen. Freilich

---

[1] Vgl. die Gedichte Nr. 29—31, 33 und 34, Bd. 1, S. 29—47 dieser Ausgabe. — [2] Bd. 1, S. 40, Nr. 30. — [3] „Allgegenwart", Bd. 1, S. 41, Nr. 31.

die trotzige Kampfstimmung Rousseaus teilte er ebensowenig wie dessen
eitles Selbstgefühl; vielmehr war bei ihm die Selbstkritik aufrichtig
und unerbittlich, das Selbstvertrauen nur allzuoft erschüttert. Aber
die mit starker Empfindsamkeit gepaarte Einbildungskraft, der Hang
zu einsamer Träumerei, zu grübelnder Selbstbeobachtung und zum Auf=
gehen in innerlichem Leben waren auch ihm eigen. Daher seine Zurück=
haltung und kühle Verschlossenheit, daher seine Neigung, sich selbst wie
das Wesen und Tun anderer mit scharfer Sonde zu untersuchen[1].
Beide Eigenschaften werden für das Verhältnis zur Braut mehr und
mehr verhängnisvoll. Er findet im Verkehr mit ihr selten den un=
befangenen, warmen Herzenston; auch die Briefe sind gezwungen,
ohne Leidenschaft, ohne den poetischen Schmuck, der ihm sonst so zu Ge=
bote steht. Und als die Geliebte einmal darüber klagt, antwortet er, ein
gewisses Schamgefühl der Empfindung halte ihn ab, seinen inneren
Menschen nackt zu zeigen; von außen, also von ihr selbst, müsse der
Anstoß kommen, der sein tiefstes Empfinden aufrege und zur Er=
gießung bringe; wer ihn zu fassen wisse, werde sich sehr wundern, ihn
früher für kalt gehalten zu haben. Wem hätte das gelingen können?
Nur jemand, der sich selbst ganz vergaß und sich ihm ganz anbe=
quemte. Von seinem eigenen Selbst etwas aufzugeben, sich in seiner
ureigenen Gedanken= und Gefühlswelt stören zu lassen, entsprach nicht
seiner Dichternatur. Nun fand er in Kathi immer deutlicher eine bei
aller Herzensgüte und Hingabe durchaus selbständige Persönlichkeit.
Lebensvoll, durch das Gefühl beherrscht, überstürzt in Urteil und
Entschluß und durch Gründe nicht zu überzeugen, hartnäckig und
eigensinnig, setzte sie sich immer häufiger mit seinen Sympathien
und Ansichten in Widerspruch. So kam es immer wieder zu heftigen
Streitigkeiten. Und je mehr Grillparzer gewohnt war, über sich und
andere nachzudenken, um so mehr untersuchte und zergliederte er die
Schwächen ihres Charakters. So lange sie auf der Welt sei, klagt er
einmal, habe sie sich noch nie einfallen lassen, daß eine Sache zwei
Seiten haben könne. Ein andermal bekennt er, sie wäre ein Schatz für je=
manden, der nach abspannenden Geschäften zu Hause Anregung brauche;
einem, der von seinem aufregenden Streben Abspannung suche, müsse
sie notwendig zur Qual werden. Gar oft mag es so gegangen sein wie
bei jenem Streit über die Vorzüge eines Sängers und eines Violinspie=

---

[1] Vgl. das Gedicht „Incubus", Bd. 1, S. 45 dieser Ausgabe.

lers, wo er bemerkt: „Das Mädchen ist durch Liebe und Achtung lenk=
sam bis zur Willenlosigkeit, aber gleich auf gleich die größte Recht=
haberin von der Welt und, so lange die Aufregung dauert, nicht im
stande zu schweigen oder den Streit liegen zu lassen, wenn es auch
alles gälte, was zu erhalten sie sonst das Übermenschliche tut und
duldet. Warum mußte dieses Wesen in meine Hände geraten oder je
darauf verfallen, sich gleich auf gleich mir gegenüber zu stellen!“ Es ist
dieselbe Erfahrung, die schon 1824 in den „Jugenderinnerungen im
Grünen“[1], jener Rückschau auf sein Leben und Lieben, widerklingt:

> „. . Hälften kann man aneinanderpassen,
> Ich war ein Ganzes, und auch sie war ganz,
> Sie wollte gern ihr tiefstes Wesen lassen,
> Doch allzu fest geschlungen war der Kranz.
>
> So standen beide, suchten sich zu einen,
> Das andre aufzunehmen ganz in sich;
> Doch all umsonst, trotz Ringen, Stürmen, Weinen,
> Sie blieb ein Weib, und ich war immer ich!
>
> Ja, bis zum Grimme ward erhöht das Mühen,
> Gesucht im Einzeln, was im Ganzen lag,
> Kein Fehler ward, kein Wort ward mehr verziehen,
> Und neues Quälen brachte jeder Tag.“ —

So kam denn, was kommen mußte: aus dem Brautstande wurde
keine Ehe. Einmal war die Hochzeit schon festgesetzt, da führte ein
solcher Streit zur Verschiebung, und das so Versäumte wurde nie mehr
nachgeholt. Ob noch weitere Gründe dabei mitsprachen, die Knappheit
der Mittel, da weder Gehalt noch der Ertrag der poetischen Arbeiten
zur Gründung eines eigenen Hausstandes recht hinreichten, Mißtrauen
gegen die eigene Lebens= und Arbeitskraft oder gar Furcht vor Ver=
erbung jener Anlagen, die bei den nächsten Verwandten so schlimmes
Unheil angerichtet hatten und auch Grillparzers Stimmung so leicht
in Fesseln schlugen: es ist nicht bezeugt, aber durchaus wahrscheinlich.
Jedenfalls kam dazu das allmähliche Erkalten seiner Liebe, denn der
Dichter konnte wohl in heißer Glut entbrennen, aber nicht nachhaltig
erwärmt werden. Dem Rausche folgte Ernüchterung. Je mehr er
das erkannte, desto weniger dachte er an einen dauernden Bund.

Andererseits fehlte ihm die Willenskraft und Rücksichtslosigkeit,
sich auch äußerlich loszusagen. Noch immer erschien ihm Kathi der

---

[1] B. 89 ff., S. 74 dieses Bandes.

Verehrung wert, auch wenn er sie nicht mehr liebte. Sobald er sich zurückzog, machte er die Erfahrung, daß „das Dasein des liebevollsten, vortrefflichsten Geschöpfes bedroht" war; und „Schwachherzigkeit erschien ihm zwar als ein Fehler, aber Hartherzigkeit nicht als Tugend". Für die Liebende war freilich auch dieser schwankende Zustand, der sie zwischen Hoffen und Fürchten beständig hin und her riß, leidvoll genug. Sie verzehrte sich in Sehnsucht und stets neuer Enttäuschung. Er selbst litt unter diesen Verhältnissen unbeschreiblich. „Heute Eis, morgen Feuer und Flammen, jetzt geistig und physisch unmächtig, gleich darauf überfließend, unbegrenzt", mit sich selbst unzufrieden, bei jeder größeren Arbeit von dem „Gefühl der Insuffizienz" ernüchtert und niedergedrückt, selbst durch die sonst so geliebte Musik nicht getröstet und beschwichtigt: so lebt er dahin, nach außen oft schroff, kalt, spottend, im Inneren zerrüttet.

Die Seelenkämpfe wurden noch gesteigert, als eine andere Frau seine Leidenschaft erregte, Marie von Smolenitz, deren verführerische Schönheit ihn auch noch reizte, als sie 1827 den Maler Moritz Daffinger geheiratet hatte. Diese Neigung brachte eine neue Halbheit in in das Verhältnis zu Kathi Fröhlich und mußte die Schuld, die er ihr gegenüber auf sich geladen, noch empfindlicher machen. Zudem wurde sein Gewissen belastet durch den Tod der früher geliebten Charlotte von Paumgarten, an deren Sterbelager er erfuhr, daß ihre Liebe zu ihm tiefer und aufrichtiger gewesen war, als er gedacht hatte.

So gestaltet sich das Leben des Dichters in der zweiten Hälfte der zwanziger Jahre immer trüber. In ernsten, klagenden Liedern tönen diese leidvollen Erfahrungen und Stimmungen aus, den herben Elegien „Tristia ex Ponto"[1]; ja selbst der Gedanke, dem trostlosen Dasein gewaltsam ein Ende zu machen, wie einst Heinrich von Kleist, taucht auf und wird nur mit Mühe unterdrückt. Jahrelang schleppt sich das Verhältnis zu Kathi hin. Sie bewahrt stets die gleiche Anhänglichkeit. Wenn sie auch entsagen muß, so erlahmt doch nie ihre Liebe und Fürsorge. In ihren Briefen aus Mailand, wohin sie 1830 die Schwester Pepi auf ihrer Kunstreise begleitet, leuchtet diese treue Gesinnung rührend hervor. Dem Manne, der ihr so herben Schmerz bereitet hat, bleibt ihr Herz geweiht, denn, so bekennt sie, „alles, was gut an mir ist, habe ich seinem Umgang zu danken". In ihrer Verehrung und

---

[1] Bd. 1, S. 60—79.

Sorge für den Freund weiß sie sich eins mit den Schwestern, denn auch diese fühlen sich nach wie vor mit ihm verbunden. Dabei hört er nicht auf, täglich in ihrem Kreise Erholung und Auffrischung zu suchen. So wird denn mit der Zeit das Verhältnis zu Kathi abgeklärt. Die er als Geliebte und Braut verloren, wird ihm wiedergeschenkt als Freundin.

2. Das äußere Leben.

Der innere Unfriede und die Seelenkämpfe, die den Dichter in diesen Jahren peinigten, die hypochondrische Stimmung, die ihn mehr und mehr zu überwältigen drohte, fanden nur zum Teil ein Gegengewicht in seinen äußeren Lebenserfahrungen. Nur zeitweise riß ihn der Verkehr mit Freunden aus der Melancholie heraus; umsonst wurden Reisen als Ablenkung und Heilmittel unternommen; auch der endlich erreichte Wechsel der amtlichen Tätigkeit erwies sich nicht dauernd als Besserung.

Nicht nur im Hause Fröhlich, auch in anderen Familien verkehrte Grillparzer als gern gesehener Gast. Karoline Pichler, seine Verwandten Sonnleithner und von Rizy zeigten ihm ihre Verehrung und Anhänglichkeit. Auch das Einverständnis mit Joseph Schreyvogel, dem Leiter der Hofbühne, dauerte fort bis zu dessen Tode (1832). Neu knüpften sich Beziehungen zu den bedeutenderen literarischen Größen Wiens. Ferdinand Raimund, dem genialen Dichter der Volksstücke und Leiter des Leopoldstädtischen Theaters, zollte Grillparzer volle Anerkennung; dessen „Alpenkönig und Menschenfeind" mutete ihn an wie eine frische Quelle in der Wüste der neuesten Poesie. Mit Eduard Bauernfeld (1802—90), der Ende 1826 seine Bekanntschaft suchte, schloß sich eine Freundschaft, die durch die gemeinsame Beamtenstellung noch gestützt wurde und bald sogar Grillparzer zum Berater und Mitarbeiter des Lustspieldichters machte. Bauernfelds frische, viel bewegliche Art konnte wohl auf Stunden die Schwermut Grillparzers bannen, der andererseits wieder den leichtlebigen Freund zu ernstem Streben stärkte und sittlich emporhob. Etwas später knüpfte sich das Band mit dem Arzte und Philosophen Ernst Freiherrn von Feuchtersleben, dem Verfasser der „Diätetik der Seele". Wie Grillparzer später in seinem Beitrag zu der Biographie erzählt, die Friedrich Hebbel über diesen „Weisen der Tat" verfaßte, reichte schon ihr erstes Gespräch hin, sie „in geistige Verwandtschaft zu bringen"; sie waren Freunde, ehe sie's selbst wußten, trotz des Altersunterschieds von 15 Jahren. Die Seelenruhe, Wahrheitsliebe, Bescheidenheit und das feine Kunstverständnis des be-

deutenden Mannes mußten seinem Freunde ein Halt und eine Ermun=
terung sein. — Einem anderen, ihm selbst fast gleichalterigen hervor=
ragenden Landsmanne trat Grillparzer auch erst jetzt näher, dem Dichter
der „Totenkränze" und des „Soldatenbüchleins", Joseph Christian
von Zedlitz, mit dem Schreyvogel schon früher ihn hatte verbinden
wollen. Neidlos erkannte Zedlitz das überlegene Talent des drama=
tischen Dichters an, in dem er den würdigsten Nachfolger Schillers sah.

Die beiden Dichter waren in ein vertrautes Verhältnis zueinander
vermutlich in der „Ludlams=Höhle" getreten, einer fröhlichen Vereini=
gung von Literaten, Malern und Musikern, die zu ungezwungener
Geselligkeit abends zusammenkamen und mit Gesang und Musik, dem
Vortrag von Dichtungen und improvisierten Parodien, namentlich
auf die dramatischen Novitäten, die Stunden würzten. Leider wurde,
wenige Wochen nach Grillparzers Eintritt in diesen Kreis, die Gesell=
schaft gewaltsam auseinandergesprengt. Der Polizeidirektor, der sich
nach oben empfehlen wollte, ging auf einmal gegen die „Ludlams=
Höhle" wie gegen eine geheime politische Gesellschaft vor, ließ in der
Nacht ihr Lokal aufbrechen und die vorhandenen Papiere mit Beschlag
belegen, gegen einzelne Mitglieder aber, darunter auch Grillparzer, eine
Untersuchung einleiten. Zwar stellte sich sofort heraus, daß gar nichts
Gefährliches vorlag, aber es blieb doch etwas hängen an den einmal
Verdächtigten, und Grillparzer konnte an dem Verhalten seiner Vorge=
setzten merken, daß man ihm jetzt noch weniger hold war als vordem.

Die unwürdigen Plackereien, die dieser Zwischenfall hervorgerufen
hatte, bildeten einen Hauptgrund zu dem Entschluß des Dichters, einige
Zeit den unleidlichen und verworrenen Verhältnissen zu entrinnen und
zu versuchen, ob durch neue Eindrücke und durch die Berührung mit
bedeutenden Geistern des deutschen Volkes sich Lebensmut und Schaf=
fensfreudigkeit noch einmal wecken ließe. Am 21. August 1826 macht
er sich von Wien nach dem Norden auf die Reise. In Prag wird zuerst
angehalten. Hier locken ihn die „verkörperten historischen Erinnerun=
gen", und „vorbereitete Stoffe aus der böhmischen Geschichte gehen
auffordernd" durch seinen Sinn. In Dresden besucht er Ludwig Tieck
und hört ihn, mit geteiltem Beifall, aus Shakespeare und Sophokles
vorlesen. Wie an ihm, so übt sich seine Kritik auch an der Musik in
der katholischen Hofkirche, dagegen erregt die Gemäldegalerie seine volle
Bewunderung: die Niederländer (Hagar von Adrian van der Werff),
Correggio, Raffaels Madonna. Trotzdem bleibt seine Stimmung ernst

und trübe: die Antiken erinnern ihn beschämend an die stolze Zeit der
Begeisterung beim italienischen Aufenthalt; die Menschen erscheinen
ihm so verstandesmäßig, seiner „wienerischen Trägheit" gegenüber so
aufregend rührig und geschwätzig.

Die Weiterreise kann natürlich seinen Geschmack erst recht nicht
befriedigen, schlechtes Wetter und körperliches Unbehagen kommen
hinzu. Dagegen gefällt ihm die Stadt Berlin mit ihren breiten Straßen
und ansehnlichen Gebäuden von Tag zu Tag besser. „Alles hat hier",
schreibt er in seinem Reisetagebuch (6. September), „einen Anstrich von
Großartigkeit, Geistigkeit und Liberalität, der einem armen Teufel von
Österreicher schon des Kontrastes wegen wohl tut." Auch die preußische
Regierung kommt bei einem Vergleich mit der österreichischen gut weg:
„Eine Beengung des Einzelnen ist hier nirgends sichtbar, die Polizei-
vorkehrungen stören nirgends, Kunst und Wissenschaft sind frei, und
man müßte weit gehen, wenn man sich an den gezogenen Schranken
irgend verletzend stoßen sollte".

In das literarische Berlin wurde Grillparzer durch Fouqué ein-
geführt, der ihn auch in die „Mittwochsgesellschaft" mitnahm. Hier
berührte ihn Chamisso sympathisch. Varnhagen ruhte nicht, bis er ihm
in seine Wohnung folgte, wo er dann in dessen Gattin Rahel eine in-
teressante, durch ihre Rede bezaubernde Frau kennen lernte. Auch
Hegel lud ihn wiederholt zu sich ein und überraschte ihn durch den
heiteren Verkehr seines Hauses: hier begegnete ihm zu seiner Freude
die gefeierte Opernsängerin Sontag, aber auch (weniger zu seiner
Freude) sein Landsmann Saphir, der witzige und bissige Kritiker, den
er später noch so erbittert hassen sollte. Eine höchst freundliche Aufnahme bereitete ihm der Justizkommissar Marchand, dem er auch die
Bekanntschaft mit Ludwig Devrient verdankte. Doch so sehr ihm im
ganzen Berlin und seine Bewohner gefielen, näheren Beziehungen,
in die man ihn, besonders mit dem Theater, bringen wollte, ging er
aus dem Wege. Gerade in der Ferne kam das Heimatgefühl bei ihm
mächtig zum Durchbruch: die österreichische Kaiserstadt mit ihrer herrlichen Umgebung, das natürliche Empfinden und das unbefangene,
gesunde Urteil seiner Landsleute in Kunst und Dichtung wurde ihm
erst recht wert gegenüber der Nüchternheit des Flachlandes und der
einseitig verstandesmäßigen und darum so leicht von Vorurteilen und
Koterien bestimmten Meinungen, die er in Norddeutschland zu beob-
achten glaubte.

Der Aufenthalt in Berlin dauerte bis gegen Ende September 1826. Dann ging's über Potsdam nach Leipzig und von dort nach Weimar, wo der Reisende am 29. September eintraf. Es waren hoch= bedeutsame Tage in seinem Leben, als er nun in der „Vaterstadt der deutschen Poesie" weilte, den Erinnerungen an Schiller nachgehen und Goethe selbst ins Angesicht schauen konnte. Die erste Begegnung freilich, die gegen Abend stattfand, als eine größere Gesellschaft zum Tee bei Goethe versammelt war, brachte Grillparzer eine Enttäuschung: die steife Förmlichkeit des Geheimrats mißfiel ihm so, daß er eine bal= dige Abreise beschloß. Aber der nächste Tag brachte andere Eindrücke. Nicht nur überboten sich seine Verehrer in Freundlichkeiten, der Kanzler Müller und sein Landsmann, der Musiker Hummel, es kam auch eine Einladung zum Mittagsmahl bei Goethe. Bei diesem zweiten Zu= sammensein gab sich nun der Meister mit aller Wärme und Herzlichkeit, so daß der jüngere Dichter mächtig ergriffen wurde. „Als es zu Tische ging", so erzählt die Selbstbiographie, „und der Mann, der mir die Verkörperung der deutschen Poesie, der mir in der Entfernung und dem unermeßlichen Abstande beinahe zu einer mythischen Person ge= worden war, meine Hand ergriff, um mich ins Speisezimmer zu führen, da kam einmal wieder der Knabe in mir zum Vorschein, und ich brach in Tränen aus." In freundlichem, offenem Tone unterhielt sich Goethe mit ihm, es gelang aber weder an diesem Tage noch am folgenden, als er seinen Gast, der auch von seinem Zeichner Schmeller porträ= tiert wurde, im Hausrock empfing und in lebhafter Unterhaltung mit ihm durch sein Gärtchen wanderte, in Grillparzer das Gefühl der eigenen Unzulänglichkeit und die übergroße Ehrfurcht zu verscheuchen. Goethe erschien diesem „halb wie ein Vater und halb wie ein König". So kam es, daß er einer erneuten Einladung zu folgen sich scheute und trotz der Liebenswürdigkeit, die ihm allgemein und selbst von seiten des Großherzogs Karl August erwiesen wurde, die Abreise beschleunigte. Am Abschiedstage, dem 3. Oktober, veranstaltete man ihm ein Ehren= mahl, bei dem auch Goethes Sohn erschien, und ein Mitglied der Tafel= runde, Friedr. Peucer, rief ihm das Scheidewort zu:

> „Hast gesehen, hast empfunden
> Meisters Huld und Sachsen Weise —
> Leichtbeschwingte, goldne Stunden,
> Folget ihm zur Heimatreise!"

Aber diese heiter=leichte Stimmung begleitete den Scheidenden nicht; er nahm ein niederdrückendes Gefühl mit sich. Als zwei Jahre später ein Besuch aus Weimar die Erinnerung an jene Tage wieder wachrief, da schrieb er in sein Tagebuch (26. Februar 1829): „. . . so muß einem Verurteilten zu Mute sein, der zum Richtplatz geführt wird, wie mir war, als ich vor 2 Jahren Weimar betrat. Ein solches Gefühl der Insuffizienz war mir noch niemals vorgekommen. Die Auszeichnung, mit der ich dort behandelt wurde, war mir beinahe fürchterlich." Aus dieser Stimmung erklärt es sich denn auch, daß er nach der Heimkehr weder an Goethe, wie dieser erwarten durfte, geschrieben, noch die Absicht, ihm die erste poetische Arbeit zuzueignen, ausgeführt hat.

Die Rückreise ging über Jena und den Thüringer Wald nicht ohne Beschwerden nach Koburg und dann über Nürnberg nach München, der eben in neuem Bauschmuck erstehenden Residenz Ludwigs I. Hier trat Grillparzer mit Peter Cornelius in nähere Beziehung, der gerade die Glyptothek mit Deckengemälden schmückte; auch der Minister Schenk nahm ihn freundlich auf. So waren die letzten Eindrücke der Reise besonders erfreulich, und der Dichter fühlte sich nach der Heimkehr doch körperlich erfrischt und von der geistigen Öde, die ihn vorher niedergedrückt hatte, befreit. Allerdings kam der schöne Plan, nun in regelmäßiger Arbeit die vorbereiteten dramatischen Stoffe auszuführen, nicht zur Verwirklichung. Jene heftigen Herzenskämpfe und Sorgen stürmten bald wieder auf ihn ein, und auch die sonstigen Erfahrungen waren nicht dazu angetan, Sammlung und Arbeitsfreudigkeit zu erhalten. Die staatliche Überwachung und Bevormundung führte immer wieder zu Gegensätzen und Reibungen. Selbst von Heimatliebe und echt monarchischem Sinn eingegebene Dichtungen, wie die schon im Frühjahr 1826 gedichtete „Vision"[1], ein ergreifendes Bekenntnis der Liebe zu dem schwererkrankten Kaiser, oder einige Jahre später das Gedicht auf die Genesung des Kronprinzen[2], Ferdinand des Gütigen, waren Mißdeutungen ausgesetzt und brachten Widerwärtigkeiten und Anfeindungen. Auch den neuen Dramen gegenüber zeigten sich Kritik und Zensur engherzig und unbillig. So wurde der leicht verletzte Dichter, der so wenig Widerstandsfähigkeit und Spannkraft besaß, immer wieder in seine Melancholie zurückgeworfen.

Dazu kam das Unerfreuliche der amtlichen Tätigkeit. Noch immer war Grillparzer Konzipist. Nach nahezu 15jährigem Dienst in der

---

[1] Vgl. Bd. 1, S. 156. — [2] Vgl. Bd. 1, S. 163.

Hofkammer hatte er meist mechanische Arbeiten zu verrichten, zu denen man einen geschulten Juristen und zumal einen geistig so hochstehenden Mann nicht gebraucht hätte. Die Versuche, aus der Reihe der Hand= arbeiter herauszukommen, blieben lange erfolglos. Den Gedanken, den Fürsten Metternich um Verwendung bei einer auswärtigen Ge= sandtschaft zu ersuchen, ließ der Dichter bald selbst wieder fallen, weil ihm alles Praktische so fremd geworden war, daß er nur mit Schauder an eine eigentliche Amtsführung dachte. Zu jährlichen Reisen fehlten die Mittel, ja er mußte sich, bei mangelnder Nebeneinnahme, über= haupt einschränken, um durchzukommen. Endlich bot sich eine Aus= sicht zur Befreiung aus dem lästigen Einerlei des Kanzleidienstes: Der Direktor des Hofkammerarchivs, der Historiker Megerle von Mühl= feld, starb 1831 an der Cholera. Grillparzer reichte seine Bewerbung um die Stelle ein und machte dabei nicht nur seine historischen und sprachlichen Kenntnisse geltend, sondern auch seine literarischen Ver= dienste, die jetzt zu belohnen Gelegenheit sei. In der Tat wurde ihm die Stelle übertragen; es war die erste amtliche Anerkennung seiner poetischen Leistungen, wie denn das vom 23. Januar 1832 datierte An= stellungsdekret seiner „ausgezeichneten Talente" Erwähnung tut und in der kalligraphischen Ausschmückung eine lorbeergezierte Lyra zeigt.

Mit Ernst und Gewissenhaftigkeit widmete sich Grillparzer den neuen amtlichen Pflichten. Sein ehrenhafter Charakter und sein auf= richtiges Wohlwollen gewannen bald die Herzen der anfangs miß= trauischen Untergebenen. Einer von diesen erzählte später: „Ich sehe ihn noch an seinem Pulte, nahe dem einzigen Fenster seines Kämmer= leins, stehen, das Haupt auf die Arme gestützt, noch die milde Bewe= gung seiner Lippen, von denen das Gold seiner Rede floß, und noch den Strahl seines durchgeistigten Auges, vor dem jedes Kleine und Gemeine in Demut und Scham zerfloß." In den Geschäften zeigte er sich, mochten sie auch oft drückend und unfruchtbar erscheinen, sorg= fältig und umsichtig. Die alten Dokumente suchte er für die Interessen des Staates nutzbar zu machen, fremde wissenschaftliche Arbeiten in jeder Weise zu fördern. Dies alles ist um so höher anzuschlagen, als diese Tätigkeit so durchaus im Widerspruche stand mit seinem Innen= leben und den eigenen geistigen Interessen. Bis zur Pensionierung (1856), also 24 Jahre, hat er in dieser Stellung ausgeharrt, da die Versuche, sie mit einer mehr wissenschaftlichen Beschäftigung zu ver= tauschen, mißlangen.

3. Die Dichtungen.

Die poetischen Arbeiten dieses Jahrzehnts sind naturgemäß nicht zahlreich und reifen meist sehr langsam. So war der Stoff zu einem Drama aus der ungarischen Geschichte schon vor der Reise nach Deutschland ausgesucht worden. Den äußeren Anstoß dazu hatte die Aufforderung des Oberhofmeisters Grafen Dietrichstein gegeben, Grillparzer möge für die Krönung der Kaiserin zur Königin von Ungarn ein Stück schreiben. Zu diesem Zweck hatte sich der zuerst ausgewählte Vorgang, die Erhebung der Ungarn gegen den König Stephan, als ungeeignet erwiesen, und der Auftrag war abgelehnt worden. Aber das Studium der ungarischen Chronikschreiber hatte zur Entdeckung einer anderen Empörungsgeschichte geführt, die zum Drama geeignet schien. Damals freilich war dieser Plan bald liegen geblieben. Jetzt, nach der Heimkehr, wandte sich der Dichter, zu neuem Schaffen ermutigt und von der Absicht angespornt, das neue Stück Goethe zu widmen, mit Eifer der Ausarbeitung zu. Sie ging jetzt so rasch von statten, daß das Stück am 5. Dezember 1826 abgeschlossen wurde. Es ist die Bancbanustragödie „Ein treuer Diener seines Herrn", ein Seitenstück zum „Ottokar": auch hier waren eingehende Quellenstudien nötig; auch hier ging der Dichter in der Auffassung und Entwickelung der tragischen Motive wie der Persönlichkeiten seinen eigenen Weg; auch hier erstrebte er eine scharfe, durch eine Fülle von Einzelzügen gestützte und belebte Charakteristik, eine sachliche, manchmal lakonisch kurze, aber doch die einzelnen Personen unterscheidende Sprache. Ja, diese realistische Richtung, der man den Einfluß Lope de Vegas anspürt, erschwert fast das Verständnis der Gestalten, besonders das des Haupthelden Bancbanus, der mit einer rauhen Außenseite und pedantischkomischen Zügen die strengste Ehrenhaftigkeit und ein tiefes Gemüt verbindet. Gegenüber dem Vorwurf, das Stück sei eine Apologie der knechtischen Unterwürfigkeit, betont Grillparzer in der Selbstbiographie, er habe dabei den Heroismus der Pflichttreue im Sinne gehabt, Bancbanus verpfände dem König sein Wort, die Ruhe im Lande zu wahren, und er halte dies Wort trotz allem, was den Menschen in ihm wankend machen und erschüttern könne. Dazu kommt noch ein anderes. Indem Grillparzer die Königstreue verherrlicht, hält er doch auch den Herrschern einen Spiegel vor, da die Zuchtlosigkeit des Prinzen Otto, die alles Unheil heraufbeschwört, aufs schärfste verurteilt und Sittlichkeit, Ordnung

und Gerechtigkeit als die Stützen des Thrones und der Staatsgemein=
schaft hingestellt werden.

Das Bühnenschicksal dieses Stückes ist sehr merkwürdig. Die Zen=
sur hatte es nicht beanstandet, doch verzögerte sich die Aufführung
bis zum 28. Februar 1828. Die Zuhörer nahmen das Werk freund=
lich, zum Teil mit Enthusiasmus auf; auch der Kaiser ließ dem Dich=
ter seinen Beifall ausdrücken und erlaubte ihm sogar, sich dem Publi=
kum von der Bühne zu zeigen. Am andern Tage aber wurde Grill=
parzer wieder einmal zum Präsidenten der Polizeihofstelle, Grafen
Sedlnitzky, berufen und ihm eröffnet, dem Kaiser habe das Stück so
sehr gefallen, daß er es dem Dichter abkaufen wolle, um es allein
zu besitzen. Es war klar: das Drama sollte verschwinden, vielleicht
weil die Rolle, die die Königin und der Prinz darin spielen, Anstoß er=
regt hatte, hauptsächlich aber wohl wegen der Schilderung eines Auf=
standes der Ungarn, die gerade damals wieder unruhig zu werden be=
begannen. Der Dichter verteidigte seine Position würdig und geschickt
sowohl in der Unterredung als nachher in einer Eingabe an den Prä=
sidenten. Er erklärte sich zwar zu dem Handel bereit, stellte aber einen
ziemlich hoch bemessenen Preis und betonte zugleich die Hoffnung,
daß nach dem Vorübergehen der jetzt zwingenden Umstände die Ver=
breitung seines Werkes werde erfolgen können. Noch mehr mußte die
Bemerkung wirken, daß wahrscheinlich das Stück durch Abschriften
schon verbreitet sei. Genug, man ließ die Sache ruhen, gestattete auch
die weitere Aufführung und den Druck. Für den Dichter aber war
diese unerhörte Willkür des absoluten Regiments eine neue herbe Er=
fahrung. Wieder erwog er den Gedanken, von seinem Vaterlande zu
scheiden, und wenn auch daraus nichts wurde, so verbitterte ihm dies
Erlebnis doch noch mehr das Dasein. „Ein österreichischer Dichter",
schrieb er damals in sein Tagebuch, „sollte höher gestellt werden als
jeder andre; wer unter solchen Umständen den Mut nicht verliert, ist
wahrlich eine Art Held."

Auch er verlor den Mut nicht, ja er fand wieder die Kraft, wenn
auch langsam, auf seiner Bahn fortzufahren. Zu historischen Stoffen
mochte er freilich zunächst nicht zurückkehren. Da fiel ihm zu rechter
Zeit eine früher begonnene Arbeit in die Hände, das Märchenspiel
„Der Traum ein Leben" aus dem Sommer 1817. Jetzt, 1829,
nahm er diese Dichtung wieder auf und fügte allmählich dem früher
vollendeten 1. Akt die übrigen hinzu. Wenn auch im Stoffe von Vol=

taire, in der Stimmung von Calderon beeinflußt, geht dieses phan=
tasievolle Stück doch durchaus seinen eigenen Gang; die Vorgänge sind
durch die Schuld des Helden zur Einheit und zu folgerichtiger Ent=
wickelung verknüpft und dem Ziel der Handlung, der Heilung des Jüng=
lings Rustan von dem Phantom des Ruhmes und seiner Einführung
in den stillen Frieden des häuslichen Glücks, dienstbar gemacht. Mit der
„Ahnfrau" in der rhythmischen Form der Trochäen verwandt, teilt das
Drama mit ihr auch die große Bühnenwirksamkeit, die hier freilich noch
stark durch äußere Mittel unterstützt wird. Auch diesmal erhielt Schrey=
vogel das endlich (1831) vollendete Stück, aber es erinnerte ihn mit
seiner überreichen Ausstattung zu sehr an die Volksstücke der Vorstadt,
so daß er es zunächst beiseite legte. Als es dann nach seinem Tod auf=
geführt wurde (4. April 1834), errang es der volkstümlichen Gattung
einen vollen Erfolg auch in den Räumen des Burgtheaters und ist
seitdem ein Lieblingsstück der Wiener geblieben.

Noch ein drittes Dichtwerk Grillparzers verdankt diesem Jahr=
zehnt seine Entstehung, die Hero=Tragödie „Des Meeres und der
Liebe Wellen". Auch dieser Stoff hatte den Dichter schon früher,
während der Arbeit am „Goldenen Vlies", beschäftigt, so daß das
Stück wie in seinem Inhalt so auch in seinen Anfängen unter seine
griechischen Tragödien gehört. Aber schon der allgemeine Titel deutet
an, daß hier nicht das Antik=Hellenische, sondern das Allgemein=
Menschliche und Märchenhaft=Romantische im Vordergrunde steht. Als
Quellen dienten hauptsächlich das kleine Epos des griechischen Gram=
matikers Musäus und Schillers Ballade „Hero und Leander". Doch
hat Grillparzer nicht nur die Vorgänge zu dramatischer Anschaulichkeit
gebracht und zeitlich zusammengerückt, nicht nur durch Einführung des
Priesters der Katastrophe einen menschlichen Untergrund gegeben: er hat
die Liebe als eine beseligende und erlösende Macht in den Mittelpunkt des
Dramas gestellt und in seiner Hero eine von allem Zauber der Poesie
umsponnene Frauengestalt geschaffen, bei der unbewußtes Weben des
Gemüts mit festem Wollen, sinnenfreudige Hingabe an die Umgebung
und den Geliebten mit seelischer Reinheit und klarem Denken sich zu
einem eigenartig reizvollen Wesen vereinen. Dabei wird die innere
Erfahrung und Umwandlung ihres Charakters, ihr Reifen zum Weibe,
ihr Heranwachsen zur Heldin in sicherer Begründung und organischem
Fortschreiten entwickelt. Die dramatische Darstellung dieses neuen
Wesens beeinträchtigt allerdings die Bühnenwirksamkeit des Stückes:

das Träumerische, Versunkene der Heldin raubt, in Verbindung mit dem absichtlich zögernden, ermüdenden Hinziehen des langen Tages, dem vierten Akt bei aller Innigkeit die dramatische Kraft. Auf die Darstellerin der Rolle kommt alles an. Bei der ersten Aufführung versagte diese, Julie Rettich, hier ganz und verursachte dadurch eine kühle Aufnahme der letzten Akte, die Grillparzer selbst geradezu als Ablehnung empfand. Dagegen haben die Aufführungen unter Laube, der an Marie Bayer=Bürck eine vortreffliche Hero=Darstellerin hatte, unbestrittenen Erfolg gehabt, wie ihn diese zarte Tragödie verdient, die innerlichste, seelenvollste Schöpfung unseres Dichters.

Freilich je mehr dieser von dem Innersten seines eigenen Lebens in diese Tragödie gelegt hatte, um so schmerzlicher empfand er jene Ablehnung. Mit der Überzeugung der Unzulänglichkeit, die dadurch verstärkt wurde, verband sich doch auch das bittere Gefühl, daß sein Volk und seine Zeit sich von ihm losgesagt habe. So kam er zu dem Entschluß, in Zukunft unbekümmert um Beifall oder Mißgunst der Menge innerlich seinen stillen Zwecken zu leben. Unter diesem Grundsatz steht denn auch, nachdem die äußeren Verhältnisse sich mehr geklärt und geglättet und das innere Gleichgewicht sich befestigt hat, die folgende Zeit seines Lebens.

Vierter Abschnitt: Stilles Schaffen. 1835—1847.
1. Erlebnisse.

Als Grillparzer 1835 seine „Tristia ex Ponto" veröffentlichte, waren endlich die inneren Wirrnisse und Stürme, die in diesen elegischen Gedichten einen leidenschaftlichen Ausdruck finden, überwunden. Eine neue, erfreulichere Lebensepoche beginnt. Auch sie wird eingeleitet durch eine größere Reise, die Ende März 1836 den Dichter nach Westeuropa führt. Über München und Straßburg gelangt er in äußerst beschwerlicher „Eilwagenfahrt" nach Paris. Die Stadt mit ihren großartigen Gebäuden und Anlagen zeigt ihm ein Bekannter von Wien her, der Engländer Brant; die Kunstschätze im Luxembourg und im Louvre, das Schloß von Versailles werden besucht. Der Verkehr beschränkt sich fast ganz auf deutsche Kreise (Meyerbeer, Börne, Heine); seine Scheu vor der französischen Gesellschaft überwindet Grillparzer kaum, als sich Gelegenheit bietet, Alexandre Dumas kennen zu lernen. Trotzdem erregen die Zustände des Landes unter Louis Philippe sein lebhaftes Interesse; er beobachtet das Volksleben auf den Straßen und in den öffentlichen Gärten und besucht die Deputiertenkammer und Gerichtssitzungen. Das Wichtigste aber bleibt das Theater. Ausstattung, Spiel und Sprache der Schauspieler ringen ihm Bewunderung ab, der starke Besuch und die ausdauernde Teilnahme des Publikums wären auch für Wien zu wünschen; dagegen rufen Orchester und Gesang der Oper seine Kritik wach. Alle diese Eindrücke wirken am Ende doch belebend auf den Dichter; die Wolken des Inneren teilen sich, ein wenig Licht schimmert durch, wenn auch das naßkalte Wetter und körperliches Unbehagen oft stören und noch mancher Seufzer sich losringt. Dauernde Ermutigung sollte erst England bringen.

Mitte Mai setzte Grillparzer seine Reise fort. Von Boulogne-sur-Mer fuhr er auf dem Paketboot unmittelbar nach London, schon im Kanal und auf der Themse mit Staunen erfüllt vor der ungeahnten Welt des Verkehrs. Der Eindruck verstärkte sich, je öfter er in den nächsten Tagen die endlose Stadt durchstreifte. Trotz unzureichender Beherrschung der Sprache weiß er sich durchzufinden und die verwirrenden Eindrücke zu sammeln und zu sichten. Wie in Paris, so zieht auch hier das Volksleben den Beobachter stark an. Das Gedränge bei der Auffahrt in St. James am Geburtstage des Königs, das Kinderfest in der St. Paulskirche, bei dem sich Tausende von Kindern, unter ihnen die Prinzessin Viktoria, in dem ungeheuren Raum vereinigen, zeigen das Volk in festlicher Stimmung. Mehr Bewunderung noch erweckt es in der Arbeit. Der Mastenwald auf der Themse, die Docks mit den Handelsschiffen aus aller Welt, die riesigen Stapelhäuser und dazwischen das Gewimmel der emsigen Menschen; in der Stadt das Getriebe auf der Börse, die Warenschätze und Merkwürdigkeiten im East India House oder der Goldsmith Hall rufen die größte Hochachtung vor diesem betriebsamen Volke wach. Auch die eben sich entfaltende Maschinenindustrie erregt seine Aufmerksamkeit: in einer Dampfdruckerei und einer der großen Brauereien bewundert er die „zauberartige Menschentätigkeit der Maschine"; ein Ausflug nach Greenwich bringt die erste Eisenbahnfahrt.

Auch die öffentlichen Einrichtungen und die politische Größe Englands finden bei Grillparzer eine verständnisvolle Würdigung. Er sieht sich in den Gerichtssälen um, hört im Parlament hervorragende Redner und beobachtet im Oberhaus, wie der greise Wellington seinen staatsbürgerlichen Pflichten nachkommt. Die Tatkraft, Frische und

Freiheit des öffentlichen Lebens wecken schmerzliche Gedanken an die heimatlichen Zustände. Die Denkmäler in der Westminster-Abbey entlocken die Klage im Tagebuch: „Das ist nicht tot, wie die Geschichte Deutschlands, sondern lebt im gegenwärtigen Leben, in noch bestehenden Institutionen. Wahrlich, das Land hat eine Geschichte, wir haben nur Kuriositäten und Begebenheiten."

Und doch, wie verschwinden alle diese Vorzüge gegenüber den künstlerischen Werten! Im Theater wird Shakespeare zwar nicht immer verständnisvoll und würdig dargestellt, aber das Lustspiel ist auf einen hohen Grad von Vollkommenheit gebracht. Den Kunstschätzen in öffentlichen und privaten Sammlungen widmet Grillparzer manche Stunden und erfreut sich an den Gemälden von Murillo und Velasquez, Tizian und Guido, Claude Lorrain und Ruysdael. Nichts aber begeistert ihn so wie die Antiken im British Museum: die Gruppe der drei Schicksalsgöttinnen vom Ostgiebel des Parthenon ist ihm das Schönste, was von Skulpturen auf uns gekommen. In all diesen verstümmelten „Götterwerken" zeigen sich Spuren einer Herrlichkeit, die man mit keinem Dampfapparat herstellen kann. „O neue Pfeffer- und Teewelt, wie kommst du da zur Vergleichung!"

Alles in allem wirkt dieser Aufenthalt in London, der sich bis Mitte Juni ausdehnt, durch seine großartigen und wechselvollen Eindrücke und den Zwang, in einer fremden Welt, oft ohne Hilfe, sich zurecht zu finden, noch günstiger als die Wochen in Paris. Mehr und mehr kehrt das Verlangen und die Fähigkeit, mit Menschen ungezwungen zu verkehren und der Trieb zu eigener Tätigkeit in ihm zurück. Wie hier mit den Hausgenossen und anderen neuen Bekannten manche Stunde in heiterer Geselligkeit verbracht wurde, so schließt sich Grillparzer auf der Heimreise, die über Belgien und den Rhein hinauf führt, rascher und enger als sonst an die Reisegefährten an und genießt mit Behagen in fröhlichem Kreise die Schönheit einer Dampferfahrt von Koblenz nach Mainz. Auch die Werke der niederländischen Maler in Antwerpen und Brüssel, die Dome von Köln und Mainz, Wiesbaden und Heidelberg mit ihrer herrlichen Landschaft, Frankfurt und seine Goethe-Erinnerungen sind geeignet, die zuversichtliche Stimmung zu erhöhen. Den letzten freudigen Eindruck bietet Stuttgart und der Verkehr mit Uhland, den Grillparzer längst als den einzigen echten Lyriker der Epoche verehrt hat und nun auch persönlich wertschätzen lernt.

Ende Juni 1836 war unser Reisender wieder in der Heimat. Ein Vierteljahr hatte die Fahrt nach dem Westen gedauert, aber sie hatte auch körperliche Kräftigung und neuen Schaffensmut gebracht. Der Dichter hatte solche Stärkung nötig, denn auch in den nächsten Jahren fehlten die bitteren Erfahrungen nicht. Schon in München hatte ihn die Nachricht von der Katastrophe seines Bruders Karl getroffen, die ihm Sorgen und dauernd drückende Verpflichtungen auferlegte. Aber jetzt war er besser als ehedem den Widerwärtigkeiten des Lebens gewachsen. Auch die äußeren Mißerfolge, die während der nächsten Jahre auf dem Theater und im Amte ihn trafen, konnten die nun gewonnene innere Festigkeit nicht rauben. Als das Lustspiel „Weh dem, der lügt!" (am 6. März 1838) in verletzender Form abgelehnt wurde, faßte er den Entschluß, nun ganz von Publikum und Kritik Abschied zu nehmen und zog sich, nach Herausgabe dieses Stückes (zugleich mit „Des Meeres und der Liebe Wellen" und „Der Traum ein Leben", 1840), auf die stille Arbeit und den engen Kreis der Freunde zurück. Sein Leben verläuft von jetzt ab ruhig, gleichförmig, aber keineswegs inhaltleer. Der Tag verteilt sich zwischen Amt, geistiger Beschäftigung und Verkehr. Die Lebensweise ist einfach und in jeder Hinsicht mäßig. Die liebste und mehr und mehr unentbehrliche Erholung bietet das Heim der Schwestern Fröhlich, wo der Dichter täglich aus und ein geht und wie ein Familienglied Freude und Sorge teilt, für Erziehung und Unterricht des jungen Wilhelm Bogner sich müht und an Gesang und Klavierspiel sich erfrischt. Das Verhältnis zu Kathi hat sich geklärt und beruhigt, und wenn auch ihr Herz noch immer ihm allein gehört, so hat sie doch gelernt zu entsagen und in demütiger Hingabe zu dienen.

Die private Beschäftigung ist zwischen Dichtung und wissenschaftlichen Studien geteilt. Diese werden von Jahr zu Jahr mehr sein Trost und sein Genuß. Neben der Lektüre der Alten, denen er nach wie vor die Treue hält, ziehen die Spanier ihn an; Lope de Vega wird mit der Feder in der Hand durchgearbeitet und beurteilt. Daneben gewinnen Geschichte und Tagesereignisse zunehmende Bedeutung. Die Karlistenkämpfe in Spanien 1836 verfolgt er mit geradezu leidenschaftlichem Interesse, nicht nur, weil die spanische Nation ihm ans Herz gewachsen ist, sondern auch aus der Überzeugung heraus, daß der Fortschritt und die politische Wiedergeburt der übrigen europäischen Länder, wie einst die Reformation, auch Österreich günstig

beeinflussen und es „aus seinem gegenwärtigen niederträchtigen Zu=
stand herausnötigen" müsse. Denn der Tod des Kaisers Franz
(6. März 1835) hatte an den inneren Verhältnissen nichts geändert;
das System Metternichs blieb auch unter Kaiser Ferdinand in Geltung.

Der Blick für die allgemeinen Interessen der Gegenwart sollte
unserem Dichter noch geschärft werden durch weitere Reisen ins Aus=
land. Bedeutungsvoller als ein zweiter Ausflug nach Norddeutschland,
der ihn im Jahre 1847 mit Wilhelm Bogner nach Berlin und Ham=
burg führte, war die Orientfahrt im Sommer 1843. Sie ging die Do=
nau hinab, teils auf dem Dampfer, teils wegen der Stromwirbel auf
Ruderschiffen, zuletzt zu Wagen bis Küstendsche. Bei günstigem Wetter
wurde dann durch das Schwarze Meer die Reise nach Konstantinopel
fortgesetzt. Hier wurde ein zwölftägiger Aufenthalt genommen. Grill=
parzer machte nach seiner Gewohnheit Studien an dem Volksleben
und suchte in die eigenartige orientalische Welt und ihre Kultur einzu=
dringen, hatte aber im ganzen mehr Freude an der herrlichen Land=
schaft als an den Menschen und Zuständen. So beschleunigte er die
Weiterreise, dem eigentlichen Ziel, Griechenland, zu. Leider aber waltete
über der weiteren Fahrt kein guter Stern. Zwar brachte das Schiff den
Dichter an der Stätte der Herosage vorüber, und ein Ausflug in die
troische Ebene bereitete ihm, dem Kenner der Homerischen Welt, hohen
Genuß. Aber dann, vor Lesbos, der Insel der Sappho, trübte stür=
misches Wetter und schwere Seekrankheit alle Freude; eine lange
Quarantäne in Syra stellte die Geduld auf die härteste Probe, und
als endlich Attika erreicht war, machte die eben ausgebrochene Re=
volution, durch die König Otto gestürzt wurde, den Aufenthalt im
Lande für jeden Deutschen gefährlich. So mußte sich der Dichter auf
Athen beschränken. Die klassischen Stätten machten freilich einen
tiefen Eindruck auf den begeisterten Freund der Antike. Aus den
Bautrümmern der Akropolis richtete seine Phantasie das Großartige
der entschwundenen Herrlichkeit wieder auf. „Aber mehr als alle diese
Trümmer", schrieb er in sein Tagebuch, „interessieren mich die Quel=
len des Illyssos, an denen Platon spazieren ging, die vielgenannten
Berge, die das Tal von Attika umschließen, die Aussicht aufs Meer
mit Salamis, Ägina, die Natur, die immer war, was sie jetzt ist,
und dazu Zeugin jener unsterblichen Taten und Werke. Die Bau=
werke machten mich staunen, die Hügel und Flußbette trieben mir die
Tränen in die Augen."

Am 22. Oktober, nach nur zehntägiger Rast in Athen, stieg Grill=
parzer wieder zu Schiff, um auf einer stürmischen Fahrt, die der An=
blick unglücklicher bayrischer Flüchtlinge noch trauriger machte, über
Korfu und Triest den Heimweg anzutreten. Nach kurzem Aufenthalt
in Graz traf er am 7. November in Wien ein, unbefriedigt von einer
Reise, deren Hauptzweck sich so wenig erfüllt hatte.

Im Jahre 1844 machte Grillparzer zweimal den Versuch, vom
Archiv wegzukommen und als erster Kustos an der Hofbibliothek seine
Stellung zu verbessern. Mit berechtigtem Selbstgefühl wies er in sei=
nem Gesuch an Kaiser Ferdinand darauf hin, daß es nicht zum Ruhme
der Gegenwart gereichen möchte, wenn sie einen Mann hinter den Ak=
ten versauern lasse, der in anderen Verhältnissen Höheres zu leisten im
stande sei. Der Erfolg blieb aus. Ja, beim zweiten Versuch, als ihm
der Freiherr von Münch=Bellinghausen (als Dichter Friedrich Halm)
vorgezogen wurde, erfuhr er die bittere Kränkung, daß ihm die Ab=
lehnung gerade zu Weihnachten mitgeteilt wurde[1]. Bei solchen Erfah=
rungen mußte ihm die Hoffnung immer mehr schwinden, seine Leistun=
gen gerecht gewürdigt zu sehen. Als daher Fürst Metternich im Jahre
1847 eine österreichische Akademie der Wissenschaften ins Leben rief und
man auch den allbekannten Dichter zum Mitgliede dieser Körperschaft
machen wollte, da war er nahe daran, mit scharfem Hinweis auf die
früheren Zurücksetzungen die Ehre auszuschlagen. Dann vermied er
zwar den offenen Bruch, doch hat dieser Institution nie sein besonderes
Interesse gehört, nur die unschätzbare „Selbstbiographie" ist jenem
Verhältnis entsprungen.

Die Abneigung gegen das System Metternichs mußte noch wach=
sen, je mehr durch die bewegte Zeit die Aufmerksamkeit auf die Politik
gelenkt wurde. Allerdings hatten Geschichte und Staatswissenschaft
von jeher ihn stark beschäftigt, kein bedeutenderes Buch historischen oder
politischen Inhalts war dem Vielleser entgangen. Seine eigenen An=
schauungen wurzelten durchaus in der Ära Josephs II. Er fühlte sich
als Deutsch=Österreicher. An der heimischen Erde, an dem Wiener
Volkstum hing seine ganze Seele; warmes Empfinden, echte Natür=
lichkeit und ein unbewußt sicheres Kunsturteil erschienen ihm als cha=
rakteristische Vorzüge seiner Landsleute. Die Überzeugung, daß er selbst
von dieser Art sei, daß er von diesem Volkstum und dieser Umgebung

---

[1] Vgl. das Gedicht „Weihnachten 1844", Bd. 1, S. 92.

in seinem Denken und Fühlen bestimmt werde und in ihnen wurzele, hat er oft ausgesprochen:

> „Haft du vom Kahlenberg das Land dir rings besehn,
> So wirst du, was ich schrieb und was ich bin, verstehn."[1]

Diesem deutsch-österreichischen Element, dem eigentlichen Kulturelement der Monarchie, will Grillparzer die Führung des Gesamtstaates und die Kolonisierungsmission gegenüber den Magyaren und Slawen dauernd zugewiesen sehen. Im Innern verlangt er eine freie Entfaltung der Kräfte in Staat und Kirche. Die Einigung des gesamten deutschen Volkes kann er sich nicht anders denken als unter der Vorherrschaft Österreichs, dessen frische, ursprüngliche Kraft es dazu besonders befähige; eine Lostrennung der österreichischen Länder von dem übrigen Deutschland erscheint ihm ganz undenkbar. Wenn sich hier seine Ansichten mit denen der führenden Staatsmänner berührten, so war dem idealen Ziele der freiheitlichen Entwickelung Österreichs das Zeitalter Metternichs so fern wie möglich. Vielmehr war die Regierung darauf bedacht, durch Polizei, Zensur und Spioniererei jede freiere geistige Bewegung zu unterdrücken und die Untertanen von jeder Beteiligung an der Politik fernzuhalten. Grillparzer selbst mußte oft genug unter diesem System sich in seiner freien Bewegung und seinem Schaffen beengt und bedrückt sehen. Aber trotzdem konnte er eine gewaltsame Änderung der Zustände, die sich in der gärenden Zeit der vierziger Jahre immer deutlicher ankündigte, nicht billigen. Mit Besorgnis sah er der Revolution entgegen, von der er Gefährdung der bestehenden Kultur, der Monarchie und der durch sie gewährleisteten politischen Einheit befürchtete. Freilich gab er diesen Anschauungen keinen öffentlichen Ausdruck, sondern legte sie in kleineren Dichtungen und Aufsätzen nieder oder auch auf die Lippen seiner dramatischen Personen, doch dies alles nur in der Stille, denn alle diese Werke wurden nicht in die Öffentlichkeit gesandt.

2. Die Werke dieser Zeit.

Das letzte Drama, von dem die Zeitgenossen des Dichters Kenntnis erhielten, war das Lustspiel „Weh dem, der lügt!". Unmittelbar unter dem erfrischenden Eindruck der Reise von 1836 entstanden, zeigt diese Dichtung nicht nur eine Einheitlichkeit und Abrundung, wie

---

[1] Vgl. Bd. 1, S. 219.

sie nur der rasch geförderten, von derselben Stimmung beherrschten Arbeit eignet: sie läßt auch in dieser Stimmung erkennen, daß der Dichter Herr geworden ist seiner selbst und seines Schicksals. Das Stück steht unter dem Zeichen des Humors und beweist Grillparzers Begabung für das tiefer aufgefaßte Lustspiel. Schon einige Jugend= versuche gehörten diesem Gebiet an, Parodie und Satire haben ihn immer gelockt, und wie er seinem Freunde Bauernfeld bei seinen Lust= spielen gern mit Rat und Tat zur Seite stand, so hat er in seine eigenen Tragödien vielfach leicht humoristisch gefärbte Gestalten verwebt, wie Naukleros in „Des Meeres und der Liebe Wellen", Bancban, Hamann in die „Esther". In dem vorliegenden Stücke aber durchläuft er die ganze Stufenleiter komischer Charaktere, vom freien, über alle Wider= wärtigkeiten sich erhebenden Humor des Küchenjungen Leon an bis herab zu der plumpen Komik des Halbwilden Galomir. Auch der Gegensatz von Kultur und Barbarentum ist in komische Beleuchtung gerückt. Dabei wird die Handlung durch reiches und buntes Detail belebt, rasch und ohne steife Abstraktion durchgeführt. Das Ganze wird zu= sammengehalten durch die Forderung der Wahrhaftigkeit. Während Leon zuerst nur mit der Wahrheit spielt, dann aber lernt, sie als eine heilige Sache anzusehen, wird auf der anderen Seite der Bischof zu der Einsicht gebracht, daß sich sein übertriebener Idealismus in dieser buntverworrenen Welt der Täuschung nicht behaupten läßt. Diese ernste Seite des Stückes ist es, die in Verbindung mit dem Phantasti= schen und Echtpoetischen der Durchführung dem „Lustspiel" eine Son= derstellung in der deutschen Literatur verleiht.

Diese Eigenschaften waren freilich auch verhängnisvoll für das Schicksal der Dichtung. Bei der Aufführung am 6. März 1838 waren weder die Schauspieler (Ludwig Löwe als Leon, Frau Rettich als Edrita) ihrer Aufgabe gewachsen, noch zeigten Publikum und Kritik das nötige Verständnis. Der Abend endete mit einer völligen Ab= lehnung. „Die Leute benahmen sich roh und dumm, ohne allen Re= spekt. Diesen Böotiern kann man kein literarisches Lustspiel auftischen", schrieb Bauernfeld in sein Tagebuch. Der Adel, der in der Gestalt des Attalus sich verhöhnt glaubte, verließ während der Vorstellung un= willig das Theater. Die Kritik, voran Bäuerle in der „Theater= zeitung" und der charakterlose, witzelnde Saphir in seinem „Humo= risten", fiel schonungslos über das Stück her. Dieser Ausgang kränkte den Dichter sehr: er hat seitdem nichts mehr in die Öffentlichkeit gesandt.

Aber müßig blieb er in der Folgezeit keineswegs. Gerade die letzten Erfahrungen brachten seine eigenen satirisch-kritischen Anlagen zur Entfaltung. In den mannigfachsten Tönen und Formen, satirischen Gesprächen und Briefen, längeren Spottgedichten und scharf zugespitzten Epigrammen schlägt sich nieder, was sein Denken und Empfinden beschäftigt. Philosophie und Religion, ethische und ästhetische Fragen, Literatur und Kritik, Publikum und mehr und mehr auch die Politik werden vor dieses Forum gezogen.

Grillparzers ästhetisches Glaubensbekenntnis, das in diesen Dichtungen wie in einzelnen Studienblättern und Aphorismen niedergelegt ist, gründet sich auf die Grundlehren Kants, entspricht aber auch durchaus der echten Künstlernatur des Verfassers. Wie er selbst gründlich und wahrhaftig ist, so verlangt er auch von dem Kunstwerk Gehalt und reine Form. Die Kunst beruht ihm auf dem Können, nicht auf dem Wissen, auf der Eingebung des Genius, nicht auf Bildung. Aus diesem Grunde kann die Menge ein beachtenswertes Dichtwerk nicht hervorbringen; das Volkslied ist nicht hoch einzuschätzen. Aber auch das Reflexionsmäßige in der Poesie ist abzulehnen; darum stehen die Griechen, die Spanier, Shakespeare so hoch, weil sie über solche der Prosa entlehnte Afterpoesie erhaben sind. Doch selbst den echten, aus der Seele geborenen Gehalt erhebt erst die Form zum Kunstwerk; die Körperlichkeit, die die Ideen in Anschauung umsetzt, macht erst das Wesen der Dichtung aus. „Die ganze Poesie ist nur ein Gleichnis, eine Figur, ein Tropus des Unendlichen", lehrt Grillparzer mit Herder und Schiller. Daraus ergibt sich auch, daß er mit diesem die reine Schönheit anstrebt und, bei allem Sinn für das Gegenständliche und Wirkliche, die Reizung durch das Häßliche, den Naturalismus, verwirft.

Unter den Mustern, bei denen Grillparzer seine künstlerischen Forderungen am vollkommensten erfüllt sah, nehmen die spanischen Dichter, je älter er wurde und je mehr die eigne dichterische Erfindungskraft erlahmte, eine immer wichtigere Stelle ein. Lope de Vega vor allem widmete er ein zusammenhängendes und eindringendes Studium. Offenbar lag es in seiner Absicht, in einem umfassenden wissenschaftlichen Werke dem deutschen Volke den großen spanischen Dichter nahe zu bringen. Es ist aber bei Bruchstücken geblieben, von denen das bedeutendste eine eingehende Charakteristik des gefeierten Dramatikers bietet[1].

---

[1] Vgl. auch das Gedicht „Lope de Vega", Bd. 1, S. 125.

Daß diese spanischen Studien auch auf die Dichtungen Grillparzers Einfluß gewinnen mußten, liegt auf der Hand. Neben Schiller und Goethe hat ihn niemand so bestimmt wie in der Jugend Calderon, im Mannesalter Lope. Nicht nur manche Motive und Einzelzüge gehen auf diese Quelle zurück: die Grundströmungen Lopescher Dichtart finden wir bei ihm wieder, die Neigung zum Märchenhaften und Wunderbaren, die lebenswarme Gestaltung auch der Nebenfiguren, die Anschaulichkeit und sinnliche Kraft der Darstellung, die geistvolle Beweglichkeit und Lebensweisheit des Dialogs. Diese Einwirkung, die schon im „Traum" und in dem Lustspiel zu erkennen sind, treten noch stärker hervor in den Dramen, die der alternde Dichter in aller Stille ausarbeitete, der „Jüdin von Toledo", der „Libussa" und dem Fragment „Esther".

Die Bruchstücke der Tragödie „Esther" stammen aus der Zeit nach 1837. Die Anregung zu dem Stoff, die Schilderung der Zustände sowie manche bedeutsame Einzelmotive und Charakterzüge, z. B. der Gegensatz zwischen Mardochai und Hamann, gehen auf das gleichnamige Stück Lopes zurück. Aber die Heldin und damit die tragische Verwickelung sind ganz anders gedacht. Esther ist rein menschlich geschildert, eine Liebesheldin, keine Tugendheldin. Ohne übernatürliche Mittel, durch ihre frische Anmut und Herzensgüte gewinnt sie des Königs Liebe und bannt dessen Mißtrauen, wenn auch nicht dauernd. Anderseits läßt die Unaufrichtigkeit, in die sie sich mehr und mehr verstrickt, vorausahnen, daß der Dichter beabsichtigte, sie beim äußeren Sieg ihres Volkes über seine Widersacher am Hofe immer mehr in die innere Zerrüttung hineinzuführen und daran zu Grunde gehen zu lassen. Die religiösen Gegensätze, die der Stoff bot, und die satirische Beleuchtung des Hoflebens, die der Dichter hineingebracht hatte, mochten ihn bestimmen, das Werk unvollendet zu lassen. Die ersten anderthalb Akte aber wurden 1863 von Emil Kuh für sein österreichisches Dichterbuch erbeten und lenkten die Aufmerksamkeit auf diesen Torso, der seitdem auch auf der Bühne sich großen Beifalls erfreut.

In noch höherem Maße als bei der „Esther" ist Grillparzer bei der „Jüdin von Toledo" von Lope beeinflußt, obwohl er das Thema schon lange vor der Bekanntschaft mit diesem sich aufgezeichnet hatte. Auch hier ging er in Anlage, Charakterzeichnung und psychologischer Begründung durchaus seine eigenen Wege. Die Hauptperson ist bei ihm nicht die eigenartige Gestalt der Rahel, sondern der König, dessen

Entwickelung zu einer innerlich gefestigten Herrscherpersönlichkeit in diesem Erziehungsdrama gezeigt wird. Das Stück ist erst aus dem Nachlaffe des Dichters veröffentlicht worden und hat im Januar 1873 seine erste Aufführung erlebt. Die Zeit seiner Vollendung ist nicht genau festgestellt, doch nimmt man an, daß die Arbeit daran sich bis in die fünfziger Jahre hingezogen hat.

Auch die Tragödie „Libuffa" hat den Dichter lange beschäftigt. Schon 1819, bei den Vorarbeiten zum „Ottokar", stieß er auf den Stoff, 1822 holte er ihn wieder hervor, aber erst in dem Jahrzehnt 1837—47 folgte die langsame Vollendung. In dieses gedankenschwere Werk hat der Dichter seine Ansichten über den Entwickelungsgang der Menschheit niedergelegt. Ein Volk tritt aus dem engen Zusammenleben mit der Natur heraus und in die fortschrittsfreudige Kulturarbeit hinüber. Die Tragik der Heldin, deren Schicksal mit dem der Medea verwandt ist, liegt eben darin, daß sie in diese Übergangszeit gestellt ist. Sie, das Weib, das halb unbewußt in der Natur wurzelt, scheitert in der helleren, aber härteren Welt, in die sie emporsteigt, während der geistes= und willensstarke Mann den Rechtsstaat zusammenfügt und sein Volk der Kultur näher bringt. Dieser politische Boden seines Werkes gibt zugleich dem Dichter Gelegenheit, seine sozialen und nationalen Anschauungen auszusprechen, die in der erregten Zeit der vierziger Jahre nach einem Ausdruck verlangten. Trotz diesem Ideengehalt liegt aber über der Dichtung ein rührender und erwärmender poetischer Hauch, der vor allem durch den Zauber des Liebesspiels zwischen Libuffa und ihrem Gatten hervorgerufen wird, so wenig eng auch dieses Herzensverhältnis mit der tragischen Verwickelung des Stückes verschmolzen ist. Auch der Reichtum und Glanz der Bilder, der freie Flug der Phantasie und die schwungvolle Sprache, das Symbolische und Märchenhaft=Wunderbare, das die vorgeschichtliche Dämmerung dem Dichter gestattet, erhöhen den poetischen Wert und die eigentümliche Schönheit dieser Dichtung.

Noch mehr als „Libuffa" ist die zuletzt von Grillparzer abgeschlossene Tragödie „Ein Bruderzwist in Habsburg" ein Niederschlag seiner politischen Ansichten; zugleich aber ist sie in der Person des Kaisers Rudolf II. ein Spiegel seines eigenen Wesens. Auch hier eine lange Entwickelungsgeschichte. Schon 1824 und dann 1826 auf der Reise über Prag nach Norddeutschland beschäftigte ihn der „stille" Kaiser. Seit 1835 läßt sich, gleichzeitig mit „Libuffa", die Ausarbeitung verfolgen, die dann 1848 zu einem vorläufigen Abschluß kommt, um aber in den fünfziger Jahren einer nochmaligen Umgestaltung Platz zu machen. Das Stück ist, wie „Ottokar" und der „Treue Diener", ein national=österreichisches Drama, dessen geschichtlicher Stoff eingehende Quellenstudien erforderte. Im vorliegenden Falle hat sich der Dichter aber noch mehr als vordem an die Geschichte gehalten und weniger enge Geschlossenheit und Bühnenwirksamkeit angestrebt; war doch eine Aufführung von vornherein nicht beabsichtigt. Im Vordergrunde des Interesses steht für ihn der Kaiser, der mit bewundernswerter Lebenswahrheit und psychologischer Tiefe gezeichnet ist. Er ist mit seiner vornehmen Gesinnung und tiefen Einsicht hineingestellt in eine gärende Zeit, allein von seiner Umgebung fähig, das Nahen einer neuen Weltepoche zu bemerken, aber unfähig, sie abzuwenden. So zieht er sich, launisch, eigensinnig, mißtrauisch, wie er ist, in sich selbst zurück, unglücklich im Gefühl seiner grenzenlosen Vereinsamung, voll von Sehnsucht nach wahren Menschen und echtem Seelenfrieden. Demnach leidet dieser Herrscher, ähnlich wie Sappho und Libussa, an einem Übermaß grübelnder Reflexion und stiller, weicher Innerlichkeit. Dadurch wird er, ein andrer Hamlet und Tasso, das Opfer der harten Wirklichkeit: äußerlich schlägt ihn der listige und gewalttätige Erzherzog Matthias im Bunde mit dem harten Fanatiker Ferdinand nieder, innerlich die Zuchtlosigkeit seines natürlichen Sohnes Cäsar. Der Ausgang des Stückes ist dumpf und drückend. Wenn auch Rudolfs Scheiden verklärt wird durch seine gesteigerte Einsicht und durch die Wehmut, mit der er diese von Wirrnissen und Gewalttat erfüllte Welt verläßt, so wirkt doch die Aussicht auf den Krieg und die engherzigen Menschen, die von dieser Seite ihn aufnehmen, unerquicklich. Auch darum wird dies Drama, das am 24. September 1872 durch Laube im Wiener Stadttheater zur Aufführung gebracht wurde, für die Bühne keine große Bedeutung gewinnen; als poetisches Erzeugnis, als philosophisches und soziales Vermächtnis des Dichters bleibt es hochbedeutsam.

Ein Bekenntnis eigener innerer Erlebnisse und zugleich ein neues Beispiel für den Zusammenstoß der schwachen Subjektivität mit der rauhen Wirklichkeit ist auch die Novelle „Der arme Spielmann", die im Herbst 1847 erschienen ist. Die Träumernatur, die sich in ihrer dumpfen Zerstreutheit den Lebensweg und das Herzensglück zerstört, ist diesmal nur eine schlichte, geistesarme Persönlichkeit aus dem Volke.

Und doch wird auch sie von poetischer Verklärung umstrahlt und durch die schwärmerische Versenkung in die Musik, wenn auch in ihrer an= spruchs= und kunstlosesten Form, beglückt und geadelt. So spiegelt sich in dieser Gestalt wie in ihrem tragischen Geschick ein gutes Stück von der Lebenserfahrung und der Sonderart des Dichters selbst. Auch für ihn war die Musik, von der Kinderstube an, ein Lebenselement; er „durfte nur einen Ton hören", so geriet schon „sein ganzes Wesen in eine zitternde Bewegung, deren er nicht Herr werden" konnte. Auch er hatte eine so empfindsame, träumerische Art und einen solchen Hang zur Einsamkeit. Auch sein Leben durchzieht jener Konflikt zwischen der Innen= und Außenwelt. Unsere Novelle atmet aber nicht nur diese innersten Empfindungen und Erfahrungen des Dichters, sie verrät auch sein starkes Heimatgefühl, seine liebevolle Teilnahme an Leid und Lust des Wiener Volkslebens, wie die alte, die vormärzliche Zeit es sah.

Fünfter Abschnitt: Lebensabend. 1848—1872.

1. Die neue Zeit.

Grillparzer war 57 Jahre alt, als die für sein engeres Vaterland so einschneidende und folgenschwere Volksbewegung ausbrach. Sie mußte ihn, der mit der Vaterstadt und mit Österreich so fest verwachsen war, stark in Mitleidenschaft ziehen. Bei seinem Haß gegen den Charakter wie gegen das System des Fürsten Metternich war es natürlich, daß ihn die Märzereignisse zunächst mit Freude erfüllten. Er unterzeichnete mit eine Eingabe um Milderung der Preßgesetze und pries mit Stolz seine Österreicher, die sich so mutig wie würdig hielten, „Kopf und Herz im rechten Gleichgewicht". Solche Besonnenheit und Mäßigung wünschte er dauernd der Bewegung [1], wie er sie auch selbst übte, indem er, anders als sein Freund Bauernfeld, der ungestüm den Staats= dienst verließ, loyal in seinem Amte ausharrte. Als nun diese Grenzen nicht innegehalten wurden, als man selbst der ihm heiligen Person des Kaisers zu nahe kam, als Ungarn, Böhmen, Polen, Italier sich gegen die Monarchie erhoben und Sonderrechte und Selbständigkeit erkämp= fen wollten: da sah der durch und durch monarchisch gesinnte Patriot mit Schrecken sein Vaterland von inneren Wirren und der Gefahr der Zersplitterung bedroht. In dieser Not setzte er, zumal auch die neue

---

[1] Vgl. das Gedicht „Mein Vaterland", Bd. 1, S. 181.

Regierung es an Kraft und Entschlossenheit fehlen ließ, seine Hoffnung auf die Armee, die allein den Staat als Ganzes zusammenhalten und Österreichs Macht, Glück und Zukunft gewährleisten könne. So entstanden jene flammenden Verse an „Feldmarschall Radetzky":

> „Glückauf, mein Feldherr, führe den Streich!
> Nicht bloß um des Ruhmes Schimmer,
> In deinem Lager ist Österreich,
> Wir andern sind einzelne Trümmer[1]."

Dieses Gedicht weckte, in alle Sprachen der Monarchie übersetzt und an die Armee verteilt, allgemeine Begeisterung. Der gefeierte Heerführer dankte dem Dichter aufs wärmste vom italienischen Kriegsschauplatz aus, nach dem Feldzuge widmete ihm die Armee einen Ehrenpokal, und der neue Kaiser, Franz Joseph, ließ ihm durch den Ministerpräsidenten Fürsten Schwarzenberg das Ritterkreuz des Leopoldordens überreichen. „Diese herrlichen Verse", hieß es in dem Begleitschreiben, „gedichtet in einer düsteren und drangvollen Zeit, wirkten begeisternd auf die damals in Italien kämpfende Armee, sie hoben das sinkende Nationalgefühl der Gutgesinnten und führten die Hoffnung und Liebe für das gemeinsame Vaterland in manche österreichische Brust zurück. Sie ehren gleichmäßig den Dichter, Vaterlandsfreund und Staatsbürger." Auch in weitesten Kreisen hatte dieses Gedicht den Namen Grillparzers bekannt und beliebt gemacht.

Doch die Befriedigung, die solche Anerkennung und die Rettung des Vaterlandes ihm bereiteten, war nicht von Dauer. Bald mußte er sehen, daß der Sieg der Waffen dem kirchlichen und politischen Absolutismus zum Einzug verhalf. Diese Rückkehr zu den alten Zuständen erfüllte ihn aufs neue mit Schmerz und Unwillen. In beweiskräftigen Aufsätzen und Aphorismen, in beißenden Epigrammen und Spottversen sprachen sich seine Empfindungen aus, besonders als im Jahre 1855 das Konkordat mit Rom abgeschlossen war, das der kirchlichen Macht das Übergewicht in Österreich sicherte. Aber freilich trat Grillparzer mit diesen Waffen nicht auf den Kampfplatz, sondern hielt sie in seinem Pult verborgen. Erst einige Jahre später, als auch Österreich eine parlamentarische Verfassung erhalten hatte und der Dichter ins Herrenhaus berufen wurde, beteiligte er sich offen am politischen Leben. Ja, 1868 ließ sich der fast Achtzigjährige noch ins Herrenhaus führen, um für die Aufhebung des Konkordats zu stimmen.

---

[1] Vgl. Bd. 1, S. 183.

Wenn es ihm so vergönnt war, in den inneren Verhältnissen seines Vaterlandes eine Wendung zu erleben, die seinen Wünschen entsprach, so beobachtete er nicht ohne Sorge die Erstarkung der einzelnen Nationalitäten innerhalb der Monarchie; fühlte er doch, daß dadurch die deutschen Provinzen in Österreich, die ihm die eigentlichen Kulturträger waren, Gefahr liefen, immer mehr in ihrer Bedeutung zurückgedrängt zu werden.

Noch weniger war der Dichter mit der Entwickelung der Dinge in Deutschland zufrieden. Seine Hoffnung auf einen neuen Zusammenschluß der deutschen Nation unter Österreichs Führung sah er zu nichte werden. Das wachsende Übergewicht des preußischen Staates, der ihm stets widerwärtig gewesen war, die Ereignisse von 1866, die Italien die Unabhängigkeit, Ungarn die so lange erstrebte Selbständigkeit brachten und Österreich eine neue, untergeordnete Stellung in Europa zuwiesen, berührten ihn tief schmerzlich. Auch die Einigung der übrigen deutschen Stämme, den Sieg der deutschen Waffen im Jahre 1870 und die Wiedererrichtung des deutschen Kaisertums begrüßte er nicht mit der Freude wie seine jüngeren Landsleute. Er konnte die neue Zeit nicht verstehen, denn er wurzelte in der alten.

2. Späte Anerkennung und Ausgang.

Wenn schon das Gedicht von 1848 auf die Armee weitere Kreise wieder dem Dichter zugewandt hatte, so sollte einige Jahre später auch der halbvergessene Dramatiker, dem nur eine kleine Gemeinde treu geblieben war, endlich in die ihm gebührende Stellung einrücken. Freilich mußte dies früher oder später unter allen Umständen geschehen, denn die echte Größe bricht sich immer Bahn. Daß aber Grillparzer diesen Umschwung noch erlebte und durch ihn seinen Lebensabend verschönert sah, ist das Verdienst von Heinrich Laube. Seit 1850 Direktor des Burgtheaters, setzte dieser von 1851 ab die Stücke des Dichters, die auch von dieser Bühne allmählich verschwunden waren, aufs sorgfältigste neu in Szene. Von hervorragenden Schauspielern unterstützt, erntete er damit den wärmsten Beifall. Auch Dramen, die früher geringe Wirkung erzielt hatten, wie „Des Meeres und der Liebe Wellen", kamen jetzt zu ihrem Rechte. So brachte Laube einem jüngeren Geschlecht zum Bewußtsein, welch ein Poet in seiner Mitte lebe, wie er auch sonst nicht aufhörte, immer wieder der aufrichtigsten Verehrung für den Dichter Ausdruck zu geben und seine gerechte Würdigung herbeizuführen. Grillparzer nahm diese Anerkennung ziemlich kühl auf, sie kam „zu spät", um ihn zu neuer dichterischer Arbeit aufzumuntern, und konnte „vergangner Leiden tief getret'ne Spur" nicht verwischen; aber eine Genugtuung war sie doch für ihn und eine Bestätigung der früher gehegten Zuversicht, daß man ihn einst gerechter beurteilen werde. Ein immer wachsender Kreis von Verehrern sammelte sich um ihn. Ordensauszeichnungen und Ehrendiplome von auswärts zeigten, daß er auch dort nicht länger verkannt wurde. Als 1859 ganz Deutsch= land zur Schillerfeier rüstete, da gestaltete sich das Fest in Wien zu einer warmen öffentlichen Ehrung seines bedeutendsten Nachfolgers; die Universität Leipzig aber verlieh ihm an diesem Tage (wie später auch die Universität Graz) die Würde eines Ehrendoktors der Philo= sophie. Im Jahre 1864 zeichnete ihn seine Vaterstadt Wien durch das Ehrenbürgerrecht aus. Die großartigsten Huldigungen aber brachte sein 70. und noch mehr sein 80. Geburtstag. Am 15. Januar 1871 fand im größten Saale Wiens eine öffentliche Feier statt, der die ersten Künstler und Redner ihre Kräfte widmeten. Die Theater ehrten den Dichter durch Aufführung seiner Stücke. Eine Sammlung edler Frauen rief die Grillparzer=Stiftung ins Leben zur Unterstützung bedürftiger Schriftsteller und zur Erteilung von Ehrenpreisen für dramatische Lei= stungen. Kaiser Franz Joseph zeichnete den Dichter aus durch das Großkreuz seines Ordens und ein außerordentliches Jahresgehalt von 3000 Gulden und begrüßte ihn in seinem Glückwunschschreiben als den „gefeierten Dichter, den echten Patrioten, den Greis mit dem treuesten Herzen für das österreichische Vaterland und seinen Fürsten". Den Mitgliedern des habsburgischen Hauses schlossen sich andere Fürsten mit ihren Wünschen an, so König Ludwig II. von Bayern, der schon früher sich als „Verehrer der genialen und ergreifenden Dichtungen" bekannt hatte, so die Kaiserin Augusta und ihr Bruder, der Großherzog Karl Alexander von Weimar.

Alle diese reichen Ehrungen, die dem Dichter ein Zeichen sein konnten, wie sehr man die Sünden der früheren Zeit an ihm gut machen wollte, empfand der Gefeierte selbst mehr als Störung seines still= bescheidenen Daseins. Je älter er geworden war, um so lieber be= schränkte er sich lesend und nachdenkend auf seine Wohnung. Im Jahre 1849 war er, bald sechzigjährig, zu seinen bewährten und unent= behrlichen Freundinnen, den Schwestern Fröhlich, gezogen, die ihm zwei Zimmer ihrer Wohnung im vierten Stock eines alten Hauses in der Spiegelgasse abtraten. Hier fand er sein Behagen und die sorgsame Pflege, deren er mehr und mehr bedurfte. Die Tage verflossen ihm ruhig und gleichförmig, zumal seit er 1856, nach 43jähriger Dienstzeit, mit dem Titel eines k. k. Hofrats in den Ruhestand getreten war. Den Vormittag beschäftigten ihn seine Studien, das Mittagsmahl nahm er in dem benachbarten „Matschakerhof"; dann folgte regelmäßig ein Spaziergang über die Basteien. Der Abend führte ihn zu den Freundinnen zurück, die ihm vorlasen oder mit ihm musizierten. Lästige Besucher wußten die Schwestern fernzuhalten, aber seinen Freunden und auch sympathischen neuen Bekannten, wie Betty Paoli und der Freiin Josephine von Knorr, erschloß sich sein reicher Geist und seine milde Freundlichkeit, wenn auch Mißstimmung und Klage nicht fehlten. Dazu boten nicht nur die politischen Zustände und die Weltereignisse der bewegten Zeit Anlaß; auch die Verwandten, die Hinterbliebenen des Bruders Karl, die immer Ansprüche erhoben, bereiteten manchen Verdruß. Nicht selten hatte der Dichter auch über die Gesundheit zu klagen, obwohl bei seiner überaus einfachen und mäßigen Lebensweise sein an sich schwächlicher Körper sehr lange leistungsfähig blieb und seit 1851 alljährlich ein Badeaufenthalt Erfrischung brachte, den sein Freund und Hausarzt Dr. Preyß mit rührender Fürsorge überwachte. Das Alter trat in sein Recht. Die Augen wurden schwach, das Gedächtnis nahm ab, Kopfschmerz und Schwerhörigkeit machten sich immer unbequemer fühlbar, besonders seit dem Sommer 1863, wo der 72jährige Dichter im Römerbad Tüffer, als er eine lateinische Inschrift entziffern wollte, einen Stock tief hinunterstürzte und sich ernstlich verletzte.

In solchen Nöten bewährte sich die Treue der Schwestern Fröhlich aufs schönste. Kathi und Josephine eilten zur Pflege herbei, Anna begleitete die Genesung mit rührend-ängstlichen Briefen. Die hier und in all diesen Jahren bewiesene Anhänglichkeit und Aufopferung empfand der Dichter mit dankbarem Herzen. Gerade 1863, vor der Reise ins Bad, hatte er wie in Todesahnung sein Testament entworfen und die drei Schwestern zu Erbinnen seines literarischen Nachlasses eingesetzt „zum Dank für die Liebe und Treue, die sie ihm im Leben erwiesen" hätten. Das letzte Testament, vom Jahre 1866, nennt Katharina Fröhlich allein als Erbin seiner Hinterlassenschaft. Sie sollte noch Gelegenheit haben, seinen letzten Willen zu erfüllen und bei der Verwertung der literarischen Schätze mitzuwirken, da sie den geliebten

Dichter um sieben Jahre überlebte[1]. Diesen drückten nach dem 80. Geburtstage die Beschwerden des Alters immer mehr. Am schmerzlichsten
war ihm die zunehmende Schwerhörigkeit, da sie ihm das geliebte Reich
der Töne verschloß. Sein Geist blieb bis zuletzt ungetrübt. Am 21. Januar 1872, also bald nach Vollendung des 81. Lebensjahres, ist er ohne
vorherige Krankheit sanft entschlafen.

Am anderen Tage fand die Bestattung auf dem Währinger Fried-
hof statt. Der Kaiser bestritt die Kosten. Die ganze große Stadt be-
teiligte sich, als ob nicht dieser schlichte Mann, sondern ein Haupt des
Landes zur Ruhe geleitet würde. Wien ehrte sich und das ganze deutsche
Volk, indem es so Österreichs größten Dichter ehrte. Später wurden seine
Überreste nach dem Friedhofe von Hietzing überführt, wo auch Kathi
Fröhlich mit den Ihren ruht. So liegt jetzt, nach Vereinigung der Vor-
orte mit Wien, des Dichters Grab innerhalb seiner Vaterstadt selbst.

Im Volksgarten bei der Hofburg erhebt sich seit 1889 sein Denkmal, ein äußeres Wahrzeichen dafür, daß der Dichter unvergessen bleiben wird, wie er nachwirkt in seiner Heimat und überall, wo man
deutsch fühlt und deutsch spricht.

*   *   *

Die tragische Dichtung ist es, die Grillparzers unvergängliche
Größe ausmacht, tragisch ist auch sein Leben gewesen. Eins hängt mit
dem anderen eng zusammen, beides wurzelt in seiner ureigenen Natur.
Weil ihm eine so reizbare Phantasie, ein so reiches, so sorgsam gepflegtes
Innenleben eignete, darum haben seine Dichtungen in die tiefsten Spal-
ten und Abgründe der menschlichen Seele hinabsteigen und ihr Ringen
und Leiden so anschaulich und lebenswahr, aber auch so ergreifend schil-
dern können. Weil er so tief und fein empfand, ist er selbst mit seiner
Umgebung, mit dem Leben, mit dem Schicksal in so schmerzlichen Zwiespalt geraten. So hat er das Wort doppelt wahr gemacht, das Goethe
im Hinblick auf Tasso gebraucht, jenen Dichter, mit dem Grillparzer
sich so gern verglich:

> „Der Lorbeerkranz ist, wo er dir erscheint,
> Ein Zeichen mehr des Leidens als des Glücks."

---

[1] Sie starb am 6. März 1879.

Gedichte.

Geschichte.

Einleitung des Herausgebers.

Grillparzer hat seine Gedichte selbst nie als Ganzes veröffentlicht. Eine größere Anzahl von ihnen hatte im Laufe der Zeit in verschiedenen Zeitschriften Platz gefunden; sehr viele aber, namentlich fast alle kleineren Gedichte und Epigramme, sind erst nach seinem Tode bekannt geworden. Für die erste Ausgabe der sämtlichen Werke, die 1872 von Heinrich Laube und Joseph Weilen in 10 Bänden veranstaltet wurde, konnte der letztere, unterstützt von dem Vetter des Dichters, dem Freiherrn Theobald von Rizy, und von dem Hausarzte Grillparzers, Dr. Preyß, den reichen literarischen Nachlaß verwerten. Genaue Anhaltspunkte für die Datierung vieler Gedichte fehlten damals noch; die Lesarten waren bei manchen Stellen unsicher. Eine chronologische Reihenfolge war so noch nicht durchzuführen. Daher sichtete der Herausgeber die Gedichte nach dem Inhalt und ordnete sie in vier Abteilungen: Leben und Lieben, Poesie und Musik, Heimat und Fremde, Vermischte Gedichte.

So dankenswert diese Ausgabe war, die zum erstenmal ein Gesamtbild des gemüt- und geistvollen Lyrikers Grillparzer bot, sie mußte bei eingehenderer Beschäftigung mit dem Leben und Schaffen des Dichters und bei sorgfältiger Nachprüfung des gedruckten und des handschriftlich vorliegenden Materials sich als unzulänglich herausstellen. Die zweite Auflage der Werke, die schon 1874 nötig wurde, brachte bereits manche Verbesserungen, doch blieb die Einteilung noch unverändert.

Dagegen erhielten die folgenden Ausgaben der Gedichte eine wesentlich andere Gestalt. Theobald von Rizy hatte dem handschriftlichen Nachlasse der lyrischen Dichtungen Grillparzers eine langjährige Sorgfalt gewidmet und zugleich für das Verständnis der einzelnen Gedichte und ihre Einreihung in den Lebensgang des Dichters wertvolle Beiträge gesammelt. Eigene Erinnerung, Familienpapiere und die Über-

lieferung in dem Freundeskreise des Dichters hatten ihn dabei unter=
stützt. In diesem Kreise gab es eine handschriftliche Sammlung der
Gedichte aus den dreißiger und vierziger Jahren, und diese bildete nun
die Grundlage für die neue Ausgabe, die 1877 unter dem Titel
„Wiener Grillparzer = Album" als Handschrift für jenen engeren
Grillparzer=Kreis gedruckt wurde. In dieser vornehm ausgestatteten
Sammlung sind die Gedichte in sechs Gruppen geteilt: Leben und
Lieben, Aus dem alten Österreich, Aus der neuen Ära, Musik und
Musiker, Poesie und Poeten, Vermischte Gedichte. Für die Datierung
und Erklärung der lyrischen Dichtungen ist die Ausgabe von unschätz=
barem Werte, dagegen entbehrt die Gestaltung des Textes der wissen=
schaftlichen Grundsätze. Die Handschriften sind nicht nach ihrem Wert
abgewogen und benutzt; der Wortlaut der Gedichte hat nicht selten
eine Abänderung durch den Herausgeber erfahren, Überschriften sind
von ihm hinzugefügt worden. Zudem haben längst nicht alle Gedichte
des Nachlasses hier Aufnahme gefunden.

Nach diesen Richtungen suchte die dritte Ausgabe der sämtlichen
Werke (1881), bei der Wilhelm Vollmer die Redaktion übernahm, die
Gedichte zu bessern und zu ergänzen, obwohl im wesentlichen die Zu=
sammenstellung des Freiherrn von Rizy für Anordnung und Text=
gestaltung zu Grunde gelegt wurde. Auch die vierte Ausgabe (1887
in 16 Bänden) hielt an jenem Vorbilde fest, doch konnte der verdiente
Herausgeber, August Sauer, schon vielfach den Text auf Grund der
Originalhandschriften, die im Besitze der Wiener Stadtbibliothek sind,
berichtigen und (im zweiten Bande) eine nicht kleine Nachlese von bis=
her nicht veröffentlichten Gedichten hinzufügen, obwohl die Epigramme
auch jetzt nur zum geringeren Teil Aufnahme fanden.

Von einem grundverschiedenen Gesichtspunkt ist August Sauer
ausgegangen bei der Jubiläumsausgabe zum hundertsten Geburtstage
des Dichters (1891) und dementsprechend bei der fünften Gesamtaus=
gabe (1892). Er legte bei der Anordnung eine in Grillparzers Nach=
laß befindliche Reinschrift zu Grunde, die fast alle in den Jahren 1817
bis 1840 entstandenen und veröffentlichten Gedichte „in sinnreicher
Anordnung" enthalte. Diese, so vermutet er, sei ursprünglich für die
Schwestern Fröhlich angelegt gewesen, habe aber auch der um die Mitte
der vierziger Jahre geplanten Ausgabe der sämtlichen Werke als Druck=
vorlage dienen sollen. Diese Sammlung wird von Sauer als erste
Abteilung der Gedichte vorweggenommen. Daran schließt er dann

noch zwei weitere Abteilungen, von denen die eine die in jener ersten Sammlung nicht enthaltenen Gedichte aus den Jahren 1817—1840 und die später entstandenen Dichtungen zusammenstellt, die andere aber die Sprüche und Epigramme aus dem gesamten Leben des Dichters. Während nun bei diesen letzteren, soweit es möglich war, die Anordnung nach den Entstehungsjahren durchgeführt ist, sind für die zweite Abteilung große Gruppen (z. B. Politisches, Vaterländisches, Polemisches, Parabolisches u. s. w.) abgesondert, innerhalb dieser aber wird der chronologische Faden im ganzen festgehalten.

Diese Anordnung konnte bei der vorliegenden Ausgabe nicht zu Grunde gelegt werden. Denn einmal bietet sie nur eine Auswahl aus der großen Zahl der Gedichte, indem sie auf alles verzichtet, was nicht für das äußere und innere Leben des Dichters von Bedeutung ist. Sodann aber bleibt es überhaupt zweifelhaft, ob jene Sammlung aus den vierziger Jahren wirklich so, wie sie vorliegt, die Gedichte in der Gesamtausgabe zu vertreten bestimmt war. Sie enthält zwar nur Reifes und Gutes aus den bis dahin entstandenen Gedichten, aber keineswegs alles. Manche der schon vorher, z. B. in der „Aglaja", veröffentlichten Dichtungen finden sich hier nicht. Auf der anderen Seite erschwert die Absonderung der später entstandenen Gedichte von den inhaltlich verwandten Genossen die Übersicht über den Entwickelungs= gang und das geistige Leben des Dichters.

Aus diesen Gründen hat sich der Herausgeber entschlossen, der vorliegenden Ausgabe wieder eine sachliche Einteilung zu Grunde zu legen, innerhalb der Gruppen aber die chronologische Anordnung fest= zuhalten. So gewinnt der Leser zunächst einen Einblick in die Persön= lichkeit des Dichters, indem sich sein äußeres und sein so reiches und tiefes inneres Leben, soweit es in den Dichtungen sich spiegelt, vor ihm enthüllt. Diese Abteilung ist nach Umfang, Gehalt und Formvoll= endung die bedeutendste von allen. Und wenn sich auch nicht überall die Gedanken und Empfindungen des Dichters in eine leichte und glatte Form schmiegen — die Goethesche, einfach=schlichte und durch= sichtige Sprache und die volksmäßige Natürlichkeit des Tones war ihm nicht gegeben —, so sind diese Gedichte doch durch die Innigkeit und Wahrheit der Empfindung und die Fülle der Gedanken aus= gezeichnet. Namentlich kommen die herb=ernsten, oft bitteren Seelen= erfahrungen, an denen dieses Dichters Leben so reich ist, und der tiefe Zwiespalt, der sein Gemüt zerreißt, zu einem herzergreifenden Ausdruck.

Diese persönlichen Erfahrungen des Dichters werden ergänzt durch den Inhalt des zweiten und dritten Abschnitts. Was er über Dichtung und Dichter, über Kritiker und Kritik gedacht und in poetische Form gebracht hat, läßt erst sein eigenes dichterisches Meinen und Schaffen im rechten Lichte erscheinen. Nicht minder aber gehören zu der Sonderart dieses musikalischen Dichters die Gedanken, die er über die Tonkunst und ihre großen Meister in seinen Gedichten ausgesprochen hat.

Aus dem Innern des Dichtergemüts heraus führt uns die vierte Abteilung. Hier sehen wir den Patrioten und Politiker, der in ruhigen und erregten Tagen die Geschicke und die innere Entwickelung seines geliebten Stammvolkes auf dem Herzen trägt und seiner stolzen Hoffnung wie seinen Befürchtungen und seinem gerechten Zorn über Unverstand und Engherzigkeit einen markigen Ausdruck verleiht. Aber nicht nur sein engeres Vaterland, auch das deutsche Gesamtvolk und die politischen und kulturellen Zustände von ganz Europa finden in ihm einen scharfsinnigen und besonnenen Beobachter.

Auf ein noch allgemeineres Gebiet führen uns die kurzen Gedichte — Epigramme und Sprüche — der fünften Abteilung. Des Dichters philosophische, ästhetische und literarische Ansichten begegnen uns hier in oft sehr scharf zugespitzter Fassung. Zugleich enthalten diese kurzen Sätze eine Fülle von Lebensweisheit und sittlichen Normen.

Wieder zurück zu dem Leben des Dichters gelangen wir durch die letzte Abteilung. An der Hand der Gedenkblätter werden wir in den weiteren Kreis seiner Freunde und Verehrer eingeführt, aber auch hier verbindet sich die persönliche Beziehung des Dichters allemal mit einem Ton aus dem reichen Schatze seines Gemüts und Geistes.

Erste Abteilung.
Persönliches.
Leben und Erfahrungen des Dichters.

---

1. Cherubin.[1]

(Am 8. Februar 1812.)

Wer bist du, die in meines Herzens Tiefen,
    Die nie der Liebe Sonnenblick durchstrahlt,
Mit unbekannter Zaubermacht gegriffen?
Wer bist du, süße, reizende Gestalt?
5 Gefühle, die im Grund der Seele schliefen,
Hast du geweckt mit magischer Gewalt,
Gefesselt ist mein ganzes, tiefstes Wesen,
Und Kraft und Wille fehlt, das Band zu lösen!

    Seh' ich der Glieder zarte Fülle prangen,
10 Entstellt durchs schöngeschmückte Knabenkleid,
Das süße Rot der schamgefärbten Wangen,
Die blöde, knabenhafte Schüchternheit,
Das dunkle, erst erwachende Verlangen,
Das brennend wünscht und zu begehren scheut,
15 Den Flammenblick, scheu in den Grund gegraben:
So scheinst du mir der reizendste der Knaben!

    Doch seh' ich dieses Busens Wallen wieder,
Verräterisch durchs neid'sche Kleid gebläht,

---

[1] An die jugendliche Sängerin Henriette Teimer, nachmals Gattin des Opern-
sängers Franz Forti; der Dichter sah sie in der Rolle des Pagen in Mozarts „Hochzeit des Figaro".

Des Nackens Silber, gleich des Schwans Gefieder,
Vom reichen, seidnen Lockenhaar umweht,   20
Hör' ich den hellen Klang der Zauberlieder,
Und was ein jeder Sinn noch leis' erspäht,
Horch' ich des Herzens ahnungsvollen Tönen:
So nenn' ich dich die Krone aller Schönen.

Schlicht' diesen Streit von kämpfenden Gefühlen   25
Bezähme dieses siedend heiße Blut,
Laß meinen Blick in diesen Reizen wühlen,
Laß mich der Lippen fieberische Glut
In dieses Busens regen Wellen kühlen;
Und meiner Küsse räuberische Flut   30
Soll das Geheimnis dir im Sturm entreißen,
Welch ein Geschlecht du würdigst, sein zu heißen.

------

2. Als mein Schreibpult zersprang.

(Im Frühling 1813.)

Wenn im Lenz die Bäume knospen
    Und der Saft die Stämme füllt,
Fängt im Wald sich's an zu regen,
Und des Frühlings Kuß entgegen
Dehnt, erwacht, sich Zweig und Ast.   5

Doch nicht bloß das Holz im Walde,
Auch das Holz, das längst gefället,
Als Gerät schon steht und trocknet,
Fühlt des Götterboten Nahen,
Und in törichtem Vergessen   10
Dehnt's verlangend seine Adern:
Doch, nicht fähig mehr zu grünen,
Ächzt es laut auf und zerspringt.

So, ob schon vom Stamm getrennet
Und verwelket in der Blüte,   15
Weckt im Frühling mich dein Atem,

Himmelstochter Poesie!
Und mein Busen drängt und hebt sich;
Doch, nicht fähig mehr zu grünen,
20 Ächzt er laut auf und — zerbirst.

—◦❖◦—

3. An eine matte Herbstfliege.[1]

(1813, Herbst.)

Wanken dir die matten Füße?
    Ist der Flügel Schwung gelähmt?
Traurig schleichst du an dem Fenster
    Das sonst deine Spiele sah:
5 Ach, der Sommer ist vergangen
    Und der rauhe Winter nah'!

Doch sieh meine welken Kniee,
    Sieh das Antlitz totenbleich,
Sieh der Augen mut'ges Feuer
10 Von der Krankheit Hauch dahin:
Ist denn schon mein Herbst gekommen,
    Eh' mein Sommer noch erschien?

—◦❖◦—

4. Ohne Geld, doch ohne Sorgen.

(1816.)

Ohne Geld, doch ohne Sorgen!
    Was gleicht meiner Seligkeit?
Geld, ei Geld, das kann ich borgen,
Doch wer ist, der Frohsinn leiht!

5 Heute sorget ihr für morgen,
Morgen für die Ewigkeit!
Ich will heut für heute sorgen,
Morgen ist für morgen Zeit.

---

[1] Beim ersten Verlassen des Bettes nach der schweren Erkrankung im Bader-
hause bei Lukov in Mähren. Vgl. „Leben und Werke", S. 16*.

Und die Zukunft? — Wenn auch morgen
Mich der Tod zum Opfer weiht:
Frei von Schuld sein und von Sorgen
Ist ja hier schon Seligkeit.

10

---◆---

5. Bertas Lied in der Nacht.[1]
(1816.)

Nacht umhüllt
   Mit wehendem Flügel
Täler und Hügel,
Ladend zur Ruh'.

Und dem Schlummer,
Dem lieblichen Kinde,
Leise und linde
Flüstert sie zu:

5

„Weißt du ein Auge,
Wachend in Kummer,
Lieblicher Schlummer,
Drücke mir's zu!"

10

Fühlst du sein Nahen?
Ahnest du Ruh'?
Alles deckt Schlummer,
Schlummre auch du.

15

---≈---

6. Licht und Schatten.[2]
(1817.)

Schwarz ihre Brauen,
   Weiß ihre Brust,
Klein mein Vertrauen,
   Groß doch die Lust.

---

[1] War ursprünglich für die „Ahnfrau" bestimmt. — [2] An die Sängerin Altenburger gerichtet.

5

Schwatzhaft in Blicken,
　　Schweigend die Zung',
Alt das Mißglücken,
　　Wunsch immer jung.

10

Arm, was ich brachte,
　　Reich meine Lieb',
Warm, was ich dachte,
　　Kalt, was ich schrieb.

---

7. Wie, du fliehst, geliebtes Leben.
(1817.)

Wie, du fliehst, geliebtes Leben,
　　Und vergiltst mit herbem Spott
Alles, was ich dir gegeben?
Wohl mit Recht nannt' ich dich Leben,

5

　　Denn dein Scheiden bringt mir Tod.

Flammen hört' ich oft dich nennen,
　　Heuchelnd, dieses Augenpaar;
Ach, erst mußtest du dich trennen:
Jetzt, da sie vor Weinen brennen,

10

　　Jetzt erst ist der Ausspruch wahr!

---

8. Erinnerung.[1]
(1817.)

Hab' ich mich nicht losgerissen,
　　Nicht mein Herz von ihr gewandt,
Weil ich sie verachten müssen,
　　Weil ich wertlos sie erkannt?

5

Warum steht in holdem Bangen
　　Sie denn immer noch vor mir?

---

[1] An die Sängerin Altenburger gerichtet.

Woher dieses Glutverlangen,
　　Das mich jetzt noch zieht zu ihr?

Tausend alte Bilder kommen,
　　Ach, und jedes, jedes spricht: 10
Ist der Pfeil auch weggenommen,
　　Ist es doch die Wunde nicht.

------

9. An einen Freund.[1]

(1817.)

Ein Schiffer irrt, durch Sturmesnacht getrieben,
　　Der Wogen und der Winde leichtes Spiel.
Wohl sind ihm Mast und Ruder noch geblieben,
　　Doch fehlt der Reise Wichtigstes — ein Ziel!

Da sieht er einen Stern durchs Dunkel blinken;   5
　　Froh ordnet er darnach den irren Lauf;
Und jetzt, da schon die Kräfte schwindend sinken,
　　Tut sich ein Hafen dem Verirrten auf.

Wie er das hohe Ufer nun beschreitet,
　　Weiht opfernd er dem Leitstern in der Nacht,   10
Der ihm der Irrfahrt frohes Ziel bereitet,
　　Die Erstlinge von dem, was er gebracht.

------

10. Bescheidenes Los.

Bei dem Klang des Saitenspieles
　　Geh' ich einsam und allein,
Habe wenig, brauchte vieles,
　　Doch das Wenige ist mein.

Amor lauscht in Rosenhecken,   5
Winkt, halb Spott, zu sich hinein: —
„Spiel' mit Kindern, Kind, Verstecken,
　　Mich laß ruhig und allein."

------

[1] An Schreyvogel gerichtet, sollte dieses Gedicht ursprünglich als Widmung der ersten Auflage der „Ahnfrau" vorgedruckt werden. Vgl. „Leben und Werke", S. 18* ff.

Und das Glück voll goldner Spangen
10   Zeigt den reichgefüllten Schrein: ——
„Kommſt geflogen, ich gegangen,
    Flieg' du hin, ich geh' allein."

Schau'! der Ruhm, am Rand der Fernen
    Glänzt in heller Zeichen Schein: ——
15   Wen gelüftet's nach den Sternen?
    Man betrachtet ſie allein.

Miſſe gern ein Buntes, Vieles,
    Hätt' ich mich erſt und was mein!
Bei dem Klang des Saitenſpieles
20   Geh' ich einſam und allein.

———❖———

11. Der Verfaſſer der „Ahnfrau".

(1818.)

Gleich dem ſchaffenden Geiſt kannſt du blitzen und don=
                 nern und regnen;
Aber erquicket, wie ſein's, auch dein Gewitter die Flur?

———❖———

12. Abſchied von Gaſtein.

(Gaſtein, im Sommer 1818.)

Die Trennungsſtunde ſchlägt, und ich muß ſcheiden;
    So leb' denn wohl, mein freundliches Gaſtein!
Du Tröſterin ſo mancher bittern Leiden;
    Auch meine Leiden lullteſt du mir ein.
5 Was Gott mir gab, worum ſie mich beneiden,
    Und was der Quell doch iſt von meiner Pein,
Der Qualen Grund, von wenigen ermeſſen,
    Du ließeſt mich's auf kurze Zeit vergeſſen.

Denn wie der Baum, auf den der Blitz gefallen,
10   Mit einem Male ſtrahlend ſich verklärt,

— Rings hörst du der Verwundrung Ruf erschallen,
  Und jedes Aug' ist staunend hingekehrt; —
Indes in dieser Flammen glüh'ndem Wallen
  Des Stammes Mark und Leben sich verzehrt;
Der, wie die Lohe steigt vom glüh'nden Herde,   15
Um desto tiefer niedersinkt zur Erde.

Und wie die Perlen, die die Schönheit schmücken,
  Des Wasserreiches wasserhelle Zier,
Den Finder, nicht die Geberin beglücken,
  Das freudenlose stille Muscheltier;   20
Denn Krankheit nur und langer Schmerz entdrücken[1]
  Das heißgesuchte, traur'ge Kleinod ihr.
Und was euch so entzückt mit seinen Strahlen,
Es ward erzeugt in Todesnot und Qualen.

Und wie der Wasserfall, des lautes Wogen   25
  Die Gegend füllt mit Nebel und Getos;
Auf seinem Busen ruht der Regenbogen,
  Und Diamanten schütteln rings sich los;
Er wäre gern im stillen Tal gezogen
  Gleich seinen Brüdern in der Wiesen Schoß.   30
Die Klippen, die sich ihm entgegensetzen,
Verschönen ihn, indem sie ihn verletzen.

Der Dichter so; wenn auch vom Glück getragen,
  Umjubelt von des Beifalls lautem Schall,
Er ist der welke Baum, vom Blitz geschlagen,   35
  Das arme Muscheltier, der Wasserfall.
Was ihr für Lieder haltet, es sind Klagen,
  Gesprochen in ein freudenloses All;
Und Flammen, Perlen, Schmuck, die euch umschweben,
  Gelöste Teile sind's von seinem Leben.   40

---

[1] ent = drücken, eine seltene Zusammensetzung, aber anschaulicher als „ent=
rücken".

13. Ständchen.

(Im Oktober 1818.)

Brim blim, klang kling,
    Höre, Mädchen, was ich fing'!

Sieh mich hier vor deinem Fenster
Lauschend mit der Zither stehn,
In der Stunde, wo Gespenster
Nur und Liebende noch gehn.
Alles ruht im trauten Zimmer,
Nur die Liebe ruhet nimmer.

    Brim blim, klang kling,
    Was ist die Liebe für ein Ding!

Stürme brausen durch die Gassen,
Tief verhüllt in Schnee und Eis,
Ach, und doch, kaum kann ich's fassen,
Kalt die Hand, der Busen heiß,
Innre Gluten, wärmt die Finger,
Kühl', o Eis, den Minnesinger!

    Brim blim, klang kling,
    Was ist die Liebe für ein Ding!

Mutig, wenn ich dich nicht sehe,
Sinn' ich aus manch Liebeswort,
Aber kaum in deiner Nähe,
Ist die Sprache eilends fort.
Ferne mutig, nahe blöde,
Kannst du denken, Lieb', so rede!

    Brim blim, klang kling,
    Was ist die Liebe für ein Ding!

Nur, ergreif' ich meine Zither,
Wird das Herz mir weit und groß,
Und das brütende Gewitter
Bricht in hundert Strahlen los.
Ja, mag's noch so seltsam klingen,
Reden kann ich nicht, doch singen.

Brim blim, klang kling,
Was ist die Liebe für ein Ding!

Drum das Saitenspiel in Händen,   35
Ruf' ich kühn zu dir hinauf:
Laß den spröden Sinn sich wenden,
Tu' mir Herz und Fenster auf!
Aber still: denn wird sie's innen[1],
Zürnt sie etwa dem Beginnen,   40
Schilt, daß ich's mich unterfing,
Was ist die Liebe für ein Ding!

Doch was schmäh' ich diese Wonne,
Die mein Innres süß bewegt,
Ist die Sonne minder Sonne,   45
Weil kein Aug' ihr Schaun erträgt?
Bleibt, wenn nichts auch übrig bliebe,
Das Gefühl doch, daß ich liebe,
Ach und —

Brim blim, klang kling,   50
Liebe bleibt ein süßes Ding.

—✳✳✳—

14. Kennst du das Land?

(Am 8. März 1819.)[2]

Gelobt sei Gott! die Stund' ist da!
      Den Wanderstab in die Hand!
Zu dir hin geht's, Italia,
Du hochgelobtes Land!

Der Pilger zieht mit Hut und Stab   5
Zum heiligen Grabe weit,
So zieh' auch ich zu deinem Grab,
Du heil'ge, entschlafene Zeit!

Und wie der Pilger auf seiner Brust
Reliquien trägt nach Haus,   10

---

[1] D. h. inne, des Reims wegen. — [2] Ein Tag vor der Abreise nach Italien.

So trag' auch ich in meiner Brust
Mir heilige Reste heraus.

Die letzten Tröpfchen vom Wunderborn,
Der einst so reichlich quoll,
15 Ein Fünkchen von deinem Götterzorn,
Du göttlicher Apoll!

Den Abdruck, Weltgebieter Zeus!
Von deiner Majestät;
Vom Dichterbaum ein Lorbeerreis,
20 Der Maros[1] Grab umweht.

Dein Bild, so hehr und unbefleckt,
Du Hohe von Medici[2],
Die, wenn sie den Schauern die Schätze bedeckt
Für sich nicht errötet, für sie.

25 Ja, knieen will ich, Vergangenheit!
Vor deinen Gebilden aus Stein,
Der nackt die ernste Schönheit beut,
Verachtend des Reizes Schein[3];

Ihn lassend der frömmelnden Enkelwelt,
30 Die, von Gleisnersinn erfüllt[4],
Die Lüsternheit zu ergänzen quält,
Was der schlaue Bildner verhüllt.

Und lernen will ich auf deinen Laut[5],
Was der Mensch bewirkt und erschafft,
35 Wenn er dem Gott im Busen vertraut,
Und der selbstgegebenen Kraft.

---

1 **Publius Vergilius Maro** (70—19 v. Chr.), Dichter des Epos „Aeneïs"
(12 Bücher); er starb auf der Rückreise aus Griechenland in Brundusium und wurde
in der Nähe von Neapel bestattet. — 2 Statue der Mediceischen Venus in der
Tribuna der Uffizien in Florenz, aus der Zeit des Augustus. Die Liebesgöttin
ist ganz unbekleidet und sucht mit den Armen Busen und Schoß zu verdecken. —
3 Gegensatz der nackten, ernsten Schönheit der Antiken und der halbverhüllten, aber
gerade dadurch die Lüsternheit reizenden Gestalten mancher neueren Künstler. —
4 D. h. die (Akkus. im Singular), während sie von Gleisnersinn erfüllt ist, ihre
Lüsternheit quält. — 5 Die „Vergangenheit" wird angeredet.

Dann kehr' ich heim mit stolzem Sinn
Und schaff' in gesättigter Ruh',
Was jung soll sein, wie ich es bin,
Und alt soll werden, wie du.   40

🙠 · ❦ · 🙢

15. An die vorausgegangenen Lieben.[1]
(Am 9. März 1819.)

Seid ihr vorausgegangen,
    Liebe Gefährten der Reise,
Wohnung mir zu bereiten,
Der noch im Staube des Wegs?

    Sucht mir ein Kämmerchen, Liebe!   5
Still und freundlich und klein,
Doch in eurer Nähe,
Ich bin nicht gerne allein;

    Heimlich sei es und stille,
Schatten mäß'ge den Tag,   10
Daß ich gern sitzen und sinnen,
Dichten und denken mag.

❋

16. Die Ruinen des Campo vaccino in Rom.[2]
(Rom, am 20. April 1819.)

Seid gegrüßt, ihr heil'gen Trümmer,
    Auch als Trümmer mir gegrüßt!
Obgleich nur noch Mondesschimmer
Einer Sonn', die nicht mehr ist.

Nennt euch mir, ich will euch kennen,   5
    Ich will wissen, was ihr war't;
Was ihr seid, braucht's nicht zu nennen,
Da die Schmach euch gleich gepaart.[3]

---

[1] Der Vater starb am 10. November 1809, der Bruder Adolf am 13. November 1817, die Mutter am 24. Januar 1819. — [2] Über die verhängnisvollen Folgen dieses Gedichtes vgl. „Leben und Werke", S. 26*f. Der Campo vaccino ist ein ebener Platz auf und östlich von dem Forum. — [3] Jeder von euch Trümmern (die nachher einzeln angeredet werden) ist die Schmach der Zerstörung durch christliche Barbaren in gleicher Weise gesellt.

Eintrachtstempel, du der erste[1],
10   Der sich meinem Blick enthüllt,
Deine letzte Säule berste,
    Schlecht hast du dein Amt erfüllt!
Solltest deine Brüder hüten,
    Wardst als Wächter hingesetzt;
15 Und du ließest Zwietracht wüten,
    Die sie fällt und dich zuletzt.

Jupiter! aus deinem Tempel,
    Stator[2], der zu stehn gebaut,
Brich des Schweigens Sklavenstempel[3],
20   Heiß sie stehn, die neue Zeit!
Doch umsonst ist hier dein Walten,
    Du stehst selber nur mit Müh',
Unaufhaltsam gehn die Alten[4],
    Und das Neue über sie.

25 Warum in dies Feld der Leichen,
    Ist, Septimius Sever[5],
Eingang dies dein Siegeszeichen?
    Ausgang dünkt es mich vielmehr.
Als dem letzten, der's zu fassen —
30   Wenn auch nicht zu tun verstand,
Sei ein Plätzchen dir gelassen —
    Doch nicht hier am äußern Rand.

---

[1] Heute wissen wir durch Ausgrabungen und Forschungen mehr über die Bauwerke auf dem Campo vaccino als im Jahre 1819. Dem — wohl vom Kapitol kommenden — Dichter zeigen sich zuerst die Reste des vermeintlichen Tempels der Eintracht (in Wahrheit des Vespasiantempels). Der wirkliche Tempel der Eintracht (Aedes Concordiae) war 360 v. Chr. (beim Ende des Ständekampfes) errichtet worden. Er hat aber die Eintracht nicht gehütet; an innerer Zwietracht ist Roms Herrlichkeit untergegangen. — [2] Für den Tempel des Jupiter Stator (des hemmenden Jupiter, der zu „stehen gebeut"), den nach der Überlieferung Romulus errichtet hatte zur Erinnerung an die Verhütung der Sabinerschlacht durch die geraubten Sabinerinnen (Livius I, 13), hielt man damals den Überrest des Saturntempels. — [3] Das Schweigen stempelt den Gott zum Sklaven. — [4] Die Alten gehen unaufhaltsam dem inneren Verfall zu (vgl. Schluß von Strophe 2), und das Neue geht über sie dahin. — [5] Der Dichter wendet sich nach links: der Triumphbogen des Kaisers Septimius Severus wurde im Jahre 203 n. Chr. zu Ehren seiner Siege an der Ostgrenze errichtet. Diese Siege erscheinen dem Dichter nur als letzte Äußerungen des römischen Heldentums, daher sollte der Bogen nicht den Eingang bilden zu den Denkmälern (nicht „am äußern Rande" stehen), sondern den Abschluß.

Titus[1], nicht dem Ruhm — dem Frieden
    Bautest du dein Heiligtum;
Doch dir ward, was du vermieden,   35
    Jeder Stein spricht deinen Ruhm.
Auch den Frieden in dem Munde
    Ging ein andrer drauf ins Haus[2];
Doch der Friede zog zur Stunde
    Aus dem Friedenstempel aus.   40

Curia, die aus ihren Toren
    Krieg der Welt und Frieden ließ;
Harrst du deiner Senatoren?
    Einer doch ist dir gewiß[3].
Sieh ihn stehn dort, an den Stufen,   45
    Bei dem Mann im Purpurkleid!
Sieh, er kömmt, wird er gerufen,
    Und er geht, wenn man's gebeut.

In des Purpurs reichen Falten
    Majestätisch steht er da;   50
Ja, du suchst nach deinen Alten?
    Schließ die Pforten, Curia!
Unten such', die unten wohnen[4],
    Wir sind oben leicht und froh;
Rom hat nur noch Ciceronen[5],   55
    Aber keinen Cicero.

Hat der Bruder dich erstochen,
    Remus, mit dem weichen Sinn[6]?

---

[1] Gegen das Kolosseum weiterschreitend, kommt der Dichter zum Tempel des Friedens (Templum Pacis), den Kaiser Titus (79—81 n. Chr.) erbaute. — [2] Konstantin (306—337 n. Chr.) ließ den Friedenstempel in eine Kirche (Basilika) umbauen; aber er führte, damit geht der Dichter zu seinem Hauptthema über, den Frieden (des Christentums) zwar im Munde, sein Wirken jedoch brachte den Verfall des alten Reiches und säete Zwietracht. — [3] In der Mitte seines Weges wendet der Dichter sich nach dem Kapitol um, wo die Curia, der Versammlungsort des Senats, stand. Jetzt ist dort das neue Kapitol, der Wohnsitz des einen Senators der päpstlichen Stadt Rom, der im Purpurgewand prangt wie die Kardinäle (V. 46 und 49), aber von diesen kirchlichen Würdenträgern ganz abhängt (V. 47 f.). — [4] Die alten Senatoren (V. 51) sind mit dem Ernst und der Würde der alten Zeit versunken in die Unterwelt, die Gegenwart ist leichtfertig und oberflächlich. — [5] D. h. Fremdenführer (wohl wegen der Redseligkeit so genannt). — [6] Die Kirche

Doch dafür, was er verbrochen,
60   Iſt ſein Reich gleich dir dahin.
Dort in ſeines Tempels Hallen,
          Wie in deinem, Mönchezug; —
Horch, des Mesners Glöcklein ſchallen!
          Dünkt die Rache dir genug? —

65   Roma, Venus; Schönheit, Stärke;
          Pulſe ihr der alten Welt,
Hier in Mitte eurer Werke
          Euer Tempel aufgeſtellt[1].
In Ruinen Schönheitſprangen?
70   Kraft in Trümmern, wankend, ſchwach?
Was ihr zeugtet, iſt vergangen,
          Folget euren Kindern nach.

Dort der Bogen, klein und enge[2],
          Schwach geſtützt und ſchwer verletzt,
75   Wem von all der Helden Menge
          Ward ſo ärmlich Mal geſetzt?
Titus! — o ſo laßt es fallen,
          Ob's auch ganz zuſammenbricht:
Solang' Menſchenherzen wallen,
80   Brauchſt du, Titus, Steine nicht!

Hoch vor allen ſei verkläret,
          Konſtantin[3]! dein Siegesdom!

S. Damiano und Coſma hat einen antiken Rundvorbau, der wahrſcheinlich vom Kaiſer Maxentius (geſt. 312) ſeinem Sohne Romulus errichtet wurde, aber manchen als ein Tempel der Gründer Roms, Romulus und Remus, galt. Der kriegeriſche Romulus erſchlug nach der Sage ſeinen milder geſinnten Bruder Remus, als dieſer höhnend über die von jenem gezogene Mauerfurche ſprang. Zur Strafe für dieſe Tat — ſo ſtellt es der Dichter dar — iſt nun der alte heidniſche Tempel in eine katholiſche Kirche verwandelt. — [1] Die Zellen der Roma (ῥώμη = Stärke, vom Dichter V. 70 zu einem Wortſpiel benutzt) und der Venus (der Göttin der Schönheit, V. 69) waren von einem einzigen Tempel umſchloſſen. — [2] Der Titusbogen, im Vergleich zu den anderen klein und einfach, wegen der Eroberung Jeruſalems errichtet, war damals ſtark verfallen; aber das Andenken des durch Milde und Gerechtigkeit ausgezeichneten Kaiſers bleibt erhalten. — [3] Der Konſtantinsbogen (mit kühner Metapher und ſpöttiſch ſein „Siegesdom" genannt) wurde vom Senat errichtet, weil Konſtantin (312) den Staat von der Tyrannei des Maxentius befreit hatte. Der Dichter urteilt geringſchätzig über ihn, wie ſchon (V. 38 ff.) bei Erwähnung ſeiner Baſilika.

Mancher hat manch Reich zerstöret,
    Aber du das größte[1] — Rom.

Über Romas Heldentrümmern   85
    Hobst du deiner Meinung Thron.
In der Meinung magst du schimmern —
    Die Geschichte spricht dir Hohn.

Mit dem Raub von Trajans Ehren[2]
    Hast du plump dein Werk behängt;   90
Trajan kann des Schmucks entbehren,
    Er lebt ewig, unverdrängt.

Aber eine Zeit wird kommen,
    Da zerstäubt geraubte Zier,
Da erborgter Schein verglommen;   95
    Wer spricht dann noch mehr[3] von dir?

Kolosseum[4], Riesenschatten
    Von der Vorwelt Machtkoloß!
Liegst du da in Todsermatten,
    Selber noch im Sterben groß.   100
Und damit verhöhnt, zerschlagen,
    Du den Martyrtod erwarbst,
Mußtest du das Kreuz noch tragen[5],
    An dem, Herrlicher, du starbst.

Tut es weg, dies heil'ge Zeichen,   105
    Alle Welt gehört ja dir;

---

[1] Ironische Anspielung auf Konstantins Beinamen „der Große", den die Kirche ihm verliehen hat, die Geschichte aber ihm abspricht. — [2] Die schönen Basreliefs und viele architektonische Zierate am Bogen Konstantins sind von einem Bogen Trajans (98—116 n. Chr.) genommen. — [3] D. h. noch weiter. — [4] Die mächtigen Ruinen des von Vespasian begonnenen, von Titus im Jahre 80 n. Chr. vollendeten Amphitheaters. Mit dem Namen spielend, nennt der Dichter den Bau selbst einen Machtkoloß der Vorwelt; die Ruinen sind ein Riesenschatten dieses Baues. — [5] Im 14. Jahrhundert stellten Senat und Volk den dritten Teil des Kolosseums der Bruderschaft der Kapelle Sancta Sanctorum zur Verfügung. Deren Wappen, ein Kruzifix zwischen zwei Leuchtern, steht am Haupteingange, dem Titusbogen gegen-über. Das Kolosseum, das hier als sterbender Held gedacht ist („Herrlicher" ist auf „Machtkoloß" zu beziehen), muß das Kreuz, obwohl es an ihm zu Grunde ge-gangen ist, tragen wie ein Märtyrer, der sein Kreuz selbst zur Richtstatt schleppen mußte. Durch dieses Bild (Erinnerung an die christlichen Märtyrer, die gerade in diesem Amphitheater verbluteten, ja an Christus selbst) wird das Tendenziöse und Aggressive sehr verstärkt.

Üb'rall, nur bei diesen Leichen,
        Üb'rall stehe — nur nicht hier!
    Wenn ein Stamm sich losgerissen[1]
110   Und den Vater mir erschlug,
    Soll ich wohl das Werkzeug küssen —
        Wenn's auch Gottes Zeichen trug?

    Kolosseum — die dich bauten,
        Die sich freuten um dich her,
115 Sprachen[2] in bekannten Lauten,
        Dich verstanden — sind nicht mehr.
    Deine Größe ist gefallen,
        Und die Großen sind's mit ihr;
    Eingestürzt sind deine Hallen,
120   Eingebrochen deine Zier.

    O so stürz' denn ganz zusammen!
        Und ihr andern stürzet nach!
    Decket, Erde, Fluten, Flammen,
        Ihre Größe, ihre Schmach!
125 Hauch' ihn aus, den letzten Oden,
        Riesige Vergangenheit!
    Flach dahin, auf flachem Boden
        Geht die neue flache Zeit!

—❦—

17. Am Morgen nach einem Sturme.

(Molo di Gaeta, 1819, Frühjahr.)

Hast einmal wieder gestürmt?
        Wildes, tobendes Element!
    Wider Erd' und Himmel
    Feindlich kämpfend angerennt?
5   Töricht! fruchtlos!

---

1 Das Gleichnis von dem mit dem Kreuzeszeichen versehenen Baumstamm, der dem Dichter selbst — so nimmt er an — den Vater erschlug, läßt erkennen, wie nahe ihn persönlich das gewaltsame Ende jener herrlichen Vorwelt berührt, die ihm, ihrem Zögling und Verehrer, so teuer ist wie der eigene Vater. — 2 D. h. die (welche) sprachen ..., die (welche) dich verstanden.

Sieh, die Erde steht unbewegt,
Und der Himmel wölbt sich, heiter glänzend,
Lächelnd über sie und dich.
Du aber bist taub und düster;
Und warst doch schön wie sie.   10

    Feinde nicht die Erde an,
Weil sie fest und grünend,
Beneide nicht den Himmel,
Weil er blau und hell.
Bist du minder fest als jene,   15
Bist du heller doch als sie;
Bist du minder hell als dieser,
Bist du fester doch als er;
Und beide — willst du ruhig quellen —
Spiegeln sich vereint in deinen Wellen.   20
Drum gib auf nur die Beschwerde!
Sei erst ruhig und dann schau,
Ob du grün nicht, wie die Erde,
Wie der Himmel blau.

---

18. Zwischen Gaeta und Capua.

(Capua, 27. April 1819.)

Schöner und schöner
    Schmückt sich der Plan,
Schmeichelnde Lüfte
Wehen mich an.

    Fort aus der Prosa   5
Lasten und Müh'
Zieh' ich zum Lande
Der Poesie.

    Goldner die Sonne,
Blauer die Luft,   10
Grüner die Grüne,
Würz'ger der Duft!

Dort an dem Maishalm
Schwellend von Saft,
15 Sträubt sich der Aloe
Störrische Kraft.

Ölbaum, Zypresse,
Blond du und braun,
Blickt ihr wie zierliche
20 Grüßende Frau'n?

Was glänzt im Laube
Funkelnd wie Gold?
Ha, Pomeranze,
Birgst du dich hold?

25 Apfel der Schönheit!
Paris Natur[1]
Gab dich Neapolis
Reizender Flur.

Ehrlicher Weinstock,
30 Nützest nicht bloß,
Schlingst hier zum Kranze den
Grünenden Schoß.

Überall Schönheit,
Überall Glanz;
35 Was bei uns schreitet,
Schwebt hier im Tanz.

Trotz'ger Poseidon!
Wärest du dies,
Der drunten scherzt und
40 Murmelt so süß?

Und dies, halb Wiese, halb
Äther zu schaun,
Es wär' des Meeres
Furchtbares Graun?

---

[1] Die Natur verteilte die Pomeranze, den Apfel der Schönheit, an die reizende
Flur Neapels, wie Paris den Apfel der Eris an die schönſte Göttin.

Hier will ich wohnen!   45
Göttliche du,
Bringst du, Parthenope[1],
Wogen zur Ruh'?

Nun denn, versuch' es,
Eden der Luft,   50
Ebne die Wogen
Auch dieser Brust!

—✳✳✳—

19. Der Bann.

(Im Spätherbst 1819.)

Leb' wohl, Geliebte! ich muß scheiden;
    Es treibt mich fort in Angst und Qual.
Fort von der Wohnstatt meiner Freuden,
Fort von dem Weibe meiner Wahl[2].

Nicht dieser Blick und diese Zähren,   5
Verbirg dein holdes Angesicht!
Du kannst das Scheiden mir erschweren,
Doch mir ersparen kannst du's nicht!

Denn wisse, wenn du mich umschlungen,
Umschlangst du keinen freien Mann,   10
Der Abgott deiner Huldigungen,
Er ist belegt mit Acht und Bann.

Der Fürstin, der die Welt zu eigen[3],
Der alles huldigt, was da lebt,
Vor der sich alle Wesen beugen,   15
Hab' ich im Wahnsinn widerstrebt.

Mit ihrer Schwester[4] sinnverwirret,
Die, ohne Heimat, ohne Haus,

---

[1] Parthenope, eine Sirene, deren Grabmal sich in Neapel befand; daher wird Neapel selbst so genannt. — [2] Die Geliebte ist Charlotte von Baumgarten, geborne Jetzer. Vgl. „Leben und Werke", S. 32*. — [3] Die Göttin des Lebens. — [4] Die Göttin der Kunst.

Durch Erd' und Luft und Wellen irret,
20 Zog ich in wilder Jagd hinaus.

Im Mondenglanz, auf flücht'gem Fuße
Schlang ich mit ihr den Geisterreihn,
Und alles Wirklichen Genusse
Entsagt' ich um den holden Schein.

25 Da sprach die Fürstin zornentglommen:
„Verschmähst du so, was ich dir bot?
So sei's auf immer dir genommen,
Du vogelfrei bis an den Tod!

„Von Wunsch zu Wunsch in ew'ger Kette,
30 Und rastlos, wie du bist, so bleib!
Dir sei kein Haus und keine Stätte,
Kein Freund, kein Bruder und kein Weib!

„Ein Büttel aber beigegeben,
Um dich, in dir, laff' er dich nie:
35 Er peitsche rastlos dich durchs Leben,
Der wilde Dämon Phantasie!

„Er heiße dich nach allem faffen,
Was irdisch schön, mit raschem Geiz[1],
Doch hältst du's, müffest du es haffen,
40 Und Mängel sieh in jedem Reiz!

„Verdammet, Schatten nachzujagen,
Buhl' doch um Augenblickes Kuß;
Es fehle Kraft dir zum Entsagen
Und Selbstbegrenzung zum Genuß!

45 „Die Sprache will ich dir verwandeln,
Dein Hörer sei der Mißverstand;
Mißlingen sei mit deinem Handeln,
Und ewig zwei sei Kopf und Hand!

„Die dich liebt, flieh; die du begehret,
50 Sie schaudere zurück vor dir,

---

[1] Soviel wie Habsucht, Gier.

Und sagt sie: Ja, hat sie gewähret,
So töt' ihr Ja dir die Begier!

„Und daß der letzte Trost versaget,
Verewigt Rache sei und Leid;
So zweifle der, dem du's geklaget,   55
An deines Leides Wirklichkeit!

„Zieh hin, um all dein Glück betrogen,
Und buhl' um meiner Schwester Gunst,
Sieh, was das Leben dir entzogen,
Ob dir's ersetzen kann die Kunst!"   60

Da fiel's mich an mit Nachtgewalten,
Und Wahrheit war es, was sie sprach;
Das Herz im Busen mir gespalten,
Und jener innre Dränger wach.

Seitdem irr' ich verbannt, alleine,   65
Betrüge andre so wie mich:
Du aber, armes Weib, beweine,
Den du verloren, ewiglich!

✧

20. Die tragische Muse.

(Im Spätherbst 1819.)

Halt ein, Unselige! Halt ein!
  Wohin verlockst du mich?
Über Berge bin ich gekommen,
Durch Schlünde dir gefolgt.
Kein Pfad ist, wo ich trete, keine Spur,   5
Fern herauf tönt der Menschen Stimme,
Tönt der Herden fröhliches Geläut'
Und des Waldbachs Rauschen;
Ringsum Klippen, wolkennahe Klippen,
Über mir Duft und Nebel,   10
Lügend Gestalten[1]!

---

[1] Duft und Nebel, die mir Gestalten vorlügen.

Was willst du? Steh und rede!
An deiner Seite ein Weib,
Greulichen Anblicks:
15 Schwarz flattern die Haare,
Schwarz funkeln die Augen,
Schwarz das Gewand — Blut!
Blut an ihrem Gewande!
An dem Dolch, den sie zückt!
20 Zwei Kinder tot zu ihren Füßen,
Und ein Greis und ein Jüngling[1],
Im Todeskampf verzerrend
Verwandte, ähnliche Züge;
Um die Schultern aber glänzt es —
25 Ein Vlies — ein goldstrahlendes Vlies! —
Medea! —

Hebe dich weg, Entsetzliche!
Kinder=, Bruder=, Vatermörderin!
Was ist mir gemein mit dir?
30 Den Vater hab' ich kindlich geehrt,
Und als die Mutter starb[2],
Flossen fromme Tränen
Ihr nach ins unerwünschte Grab.
Was hab' ich gemein mit dir?
35 Mir schaudert! Geh!

Und auch du, die mich hergelockt
Durch die Leier in deinem Arm
Und den Kranz, den du trägst
Vom immergrünenden Laub, das mich lockt,
40 Hebe dich weg und laß mich,
Daß ich, den Rückweg suchend,
Heimkehre zu den Meinen.

Aber du schaust mich an?
Mit dem Auge streng zugleich und innig,

---

[1] Der Vater der Medea, Aietes, und der Bruder Absyrtus. — [2] Der Tod der Mutter (24. Januar 1819) hatte die Arbeit am „Vlies" unterbrochen und die Reise nach Italien mit veranlaßt.

Mit dem seelenbindenden Blick,   45
Der schon dem keimenden Knaben
Das Spielzeug wand aus den Händen,
Und ablockend vom Kreis der Gefährten,
In einsiedlerische Still' ihn bannend,
Das Geschick der Könige   50
Und der Welt ungelöste, ewige Rätsel
Ihm gab zum ahnungsvollen, ernsten Spiel. —

Du schaust mich an und willst nicht gehn?
Winkst mir zu folgen dir und der Gefährtin,
Medeen mit dem gräßlichen Blick?   55
Du nimmst den Kranz vom duftenden Haar
Und setzest ihn aufs Haupt der Entsetzlichen?
Mir den Schmuck! den lohnenden Schmuck![1] —
Du lächelst und winkst?
Folgen soll ich, dann sei gewährt? —   60
Mein Wesen hat kein Schild gen solche Waffen,
Sie haften, deine Pfeile, in der Brust!
Vollendet sei, was begonnen!
Winke nicht mehr, du hast mich gewonnen!
Gehe voran! ich folge dir!   65

<hr />

21. Abschied.[2]
(Gastein, am 1. August 1820.)

Wie wird mir denn so weh und bang,
     Jetzt, da du scheiden mußt?
Hab' dich gesehen tagelang,
     Und still war meine Brust.

Hab' dich gesehen wochenlang,   5
     Und ruhig war mein Herz;
Jetzt, da des Scheidens Zeichen klang,
     Woher jetzt dieser Schmerz?

<hr />

[1] Die tragische Muse stellt dem Dichter den Lorbeer nach Vollendung der „Medea" in Aussicht. — [2] An Frau Josephine von Verhovitz.

O Frau, zu der mein Abschied ruft,
    Voll stillem, frommen Sinn,
So heiter wie die heitre Luft,
    Gleichst auch der Luft darin,

Daß ihren Segen man kaum spürt,
    Wenn Tag auf Tag entflieht,
Doch schaudernd dessen inne wird,
    Sobald sie sich entzieht.

O Frau! du warest Mutter mir —
    Die meine schlummert tief —
Dein mahnend Wort kam wie von ihr,
    Dein Ruf war, wie sie rief.

O Frau! du warst die Schwester mein;
    Zwar Schwestern hatt' ich nie;
Doch malte mir's so lieb und fein
    Gefühl und Phantasie,

Im andern seiner sich zu freun,
    Und anderer in sich,
Zu zweien und doch eins zu sein,
    Verbunden inniglich.

O Frau! du hast mich wohl gelehrt,
    Was eine Gattin sei,
Wieviel ein holdes Wesen wert,
    Das lieb und gut und treu.

Du zeigtest mir das schöne Bild;
    Das Gegenbild dazu,
Wo find' ich es so lieb und mild?
    Wer ist es, da nicht du?

Du kehrst zum Gatten nun zurück,
    Zum eignen Hauseshalt;
Da findest du genügend Glück,
    Vergißt wohl meiner bald.

Ich aber, Frau! ich hab' kein Haus,
    Kein Band, das Liebe flicht;

Die Mutter trugen sie hinaus,
    Und Schwestern kannt' ich nicht.

Mir bleibt wohl keine andre Wahl,   45
    Muß denken spät und früh —
Gott segne dich zu tausendmal!
    Frau, dein vergess' ich nie!

Erinn'rung an dein stilles Tun,
    An all, was ich gesehn,   50
Soll über meinem Haupte ruhn,
    Soll kühlend mich umwehn!

Und wird zu heiß des Tages Pein,
    Der Lebenssonne Stich:
So denk' ich atmend an Gastein,   55
    Du Freundliche! und dich!

22. Am Hügel.

(Gastein, am 2. August 1820.)

Du Hügel! sanft von Steinen aufgeschichtet,
    Die saftig Gras und Alpenmoos umzieht,
Von deinem Haupt ein Baum emporgerichtet,
    An dem die Vogelbeere glüht;
Indes am Fuß in buntgemischter Reihe   5
    Der Schwarzbeer' dunkle Frucht und helles Kraut,
Hoch überragt von Weidrichs Veilchenbläue,
    Dir einen Thron, sich eine Freistatt baut:
Wie schön blickst du herab von deiner Höhe,
    Wie würdig stellst du dich dem Auge dar!   10
Der Wandrer steht entzückt in deiner Nähe
    Und sucht beinah' nach Weihort und Altar.
Gewiß auch, rollten noch die alten Zeiten,
    Da unentzweit der Gott und die Natur,
Ein Schutzgott würde hier sich Sitz bereiten,   15
    Wo Gräser jetzt, hilflose Blumen nur.
Doch, da ich solches kaum gewagt zu denken,
    Straft Lügen mich ein schauerndes Gefühl;

Ich fühle Geiſter ſich herniederſenken
20   Und mich umliſpeln in der Winde Spiel.
Erinn'rung kommt, der ſtillvertraute Zeuge,
    Von dem, was einſt das Glück mir hier verlieh,
Und wie geſchloſſ'nen Augs ich mich hinüberneige,
    An ihrer Hand die Poeſie.

———◇———

23. Der Geneſene.

(1820.)

Jetzt, da ich's beſtanden habe,
    Leuchtet mir's erſt deutlich ein:
Krankheit, du biſt Gottes Gabe,
    Er ſoll drum geprieſen ſein!

5   Wie der Menſch dich ſchwer bekämpfe:
    Doch im Ringen allzumal
Löſen ſich der Seele Krämpfe —
    Innrer Schmerz in äußrer Qual.

Beſſerſt an der Menſchheit Bilde,
10   Scharfe Züge mäßigſt du:
War ſonſt rauh, jetzt bin ich milde,
    Unſtet ſonſt und jetzt in Ruh'.

Auch die andern, die da kamen,
    Waren alle gut und weich:
15   Weil ſie mich als gleichen nahmen —
    Gleiches Leiden macht ja gleich.

Ob man ſonſt nach Fernem jage,
    Setzeſt du ein näher Ziel,
Machſt den Tag zum Ziel dem Tage,
20   Eine ruh'ge Nacht ſcheint viel.

Und der Wunſch übt in Beſchwerden
    Ans Gebiß den ſtolzen Mund[1];

---

[1] Der Wunſch (perſonifiziert gedacht) übt (gewöhnt) zur Zeit der Beſchwerden (Leiden) ſeinen ſtolzen Mund ans Gebiß; er lernt ſich zügeln, ſich beſcheiden.

Frage nicht: Was soll ich werden?
　　Bin ich jetzo doch gesund.

Das Gemüt verstockt, verquollen,　　　　25
　　Von so manchem, das es trug,
Öffnet sich, wie Ackersschollen,
　　Aufgelockert durch den Pflug.

Und als ob der Lenz erwache
　　All mit seiner Freuden Chor,　　　　30
Treibt es nach der langen Brache
　　Grüne Spitzen neu hervor.

Wie ist all mein Innres offen!
　　Wie verdoppelt jeder Sinn!
Nachbild hat das Bild getroffen,　　　　35
　　Jeder Augenblick Gewinn!

Was ich lese, seh' ich stehen,
　　Was ich höre, wird ein Bild;
Was ich spreche, wird geschehen,
　　Was ich wünsche, wird erfüllt.　　　　40

Mit der Welt im tiefen Frieden,
　　Und im Frieden auch mit mir,
Dank' ich dem, der mir's beschieden,
　　Sich geoffenbaret hier.

Und erquickt von all der Labe,　　　　45
　　Ruf' ich froh im Sonnenschein:
„Krankheit auch ist Gottes Gabe!
　　Er soll drum gepriesen sein!"

—❦—

24. An der Wiege eines Kindes[1].

Da liegt sie, eingehüllt,
　　Die hilflose Kleine!
Eine Blume an Schönheit,

---

[1] Des erstgeborenen Töchterchens Ferdinands von Paumgarten, eines Vetters des Dichters; das Kind, geboren am 1. November 1818, starb schon am 22. April 1822.

Und an Bewußtloſigkeit, daß ·ſie ſchön,
5 Ein leeres Blatt die Seele;
Die Sinne Griffel ohne Führer;
Der Verſtand ein Schreiber, tief im Schlaf.
Kein Geiſt rief noch: Es werde Licht!
   Über der dunklen Urnacht;
10 Und Menſch= und Tierheit ſtreiten,
   Wem ſie angehört.

   Sie lächelt. Warum?
   Sie weint. Weswegen?
O laßt ſie weinen, lächeln ohne Grund;
15 Gebt dieſe Kunſt ihr mit ins Leben!
Der beſte Grund zum Frohſinn iſt der Frohſinn,
Und mög' auch künftig, wenn ſie weint,
Nie das Bewußtſein ſagen ihr: warum.

   Wie rein die Stirn ſich hebt,
20 Die Wangen ſtroßend leuchten,
Die Unterlippe, als zum Kuß geformt,
Ein Roſenblatt, ſich ſchwellend hebt,
Vom Oberlippchen zierlich überrandet,
Und Wang' und Kinn mit ihren Grübchen
25 Zur ſtrengen Schönheit fügen ſüßen Reiz.
Du biſt ſchön, o Kleine,
Und wirſt es mehr noch ſein, wenn nicht mehr klein.

   Sei mir gegrüßt, Geſegnete der Götter!
Denn, wahrlich, Schönheit iſt der Götter Segen,
30 So ausgeſchieden ſein vom Niedern und Gemeinen,
Am Fuß der Himmelsleiter hingeſtellt,
Die von der Erde aufſteigt zu den Göttern,
Und einen ew'gen Mahner an der Seite[1]
Der leiſe ruft: „Zerſtör' mich nicht!"
35 Das Schöne, es iſt gut und ſchön das Gute!

_____

[1] Die Schönheit muß für die Heranwachſende eine Mahnung ſein, auch gut
zu bleiben.

3*

Und so wirst du auch gut sein, gut wie schön,
Und klug wie beides und verständig.
Des Vaters Aug' in deiner klaren Stirn,
Es wird von Recht einst sprechen wie in seiner;
Der Mutter Mund ob deinem weichen Kinn,   40
Es wird von Geist ertönen wie bei ihr,
Und fester Sinn wird thronen in den Braunen.

Was lächelst du? als hättest du vernommen
Der allzuraschen Lippe weihend Lob;
Ich sage dir, die Güte[1], die dich schmückt,   45
Sie wird dir einst der Tränen mehr entpressen,
Als die Vergehung weinet und der Schmerz.
Und des Verstandes[1] Fackel wird dir leuchten,
Da, wo du wünschtest, lieber blind zu sein;
Und spotten werden dein die andern Blinden.   50

Doch immerhin! laß beide strahlen,
Erwärmend und erleuchtend für und für!
Tu' dir genug, so tust du's auch der Welt,
Und so geh' ruhig deinen stillen Pfad!
Und wenn du einst am Rande deiner Bahn,   55
Gebettet in der Schwachheit Schaukelwiege,
Und eingewickelt in des Alters Binden,
Zum zweitenmal ein Kind, stillatmend ruhst,
So gebe gnädig dir ein güt'ger Gott,
Daß auch du lächeln könnest, dann wie jetzt,   60
Dem Eintritt in ein noch verhülltes Leben!

25. Vorzeichen.[2]
(1820.)

Augen! meiner Hoffnung Sterne,
    Dioskuren meiner Fahrt,
Schimmert nicht so hell und feurig!
    Denn das kündet, sagt man, Sturm.

---

1 Gemütsweichheit und scharfer Verstand sind Eigenschaften, die Leid bringen; das weiß der Dichter von sich selbst. — 2 Das Gedicht ist, wie Nr. 26 und 28 dieser Abteilung, der Liebe zu Charlotte von Paumgarten entsprungen.

5   Und so ist es auch: — er naht schon,
    Denn ich fühl's an meinem Beben,
    Meinem Schwindeln, meinem Schwanken,
        Daß die Wellen schon empört.
    Überzieht sich noch der Himmel,
10 Jener Himmel, wo ihr leuchtet,
    O dann rettet mich kein Gott!

---

26. Der Wunderbrunnen.

(1820.)

    Seit ich von dir gekostet,
        Du labend heller Born,
    Dünkt jedes Naß mir trübe
    Und jede Rose Dorn;
5   Zu dir geht meine Liebe,
        Von dir aus all mein Zorn;
    O daß du immer flössest,
        Du leicht versiegter Born!

---

27. Werbung.

    Mädchen, willst du mir gehören,
        So sprich ja und schlag nur ein!
    Kann nicht seufzen, kann nicht schwören,
        Willst du? — Gut! — Wenn nicht — mag's sein!

5   Gold hab' ich nicht aufzuweisen,
        Aber Lieder zahlen auch;
    Will dich loben, will dich preisen,
        Wie's bei Dichtern heitrer Brauch.

    Doch gefällt's dir, einst zu brechen,
10   Tu's mit Maß und hüte dich!
    Lied, das schmeichelt, kann auch stechen,
        Dich verletzest du, nicht mich.

Dichters Gram ist bald verschlafen,
   Seine Kunst ist trostesreich;
Und die Lieder, die dich strafen,   15
   Trösten heilend ihn zugleich.

❖

28. Das Spiegelbild.

(1821.)

Ich lag im grünen Laubgezelt,
   Die Stirn in heißer Hand,
Verbaut von Zweigen Flur und Feld,
   An eines Brunnens Rand.

Und als ich, so am Rand gelegt[1],   5
   Mein Bild im Quell gewahrt',
Fühlt' ich mich wunderbar bewegt,
   Vergaß des Wassers Art.

Und rief: „So hegest du mein Bild,
   Du Wesen, still und rein,   10
Des Herzens Sehnen, ungestillt,
   Soll drum dein Eigen sein.

An deinem Ufer will ich ruhn,
   Will mir ein Laubdach baun,
Matt von des Lebens Mühn und Tun,   15
   In deine Wellen schaun."

Da, neben meinem, in dem Quell
   Gewahr' ich noch ein Haupt;
Es ist mein Freund, erkenn' ich schnell,
   Den ich entfernt geglaubt;   20

Und wie er, schalkhaft lächelnd, froh,
   Sich über mich gebeugt,
Mit emsʼger Treue, ebenso
   Der Spiegelquell ihn zeigt.

---

[1] D. h. am Rande niedergelegt (ausgestreckt).

25   Da war ich ſchnell vom Traum erwacht,
       Doch zürnt' ich nicht dem Quell;
     Ich zürnte, daß ich nicht bedacht,
       Was doch vom Anfang hell:

     Des Waſſers Art iſt ebenſo,
30   Zeigt nicht nur ein Geſicht,
     Die ganze Welt iſt deſſen froh,
       Und ich auch grolle nicht.

     Auch in der Folge will ich gern
       An deinem Ufer gehn,
35   Recht innig froh, auch mich von fern
       In deinem Selbſt zu ſehn;

     Doch wohnen hier, mich dir vertraun? —
       Laß fahren das, mein Sinn!
     Wer wird ſein Glück auf Waſſer baun?
40   Und alſo ging ich hin.

⋅→⋅⊰§⊱⋅←⋅

29. Albumblatt.[1]

(Am 6. März 1821.)

Iſt zwar, ſeit ich dich kenne,
   Faſt nur ein Augenblick,
Doch, wenn ich wert dich nenne,
   Nehm' ich es nicht zurück;

5   Denn flüchtig, in Sekunden
   Trifft das Geſchick:
     Was Jahre nicht gefunden,
   Gibt im Moment das Glück.

     Zwar ird'ſcher Werke Meiſter
10   Webt lebenlang am Stück:
     Für Herzen und für Geiſter
   Regiert der Augenblick.

⋯⊰❦⊱⋯

---

[1] Für Katharina Fröhlich.

30. Als sie, zuhörend, am Klaviere saß.[1]

(Im März 1821.)

Still saß sie da, die Lieblichste von allen,
   Aufhorchend, ohne Tadel, ohne Lob;
Das dunkle Tuch war von der Brust gefallen,
   Die, nur vom Kleid bedeckt, sich atmend hob;
Das Haupt gesenkt, den Leib nach vorn gebogen,   5
Wie von den fliehnden Tönen nachgezogen.

Nenn' ich sie schön? — Ist Schönheit doch ein Bild,
   Das selbst sich malt und nur sich selbst bedeutet;
Doch Höheres aus diesen Zügen quillt,
   Die, wie die Züge einer Schrift verbreitet,   10
An sich oft bildlos, unscheinbare Zeichen,
Doch himmlisch durch den Sinn, den sie erreichen.

So saß sie da — das Regen nur der Wangen,
   Mit ihren zarten Muskeln, rund und weich,
Der Wimpern Zucken, die das Aug' umhangen,   15
   Der Lippen Spiel, die, Purpurlädchen gleich,
Den Schatz von Perlen hüllen jetzt und zeigen,
Verriet Gefühl, von dem die Worte schweigen.

Und wie die Töne brausend sich verwirren,
   Im steten Kampfe, stets nur halb versöhnt,   20
Jetzt klagen, wie verflogne Tauben girren,
   Jetzt stürmen, wie der Gang der Wetter dröhnt,
Sah ich ihr Lust und Qual im Antlitz kriegen[2],
Und jeder Ton ward Bild in ihren Zügen.

Mitleidend wollt' ich schon zum Künstler rufen: 25
   „Halt ein! warum zermalmst du ihre Brust?"
Da war erreicht die schneidendste der Stufen,
   Der Ton des Schmerzes ward zum Ton der Lust.
Und wie Neptun, vor dem die Stürme flogen,
Hob sich der Dreiklang ebnend aus den Wogen.   30

---

[1] Katharina Fröhlich ist gemeint. — [2] Lust und Qual stritten (wechselten)
auf ihrem Antlitz.

Und wie die Sonne steigt, die Strahlen dringen
    Durch der zersprengten Wetter dunkle Nacht,
So ging ihr Aug', an dem die Tropfen hingen,
    Hellglänzend auf in sonnengleicher Pracht;
35 Ein leises Ach! aus ihrem süßen Munde,
    Sah, wie nach Mitgefühl, sie in die Runde.

Da trieb's mich auf: nun soll sie's hören,
    Was mich schon längst bewegt, nun werd' ihr's kund:
Doch sie blickt her; den Künstler nicht zu stören,
40   Befiehlt ihr Finger, schwicht'gend[1] an dem Mund;
Und wieder seh' ich horchend sie sich neigen,
Und wieder muß ich sitzen, wieder schweigen.

—✳✧✳—

31. Allgegenwart.[2]

(1821.)

Wo ich bin, fern und nah,
    Stehen zwei Augen da,
      Dunkelhell,
      Blitzesschnell,
5   Schimmernd wie Felsenquell,
      Schattenumkränzt.

Wer in die Sonne sieht,
    Weiß es, wie mir geschieht;
      Schließt er das Auge sein,
10   Schwarz und klein,
    Sieht er zwei Pünktelein
      Üb'rall vor sich.

So auch mir immerdar
    Zeigt sich dies Augenpaar,
15   Wachend in Busch und Feld,
      Nachts, wenn mich Schlaf befällt;
    Nichts in der ganzen Welt
      Hüllt mir es ein.

---

[1] D. h. beschwichtigend; eine Lieblingsbewegung von Kathi Fröhlich. — [2] Geht auf die Augen von Kathi Fröhlich. Vgl. „Leben und Werke", S. 34*.

Gerne beschrieb ich sie,
Doch ihr verstündet's nie;   20
    Tag und Nacht,
    Ernst, der lacht,
    Wassers= und Feuersmacht
    Sind hier in eins gebracht,
     Lächeln mich an.   25

Abends, wenn's dämmert noch,
Steig' ich vier Treppen hoch,
    Poch' ans Tor,
Streckt sich ein Hälslein vor;
    Wangen rund,   30
    Purpurmund,
    Nächtig Haar,
    Stirne klar,
Drunter mein Augenpaar!

---✦---

32. Vater unser.[1]

Fragment.

(1821.)

Hör' uns, Gott, wenn wir rufen!
Wir alle deine Kinder!
Eingehüllt im Mantel deiner Liebe,
Hingelagert zu den Füßen deiner Macht,
Angeschmiegt an deine Vaterbrust,   5
Wir alle deine Kinder:
    Vater unser!

Ob wir gleich Staub sind und Spreu,
Gestern geboren, morgen tot,
Ein Nichts im All, das Nichts war, eh' du riefst;   10
Ob unsre Erde gleich, die groß uns dünkt,
Ein Sandkorn ist im Unermeßlichen,
Das du hinwegbläst, wenn dir's wohlgefällt,

---

[1] Als Text zu J. Führichs Zeichnungen bestimmt.

Wie man den Staub vom Tiſche bläſt;
15 Und du der Mächt'ge biſt ob allen Mächt'gen,
Und über den Gewalt'gen der Gewalt'ge,
Der Herr der Herrn, ſo hoch ob aller Höhe,
Daß der Gedanke ſelber, der dich ſucht,
Auf halbem Wege ſchwindelnd, rückwärts kehrt:
20 Doch ſiehſt du uns, doch hörſt du uns,
Von deiner Allmacht hochgeſtelltem Thron,
Doch ſorgſt du, hilfſt du, Großer, Mächt'ger, Hoher,
    Der du biſt im Himmel!

Wag' ich es, dich auszuſprechen?
25 Bin ich es wert, dich zu nennen?
    Das kleinſte von den Werken deiner Hand?
    Hohes beuge ſich und Höchſtes;
    Ehre ſei dir und nur dir allein,
    Allgütiger, Allweiſer;
30 Offenkund'ger, Geheimnisvoller,
    Uranfang, ohn' Ende,
    Schöpfer, Beſchützer, Erhalter!
    In ſtumme Ehrfurcht
    Sinke hin der Erdkreis,
35   **Geheiliget werde dein Name!**

Wohl haſt du die Erde ſchön gemacht,
Und ich danke dir drum, mein Herr und Vater.
Blumen ſind da und Früchte, Quellen und Bäume,
Frühlingsluſt und Sommerfreude, alles aufs beſte;
40 Auch gute Menſchen, die dir dienen und recht tun.
Aber ich kenne doch was Schönres, mein Herr und Vater,
Und, als hätt' ich's geſehn einmal in früh'rer Zeit,
Schwebt es mir vor in meinen beſten Tagen;
Ein Land, wo dieſer Körper nichts begehrt,
45 Und[1] wenn es nichts gewährt, auch nichts verſagt;
Wo der Gedanke Wille iſt,
Und Wille iſt die Tat;

---

[1] D. h. und (ein Land) das, wenn es (dem Körper) nichts gewährt, (ihm) auch nichts verſagt.

Die Tat im Wollen und im Denken schon;
Das Land, wo unsrer Sonne gleich das Recht,
Und wie der Mond die Pflicht den Tag und Nächten leuchtet; 50
Wo das Gefühl nicht blind
Und der Verstand nicht taub ist allzumal;
Dort möcht' ich sein, mein Herr und Vater,
Bei dir, in deiner Nähe;
Und darum, Herr, o höre!   55
    Zu uns komme dein Reich!

Ich bin kurzsichtig und schwach,
Kaum das Nächste erreicht mein Blick;
Der Zukunft Ferne ist mir verschlossen:
Was gut gemacht schien, zeigte sich schädlich,   60
Und wo Gefahr ich sah, erschien mir Gutes.
Auch hab' ich das Schlimme wohl gar gewollt,
Ja, das Schlimme gewollt, mein Herr und Vater!
Der mir der Nächste war, ich hab' ihn gekränkt,
Bekümmert hab' ich, die mich liebten,   65
Den Zorn ließ ich walten ob meinem Tun;
Des Fremden Weh war nicht immer mein eignes.
Hab' ich immer gelohnt dem, der Gutes mir tat?
Immer getan, was als Bestes sich zeigte?
Vater! wohl gar das Schlimme hab' ich getan,   70
Kurzsichtig, wie ich war, und schwach;
Daher walte du ob mir und meinem Tun,
Führe mich, leite mich,
Und nicht der meine, Herr,
    Dein Wille geschehe!   75

Wenn wir all' uns liebten hienieden,
Wie du uns liebst, mein Herr und Vater,
Wenn der Mensch den Menschen säh' im Freunde,
Und auch in seinem Feinde nur den Menschen,
Dann wäre nicht dort oben bloß dein Reich,   80
Auch unter uns wär' es, auch hier, hienieden,
Und der Liebe Machtgebot geschäh'
    Wie im Himmel, also auch auf Erden!

—————−❦−—————

33. Incubus.[1]

(1821.)

Fragſt du mich, wie er heißt,
   Jener finſtere Geiſt,
Der meine Bruſt hat zum Reich,
Davon ich ſo düſter und bleich?

5   Unfried iſt er genennt,
Weil er den Frieden nicht kennt,
Weil er den Frieden nicht gönnt
Jemals der Bruſt, wo er brennt.

   Der hat im Buſen ſein Reich,
10 Der macht mich düſter und bleich,
Der läßt mir nimmermehr Raſt,
Seit er mich einmal gefaßt.

   Schau' ich zum Himmel empor,
Lagert er brütend ſich vor,
15 Zeiget mir Wolken zur Hand,
Wolken — und keinen Beſtand.

   Alles der Menſchen Gewühl
Nennt er Getrieb ohne Ziel;
Ob ich's auch anders gewußt,
20 Schweigt er das Haupt durch die Bruſt[2].

   Flücht' ich zu ihr[3], die mein Glück,
Tadellos jeglichem Blick,
Er findet Tadel mir auf,
Wär's aus der Hölle herauf.

25 Und auf den Punkt, den er meint,
Hält er die Lichter vereint,

---

[1] D. h. Alb, der die Bruſt der Menſchen bedrückt. Hier heißt ſo die Neigung des Dichters zur übertreibenden Kritik gegen ſich und andere, die ihm das Daſein vergiftet. — [2] Er bringt das Haupt, d. h. den Verſtand, der für das Gewühl der Menſchen wohl einen Zweck kennt, zum Schweigen, und zwar durch die Bruſt, d. h. durch das dumpfe Gefühl des Widerwillens und der Geringſchätzung. Der Ausdruck iſt dunkel. — [3] Katharina Fröhlich.

Daß es dem Aug' nicht entging',
Wenn es auch Blindheit umfing'.

Lacht sie, — so nennt er sie leicht,
Weint sie, — von Schuld wohl erweicht,   30
Spricht sie, — im heuchelnden Mut,
Schweigt sie, — voll anderer Glut.

Und wenn's mir einmal gelang,
Durchzubrechen den Drang,
Frei mit des Geistes Gewalt   35
Durch, bis zu Licht und Gestalt;

Unter der Hand es sich bildet und hebt,
Lebendiges Leben das Tote belebt,
Und es nun dasteht, ein atmendes Bild,
Vom Geiste des Alls und des Bildners erfüllt;   40

Da stiehlt er hinein sich mit list'gem Bemerk
Und grinset mich an aus dem eigenen Werk:
„Bin's, Meister! nur ich, dem die Wohnung du wölbst,
Sieh, nichtig dein Werklein, und nichtig du selbst.“

Und schaudernd seh' ich's, entsetzenbetört,   45
Wie mein eigenes Selbst gen mich sich empört,
Verwünsche mein Werk und mich selber ins Grab —
Dann folgt er auch dahin wohl quälend hinab?

———◇———

34. Gedanken am Fenster.

(Grinzing[1], im Sommer 1822.)

Herüber durch die Berge
Ertönt es dumpf und schwer,
Wie Leichentuch um Särge,
Verhüllt Gewölk die Berge,
Und drinnen geht der Herr.   5

---

[1] Grinzing bei Wien, wo Grillparzer mit der Familie Fröhlich Aufenthalt genommen hatte.

Die Erde fieht's mit Bangen,
Die Luft, fie regt fich nicht.
Die Vögel, die erft fangen,
Sind ftill zu Neft gegangen,
10   Das Weltall ahnt Gericht.

Es blitzt! Was zuckft du, Auge?
Denkft du der Tränen itzt
In einem andern Auge[1],
Für die ein Rächer tauge,
15   Gleich jenem, der dort blitzt?

Ein Wirbelwind von oben
Greift nieder in den Staub;
Nun werden Wetter toben,
Schon ift der Keil gehoben,
20   Bezeichnet ihm fein Raub.

Doch horch! welch leif' Bewegen
Rauscht durch die Blätterwand?
Was Strafe fchien, wird Segen,
Vom Himmel riefelt Regen
25   Und tränkt das durft'ge Land.[2]

❦

35. Todeswund.

(1823.)

Schwing' dich auf, Adler, zu Mimers Born[3]
Und bring' mir zwei Tropfen, daß ich mich labe!
Sonft war ich rüftig und ftark,
In den vorderften Reihen ftand ich,
5   Trat auch wohl vor, als einzelner,

---

[1] In dem der Geliebten. — [2] So hofft er auch Verföhnung mit der ge-
kränkten Geliebten und um fo befferes gegenfeitiges Verftehen nach dem Zerwürf-
nis. — [3] Mimir, in der germanischen Mythologie der Herr der alles befruch-
tenden und ftärkenden Feuchtigkeit, des Mimisbrunnens; das weifefte Wefen, bei
dem felbft der Himmelsgott Odin fich täglich Rat holt.

Zum ringsbewunderten Kampf:
Nun aber lieg' ich, matt und lechzend,
Verwundet vom eignen Schwert[1],
Und nagender Durst zehrt an meiner Seele;
Schwing' dich auf, Adler, zu Mimers Born   10
Und bring' mir zwei Tropfen, daß ich mich labe!

36. Der Hofkammer.

(1825.)

Nebenbuhler mir zu wecken,
     Zählt ihr Dienst und Jahre auf?
Esel schätzt man nach den Säcken,
Aber Renner nach dem Lauf.

37. Bitte.

(Am 8. April 1826.)

Schilt mich nicht arbeitscheu und träge,
     Weil ich zum Werke spät mich rege;
Dem Armen gleich' ich ganz und gar,
Der Tonnen Goldes schuldig war;
Das Ganze konnt' er ab nicht tragen,   5
Was sollt' er sich mit Groschen plagen?
Stell' einen Jäger auch dir vor,
Mit Kugeln lud er früh sein Rohr,
Und geht hinaus ins tau'ge Feld,
Dem Hirsche nach sein Streben stellt;   10
Der Hase läuft, es fliegt das Huhn,
Er aber läßt die Arme ruhn;
Bringt nicht den Hirsch sein gutes Glück,
Kehrt ohne Beut' er spät zurück,
Die andern alle schwer beladen.   15
Warum hatt' er nicht Schrot geladen?

---

[1] An Stimmungen, wie sie das Gedicht „Incubus" (vgl. S. 45 dieses Bandes)
schildert, ist zu denken.

38. Sinnpflanze.

(1826.)

Sieh, wie sich die Blumen freun!
    Alle öffnen ihre Blätter
In der Sonne warmem Strahl;
Du allein nur bleibst verschlossen?
Bist du fühllos? freust dich nicht? —
„Fühllos nun gerade nicht!
Will mich auch wohl wieder öffnen,
Nur hat mich, eh' du gekommen,
Tastend eine Hand berührt.“

39. Was je den Menschen schwer gefallen . . .

(Im April 1826.)

Was je den Menschen schwer gefallen,
    Eins ist das Bitterste von allen:
Vermissen, was schon unser war,
Den Kranz verlieren aus dem Haar;
Nachdem man sterben sich gesehen,
Mit seiner eignen Leiche gehen.

40. Der Halbmond glänzet am Himmel . . .

Der Halbmond glänzet am Himmel,
    Und es ist neblicht und kalt.
Gegrüßt sei du Halber dort oben,
    Wie du, bin ich einer, der halb.

Halb gut, halb übel geboren,
    Und dürftig in beider Gestalt,
Mein Gutes ohne Würde,
    Das Böse ohne Gewalt.

Halb schmeck' ich die Freuden des Lebens,
    Nichts ganz als meine Reu';
Die ersten Bissen genossen,
    Schien alles mir einerlei.

Halb gab ich mich hin den Musen,
   Und sie erhörten mich halb;
Hart auf der Hälfte des Lebens   15
   Entflohn sie und ließen mich alt.

Und also sitz' ich verdrossen,
   Doch läßt die Zersplitterung nach;
Die leere Hälfte der Seele
   Verdrängt die noch volle gemach.   20

⤖⧫⤆

41. Spaziergänge.

(1826.)

1.

Bachesgemurmel.

Erste Welle.

Nu, nu!   Was willst du?

Zweite Welle.

Hinunter!

Erste Welle.

Hier ist mein Platz.

Zweite Welle.

Kann nicht sein, Schatz!   5

Erste Welle.

Ai! ai!   Sie schlägt mich!

Übrige Wellen.

Nu! nu!
Keine Ruh'?
Fließen doch alle dem Frieden zu.

2.

Pflanzenwelt.

Das Höchste ist, das Höchste bleibt
   Ein einig sichrer Geist,
Von außen nicht,
Von innen nicht,

5 Durch nichts beengt, was Störung ſpricht,
Und Unterwerfung heißt.

Denn wie die Pflanze ſteht er da
Und ſaugt in ſich den Saft;
Treibt ihn empor
10 In Halm und Rohr,
Und bringt als Blum' und Frucht hervor
Die Sammlung ſeiner Kraft.

Die Eiche prangt ſo hoch und hehr
Und hebt in blaue Luft
15 Das edle Haupt,
Von Kraft umlaubt;
Fern ihr, daß ſie beſchämt ſich glaubt,
Weil dort der Roſe Duft.

Die Roſe, ſtrebend ſelber auch
20 Mit freud'gem Sinn empor,
Im Feierkleid
Sieht ohne Neid
Den Schlehdorn ſie mit Frucht beſtreut,
Und duftet nach wie vor.

25 Und keines will was anders ſein,
Als was es ward gemacht.
Drum ſind ſie froh,
Und haben's ſo,
Und wiſſen gleich ihr Was und Wo,
30 Bei Dämm'rung, Tag und Nacht.

Du aber, Wandrer, weißt es nicht,
Schweifſt dort und da des Wegs;
Willſt hart und weich,
Willſt gut und reich,
35 Willſt Frucht und Blume ſein zugleich.
Geh hin und überleg's!

3.
Im Gewächshauſe.

Aloe! Aloe!
Blüheſt ſo ſchön,

4*

Aber nur einmal
In Menschengedenken.
   Aloe!   5
Wir leben nur eines,
Ein einziges Menschengedenken.
Wenn die erste Blüte vorüber,
   Aloe, Aloe!
Wo Zeit für die zweite?   10

—◦❋◦—

42. Dezemberlied.

Harter Winter, streng und rauch,
   Winter, sei willkommen!
Nimmst du viel, so gibst du auch,
   Das heißt nichts genommen.

Zwar am Äußern übst du Raub,   5
   Zier scheint dir geringe,
Eis dein Schmuck und fallend Laub
   Deine Schmetterlinge.

Rabe deine Nachtigall,
   Schnee dein Blütenstäuben;   10
Deine Blumen, traurig all,
   Auf gefrornen Scheiben.

Doch der Raub der Formenwelt
   Kleidet das Gemüte,
Wenn die äußere zerfällt,   15
   Treibt das Innre Blüte.

Die Gedanken, die der Mai
   Locket in die Weite,
Flattern heimwärts, kältescheu,
   Zu der Feuerseite.   20

Sammlung, jene Götterbraut,
   Mutter alles Großen,
Steigt herab auf deinen Laut
   Segenübergossen!

25   Und der Busen fühlt ihr Wehn,
         Hebt sich ihr entgegen,
       Läßt in Keim und Knospen sehn,
         Was sonst wüst gelegen.

       Wer denn heißt dich Würger nur?
30   Du flichst Lebenskränze,
       Und die Winter der Natur
         Sind der Geister Lenze.

43. Rechtfertigung.

An Bauernfeld.[1]

(1827.)

Was schiltst du mich? Und wenn auch noch so leise,
    Und wenn auch noch so schön in Ton und Wort,
Doch schiltst du mich und tadelst meine Gleise,
    Und wünschest mich an einem andern Ort.
5 Allein zugleich so freundlich ist die Weise,
    Daß sie den Geist mir zieht, den Willen fort;
Und, was sonst lästig mir in Red' und Liedern,
Ich fühle mich gedrängt, dir zu erwidern.

    Es rinnt der Bach[2], wie schlammig die Gestade,
10   Allein der schöpft, prüft wohl, was er erhält;
Der Waldbaum streut den Samen auf die Pfade,
    Der Ackersmann[2] sucht ein gepflügtes Feld;
Der dunkle Trieb strebt, daß er sich entlade,
    Ein zwingend Muß ist ihm als Ziel gestellt;
15 Der Menschengeist in sonnigern Bezirken
Will nicht nur tätig sein, er will bewirken.

    Glaubst du, des Liedes Ahn, der Mäonide[3],
    Er sang den Winden seine Rhythmen vor?

---

    [1] Der Lustspieldichter Eduard Bauernfeld, Grillparzers Freund, hatte diesen in einem Gedichte wegen seines langen Schweigens getadelt. — [2] Die zwei Bilder weisen hin auf zwei Gründe, die sein Schweigen erklären sollen: Selbstprüfung (er folgt nicht „dunklem Trieb", wie wohl einst) und Mangel an Verständnis beim Publikum. — [3] D. h. Homer.

Der ihm zunächst kommt im erhabnen Liede[1],
   Sah still geneigt der Briten stolzes Ohr;   20
Und Tasso, Goethen, wenn vom Schaffen müde,
   Hört zu Amalia[2], lauscht Leonor'[3].
Die Welt ist da, weil Menschen sind, die sehen;
Was niemand weiß, ist niemand auch geschehen.

Es war die Zeit, da noch im Heiligtume   25
   Germania gern den eignen Sohn empfing,
Da jung und alt umherstand um die Blume,
   Die frisch hervor aus Höltys[4] Garten ging,
Des Strengen Hand, so schwer erborgtem Ruhme,
   Leichtmahnend nur ob Weißens[5] Haupte hing;   30
Da der Genuß noch froh war, zu genießen,
Das Aug' bereit, ins Anschaun zu zerfließen.[6]

Allein da kam das Paar der Herben, Düstern[7],
   Zwar Brüder, doch in einem nur sich gleich,
Die ersten sie der zweiten, aber lüstern   35
   Nach höherm Ruhm, der Vordersten Bereich:
Und da die eigne Tat nur leises Flüstern,
   Nicht Jubelruf erweckt und Glockenstreich;
Da alle Tempel andern schon gehören,
Dünkt's ihnen gut, statt bauen, zu zerstören.   40

Und Schanzen bilden sie von luft'gen Worten,
   Mißbrauchter Scharfsinn beut die Waffen dar;

---

[1] Shakespeare. — [2] Anna Amalia, die kunstsinnige Herzogin von Weimar, die Mutter Karl Augusts. — [3] Leonore von Este, die Schwester des Herzogs Alfons von Ferrara, an dessen Hof der Dichter Tasso (1544—95) lange Zeit lebte (vgl. Goethes „Tasso"). — [4] Ludwig Heinrich Christoph Hölty (1748—76), der Dichter sanfter Naturbetrachtung, genoß große Beliebtheit bei seinen empfindsamen Zeitgenossen. — [5] Lessing, der in seiner „Dramaturgie" gegen übertriebene Wertschätzung der französischen Tragiker so streng vorging, schonte doch den unbedeutenden Dramatiker Christian Felix Weiße (1726—1804). — [6] Damals standen Kritik und Publikum noch mit reinerer Genußfähigkeit den Werken der Dichter gegenüber. — [7] Die Brüder Schlegel, die Führer der Romantiker, selbst keine Dichter von Bedeutung („die ersten der zweiten"). August Wilhelm Schlegel (1767—1845), der Kritiker der älteren Romantiker, hat in seinen „Vorlesungen über dramatische Kunst und Literatur" (1809—11), Friedrich Schlegel (1772—1829), der Theoretiker der romantischen Schule, hat vorzugsweise in seinen „Vorlesungen über Geschichte der alten und neuen Literatur" (1815) lange nachwirkende ästhetische Gesetze aufgestellt.

Was wahr, beschränkt auf Zeiten und an Orten,
    Wird ausgedehnt und aller Zukunft wahr.
45 Der Ahnung Lauschen an der Geister Pforten[1],
    Ist ihnen wie des Dreiecks Winkel klar;
Und was veränderlich wie Wind und Wolke,
    Wird festgeballt und dargestellt dem Volke.

Des Sanges Helden, die die Zeiten krönen,
50   Stehn eingesargt in Fächer mancherlei;
Weil sie der alten Fesseln spottend höhnen,
    So dünken sie sich selber fesselfrei[2];
Die Ekelnamen[3], die nach Schule tönen,
    Sie wuchern fort im neuen Feldgeschrei,
55 Und brüstend glauben sie sich frisch beritten,
    Weil sie das alte Tier verkehrt beschritten.

Und froh empfängt der Troß[4] die kühnen Leiter,
    Er sammelt sich ums flatternde Panier;
Was sie begonnen, führt er täppisch weiter,
60   Der Stifter Wort, vergessen ist es schier.
Des einzeln Ohnmacht deckt die Zahl der Streiter,
    Es wächst die Schar, kein Ziel mehr außer ihr,
Und mit den Formeln der vergeßnen Meister
Bewerfen sie die einzeln steh'nden Geister.

65 Es tut so wohl, der Ehrfurcht sich entringen,
    Die fremder Wert dem Menschen nicht erläßt;
Den weiten Raum vom Wissen zum Vollbringen
    Rasch zu durchfliegen wie der leichte West;
Verkehrt die ew'ge Ordnung in den Dingen,
70   Der Staub erhöht, im Staub, was hoch und fest.[5]

---

[1] Auch die zartesten (geistigen und poetischen) Empfindungen und halb unbe-
wußten Eingebungen werden in Regeln eingeschnürt, gleich mathematischen Gesetzen.
— [2] Sie (die Brüder Schlegel) bilden sich ein, mit ihren Gesetzen die alten ästhetischen Grundsätze (z. B. von Aristoteles und Lessing) überholt zu haben; in Wirklichkeit sind sie doch von ihnen abhängig. — [3] Z. B. der der Schicksalstragödie. —
[4] Die Lehren der Brüder Schlegel gewinnen allgemeinen Anklang und werden auch
bei Beurteilung der neuen und selbständigen Dichter zu Grunde gelegt. — [5] Über-
hebung der Kritik, die in die Eigenart des selbständigen Geistes (die einzeln stehenden
Geister) nicht eindringt, sondern nach ihrer Formel ihn beurteilt und herabsetzt,
dagegen den, der ihrem Maßstab entspricht, über Gebühr erhebt.

Der Schalk im Amtskleid seines Richters Richter,
Der Dilettant ein Mann, ein Nichts der Dichter.

Der Fremde Völker[1], die nach manchem Jahre
   Ihr habt erkannt, was Deutschlands Volk getan,
Und borgend nach es ahmt, das Schöne, Wahre,   75
   Nehmt euch in acht und schaut auf eure Bahn!
Das Opferfleisch, genommen vom Altare,
   Die Kohle hängt, die glühende, daran,
Und wird entzünden sich, entflammen, mitten
Im Kreise eurer streitverschonten Hütten!   80

Doch nicht an Mustern soll es drum uns fehlen,
   Weil eigne Taten uns ihr Witz geraubt;
Aus von den Großen aller Zeiten wählen
   Sie einzelne, die Alter schon bestaubt[2],
Wo zu ergänzen, sichten, zu erzählen[3],   85
   Der Preisende sich selbst gepriesen glaubt,
Wo Raums genug ist zwischen breiten Stegen
Für den Erklärer sich mit drein zu legen.

So fährt der Priester in demselben Nachen
   Mit seinen Götzen zur Unsterblichkeit;   90
Ja selbst dem Formlos=Neuen, Haltlos=Schwachen
   Wird noch vielleicht ein dürftig Lob gestreut;
Wenn nur nicht fertig, wenn noch dran zu machen,
   Wenn's lüftet durch die Fugen, schlaff und weit.
Doch weh dem Werk, das, streng geschloßner Seiten,   95
Sich selber stützt und ausschließt jeden zweiten[4].

So strebt das Volk. Was sonst noch mag bedrängen,
   Das weißt du selbst, und ich, ich weiß es auch[5];
Nicht darf sich Groll in goldne Lieder mengen,
   Schon riß zu weit mich fort sein scharfer Hauch.   100

---

[1] Die einseitige deutsche Kritik kann, wenn sie mit den deutschen Dichtungen selbst von fremden Völkern als mustergültig übernommen wird, bei diesen nur Verwirrung und Unkunst erzeugen. — [2] Z. B. Sophokles, Shakespeare. — [3] Ergänze: „ist". — [4] Das in sich geschlossene Kunstwerk von eigner Art findet bei dieser Kritik kein Verständnis. — [5] Hinweis auf die politischen Verhältnisse, die eine freie Entfaltung des Genius verhindern.

Und ich will ruhn, nicht wehren den Gesängen,
   Doch auch nicht rufen sie nach früherm Brauch.[1]
Man lobt ja, wer der Zeit sich weiß zu schicken,
Laß dich den Pöbel an sich selbst erquicken!

—◄※►—

44. Ständchen.

Musik von Schubert.

(Im August 1827.)

Zögernd stille,
  In des Dunkels nächt'ger Hülle
   Sind wir hier;
Und den Finger sanft gekrümmt,
   Leise, leise,
   Pochen wir
An des Liebchens Kammertür.

Doch nun steigend,
   Hebend, schwellend,
Mit vereinter Stimme Laut
Rufen aus wir hochvertraut:
   Schlaf du nicht,
Wenn der Neigung Stimme spricht!

Sucht' ein Weiser nah und ferne
Menschen einst mit der Laterne;
Wieviel seltner dann als Gold[2]
Menschen, uns geneigt und hold?
Drum, wenn Freundschaft, Liebe spricht,
Freundin, Liebchen, schlaf du nicht!

Aber was in allen Reichen
Wär' dem Schlummer zu vergleichen?
Was du hast und weißt und bist,
Zahlt nicht, was der Schlaf vergißt.[3]

---

1 Der Trieb zum dichterischen Schaffen muß von innen kommen, nicht durch äußern Zwang. — 2 Wenn ein Weiser (Diogenes) einst (wahre) Menschen mit der Laterne gesucht hat, wieviel seltener als Gold müssen dann Menschen sein, die uns geneigt und hold sind? — 3 Die Sorgen und quälenden Gedanken.

Drum statt Worten und statt Gaben
Sollst du nun auch Ruhe haben.   25
Noch ein Grüßchen, noch ein Wort,
Es verstummt die frohe Weise,
     Leise, leise,
Schleichen wir uns wieder fort!

45. Begegnung.

Wie schön sie war! Die bräunlich blonden Flechten
     Bedeckt vom Strohhut mit dem breiten Rand,
Ging sie allein. — Doch nein! zu ihrer Rechten
Ging Unschuld, wie ein Kind sie leitend an der Hand.

Das Antlitz Rosen; aber nicht wie rote,   5
Wie weißer Rosen Schmelz im Morgentau;
Das Auge, feurig kaum, — denn Feuer drohte[1] —
Nicht blau, nicht braun, fast fürcht' ich, eher grau;

Und doch, hob sich der Wimper weiche Seide,
Und richtete der Stern sich heimatwärts,   10
In warmen Strahlen lächelnd wie die Freude,
In feuchtem Taue schwimmend wie der Schmerz.

Nichts scharfgezogen in dem schönen Runde,
Die Nase wie kein Kunstblatt sie begehrt,
In weichem Einbug schließend zu dem Munde,   15
Halb kindisch fast nach aufwärts noch gekehrt.

Der Mund, in üpp'ger Fülle leicht geschlossen,
Hielt nur zu sehr mit seinen Perlen Haus,
Doch Blumen gleich, von Zephyrhauch umflossen,
Sog er die Luft und hauchte Balsam aus.   20

Der Glieder Spiel — doch vor dem milden Scheine
Trat ich zurück, ob gleich von Wünschen heiß,
Der leichte Kahn, wie schön trägt er die eine:
Spräng' noch ein Zweites zu — wer weiß? wer weiß?

---

[1] D. h. hätte gedroht, doch ihr Ausdruck war freundlich = mild.

46. An die Sammlung.

Die du dein Haus entfernt von Menschen baust,
    Steig nieder auf mein Flehen, Sammlung, du,
Ergreif mit starker Hand die irren Triebe,
Die Kräfte, die ins Weite haltlos streifen,
5 Zwing dein Gebiß in ihren starren Mund
Und lenke sie am Zügel, klug verkürzt,
Zum Ziele, dem olympischen des Siegs.
Was Großes wird, des bist du Mutter ja,
Und wo du nicht bist, da zerfällt in Staub
10 Das Götterbild der Menschheit und zerbröckelt
Wie Mauersteine, deren Bindung wich.
Der Sohn der Erde tritt in die Natur,
Sein Auge sieht: ein stummes totes All,
Sein Ohr vernimmt: ohn' Inhalt wirre Töne,
15 Die Hand ergreift, läßt fahren und faßt wieder;
Was ihn umringt, es ist ein Vieles nur,
Und er ein Nichts im Vielen, das kaum Etwas.
Da steigst du nieder in den engen Kreis,
O Himmlische, und heißt und lehrst ihn gatten
20 Dem Ohr das Aug', dem Aug' die sichre Hand;
Die Zunge spricht es aus, was sie gewonnen,
Und der Gedanke tritt, ein Neugeborner,
In die dem Chaos abgestrittne Welt.
Ein schneller Läufer, rennt er seine Bahn,
25 Und hat er sich in Haus und Feld gesättigt,
So geht er und mißt Stern' und ahnet Welten.

Mich hat der Menschen wildbewegtes Treiben
Im Innersten verwirret und zerstört.
Nah dem Erliegen rief ich, wie der Müde
30 Den Schlummer ruft — zerstreuendes Vergessen
Und wiegte mich auf seinem weichen Pfühl.
Nun aber schlägt die Stunde des Geschäfts,
Ich rufe Kraft und Mut, allein sie schweifen,
Des sorglos müden Leiters Hand entschlüpft.

Komm, Sammlung, du und hilf mir sie vereinen;   35
Einmal geweckt, treibt sie die eigne Glut.

— ✳:✳ —

47. Tristia ex Ponto.

1.

Böse Stunde.

Begeisterung, was ruf' ich dir
     Und fleh' dich fruchtlos an?
Begeisterung? Wornach? Wofür?
Bist du selbständig außer mir?
     In dir? Und wo und wann?   5

Sag' mir, wo du dein Haus gebaut,
     Welch Zauber dich bewacht;
Voraus dich nehmend, hochvertraut
Hol' ich begeistert dich als Braut
     Durch Sturm und Kampf und Nacht.   10

Begeistert für Begeisterung?
     Der Weg zugleich das Ziel?
Wer ist so ungeübt und jung,
Der nicht gewahrt den argen Sprung?
     Wer hat — und sucht noch viel?   15

Du also selber fehlest nicht.
     Was sonst denn, wenn ich kalt? —
Wärst etwa du die Flamm' am Licht,
Verlöschend, wenn's an Stoff gebricht,
     An Nahrung, an Gehalt?   20

Wärst du das Wie und brauchst ein Was?
     Nur Was durch ein Warum?
Wer Wasser schöpft ohn' Unterlaß
Und schöpft ins Danaidenfaß,
     Treibt sich wohl fruchtlos um.   25

Drum auf ins Leben, mutbewehrt!
     Gestrebt, geliebt, gehaßt!

Iſt dir der Stoff erſt, der ſie nährt,
Fällt Glut vom Himmel auf den Herd
30   Und lodert ohne Raſt.

2.
Polarſzene.

Auf blinkenden Gefilden
    Ringsum nur Eis und Schnee,
Verſtummt der Trieb zu bilden,
    Kein Sänger in der Höh'!
5   Kein Strauch, der Labung böte,
    Kein Sonnenſtrahl, der frei.
Und nur des Nordlichts Röte
    Zeigt wüſt die Wüſtenei.

So ſieht's in einem Innern,
10   So ſteht's in einer Bruſt,
Erſtorben die Gefühle,
    Des Grünens friſche Luſt.
Nur ſchimmernde Ideen,
    Im Kalten angefacht,
15   Erheben ſich, entſtehen
    Und ſchwinden in die Nacht.

3.
Frühlings=Kommen.

Der Wächter auf den Zinnen
    Treibt gar gewalt'gen Spuk.
Sieht er wohl Gäſte kommen?
    Er ſchreit: „Guck, guck! Guckguck!"

5   Ein Diener auf ſein Rufen
    Herum im Hauſe geht,
Der nimmt die weißen Hüllen
    Vom ſchimmernden Gerät.

Ein andrer breitet Teppich',
10   Milchfarb und roſenrot;
Baumwollen das Gewebe:
    Der Baum die Wolle bot.

Drauf kommen Musikanten,
　　Sie stimmen, proben nie,
Und doch, kommt's nun zum Spielen,　　15
　　Wie herrlich stimmen sie!

Ein Vorhang, rot von Seide,
　　Fliegt weichend von der Tür,
Der Pförtner, golden schimmernd,
　　Kommt öffnend draus herfür.　　20

Halb zieht er nur den Vorhang,
　　Daß Tag und Dunkel gleich,
Da tritt herein der Fremdling,
　　Ein König in sein Reich.

Was Augen hat, schließt auf sie,　　25
　　Im Garten Haupt an Haupt,
Am Raine schiebt und drängt sich's,
　　Die Gänge stehn umlaubt.

Am Tor auch pocht's des Herzens,
　　Willst hier auch freien Lauf?　　30
Nun, bringst du schöne Lieder,
　　So mach' ich dir wohl auf.

4.
Reiselust.
(1826.)

Kam zurück die Lust zu schweifen?
　　Wunsch zugleich und Scheu der Rast;
Drängt's, den Mißmut abzustreifen
　　In gedankenloser Hast?

Sieh die Pferde schon bereitet,　　5
　　Das Geräte schon beschickt,
Der Gesichtskreis ist erweitet,
　　Der Gesichtspunkt ist verrückt.

Und so geht's durch Deutschlands Gauen[1],
　　Peitschenstreichs von Ort zu Ort;　　10

---

[1] Reise nach Deutschland (Dresden, Berlin, Weimar, München) im Jahre 1826; vgl. „Leben und Werke", S. 39* ff.

Müd' das Auge schon zu schauen,
    Und die Lippe müd' des Worts. ——

Roma, Roma! Goldne Stunden[1],
    Als ich deine Zauber sah.
15 Jahre sind seitdem entschwunden,
    Und dein Reiz noch immer nah.

Damals auch trieb bittrer Kummer
    Mich aus meinem Heimatland,
Einer Mutter Grabesschlummer,
20   Trüb ein mißgeschlungnes Band[2].

Doch wie anders und wie besser!
    Die Erinnrung kam zur Rast,
Schwächer wie der Abstand größer,
    Jeder Schritt nahm eine Last;

25 Und von jeder hohen Schwelle
    Sah ein Himmlischer mich an,
Rückte sacht auf dem Gestelle,
    Lud zu sich den Wandersmann.

Nun sind müder meine Füße,
30   Kummer hält schon gleichen Schritt[3],
Wo ich Tempel ehrend grüße,
    Nahm die Zeit die Götter mit[4].

Einer nur ist mir erschienen[5],
    Aber ich ertrug ihn nicht,
25 Und der Abglanz seiner Mienen
    Ward statt Flügel mir Gewicht.

Schien er wie ein Zeus zu schreiten,
    Mir hielt er, ein Chronos[6], vor

---

[1] Reise nach Italien im Jahre 1819; vgl. „Leben und Werke", S. 23* ff. —
[2] Vielleicht schon die Leidenschaft für Charlotte von Paumgarten, die sich freilich sicher erst nach der italienischen Reise nachweisen läßt. — [3] Der Kummer verläßt den Dichter auf dieser Reise nicht. — [4] Sie sind gestorben, z. B. Schiller, Herder und Wieland. — [5] Goethe; vgl. „Leben und Werke", S. 41* f. — [6] Chronos, d. h. Zeit; als Gott gedacht ist Chronos nach der orphischen Kosmogonie der Ursprung alles Werdens.

All den Unterschied der Zeiten,
Ach! und all, was ich verlor.   40

5.

Der Fischer.[1]

(1827.)

Hier sitz' ich mit lässigen Händen
    In still behaglicher Ruh'
Und schaue den spielenden Fischlein
    Im glitzernden Wasser zu.

Sie jagen und gehen und kommen,   5
    Doch werf' ich die Angel aus,
Flugs sind sie von dannen geschwommen,
    Und leer kehr' ich abends nach Haus.

Versucht' ich's und trübte das Wasser,
    Vielleicht geläng' es eh',   10
Doch müßt' ich dann auch verzichten,
    Sie spielen zu sehen im See.

6.

Verwünschung.[2]

(1827.)

Wärst du so gut, als schön du bist vor vielen,
    Die Krone wärst du dessen, was man sieht.
So aber mußtest du mit Wort und Treue spielen
    Und freun dich noch des Unheils, das geschieht.

Und wenn auch! Hätte nicht ein Gott im Grimme   5
    So bunt vermengt, was feindlich sonst und zwei,
Man lobte, wo du gut, und tadelte das Schlimme,
    Zu wählen dich, zu lassen, stände frei.

Nun aber löscht des Trachtens böse Tücke
    Nicht einen Zug des Reizes, der dich schmückt,   10

---

[1] Wehmütige Klage über die mangelnde Produktionslust. — [2] Das Gedicht geht, wie Nr. 8 und 9 der „Tristia ex Ponto", auf die dämonische Natur von Marie v. Smolenitz, die im Jahre 1827 den Maler Moritz Daffinger heiratete; vgl. „Leben und Werke", S. 37*.

Indes, verschönt durch einen deiner Blicke,
    Der Bosheit Stich, wie Unschuldshauch, entzückt.

Und so, gemischt aus Wonne und aus Grauen,
    Stehst du, ein Todesengel, neben mir,
15 Ein Engel zwar, doch auch ein Tod zu schauen,
    Und wer da lebt, der hüte sich vor dir!

7.
Verwandlungen.[1]

(Am 16. September 1827.)

1.

Wie bist du schaurig,
    Du dunkle Nacht!
Hier waren Wiesen,
    War Farbenpracht;

5 Doch kaum zur Rüste
    Der Sonne Schein,
So sank zur Wüste
    Das Eden ein.

Hier ist die Stelle,
10   Hier stand das Haus,
Ich such', ich taste:
    Und find's nicht aus.

2.

Doch stand es einmal,
    So steht's wohl noch,
Harr' du der Sonne,
    Sie kommt wohl doch.

5 O wäre jeder,
    Nur jeder Nacht
So nah und sicher,
    Was hell sie macht!

---

[1] Die drei Gedichte beziehen sich auf den Tod Charlottens von Paumgarten; vgl. Gedicht Nr. 19, 25, 26 und 28 dieser Abteilung sowie „Leben und Werke", S. 32*.

3.

Nur einmal zögert's,
Stellt sich nicht ein,
Das helle Frühlicht,
Der Sonnenschein.

Das ist am Morgen   5
Zu jener Frist,
Da nachts du vorher
Gestorben bist.

8.
Die Porträtmalerin.[1]
(1826—1827.)

„Malet keine toten Bilder,
Tote Bilder des Lebend'gen."
So spricht Mahom[2] der Prophete,
„Denn am Tage des Gerichtes
Werden sie vor euch hintreten,   5
Leben fordernd, Seel' und Geist."

Ach, ich kenne Malerhände[3],
Die beleben ihr Gemälde
Schöpferisch mit wahrem Leben.
Doch die Seele, die sie geben,   10
Ward dem Urbild erst geraubt.

9.
Trennung.[4]

So laß uns scheiden denn, tut's not zu scheiden,
Allein als Freunde, ohne Groll und Haß.
Ein unerklärtes Etwas zwischen beiden[5]
Stört den Erguß und hemmt ohn' Unterlaß.

Ob ich dies Etwas, ewig störend, kenne?   5
O gebe Gott, daß ich es nicht erkannt!

---

[1] Das Gedicht geht, wie Nr. 6 und 9 der „Tristia ex Ponto", auf Marie von Smolenitz (Daffinger). — [2] Mahomed verbietet bildliche Darstellung von Menschen. — [3] Wie ihr späterer Gatte malte auch Marie. — [4] Die Trennung von Marie erfolgte schon mehrere Monate vor ihrer Vermählung mit Daffinger, die am 30. Dezember 1827 stattfand. — [5] D. h. zwischen uns beiden.

Denn ist es, was ich denk', obgleich nicht nenne[1],
  So bist du, Weib, in einer furchtbarn Hand

In einer Hand, die einmal schon die Klauen
10   Nach deiner Jugend Blüten ausgestreckt,
Und die, zum zweitenmal genaht mit Grauen,
  Ihr Opfer hält, bis es die Erde deckt.

Doch ob es ist? Ich weiß nicht, mag's nicht wissen!
  Und so, beim Scheiden, das, wie schwer! verletzt;
15 Nimm das Geständnis, mir zuletzt entrissen:
  Nie kannt' ich dich, noch kenn' ich selbst dich jetzt.

Ein Rätsel warst du mir, wie man beim Spiele[2]
  Dem Nachbar neckend wohl zusammenflicht,
Jetzt los' und leicht, leichtfertig selbst, wie viele,
20   Drauf wieder ernst und streng, wie viele nicht.

Bald sah ich Hohn durch deine Züge schweifen,
  Drauf sie verklärt durch warmer Tränen Hauch,
Nun mühsam dich das Leichtste nicht begreifen,
  Dann selbst das Tiefste wieder fassen auch.

25 Was offen mir auch stand, dein innres Wesen,
  Es blieb verschlossen mir bis diesen Tag.
Und so geb' ich, ein Rätsel, noch zu lösen,
  Dem Weisern dich, der's lösen darf und mag.[3]

War mir's vergönnt, in ungestörter Fülle
30   Dir nah zu sein, vielleicht tat es sich auf.
Doch war's, ob unser, nicht des Schicksals Wille,
  So habe denn, was not tut, seinen Lauf.

Du bist nun frei — und doch nicht ungebunden,
  Denn eines ist, was nimmer dich verläßt:
35 Erinnerung der letztverflossnen Stunden,
  Und halt' sie immer nur im Herzen fest.

---

[1] Der Dämon, der sie trennt, ist ihre Wankelmütigkeit und Untreue. — [2] Ein Worträtsel beim Pfänderspiel. — [3] An den Gatten (Daffinger) ist dabei noch nicht zu denken; vgl. V. 41.

Denn wie du jetzt bemühſt dich, halb vergebens,
    Zu malen dir dies Band als ſchwere Laſt,
Es bleibt denn doch die Krone deines Lebens,
    Für alle Zeit das Beſte, was du haſt.   40

Du wirſt dein Herz zu dem, zu jenem neigen,
    Doch wie er fühlt, und was er ſich vermißt[1],
Wird er dir doch zuletzt den Abſtand zeigen,
    Der zwiſchen ihm und mir befeſtigt iſt.

Und immer wird's dich wieder übereilen,   45
    So oft Zerſtreuung der Beſinnung weicht.
Wenn man mich nennt, bei jeder meiner Zeilen
    Denkſt du: er war's! Verlor ich ihn ſo leicht?

Und ſollt' es einſt dir ganz vergeſſen ſcheinen,
    Dann iſt's das Zeichen einer furchtbarn Zeit;   50
Du biſt umſtellt vom Niedern und Gemeinen,
    Dann hat es dich, dann biſt du ihm geweiht.

Und ſelber dann noch, ſuchend, ſpät im Schranke,
    Halb achtlos, müßig, fändeſt du dies Blatt,
Und plötzlich ſtänd' er vor dir, der Gedanke   55
    An das, was war und iſt an ſeiner Statt:[2]

Weit ob dem Zwiſchenraum der dunklen Jahre,
    Trüg' es dich hin ins früh're Blumenreich,
Die Hand gedrückt in deine ſchönen Haare,
    Ständſt du, ein Marmorbild, erſtarrend, bleich.   60

Und wie aus Wolken, lauten Stürmen weichend,
    Der Mond hervortritt in verklärter Pracht:
So käme blaß dein Bild, nun nicht mehr gleichend,
    Entgegen dir aus des Vergangenen Nacht.

Der ſtille Reiz der unſchuldsvollen Züge,   65
    Die klare Stirn, von keiner Schuld gedrückt,
Der Mund, noch wahr bei halbbewußter Lüge,
    Das Aug' ein Adler, der zur Sonne blickt.

---

[1] Er mag noch ſo innig und wahr für dich fühlen und noch ſo Großes leiſten.
— [2] V. 53—56 ſind Bedingungsſatz, 57 ff. Folgeſatz. An ſeiner Statt, an
Stelle deſſen, was war (als wir noch vereint waren).

Und weinend — doch wozu uns jetzt erweichen?
70   Der Augenblick ſcheint viel, die Zukunft hohl.
Laß uns die Hand zum letzten Abſchied reichen,
Und ſo, für alle Zukunft, lebe wohl!

10.
Sorgenvoll.
(1827.)

Mein Kummer iſt mein Eigentum,
    Den geb' ich nicht heraus.
Was gut wohl ſonſt an mir und ſchlimm,
Beſitz und teil'! Das hab' und nimm!
5   Mit ihm nur halt' ich Haus.

Und wie der Geiz'ge ſeinen Schatz
    Des Nachts beſieht bei Licht,
So zähl' ich ihn, wenn alles Ruh',
Entſprungne Körner leg' ich zu,
10   Und lauſch' und atme nicht.

Und kommt's zu ſterben, leg' ich ihn
    Als Obol in den Mund[1],
Vielleicht zahlt er den Fährmann mir
Und zähmt das Frohen neid'ſche Tier,
15   Des ſchwarzen Orkus Hund.

11.
Ablehnung.
(Gaſtein, im Sommer 1831.)

Was folgſt du mir auf jedem Schritt
    Mit prüfendem Geſicht,
Und forſcheſt meinem Kummer nach,
    Läßt leuchten hell dein Licht?

5   Natur gab mir wohl ſelber Sinn,
    Nicht Rat iſt's, was gebricht;
Und wenn du mir nicht helfen kannſt,
    So tröſteſt du mich nicht.

---

[1] Einen Obolos (eine Münze) gaben die Alten dem Toten mit, zum Bezahlen des Fährmanns Charon für die Fahrt zur Unterwelt.

12.
Intermezzo.
(1833.)

Im holden Mond der Maien,
   Wenn lichte Blumen blühn,
Geflügelte Schalmeien
   Die Waldesnacht durchziehn;

Da hebt sich eine Scholle,   5
   Die Liebe lauscht hervor,
Ob noch der Winter grolle,
   Noch laut der Stürme Chor?

Sieht grün sie nun die Weite,
   Erträgt sie's nicht im Haus,   10
Sie fliegt auf Spiel und Beute
   Gleich andern Vögeln aus.

Doch friert es etwa nächtig,
   Sucht sie der Menschen Dach
Und schürt ein Feuer mächtig   15
   Im jungen Herzen wach.

13.
Noch einmal in Gastein.
(Im Sommer 1831.)

Du, dieses Ortes Einsamkeit,
Hast du mich nicht erquickt vor zehen Jahren!
   Da schien die Welt, das Tal so weit;
   Wie in den Schacht, der goldne Schätze beut,
Kam ich durch deine Klamm gefahren.   5
Und war dein Umfang schmal umgrenzt,
Mein Geist stand auf der Hoffnung Sonnenhügeln,
   Und höher als dein ew'ger Schnee erglänzt,
   Trug's mich empor auf Adlerflügeln.
Nun bin ich müd', gestört, entzweit,   10
Nur Mauern läßt die Bergwand mir gewahren.
   O eine ganze Ewigkeit
Liegt in dem Raum von zehen Jahren.

14.
Naturſzene.
(1829.)

Das Waſſer rinnt vom Felsgeſtein
    Und furcht die mooſ'ge Bank,
Die Gräſer, hellgrün, ſchmal und klein,
Sie ſtehn umher und ſaugen's ein,
      Geſättigt ohne Dank.
Und an die Blumen unterm Grün,
    Wie Bürgerstöchter ſtolz,
      In Blau und Rot und goldner Tracht,
      Hat ſich der Schmetterling gemacht;
Der ſaugt und küßt und ſchaukelt ſich
    Und fliegt zuletzt davon,
So achtlos, daß am nächſten Tag
Er kaum noch mehr erkennen mag,
    Wo er geweſen ſchon.
Und drüber rauſcht der Baum, als ob
    Nichts unter ihm geſchäh';
Nach rückwärts ſtrebt der Fels empor,
    Schaut gradaus in die Höh'.
Die Wolken aber allzuhöchſt,
    Ziehn hin mit Sturmsgewalt;
Sie weilen nicht, ſie ſäumen nicht,
    Raſch wechſelnd die Geſtalt;
Und durch das All von Eigenſucht
    Geh' ich mit finſtrer Bruſt;
Vordem genoßner Treu' und Lieb'
    Halb wie im Traum bewußt.

15.
Jugenderinnerungen im Grünen.
(1824.)

Dies iſt die Bank, dies ſind dieſelben Bäume,
    Wo einſt, das dunkle Schulbuch in der Hand,
Der Prüfung bang, den Kopf voll Frühlingsträume,
    Vor manchem Jahr ſich oft der Knabe fand.

Wie er da saß, glitt von den finstern Lettern,   5
    Zu manchem fremden Worte schwer gefügt,
Der Blick hinauf zu jenen frischen Blättern,
    In denen sich der Westwind spielend wiegt.

Und künftiger Gestalten Geisterreigen,
    Und künftigen Vollbringens Schöpferlust   10
Erschienen ihm in jener Wipfel Neigen,
    Erklangen ihm in ahnungsvoller Brust.

Es ward erfüllt das kaum gewagte Hoffen,
    Die Ahnung hielt, was sie vorhergesagt,
Des Wirkens goldne Tore stehen offen,   15
    Ein Schritt gelang, ein zweiter ward gewagt.[1]

Und nun nach manchen Jahres Zwischenräumen,
    Zum Mann gereift, gewogen und erkannt,
Find' ich mich wieder unter diesen Bäumen,
    Den Blick, wie damals, über mir gewandt.   20

Und Seufzer, so wie damals, schwellend, heben
    Die müde Brust von mancher Sorge schwer,
Bis auf die Träne, die nicht mehr gegeben,
    Ist alles so, wie damals, ringsumher.

Ungnügsam Herz, warum bist du beklommen?   25
    Was du so heiß ersehnet, stehet da!
Die Stunde der Erfüllung ist gekommen,
    Du hast es, was dein Wunsch in weiter Ferne sah.

Wie? oder war der bunten Bilder Fülle
    Der Inhalt nicht von dem, was du begehrt?[2]   30
War nur der tiefren Sehnsucht äußre Hülle,[3]
    Das Kleid nur dessen, was dir wünschenswert?

Hast Schönes du vielleicht gestrebt zu bilden,
    Um schöner dich zu fühlen selber mit?
War Schreiten in des Wissens Lichtgefilden   35
    Im Land des Wollens dir zugleich ein Schritt?[4]

---

[1] „Ahnfrau" und „Sappho". — [2] War die dichterische Gestaltung der Phantasien nicht der einzige Gegenstand der Jugendträume? — [3] Subjekt dazu ist „der bunten Bilder Fülle". — [4] Ehrgeiz nach praktischen Leistungen und Anerkennung.

Hast du vielleicht nach Ehr' und Ruhm getrachtet,
    Vermengend im Gedanken, jugendlich,
Das Aug', mit dem die Welt den Mann betrachtet,
40   Und das, womit er selbst betrachtet sich?

Schien dir die Welt mit ihren weiten Fernen
    Ein Urbild, wert des Nachgebilds zu sein[1]?
Hast, wo sie schimmert, du geträumt von Sternen?
    Von Wirklichkeit bei jedem holden Schein?

45 O Trügerin von Anfang, du, o Leben!
    Ein reiner Jüngling trat ich ein bei dir,
Rein war mein Herz, und rein war all mein Streben,
    Du aber zahltest Trug und Täuschung mir dafür.

Die Freundschaft sprach, mein Innres tönte wider,
50   Wir stießen, zwei, kühn schwimmend ab vom Strand.
Er sank, ich hielt ihn noch, er zog mich nieder[2]
    Und rettete ermattet sich ans Land.

Gewalt'ger regten sich geheim're Triebe,
    Ein unbekanntes Sehnen wurde wach;
55 Sie nannten es, ich selber nannt' es Liebe,
    Und einer Holden ging mein Streben nach.[3]

Kaum nur gesehn, kein Wort von ihr vernommen,
    Schien sie entstammt aus höherm Lichtgefild,
Durch Berg und Tal, vom innern Brand entglommen,
60   Verfolgt' ich, das mich floh, ihr holdes Bild.

Da kam der Tag, der Schleier war zerrissen,
    Gemeinheit stand, wo erst ein Engel flog;
Sich selber träumte Sehnsucht, gleich Narzissen[4],
    Und starb, wie er, am Quell, der sie betrog

---

[1] Schien dir die wirkliche Welt der Gegenwart wert, poetisch nachgebildet zu werden? — [2] An einen bestimmten Freund ist wohl nicht zu denken, sondern an die trübe Erfahrung, daß ihm die Freundschaft nicht Hilfe, sondern Gefahr und Verwirrung brachte. — [3] Geht auf Charlotte von Baumgarten. — [4] Narziß sah sein Bild in der Quelle, verliebte sich in dieses und verzehrte sich so in unbefriedigter Selbstliebe (Ovid, „Metamorphosen" III, V. 341—510).

Ein Vorhang deckt, die darauf folgt, die Stelle[1];   65
    Ich lüft' ihn nicht, Erwähnung schon genügt,
Zwei Sphingen[2] ruhn an der verborgnen Schwelle,
    Das Götterhaupt dem Tierleib angefügt.

Der Eintritt scheint zu Hoffnungen berechtigt,
    Das Ende wär' als Anfang gut genug;   70
Doch eh' der Geist der Folge sich bemächtigt,
    Ist auch vorüber schon der grobe Trug.

Da fand ich sie[3], die nimmer mir entschwinden,
    Sich mir ersetzen wird im Leben nie.
Ich glaubte meine Seligkeit zu finden,   75
    Und mein geheimstes Wesen rief: „Nur sie!"

Gefühl, das sich in Herzenswärme sonnte,
    Verstand, wenngleich von Güte überragt;
Ans Märchen grenzt, was sie für andre konnte,
    An Heil'genschein, was sie sich selbst versagt.   80

Der Zweifel, der mir schwarz oft nachgestrebet,
    Ob Güte sei? Durch sie ward er erhellt;
Der Mensch ist gut, ich weiß es, denn sie lebet,
    Ihr Herz ist Bürge mir für eine Welt.

Im Glutumfassen stürzten wir zusammen,   85
    Ein jeder Schlag gab Funken und gab Licht;
Doch unzerstörbar fanden uns die Flammen,
    Wir glühten — aber, ach, wir schmolzen nicht.

Denn Hälften kann man aneinander passen,
    Ich war ein Ganzes, und auch sie war ganz,   90
Sie wollte gern ihr tiefstes Wesen lassen,
    Doch allzufest geschlungen war der Kranz.[4]

So standen beide, suchten sich zu einen,
    Das andre aufzunehmen ganz in sich;
Doch all umsonst, trotz Ringen, Stürmen, Weinen,   95
    Sie blieb ein Weib, und ich war immer ich!

---

[1] Das Verhältnis zu Marie Daffinger. — [2] D. h. Sphinxe. — [3] V. 73—108 gehen auf Katharina Fröhlich. — [4] Sie war selbst eine viel zu geschlossene Persönlichkeit.

Ja, bis zum Grimme ward erhöht das Mühen,
    Gesucht im Einzeln, was im Ganzen lag,
Kein Fehler ward, kein Wort ward mehr verziehen,
100   Und neues Quälen brachte jeder Tag.

Da ward ich hart. Im ew'gen Spiel der Winde,
    Im Wettersturm, von Sonne nie durchblickt,
Umzog das stärkre Bäumchen sich mit Rinde[1],
    Das schwächre neigte sich und war zerknickt

105 O seliges Gefühl der ersten Tage,
    Warum mußt du ein Traum gewesen sein!
Lebt denn das Schöne nur in Bild und Sage,
    Und schlürft's die Wirklichkeit wie Nebel ein?

*   *   *

Auch dort nicht heimatlos, in Bild und Worte[2],
110   Floh ich, dem meerbedrängten Schiffer gleich,
So oft den Stürmen aufgetan die Pforte,
    In jenes Hafens schützenden Bereich.

Gelagert in dem Dufte fremder Kräuter,
    Umspielt von fremder Wipfel leisem Weh'n,
115 Sah ich im Traum die hohe Himmelsleiter,
    An der die Geister auf= und abwärts gehn.

Und angeregt, sie selber zu besteigen,
    Umherzuschauen in dem weiten Raum,
Versucht' ich, rückgekehrt, es anzuzeigen,
120   Was ich gesehn, halb Wahrheit und halb Traum.

„Den Armen, dem sich ab ein Gott gewendet,
    Des Dichters blendend, trauriges Geschick,
Wie das Gemüt im eignen Abgrund endet,
    Der Erdengröße schnellverwelktes Glück.[3]"

125 Und flammend gab ich das Geschaute wieder,
    Der Hörer, ob auch kalt, entging mir nicht,

---

[1] Grillparzer wurde verschlossen und nach außen rauh, Katharina selbst verkümmerte in ihrem Leid. — [2] Ein Gott gab ihm, zu sagen, was er leide („Trost der Dichtkunst"). — [3] „Ahnfrau", „Sappho", „Medea", „Ottokar".

Denn Lebenspulsschlag zog durch meine Lieder,
    Und wahr, wie mein Gefühl, war mein Gedicht.

Vorahnend durft' ich zu den Großen sagen,
    Die längst umwallt der Ruhm wie Opferrauch: 130
So hoch als euch mag mich kein Flügel tragen,
    Doch, Meister, schaut! ein Maler bin ich auch![1]

Da kam die Nüchternheit in ihrer Blöße[2],
    Die groß sich dünkt, weil hohl sie zwar, doch weit;
Nach Ellen maß sie meiner Menschen Größe,   135
    Nach Pfund und Lot der Stoffe Hältigkeit.

Doch kann die Formel Leben je bereiten?
    Was ungeheuer, ist darum nicht groß.
Ein Mögliches ragt über alle Weiten,
    Das Wirkliche zeigt sich im Raume bloß.   140

Wo tausend Tinten meine Blicke spürten,
    Da sah der Stumpfsinn schroffes Grün und Blau;
Wo Rätsel mich zu neuen Rätseln führten,
    Da wußten sie die Lösung ganz genau.

War eine Wiese, wo ich Blumen pflückte,   145
    Die Rinderzucht drauf hingetrieben frisch!
Wo nur ihr Fußtritt in den Boden drückte,
    Lag Schlamm und Gras in ekligem Gemisch.

Was nicht zu sagen, davon ging die Rede,
    Was auszusprechen nicht, das sprach ihr Wort;   150
Verschmähst du ihre Waffen auch zur Fehde,
    Schon Unsinn ist's, zu wählen ihren Ort.

Gestalten, die mein Geist in Glut umfangen,
    Die Rohheit legte dran die schmutz'ge Hand,
Ich sah die Spur auf den entweihten Wangen,   155
    Und mein Gemüt, es fühlte sich entwandt.

---

[1] Anspielung auf Correggios bekanntes Wort beim Anblick der Raffaelschen „Cäcilie": „Anch' io sono pittore". — [2] Die erkältende, nüchterne Kritik; vgl. das Gedicht „Rechtfertigung" (Nr. 43 dieser Abteilung).

Und wie der Mensch den Ort, den schönsten, werten,
    Nicht mehr betritt, wenn Greulich's ihn betrat,
So floh mein Geist aus meiner Jugend Gärten,
160   Empört von seines Heiligsten Verrat.

Hart hinterher der Mißgunst lange Zeile,
    Der Neid, der Haß, bewaffnet anzusehn,
Mit dopplem Eindruck trafen ihre Pfeile,
    Denn, ach, wer singt, kann nicht im Harnisch gehn;

165 Und stellt er ihnen sich, die nach ihm zielen,
    Ergreift des Streites zorniges Gerät,
Der schwere Panzer drücket harte Schwielen,
    Drob des Empfindens weicher Sinn entgeht.[1]

So floh ich aus des Kampfes Glutbeschwerde
170   Hin zur Natur, wo Leben neu sich schafft,
Den Busen drückt' ich an die Mutter Erde,
    Um, wie Antäus[2], zu erstehn in Kraft.

Doch sie, die oft geführt schon meine Sache,
    Getröstet mich so oft und gern zuvor,
175 Verloren hatte sie für mich die Sprache,
    Die Sprache, oder ich für sie das Ohr.

Gelehrig sonst an ihrer frommen Seite,
    Schien jetzt nur trotzig Schaffen mir Gewinn,
Ihr Wort verklang in meines Busens Weite,
180   Ihr Wink verschwand vor meinem stumpfen Sinn.

Und schaudernd vor der Welt und ihrem Treiben,
    Ein jedes Band verschmähend, das sie flicht,
Mocht' ich's nicht leben, konnt' ich's nicht beschreiben,
    Und selbst den Anblick fast ertragen nicht.

185 Ja, horchend auf des Innern leise Zungen,
    Erschaudert mein Gemüt, wenn es ihm deucht,

---

[1] In der Polemik erstickt die dichterische Empfänglichkeit; man kann an Grillparzers spätere Epigrammenzeit denken. — [2] Der nur leben konnte, solange er die Mutter Erde berührte.

Es kling' ein Ton, den Tönen nachgeklungen,
    Mit denen das Gemeine mich verscheucht.

Und also sitz' ich an derselben Stätte,
    Wo schon der Knabe träumte, saß und sann,   190
Wenn erst ich das Verlorne wieder hätte[1],
    Wie gäb' ich gern, was ich seitdem gewann.

16.
Freundeswort.

„Mag dein Schmerz sich roh entladen,
    Zeigst du ihn durch stummes Toben?
Wen die Musen so begnaden,
    Fühle höher sich erhoben!

„Bist ja Maler, brauche Farben!   5
    Bist ja Dichter, brauch' das Wort!
Gram und Herz, wenn beide starben,
    Dauern so geheiligt fort."

Ach, die Worte und die Bilder
    Sind für selbstgemachte Leiden!   10
Wer kann Flammen, wild und wilder,
    In Gewand verhüllend kleiden?

Drum mein Wort, es sei der Aufschrei,
    Nicht an Ton und Maß gebunden,
Und die Farbe, die mir gut deucht,   15
    Hier! das Blut aus meinen Wunden!

17.
Schlußwort.
(1830.)

Also hatt' er lang' gesprochen,
    Hatte höchste Not geklaget,
Daß man ihm das Herz durchstochen,
    Und kein Rettungsmorgen taget.

Da kam's durch die Luft gezogen,   5
    Saitenklangs, vernehmlich kaum,

---

[1] Die Seligkeit der Jugendhoffnungen.

Und sein Kummer war verflogen,
Und sein Leiden war ein Traum.

—◦◦◦—

48. Willst du, ich soll Hütten bau'n?
(1834.)

Willst du, ich soll Hütten bau'n?
    Willst mich heimisch sehn?
Sieh im unbewölkten Blau'n
Hoch die Sonne stehn.

5   Eh' sie sich im Westen neigt,
Ruft mich ein Geschäft,
Rauh der Pfad, der Weg ist weit,
Eile will sein Recht.

    Doch kehr' abends ich zurück,
10   Und du harrst noch mein,
Wenn ich erst mein selber bin,
Bin ich auch wohl dein.

—◇◇—

49. Trost.
(1834.)

Wenn dich Glück und Freunde fliehen,
    Sei du nicht zu tief besorgt,
Wie besitzen nur geliehen,
Ist verloren nur geborgt[1].

5   So an trüben Herbstestagen,
Wenn erlosch des Jahres Glanz,
Schau' im Wind die Blätter jagen,
Ein entfleischter Totentanz.

    Aber kaum der Lenz erschienen,
10   Zahlt ein Erbe, lusterstarkt,

---

[1] D. h. ausgeborgt, ausgeliehen (das Stammwort ist dichterisch für das zusammengesetzte Wort gebraucht).

Er mit barem, blankem Grünen,
Was der Vorfahr abgekargt.

Hold von neuem sind die Götter,
Üb'rall Wonne, Lust und Licht,
Neue Freuden, neue Blätter — —
Freilich nur dieselben nicht.

50. Ruhe.

Jung war ich aus der Heimat fortgezogen,
  Es lockte mich ein Bild, das, hell und reich,
Auf ferner Berge himmelnahen Bogen
Halb Sternbild glänzte und halb menschengleich.

Entgegen schien es winkend selbst zu kommen,
Erreichbar schien's dem Kühnen, der mit Mut
Den Gipfel erst des Berges nur erklommen,
Und also zog ich fort in Gottes Hut.

Doch auf dem Gipfel angelangt der Höhen,
Zerfloß das Bild wie leichter Heiderauch,
In gleicher Ferne sah ich's wieder stehen,
Auf Bergen thronend, so wie früher auch.

War Täuschung nun die erstgeglaubte Nähe,
So war doch Wahrheit Mut und Lust und Kraft;
Auch schien ja wirklich, was ich deutlich sehe,
Und also hatt' ich neu mich aufgerafft.

Doch wie ich eifrig klomm, und wie ich strebte,
Es blieb der Abstand immerdar sich gleich,
Dasselbe Bild, das körperlos entschwebte,
In Fernen glänzend, in der Nähe bleich.

Da ward ich müd' wie alle Staubgebornen,
Auch war der Weg von Steinen rauh und scharf,
Bis auf das Leben ritzten spitze Dornen,
Und alles fehlte, was der Mensch bedarf

25　　Zugleich im Gegenſatz des luft'gen Bildes
　　　Kam mir ein andres vor den wachen Sinn:
　　　Erinnerung des heimiſchen Gefildes,
　　　In dem ich ward, was ich doch endlich bin;

　　　　Wo mir des Vaters Grab zurückgeblieben,
30　　Wo die Genoſſen froh im nahen Glück,
　　　Der Atem weht von ſchwerverlaßnen Lieben;
　　　Und alſo kehrt' ich wegerſchöpft zurück.

　　　　Nur ruhen wollt' ich und dann neu beginnen;
　　　Doch ſah ich kaum den heimatlichen Herd,
35　　Da ward als Frucht ich der Verſäumung innen,
　　　Wie alles dort verfallen und verkehrt.

　　　　Die Fenſter blind, verquollen Tür und Schwelle,
　　　Sie öffnete dem Freundestritt ſich nicht,
　　　Von dem Geräte nichts an ſeiner Stelle,
40　　Das Dach gab ſtatt der Fenſter Luft und Licht.

　　　　Im kleinen Gärtchen, längſt entwohnt der Pflege,
　　　Wuchs Unkraut, wo Gewächſe ſonſt in Reih'n,
　　　Mit wucherndem Geſtrüpp bedeckt die Wege,
　　　Und nur im wilden Anflug[1] ſchien Gedeih'n.

45　　Da fiel's mich an: die nötigſte der Taten
　　　Sei doch, daß erſt die Heimat wohl beſtellt,
　　　Und alſo nahm ich Haue, Karſt und Spaten
　　　Und reutete zuerſt mein eignes Feld.

　　　　Befriedigung, die ich nach außen träumte,
50　　Kam nun von innen ſelber in mein Dach;
　　　Das Leben rächt ja ſtets, was es verſäumte:
　　　Ich hole meine Jugendjahre nach.

—✳—

51. Wenn der Vogel ſingen will...

Wenn der Vogel ſingen will,
　　Sucht er einen Aſt,

---

[1] In dem, was angeflogen war und wild aufwuchs.

Nur die Lerche trägt beim Sang
Eigne, leichte Last.

    Doch der Fink, die Nachtigall,   5
Selbst der muntre Spatz
Wählen, eh' die Kehle tönt,
Für den Fuß den Platz.

    Gebt mir, wo ich stehen soll,
Weist mir das Gebiet,   10
Und ich will euch wohl erfreu'n
Noch mit manchem Lied.

    Denn in Deutschland weht der Sturm —
Sturm, man weiß, ist Wind —
Wähnen, wenn der Ast sie schnellt,   15
Daß sie flügge sind.

    Und hier Landes dunkelt's tief,
Nacht wie Pech und Harz,
In den Zweigen nächst dem Stamm
Nisten Dohlen schwarz.   20

    Kauz und Eule, dämisch dumm,
Schau'n zum Astloch 'raus,
Nur der Starmatz schwatzt vom Platz,
Kanzelt für das Haus.

    Tiefer unten aber steigt's   25
Auf vom Boden dumpf,
Und die Frösche quaken laut
Aus verjährtem Sumpf.

    Und so schweb' ich ew'gen Flugs
Zwischen Erd' und Luft,   30
Und kein Platz dem müden Fuß,
Als dereinst die Gruft.

◇

52. Hoch auf schwindligen Stegen ...

Hoch auf schwindligen Stegen
　　Geh' ich mit mutigem Schritt;
Kommt das Glück mir entgegen,
　　Dankt ihm's ein freundlicher Blick.

5　　Aber verweigert's zu kommen,
　　Geh' ich, als wär' mir es nah;
Ist auch die Stütze genommen,
　　Bin ich doch selber noch da.

53. Selbstbekenntnis.

(1835.)

Du nennst mich Dichter? Ich verdien' es nicht,
　Ein andrer sitzt, ich fühl's, und schreibt mein Leben,
Und soll die Poesie den Namen geben,
Statt Dichter, fühl' ich höchstens mich Gedicht.

54. Entsagung.

(Paris, am 19. April 1836.)

Eins ist, was altergraue Zeiten lehren,
　Und lehrt die Sonne, die erst heut' getagt:
Des Menschen ew'ges Los, es heißt: Entbehren,
Und kein Genuß, als den du dir versagt.

5　Die Speise, so erquicklich deinem Munde,
　　Beim frohen Fest genippter Götterwein,
Des Teuren Kuß auf deinem heißen Munde —
　　Dein wär's? Sieh zu! ob du vielmehr nicht sein.

Denn der Natur alther notwend'ge Mächte,
10　Sie hassen, was sich freie Bahnen zieht,
Als vorenthalten ihrem ew'gen Rechte,
　　Und reißen's lauernd in ihr Machtgebiet.

All, was du hältst, davon bist du gehalten,
Und wo du herrschest, bist du auch der Knecht.

6*

Es sieht Genuß sich vom Bedarf gespalten,   15
   Und eine Pflicht knüpft sich an jedes Recht.

Nur was du abweist, kann dir wiederkommen,
   Was du verschmähst, naht ewig schmeichelnd sich;
Und in dem Abschied, vom Besitz genommen,
   Erhältst du dir das einzig Deine: dich!   20

---

55. Jagd im Winter.

Der Himmel grau, die Erde weiß,
   Die Bäume kahl, die Büsche Gereiß',
Ihr Lächeln den Fluren genommen.
Mag zagen, wer will, mir wallet es heiß,
Ich nenne willkommen dich, blinkendes Eis,   5
Dich, starrender Winter, willkommen.

   Als noch die Menschheit im Lenze lag,
Da stand ihr wohl ein Frühlingstag,
Nun mag sie sich anders erweisen.
Willkommen, ihr Felder, erstarrt und beschneit,   10
Wir leben ja doch in eiserner Zeit,
Wohl paaret sich Eis zu dem Eisen.

   Des Dichters Leier verklingt, verstummt,
Kaum daß noch die Klage wie Heimchen summt,
Kein Spiel, kein Preis, kein Sieger.   15
Drum fort ins Freie, die Waffe zur Hand,
Das Rohr gehoben, den Hahn gespannt,
Als Jäger, wenn nicht als Krieger!

   Und wenn es knallt, und wenn es trifft,
So denkt, es seien, die kochten das Gift,   20
Im Finstern horchen und harren.
O Winter der Fluren! stürme nur zu,
Der Geister Winter ist kälter als du,
Er tötet, du machest nur starren!

   Nur abends daheim am Feuerherd,   25
Da sei euch ein einziger Seufzer gewährt

Nach Lenz und Blüten und Früchten;
Des Morgens aber von neuem hinaus,
In Jagdgetos und Sturmgebraus,
30 Die Zwietracht des Innern zu schlichten.

❦

56. Wintergedanken.
(1840.)

Willst du, Seele, nicht mehr blühen,
    Da vorbei des Sommers Flucht?
Oder wenn der Herbst erschienen,
    Warum gibst du keine Frucht?

5 War vielleicht zu reich dein Blühen,
    War zu bunt der Farben Licht?
Denn die Blüten geben Früchte,
    Aber, ach, die Blumen nicht.

◆

57. Entgegnung.
(1841.)

Gabst du schon auf die Poesie?
    Ich nicht!
Wär's nicht gegönnt zu schreiben mehr,
So lebt' ich ein Gedicht.

5 Verachten, was der Pöbel ehrt,
Sich selbst genug,
Zum Schlimmen nie, durch nichts bekehrt
Und fest statt klug;

Denn nicht die Gaben sind's, was fehlt,
10 Der Verse Pracht;
Der Sinn ist's, höher als die Welt,
Was Dichter macht.

Und wär' der Jugend nur gegönnt,
So Kraft als Schwung;

Wer Vorteil nie von Ehren trennt,   15
Bleibt ewig jung.

Drum schrecke andre, was da droht,
Mich nicht!
Und einst im Sterben sei mein Tod
Noch ein Gedicht.   20

58. Schweigen.

Als ich noch jung war,
Liebt' ich zu klagen,
All was dem Herzen leid,
Vielen zu sagen;

Nun da ich älter,   5
Hehl' ich die Pein,
Schließe den Kummer
Im Innersten ein.

Denn ich erfuhr es,
Kalt ist die Welt,   10
Und nur der Anteil
Lindert, was quält.

So wie das Vöglein,
Jedermann kennt's,
Das seine Liebe   15
Flötet im Lenz,

Aber vorüber
Rosen und Brut,
Lautlos in Zweigen
Fürder nur ruht: 20

So meine Muse,
Also mein Herz,
War doch ihr Lied nur
Sehnsucht und Schmerz.

59. Der Gegenwart.

Ei, wer schilt die Jugend euch?
   Ihr sind alle Lebensgüter,
Vor der Freuden Zauberreich
Steht sie als des Gartens Hüter.

5   Sie ist stolz und stark und kühn,
Reich an Streben und an Taten,
Braucht's doch auch erst Frühlings Blühn,
Eh' der Sommer reift die Saaten.

     Aber Eines weiß sie nicht
10   Und wird's, oft getäuscht, erkennen:
Daß, was heut' am lautsten spricht,
Wofür alle Herzen brennen,

     Was in jeder Meinung steht
Als für ewig eingegraben,
15   Kaum, daß ein Jahrzehnt vergeht,
Nur ein Spott noch ist der Knaben.

     Daß, wie Mode formt das Kleid,
Auch der Geist tauscht seine Trachten,
Und ein Richter nur: die Zeit,
20   Als ein letzter sei zu achten.

     Darum wirkt mit rascher Tat,
Übergebt euch Strom und Lüften,
Doch das Urteil und den Rat
Laßt den Reifern und Geprüften.

60.
(1841—1842.)

Table mich nicht, ich tu' es selber;
   Lobe mich nicht! denn es beschämt mich.
Nimm es als ein Leben an
Und leb' es mit, wie ich getan.

61. Wie viel weißt du, o Mensch, der Schöpfung König ...

(1842.)

Wie viel weißt du, o Mensch, der Schöpfung König,
    Der du, was sehbar siehst, was meßbar mißt,
Wie viel weißt du! und wieder, ach, wie wenig,
Weil, was erscheint, doch nur ein Äußres ist.

Und steigst du in die Tiefe der Gedanken,   5
Wie findest du den Rückweg in die Welt?
Du armer König, dessen Reiche schwanken,
Der eine Krone trägt, allein kein Zepter hält.

Zu dem Gewölb' von deinen strengen Schlüssen
Stellt sich der Schlußstein nun und nimmer ein,   10
Und die Empfindung, Flügel an den Füßen,
Entschwebt der Haft und ruft hinfliegend: Nein!

Denn etwas ist, du magst's wie weit entfernen,
Das dich umspinnt mit unsichtbarem Netz,
Das, wenn du liebst, du aufschaust zu den Sternen,   15
Dich unterwerfend dasteht: das Gesetz.

———◇———

62. Abschied von Wien[1].

(Am 27. August 1843.)

Leb wohl, du stolze Kaiserstadt,
    Zwar nicht auf lange, denk' ich;
Zu andern Grenzen, lebensmatt,
Die irren Schritte lenk' ich.

Schön bist du, doch gefährlich auch,   5
Dem Schüler wie dem Meister,
Entnervend weht dein Sommerhauch,
Du Capua der Geister[2]!

---

[1] Beim Beginn der Orientreise 1843 gedichtet; vgl. „Leben und Werke", S. 51*.
— [2] Die Krieger Hannibals erschlafften in dem üppigen Capua; so wirkt Wien
geistig entnervend auf den Dichter.

Auf deinen Fluren geht sich's weich,
10 Und Berg' und Wälder breiten
Rings um dich her ein Zauberreich,
Durch das die Ströme gleiten.

Weithin Musik, wie wenn im Baum
Der Vögel Chor erwachte,
15 Man spricht nicht, denkt wohl etwa kaum
Und fühlt das Halbgedachte.

Dazu dein Volk, ein wackres Herz,
Verstand, und vom gesunden,
Das sich mit Märchen und mit Scherz
20 Der Wahrheit Bild umwunden.

Man lebt in halber Poesie,
Gefährlich für die ganze,
Und ist ein Dichter, ob man nie
An Vers gedacht und Stanze.

25 Doch weil, von so viel Schönheit voll,
Wir nur zu atmen brauchen,
Vergißt man, was zum Herzen quoll,
Auch wieder auszuhauchen:

Die Tafel bleibt, die Leinwand leer.
30 Drum fort aus diesen Gründen!
Ob von der Reiselast Beschwer
Sich festre Bilder ründen.

❦

63. In der Fremde.

(Konstantinopel, am 23. September 1843.)

Schon bin ich müd' zu reisen,
Wär's doch damit am Rand!
Vor Hören und vor Sehen
Vergeht mir der Verstand.

5 So willst du denn nach Hause?
Ach nein! Nur nicht nach Haus!

Dort stirbt des Lebens Leben
Im Einerlei mir aus.

Wo also willst du weilen?
Wo findest du die Rast,   10
Wenn üb'rall du nur Fremde,
Die Heimat nirgend hast!

—◦—◦—◦—

64.

(1844.)

Was soll ich in eurer Mitte,
      Wie wäre dazu mir wohl Fug?
Ihr seid mir zu weis' und zu klug,
Steht jenseit des menschlichen Zieles,
Ihr wißt mir zuviel und zu vieles   5
Und könnt mir zugleich nicht genug.

—◦—◦—

65. Alma von Goethe[1].

Das hast du nicht gedacht, Gewalt'ger du,
      Als du noch weiltest in der Menschheit Schlacken,
Daß einst dein Enkelkind frühzeit'ge Ruh'
Soll finden in dem „Lande der Phäaken"[2].

Und daß der Mann, der schüchtern vor dir stand,   5
Den Blick gesenkt vorm hehren Strahl des deinen[3],
Am fabelgleichen fernen Isterstrand,
Bei ihrem offnen Grabe werde weinen.

Es kommt so manches anders, als man meint,
Und ist gekommen, warst du gleich der Weise;   10
Die Sonne, wenn sie hoch im Mittag scheint,
Senkt schon zum Untergang sich mählich leise[4].

---

[1] Tochter von Goethes Sohn August. Dessen Witwe, Ottilie von Goethe, wohnte längere Zeit in Wien, wo ihre siebzehnjährige Tochter Alma am 10. September 1844 starb und auf dem Friedhof zu Währing bestattet wurde. — [2] So nannte man Wien wegen seines heiteren Wohllebens nach der Schilderung des Phäakenlandes in der „Odyssee". — [3] Auf der Reise nach Deutschland im Jahre 1826; vgl. „Leben und Werke", S. 41*. — [4] Auch Goethes Wertschätzung hatte nachgelassen.

Nach neuen Zonen wendet ſich der Geiſt
Und läßt, was blank, in grauem Dunkel roſten,
15 Iſt doch, was uns der ferne Weſten heißt,
Für andre Völker auch zugleich ein Oſten.[1]

So drang dein Wort, ſo kam dein Enkelkind
In unſre Morgenrot=beſtrahlte Fluren;
Hoch ſchlug mein Herz, verſchönt, wie Weiber ſind,
20 In ihr zu finden deiner Züge Spuren.

Und ſo trat ich, zu huld'gen, in den Saal,
Wo ſchon das Teegerät die Tiſche krönte,
Die Frau begrüßend, deines Sohnes Wahl,
Die dir des Lebens Abendrot verſchönte.

25 Doch war kein weiblich Weſen ſonſt im Kreis,
Nur Herren, ſchwarz, als wär' ein Sarg zur Stelle;
Da öffnet ſich die Tür, und hell und weiß
Tritt kinderhaft das Mädchen auf die Schwelle.

Die ich gedacht mir in der Hoheit Schein,
30 Von angeſtammter Herrlichkeit erglänzend —
Ein Teebrett in den Händen trat ſie ein,
Demütig Brot zum heißen Trank kredenzend.

Doch war's, als ob, dem Erlenkönig gleich,
Des Ahnherrn Geiſt ob ihrem Scheitel ſchwebte,
35 Und ſie, das Kind, dem Kind im Liede gleich,
Vorm Anhauch einer geiſt'gen Ladung bebte;

Wie an dem Eichſtamm, den der Blitz geneigt,
Die Blume hell empor die Blätter richtet,
Als ob nicht dein Erzeugter ſie erzeugt,
40 Als ob ihr Ahn ſie Klärchen[2]=gleich gedichtet.

Sie fühlte wohl den Wink der fernen Hand,
Die Sehnſucht nach dem Land der reinen Lilien,
Und ging dahin, ſo ſtamm= als wahlverwandt[3],
Verwaiſend und verdoppelnd die Ottilien.

---

[1] In Norddeutſchland iſt der poetiſche Geiſt der verſtandesmäßigen Nüchtern=
heit gewichen; jetzt hat er in Öſterreich eine Heimſtätte gefunden. — [2] Egmonts
Geliebte. — [3] Anſpielung auf Ottilie in Goethes „Wahlverwandtſchaften" und ihr
unglückliches Schickſal.

Du aber schaust mit ernstem Blick herab,   45
Wo sie der Grund, Beethoven[1] nah, verschlungen,
Und sprichst kopfschüttelnd ob dem frühen Grab:
„Das war dir an der Wiege nicht gesungen!"

—❋◇❋—

66. Weihnachten 1844.

Bei einer Zurücksetzung im Dienste.

Am heil'gen Christtagabend
    Den Kindern man beschert,
Da ist denn eitel Freude
An Wägelchen und Pferd.

Am heil'gen Christtagabend,   5
Obgleich ich längst kein Kind,
Hat man mir auch bescheret,
Gut wie die Menschen sind.

Man gab mir einen Kummer,
Man gab mir eine Qual,   10
Die tief am Leben naget,
Das längst schon geht zu Tal.

Man gab mir die Gewißheit,
Mein Streben sei verkannt
Und ich ein armer Fremdling   15
In meinem Vaterland.

Man hat beim nah'nden Winter
Genommen mir das Nest,
Und hieß mich weiter wandern
Für meines Lebens Rest.   20

Doch ist's der Lauf der Zeiten;
Ein Trost nur stellt sich dar:
Bin ich auch nichts geworden,
Ich blieb doch, der ich war.

—◇—

[1] Auch Beethovens Grab ist auf dem Friedhof in Währing.

67.

(1846.)

Die ew'ge Macht gibt nicht so viel,
Auf daß sie wieder nimmt:
Ich bin noch dasselbe Saitenspiel,
Allein zur Zeit verstimmt.

---

68. An Wien,

als das Gerücht ging, ich schriebe einen „Hannibal".

(1846?)

Du willst von Hannibal ein Lied?
Entschlummert ist der Held zusamt dem Meister:
In deinen Augen ward er müd',
Du Capua der Geister!

69.

(1848.)

Als liberal einst der Verfolgung Ziel,
Schilt mich der Freiheitstaumel nun servil[1];
Nicht hier noch dort in den Extremen zünftig,
Ich glaube bald, ich bin vernünftig.

70.

(1848.)

Die Knechtschaft hat meine Jugend zerstört,
Des Geisterdruckes Erhalter,
Nun kommt die Freiheit sinnbetört[1]
Und lähmt mir auch mein Alter.

---

[1] Über die Haltung des Dichters im Revolutionsjahre vgl. „Leben und Werke", S. 59* f.

71.
(1848.)

Das Volk verehr' ich so wie ihr,
   Die Masse zusamt dem Hebel;
Laßt ihr aus dem Volk die Besten weg,
So bleibt nur noch der Pöbel.

***

72.
(1848.)

Wie sehr dich die Lage des Vaterlands drängt,
   Bewahr' deine Kunst dir als reine,
Wer sich in die patriotischen Kleien mengt,
Den fressen die politischen Schweine.

***

73. Entschuldigung.
(1849.)

So ist dir erloschen der Musen Gunst,
   „Erlahmt dein ganzes Streben?"
Mein Freund, ich treibe die schwere Kunst,
In diesen Zeiten zu leben.

***

74. Der Leopoldsritter[1].
(1849, 15. März.)

Gern mißte den Orden der Barde,
   Ich trag' ihn im eigenen Sinn;
Mich mahnt er als eine Kokarde,
Daß ich des Kaisers bin.

***

75.
(1849.)

Mein Wissen ist gegen das eure ein Kind,
   Fern sei, daß ich es leugne,
Nur daß eure Gedanken fremde sind,
Die meinen aber eigne.

***

[1] Vgl. „Leben und Werke", S. 60*.

76. Der Kritiker.

(1851.)

Was greifſt du mir die Hero an?
Ein neuer Heroſtrat[1];
Doch nur dein eignes Strohdach brennt
An meines Tempels Statt.

—◇—

77. Appellation an die Wirklichkeit[2].

(1852.)

Weiland Alexander dem Großen
War unter des Hauſes Genoſſen
Ein Arzt von hoher Kunſt,
Nur voll von der Eitelkeit Dunſt;
5   Hielt Menſchenwert viel zu klein,
Dünkt ſich ein Gott zu ſein.
Da läßt der König zu Nacht
Rüſten ein Mahl mit Pracht,
Setzt ſich ſamt den anderen Gäſten
10   Und ſchmauſt von dem Feinſten und Beſten.
Nur vor den Arzt allein
Setzt man ein Tiſchchen klein,
Wo ſtatt nahrhafterer Speiſen
Ihn Sänger mit Liedern preiſen,
15   Und Knaben, das Rauchfaß in Brand,
Ihm opfern mit emſiger Hand.
Da wird der Arzt denn inne
Durchs Zeugnis der eigenen Sinne,
Daß er ein Menſch und kein Gott;
20   Geheilt hat ihn Hunger und Spott.
Ihr macht's mit mir und den andern
Ein wenig gleich Alexandern:

---

1 Heroſtratos ſuchte und fand durch Anzünden des Artemistempels in Epheſus (356 v. Chr.) Berühmtheit; das benutzt der Dichter zu einem Wortſpiel gegen einen Kritiker ſeiner Hero-Tragödie „Des Meeres und der Liebe Wellen". — 2 Beſonders durch Laubes Bemühungen fand Grillparzer ſeit 1851 allgemeinere Anerkennung; vgl. „Leben und Werke", S. 61*.

Habt mich gelobt und geehrt,
Schien jeden Preises euch wert.
Doch bin ich kein Narr und kein Gott,   25
Zuviel grenzt immer an Spott,
Hab' lange genug gesessen,
Möcht' auch mit den andern essen[1].

✳✧✳

78. Öffentliche Anerkennung[2].

(1852.)

Wie strahl' ich nicht im Ehrenglanz,
    Das Höchste sollte mich kaum überraschen.
Sie vergolden mich am Ende ganz,
Nichts ausgenommen als die Taschen.

◇◇◇

79. Mein Charakterbild von Dr. Laube.

(1853, Dezember.)

Der Zeit vorauszugreifen, ist jetzt die Mode,
    Sonst sezierte man die Leute erst nach dem Tode.

✳✧✳

80. Laube — mein Paladin[3].

(?)

Schon tot, wieder lebend geworden
    Durch dich, mein tollkühner Sohn —
So nimm den Grillparzer=Orden,
Sonst hast du gar nichts davon.

〰️

81.

(1855.)

Am fünfzehnten Jänner geboren,
    Gestorben? ich weiß noch nicht wann,

---

[1] Eine materielle Besserstellung blieb leider aus bis zum 80. Geburtstage; vgl. „Leben und Werke", S. 62*. — [2] Vgl. die Anmerkungen zum vorigen Gedicht. — [3] Vgl. „Leben und Werke", S. 61*.

Kommt einst dir das Datum zu Ohren,
So füg's zur Ergänzung hier an.

Und hast du es niedergeschrieben,
So hast du mich ganz auf ein Haar;
Was etwa noch übrig geblieben,
Ist erst nach dem Tode wahr.

82.
(1855, März.)

Hier sitz' ich unter Faszikeln dicht[1],
   Ihr glaubt: verdrossen und einsam —
Und doch vielleicht, das glaubt ihr nicht,
Mit den ewigen Göttern gemeinsam.

---

83. In trüber Stunde.
(1855.)

Frost und Nacht, wohin ich richte
   Meine besten Lichtgedanken!
Wie ich sinne, wie ich dichte,
   Nicht die Mitwelt will mir's danken.

Hab' mein Bestes ihr gegeben,
   Zwar nicht reichlich, stets doch Reines,
Reinsten Teil von meinem Leben,
   Wohl nicht Schmuck voll falschen Scheines.

Kurze Zeit habt ihr verstanden,
   Was die Götter mir erzählten;
Und ich galt in unsern Landen
   Zu den hohen Auserwählten.

Doch ihr habt mich dann vergessen —
   Und vergessen eure Würde:
Und — wenn nicht mein Wort vermessen:
   Ward mein Geist euch eine Bürde.

---

[1] Im Amt als Archivdirektor; im Jahre 1856 trat er in den Ruhestand; vgl. „Leben und Werke", S. 63*.

Sei's! — ich opfre meinen Göttern —
   Opfert ihr — wie lang? — den Götzen!
Zukunft wird mit andern Lettern
   Euch und mir das Urteil setzen!   20

Zwar, wenn tot einst, werd' ich leben,
   Und ihr flechtet mir noch Kränze,
Denkt ihr auch nicht schmerzlich eben
   Meiner trüben Lebenslenze.

Doch — was klag' ich? — wo im Innern   25
   Heil'ge Stimmen stets erklangen!
Ist's doch — zwar kein Trost=Erinnern! —
   Manchem Bessern so ergangen.

---

84. Hofratstitel[1].
(1856, April.)

1.

Die Titel sind Papiergeld,
   Deren Kurs die Mitwelt
Nach dem Vorrat von Metall stellt.

2.

Dichter zu belohnen,
   Sind Orden und Titel
   Die besten Mittel:
   Für Fiktionen —
   Illusionen.   5

3.

Die Titel meiner Stücke
   Hat man mir reichlich bezahlt;
Man gibt mir Titel für Titel,
   Als hätten sie keinen Gehalt.

---

[1] Beim Ausscheiden aus dem Amte nach 43jähriger Dienstzeit erhielt Grillparzer (15. April 1856) den Titel eines Hofrats; vgl. „Leben und Werke", S. 63*.

85. Deutſche Muſter.

(1857.)

Ich ſollte von euch lernen?
    Da bin ich weit entfernt;
Geh' lieber zu den Fernen,
Von denen ihr gelernt.

* * *

86.

(1859.)

Wenn der Prieſter opfern geht,
    Geht er mit reinen Händen;
Wer nicht des Lebens Schmutz verſchmäht,
Wird nie das Edle vollenden.

5   Drum iſt dein Daſein dem Volk geweiht,
Begabſt ſie mit Menſchheitsrechten,
Verbünde dich nicht zu gleicher Zeit
Nach außenhin mit den Schlechten.

    Damit nicht, wenn dein Werk vollbracht,
10 Die Sklaven zur Freiheit kamen,
Die Vorteilkundigen, die du gemacht,
Verſuchen dich nachzuahmen

* * *

87.

(1860, Januar.)

Ich führe den Pflug in dem leeren Feld,
    Da wird denn nach mir die Scholle beſtellt
Von manchem, der beſſer und klüger.
Doch wie reich auch die Ernte ſei, die ſie bringt,
5   Denkt, wenn ſchon wartend die Sichel klingt,
An den heimgegangenen Pflüger.

* * *

7*

88.
(1860.)

Warum gibst deine Werke du endlich nicht heraus[1]?
    Mein Freund, bei schlechtem Wetter hält man sich
gern zu Haus.

89.
(1863.)

Da die Deutschen noch bescheiden nach alter Weise,
    Sagt' ich gern ein Wort zu ihrem Preise,
Nun aber, da sie sich selber loben,
Fühl' ich mich fürder der Müh' enthoben.

---

90. Kritik.
(1865.)

Von unsern Kunstrichtern die Bestgenannten[2]
    Sind gegen mich gar strenge Richter;
Sie protestieren eben als Protestanten,
Und ich bin ein katholischer Dichter.

---

91. Müßiggang.
(1867.)

Arbeiten soll er? Daß Gott erbarme!
    Da schob Natur schon vor den Riegel,
Denn wo die andern ihre Arme,
Da hat er eben seine Flügel.

---

92. Für das Album einer deutschen Fürstin[3].
(1867.)

Als Deutscher ward ich geboren —
    Bin ich noch einer?

---

[1] Wirklich ist der Dichter leider nicht zu einer Ausgabe seiner Werke gekommen; vgl. Einleitung des Herausgebers, S. 3. — [2] Dabei ist besonders an Gervinus zu denken. — [3] Durch die Ereignisse von 1866 war Österreich aus Deutschland ausgeschieden.

Nur was ich Deutsches geschrieben,
Das nimmt mir keiner.

---

93. Für Fräulein Julie von Asten.

In ein Exemplar seiner gesammelten Dramen.

(1868, 5. Januar.)

Wie oft ich gefehlt,
Es sei nicht gezählt;
Doch was ich getroffen,
Läßt mich eine Zukunft hoffen.

---

94. Biographisch.

(1868.)

Gescheit gedacht und dumm gehandelt,
So bin ich mein' Tage durchs Leben gewandelt.

---

95. Krankenbesuche.

(1869.)

Eine Ähnlichkeit, die ich mit Christus habe:
Nur die Weiber kommen zu meinem Grabe.

---

96. Geburtsfeier[1].

(1871, Januar.)

Schön hat sich dein Geburtsfest ausgenommen,
„Ein Dichterfonds auf deinen Namen gar.
Und hast du etwas auch dabei bekommen?"
Ei selbstverständlich: Achtzig Jahr'!

---

[1] Vgl. „Leben und Werke", S. 62*.

Zweite Abteilung.

Poesie.

Dichtung und Dichter. Kritiker und Kritik.

---

1. Xenien[1].

(1818.)

1.

Fouqué[2].

Freundlich sei mir gegrüßt, polarischer Feuerländer[3],
   Immer reizend und neu singend dein alt Pescheräh[4].

2.

Tieck.

Dir auch töne mein Gruß, du herrlicher Maler=Torso,
Brust und Auge wie schön! Weh! ob der fehlenden Hand.

3.

Goethe (anno 1818).

Sage, was stört deine Ruh', o Schatten des göttlichen Goethe[5],
Daß du neblicht und kalt wallst um dein eigenes Grab?

4.

Die Altdeutschen[6].

Herrlich nehmt ihr euch aus in der Ahnen blankem Gewaffen;
Kräftig stehet ihr da; — aber nun schreitet einmal!

---

[1] Nach Goethes und Schillers Vorgang im Jahre 1796. — [2] Der Romantiker Friedrich, Baron de la Motte=Fouqué (1797—1844) suchte in phantastischen, mitunter formlosen Werken die alte Ritterzeit wieder aufleben zu lassen. — [3] Anspielung auf Fouqués Werke „Thiodolfs des Isländers Fahrten" und „Der Held des Nordens" (Trilogie). — [4] Pescheräh (Pescheräs) nannte der französische Seefahrer Bougainville (1765) die Eingebornen Feuerlands nach einem von ihnen vielgebrauchten Wort, dessen Sinn dunkel ist (ähnlich wie Fouqués Sprache). — [5] Goethe ließ 1811—14 „Dichtung und Wahrheit", 1816 und 1817 die „Italienische Reise" erscheinen; sonst war er in dieser Zeit mehr wissenschaftlich als dichterisch tätig. — [6] Die Brüder Grimm suchten in das Verständnis des deutschen Altertums einzudringen; die romantische Schule (vor allen auch Fouqué) wollte es in der Dichtung wieder aufleben lassen.

5.
Die Kritiker, Gebrüder Schlegel[1].

Flackernd erscheint ihr im Sturm, ihr schimmernden Dios=
kuren;
Doch nur sich selbst zeigt das Licht, leider, und nicht auch
den Weg

6.
Jean Paul[2].

Ach, wie so gerne, Jean Paul, pflück' ich deine herr=
lichen Früchte,
Hab' ich glücklich den Zaun blühender Hecken passiert.

7.
Schiller.

Wohl erblickt' er's vom Berg und kannt' es, das Land
der Verheißung;
Doch, da er's singend betrat, nahm ihn ein zürnender Gott.

8.
Lessing.

Tapferer Winkelried! Du bahntest den Deinen die Gasse;
Dein ist, Starker, der Sieg! Hast du ihn gleich nicht gesehn.

―――⟨⊠⟩―――

2. Xenien[3].
(1819.)

1.

Was begeistert ich schrieb, das willst du mir nüchtern bekritteln;
Ist dir, nüchterner Mann! denn die Begeisterung fremd?

2.

Doch nur begeistert am Pult und nüchtern auf offener
Straße,
Bin ich ein Greu'l dir mit Recht, feindest du billig mich an.

---

[1] August Wilhelm von Schlegel (1767—1845) und Friedrich von Schlegel (1772—1829); vgl. Gedicht Nr. 12 der 1. Abteilung. — [2] Grillparzer tadelt das Überladene seiner Darstellung und sein stetes Abspringen vom Thema durch „Einlagen“, „Fruchtstücke“, „Hundsposttage“ u. s. w. — [3] Diese Xenien beziehen sich auf Rezensionen des Trauerspiels „Sappho“.

3.

Es ist wohl wahr, daß Tadel quält,
Einstimm'ger Beifall schöner:
Doch, was erkennt der Kenner, zählt
Und nicht, was wähnt der Wähner.

3. Märchen.

(1829.)

In eines alten Turmes Schacht
   Liegt goldenhell ein Schatz,
So reich, daß, wer sein kundig ward,
   Wünscht sich des Hüters Platz.

Der Hüter aber ist ein Drach',   5
   Der wahrt das edle Gut;
Goldgierig, geizig, wie er ist,
   Hält Tag und Nacht er Hut.

Der Schuppen jed' ist ihm ein Aug',
   Und Kralle jedes Glied,   10
Drum sieht er, hört, hält ab, was vor,
   Was hinter ihm geschieht.

Ein Ritter aber, ohne Rast,
   Klimmt kühn den Berg empor.
Umsonst! Denn, wenn es halb gelang,   15
   Kommt ihm der Drach' zuvor.

Der Schatz nun selber regt sich nicht,
   Wie eben Schätze tun.
Das Schöne ruht; der höchste Preis:
   Gleich ihm, in ihm zu ruhn.   20

Die Perle hat doch auch kein Ohr,
   Der Demant keinen Mund,
Der Blick des Goldes winkend nur
   Gibt Wunsch nach Freiheit kund.

25   So setzen sie's schon lange fort,
Der Hüter seinen Lauf,
Das reiche Gut kommt nicht herab,
Der Sucher nicht hinauf.

  Nur fürcht' ich, währt es allzulang,
30 Erlahmt die Phantasie,
Und streift die bunten Farben ab,
Die ihr das Märchen lieh.

  Der Drache geht dann schuppenlos,
Der Ritter räumt den Platz;
35 Und nichts bleibt, was es früher war,
Als eines nur: der Schatz.

4. Goethe.
(1834.)

Und ob er mitunter kanzleihaft spricht,
 Ob Tinten und Farben erblassen;
Die Großen der Zeiten sterben nicht,
 Das Alter ist keinem erlassen.

5   Doch ahmst du ihm nach, du junges Volk,
So laß vor allem dir sagen:
Der Schlafrock steht nur denen wohl,
Die früher den Harnisch getragen.

5. Ludwig Tieck[1].
(1834.)

Blickst du uns stolz und vornehm an?
 Man meint, was er Wicht'ges wälze;
Allein viel besser ein schlichter Mann,
Als 'ne Motte in Shakespears Pelze.

---

[1] Bezieht sich auf Tiecks „Dramaturgische Blätter" und seine sonstigen Bestrebungen, ein tieferes Verständnis Shakespeares anzubahnen.

6. Einem Grafen und Dichter[1].
(1834.)

Auersberg, du letzter Ritter
  Eines Stamms, der ruhmbelaubt,
Streit' nicht mehr im Helmesgitter[2],
  Zeig' dein freies, edles Haupt!

Nicht mehr grün sind deine Früchte[3],   5
  Reif und hoch, zu hoch dem Zwerg,
Du Erstandner im Gedichte,
  Anastas und Auersberg.

Gehst ja in der Väter Bahnen,
  Kämpfst für Wahrheit und für Recht;   10
Schau'! es sehn auf dich die Ahnen
  Und erkennen ihr Geschlecht.

So wie sie in fernen Tagen,
  Als der Muselmann gedräut,
Manche heiße Schlacht geschlagen   15
  Und den Vaterherd befreit,

Ziert den Musenroß=Berittnen,
  Ihren Sohn, der Kampf zumeist
Mit den Herz= und Geist=Beschnittnen,
  Den Ungläub'gen an den Geist.   20

Und ob Vorteil kaum zu hoffen
  In dem ungleich schweren Krieg,
Sei kein Stillstand doch getroffen,
  Wo nicht weichen schon ein Sieg.

Würde selbst das Glück Verräter,   25
  Käme des Erliegens Tag,
Denk an jenen deiner Väter,
  Der in Stambuls Kerkern lag.

---

[1] Graf Anton von Auersperg, als Dichter Anastasius Grün (1806—1876), der in seinem Romanzenzyklus „Der letzte Ritter" (1830) Kaiser Maximilian I. verherrlicht hatte, trat 1831 mit seinen „Spaziergängen eines Wiener Poeten" entschieden gegen das Regierungssystem Metternichs auf. — [2] Nenne dich mit deinem wahren Namen, nicht mehr mit dem Decknamen „Grün". — [3] Wortspiel mit dem Dichternamen Anastasius (Auferstandener) Grün.

Wie da der Bostandschi[1] dräute,
30 Grimm des Sultans Angesicht,
All sein Glück gab er zur Beute,
Doch des Busens Wahrheit nicht.

Welkte fern den heim'schen Triften,
Starb getrennt von Kind und Weib,
35 Von zwei dargebotnen Giften
Trank er jenes für den Leib.[2]

Also bleib' am Rechten hangen,
Und ob dich die Welt verläßt,
Sie dich ausspähn, binden, fangen,
40 Halte du am Glauben fest,

Daß, wenn einst zerstäubt die Gitter
Rings um all', was gut und wahr,
Man dich grüßt als ersten Ritter
In der Nachgekommnen Schar.

45 Brücken, die nicht abgetragen[3],
Haben Stamm und Glück entzweit;
Uns vielmehr laß Brücken schlagen
In die beßre Enkelzeit!

------◆------

7. Bretterwelt.

(1835.)

Komm, Muse, her, du sollst mir vor das Volk,
Mit diesen Stricken bind' ich deine Arme.
Die Glocke, einst der Kuh, die reichlich molk[4],
Ruft zu Gericht. Ob dein sich Gott erbarme?

---

[1] Eigentlich Gärtner, dann Leibgardist des Sultans. — 2 Gift für die Seele wäre es gewesen, wenn er seinem Glauben abgeschworen hätte. — 3 Brücken, die die Gegenwart mit dem feudalen Mittelalter verbinden, wie Adelsvorrechte und politische und kirchliche Bevormundung. — 4 Die Muse des Dichters, d. h. der Dichter selbst, wird vor das Gericht der Zuschauer (Volk im niedrigen Sinne, V. 21 „Die Menge") gerufen durch die Glocke, die einst zu seinen Triumphen geläutet hat („Sappho", „Vlies", „Ottokar", „Treuer Diener"; seit der Hero-Tragödie nicht mehr).

Den Helm von Pappe setz' ich dir aufs Haupt,   5
Ein hölzern Schwert wankt, wo die Hüften schwellen,
Und, daß dein Fuß sich nicht zu viel erlaubt,
Nimm noch von Blech die engen Knöchelschellen[1].

Auch in dem Umkreis hab' mir sorglich acht,
Der Baum hier wankt, kann nicht zur Stütze taugen,   10
Dort die Versenkung führt in Abgrunds Nacht,
Und doch vor Lichtglanz hüll' ich deine Augen[2].

Den Mund allein nur will ich frei dir geben,
Den brauch', wie du's vermagst und dir bekannt.
Was sonst noch rührt und überzeugt im Leben,   15
Ist streng aus dieser zweiten Welt verbannt.

Wie die Musik nicht Formen gibt, nur Töne,
Der Maler Töne nicht, nur Formen malt,
Lebt hier im dürren Wort allein das Schöne,
Von Wohlklang nicht ergänzt, noch von Gestalt.   20

Nun aber laß uns noch die Menge schauen,
Die das Geschick zu Richtern uns gesetzt.
Der Vorhang ward, zum Glück, von art'gen Klauen[3]
Zu eigner Aussicht stellenweis zersetzt.

Du staunst, nicht wahr? und kannst es kaum erwarten, 25
Ein Anblick bunt und reich, bergan, talab.
Glaubst du dich nicht versetzt in jenen Garten,
Dem man vom schönen Brunn den Namen gab[4]?

Hier das Parterre, voll Rosen, Tulpen, Nelken,
— Zwar leeres Gras dazwischen auch genug —   30
Die Hitze macht die Häupter sichtlich welken,
Doch blühn sie auf, besprengt sie erst dein Krug.

---

[1] Die Muse muß den Theaterstaat anlegen, da sie vor dem Publikum auftreten soll. — [2] Wie die Muse selbst in eine Welt des Scheins (auf der Bühne) geführt wird, so werden auch ihre Augen verschleiert, so daß sie die Zuschauer nicht als wirkliche Menschen (sondern als Blumen und Tiere) sieht. — [3] Von den Händen der neugierigen Schauspielerinnen. — [4] Der Garten des kaiserlichen Schlosses Schönbrunn.

Und rings im Umkreis die geschloßnen Fallen,
Des Gartens Schmuck, genannt Menagerie[1],
35 Des Städters Lust vor jedem und vor allen,
Besetzt mit edlem, schwerbezahltem Vieh.

Ha, wie sie prangen, wie sie grinsen, schnauben,
Mit Fleisch genährt zum Teil, zum Teil mit Aas,
Zwar pflegen sie nicht mehr wie sonst zu rauben,
40 Doch was sie längst geraubt, ist jetzt ihr Fraß.

Der Löwe[2] dort mit etwas kahlen Mähnen,
Dem, was uns groß, ein stolzer Zeitvertreib,
Ein halbes Volk verschlingt sein kleinstes Gähnen,
Ihm steht kein Mann, dir horcht er, weil ein Weib[3].

45 Der Eisbär[4] nebenan, vor dem kein Säumen,
Wie dürr und alt, doch immer noch in Brunst,
Zwei Wärter fraß er schon in diesen Räumen[5],
Doch hat man ihm die Zähne nun gestumpft[6].

Das Zebra[7] schau! den Leib geschmückt mit Bändern,
50 Man kennt den Stamm, trotz der gezierten Brust;
Hier das Kamel[8] aus wüsten Steppenländern,
Das schleppt und trägt und dem die Dürre Lust.

Dort die Hyäne[9], die mit leisem Winseln
Im Dunkeln anzeigt, was sie still erlauscht;

---

[1] Die Logen des Parterre und des ersten Ranges, die der vornehme Adel (B. 36, 39 f.) im festen Besitz hatte, werden verglichen mit der kostspieligen Menagerie in Schönbrunn. — [2] Der alternde Fürst Metternich, der mächtige Staatskanzler. — [3] Anspielung auf des Fürsten dritte Ehe und seine galanten Abenteuer. — [4] Der frühere oberste Chef des Burgtheaters, Oberstkämmerer Graf Czernin; trotz seiner 78 Jahre gefährlich. Bei den Beamten und Schauspielern war er wegen seiner Launenhaftigkeit, Härte und Willkür verhaßt. — [5] Grillparzers Freund Schreyvogel war im Mai 1832 und der Vizedirektor der beiden Hoftheater, Hofrat von Mosel, im Jahre 1834 durch Czernin aus der Stellung entfernt worden. — [6] Nach dem Tode des Kaisers Franz (6. März 1835), dessen Stellung schon vorher erschüttert war, von der Leitung des Burgtheaters zurückgetreten; durch Landgraf Fürstenberg ersetzt, hatte er nun keinen unmittelbaren Einfluß mehr auf Personal und Repertoire der Bühne. — [7] Damit ist ein ordensüchtiger Streber gemeint, vielleicht Schreyvogels Nachfolger, der Vizedirektor Deinhardstein. — [8] Anspielung auf eine (unbekannte) literarische Persönlichkeit voll Sammlerfleiß, aber ohne Geist. — [9] Der Präsident der Polizeihofstelle, Graf Sedlnitzky, mit dem Grillparzer so oft unliebsam zusammengestoßen war.

Hier Tiere, die das Mundhaar formt zu Pinseln,　　　　　　55
Und andre glatt, die Backen nur bebauscht[1].

Die Löffelgans, vielmehr der Gäns'rich[2] selber,
Der Schnabel nur zeigt dir sein plattes Haupt,
Er schlingt die Nahrung ganz.　Hier Lämmer, Kälber
Von seltner Art und teurer, als man glaubt.　　　　　　60

Zuletzt der Waschbär[3] noch.　Er, der vor allen
Den Fraß, als Küchenmeister, selbst sich kocht,
Er wäscht und wäscht, und läßt sich's erst gefallen,
Wenn er den letzten Saft der Fasern ausgepocht.

Nach weiter oben laß uns nicht mehr blicken,　　　　　　65
Ein Schwindel droht.　Die höchsten Wipfel sind's,
Die, leicht erregt, verneinen oder nicken,
Je nach des Zufalls Laune und des Winds.

Die alle nun sind unsers Werkes Richter,
Bezeichnend es mit schwarz, mit rotem Strich:　　　　　　70
Das Urteil sprechen sie dem armen Dichter
Und auch — sie ahnen's ewig nimmer — sich.

Sie sind — wie überall, seit Herzen schlugen
Und der Verstand Gedanken knüpft und trennt —
In zwei geteilt: die Toren und die Klugen,　　　　　　75
Nur freilich ruht auf erstern der Akzent.

Die Toren[4] — ei, was mehr? — sind eben Toren,
Nur, sonst beschränkt, fühlt jeder hier sich frei;
Den armen Geist im Alten matt verloren,
Strebt jeder hast'gen Drangs nach dem, was neu.　　　　　　80

---

[1] Anspielung auf die Barttrachten, den ungarischen (in Österreich verpönten) Schnurrbart und den „offiziellen" Backenbart mit ausrasiertem Kinn. — [2] Graf Dietrichstein, von 1821—26 Direktor der Hoftheater, dann von Czernin aus dieser Stellung verdrängt; auch mit ihm war Grillparzer wiederholt in Berührung gekommen. Unentschlossen und von andern abhängig, konnte er doch jähzornig und grob werden. — [3] Der Nachfolger Czernins, Oberstkämmerer Landgraf Fürstenberg, der seine kavaliermäßigen Ansichten über die Auswahl der Bühnenstücke mit Nachdruck zur Geltung brachte; vgl. Anm. 4. — [4] Ihnen entgegenkommend, hatte der Landgraf Fürstenberg in dem Programm, das er vor dem Regiekollegium des Burgtheaters entwickelte, das Konversationsstück den modernen Tragödien vorgezogen, die nichts als „ungeheure Sümpfe" seien und das Publikum langweilten, das nur sanft gerührt und zum Lachen gereizt sein wolle.

Den toten Sumpf im Innern ihrer Wesen
Wünscht jeder durch die Dichtung aufgerührt.
Sie fühlen nur, wenn sie vom Fühlen lesen,
Das Leben lebend, das ein andrer führt.

85 Wie sich der Hund an dich drängt, also jene,
Du sollst ihm klopfen seines Rückens Grat;
Klopfst du zu stark, so weist er dir die Zähne,
Zu schwach, so weiß er kaum, wie man ihm tat.

Die sollst du, nicht der Welt, nein, sich entreißen,
90 Sich sucht und flieht ein jeder eifrig gleich,
Und willst du ihm mit Fug ein Dichter heißen,
Sei unerhört, ein Wunder jeder Streich.

Indes die Klugen — und das sind die Schurken,
Von Schlechtigkeit bis zum Verstand gebeizt —
95 Nach Wirklichem verlangt, gewürzt mit Gurken,
Mit Senf und was noch sonst den Hunger reizt.

Die wollen sich, sich selbst lebend'gen Leibes;
Heißt das: so wie sie einst sich selbst gedacht,
Eh' Neid und Haß, die Wut des Zeitvertreibes,
100 Sie um den Adel ihres Seins gebracht.

Die mußt du nun vor allen reizen können,
Denn wisse nur, sie sind in was zerstreut,
Sie wollen gern uns ihren Abend gönnen,
Doch wiederkau'n sie ein geschäftig Heut.

105 Der eine zählt im Sack die Groschen, Gulden,
Des schnöden Wuchers schändlichen Gewinst,
Der Nachbar hört's und denkt mit Schreck der Schulden,
Die morgen fällig, lange nicht verzinst;

Der hat den Feind und der den Freund verraten,
110 Der Seele Schatz verkauft für böses Geld;
Der sieht im Geist die Gattin andrer Gatten,
Die heut gestrauchelt und wohl morgen fällt.

Dort einer äugelt auf der Freude Töchter;
Nächstan ein Dichter, ohne Preis und Dank,

Der, selber schlecht, die andern wünschte schlechter,
Ein Licht, das leuchtet, wenn die Sonne sank;   115

Hier grinst der Spott, der Affe des Verstandes,
Hier gähnt die Prosa, die sich selbst genug,
Dort Neid und Haß, lammschürigen Gewandes,
Der Groll, der seinen Wurf seit Monden trug.   120

Vor diese sollen wir mit unsern Spielen.
Was schauderst du zurück und schlägst die Brust?
Und wäre Tod im Grauen, das wir fühlen,
Es ist ein heilig Amt! — Ich soll. Du mußt.

Auch wisse nur: die Schlimmsten von den Schlimmen,   125
Wie arg ihr Frost, wie fern sie der Natur,
Im Tiefsten blieb ein leises Fünkchen glimmen,
Mit Qualm bedeckt und kalter Asche nur.

Erreichst du das mit deines Atems Wehen,
Dann sprüht's und knistert, und ein Flämmchen blinkt,   130
Zwar bläulich schwach, dem Auge kaum zu sehen,
Doch wärmt's den Pulsschlag, wie er steigt und sinkt.

Am Arme seines Nachbarn im Gedränge
Fühlt jeder die gesteigert fremde Glut,
Und über sie kommt das Gefühl der Menge,   135
In dem der Mensch verzehnfacht, schlimm wie gut:

Der weiß, er teilt im Blicke mit sein Wissen,
Der Fühlende im Atem sein Gefühl;
Der Einzelne ist seinem Selbst entrissen,
Zählt nur als Woge, schwindend im Gewühl.   140

Dann aber — fort von deinem Aug' die Wolke,
Dann sprechen wir zu dem und jenem nicht,
Dann sprechen zur Gesamtheit wir, zum Volke,
Und die sind's wert, daß man mit ihnen spricht.

—◆◇◆—

8. Saphirs und Bäuerles nebeneinander hängende Porträte in der Kunstausstellung[1].

(1835, Anfang Juni.)

Die Ähnlichkeit ist unbestritten,
    Es fehlt nur Christus in der Mitten.

---

9. Saphir.

(1835.)

1.

Du zählst dich zur Literatur?
    Gar viel, was für dich spricht:
Die Nacht gehört ja auch zum Tag,
Wenngleich zum Hellen nicht.

2.

Schon einst Voltaire war auf der Spur
Der Frerons[2] und Saphire,
Er meint: „Un sot trouve toujours
Un plus sot qui l'admire."

3.

Das heißt: Ein Dummkopf da wie jetzt
Fand einen größern stets, der ihn bewundert,
Und wollt ihr's durch ein Sprichwort übersetzt,
So sagt getrost: Ein Narr macht hundert.

---

10. Der deutsche Dichter.

(1836.)

Ein deutscher Dichter ist übel dran
    Und doch auch wieder gut:

---

[1] Die von Grillparzer bitter gehaßten literarischen Kritiker: M. G. Saphir aus Pest, nach längerem Aufenthalt in Berlin und München seit 1834 wieder in Wien; charakterlos, aber beißend witzig; gab den „Humorist" heraus. — Adolf Bäuerle (1784—1859), Volksdichter und Herausgeber der „Wiener Theaterzeitung". — Sie werden mit den Schächern am Kreuz verglichen, um so bitterer, als beide Juden waren. — [2] Elie Catérine Fréron (1719—76), Gegner Voltaires, von diesem in den „Anecdotes sur Fréron" und dem Lustspiel „L'Ecossaise" verspottet.

Was plackt sich nicht der arme Mann,
    Er weiß kaum, wie sich's ruht.

Heut ist man objektiv gesinnt,   5
    Er ist denn objektiv;
Doch morgen ahnt[1] die Welt und minnt,
    Da seufzt er brunnentief.

Heut leugnet man den Gott des All,
    Er leugnet, was er kann;   10
Horch! Naht dort nicht ein Beterschwall?
    Er schließt sich singend an.

Heut treibt man Spanisch, morgen Welsch,
    Nun Griechisch, dann Sanskrit;
Bis auf sein längst gelerntes Deutsch   15
    Lernt er die Sprachen mit.

Nun wird man radikal. Drauf hin!
    Ein ça ira[2] zur Hand!
Die deutschen Frauen ehren ihn,
    Wie einst den sel'gen Sand[3].   20

Doch kommt ein hoher Namenstag,
    Fühlt alle Welt sich weich,
Er eilet, was er eilen mag,
    Und schreibt ein Carmen gleich.

Und treibt er sich nicht rastlos um,   25
    Wär's gar die höchste Not,
Fänd' erst ein Übergang ihn stumm,
    Er gälte gleich für tot.

Soweit nun hat's der Dichter s c h l e c h t —
    Doch gut auch insoweit,   30
Weil, wenn das Was dem Pöbel recht,
    Er gern das Wie verzeiht.

——❦——

---

[1] D. h. lebt in Ahnungen und Träumen (die romantische Dichtung). — [2] Das Lied mit diesem Kehrreim, „le carillon national" der französischen Revolution genannt, stammt aus dem Jahre 1789. — [3] Der Burschenschafter Karl Sand aus Wunsiedel ermordete 1819 den Dichter und russischen Staatsrat Kotzebue.

11. Kritik.

(1836.)

Die Dichtkunst, sagt man oft und sagt es laut,
    Sie sei ein treuer Spiegel dieses Lebens:
Wenn nun ein Affe in das Dichtwerk schaut,
Sieht er nach einem Sokrates vergebens.

――✳――

12. Uhland.

(1836.)

Als 'rück zum Himmel nahm den Lauf
    Die deutsche Poesie,
Hob Uhland ihren Mantel auf
Und spricht aus Gott wie sie[1].

――✳――

13. Uhlands Volkslieder[2].

(1837.)

Was führst du selber Mörtel und Sand,
    Zu höhern Werken berufen und schönern?
Wer bauen kann, bau' auf eigne Hand
Und lasse den Karren den Tagelöhnern.

――✳✳――

14.

(1837.)

1.

Mit Mittelhochdeutsch und Volkspoesie
    Weiß ich fürwahr nichts zu machen!
Wer trinkt auch, solange es Brunnen gibt,
Aus Wegspur gern und Lachen?

2.

Und fragst du mich, wo der Brunnen sei —
Hast du Homer nicht gelesen?

---

[1] Uhland wird, in schöner Huldigung, mit dem Propheten Elisa (2. Buch der Könige, Kap. 2) verglichen, dem sein Meister, der Prophet Elia, als er in feurigem Wagen gen Himmel fuhr, den Mantel zurückließ und damit den Geist Gottes. —
[2] Uhland gab „Alte hoch= und niederdeutsche Volkslieder" (1844—45) heraus, zu denen er, wie Grillparzer wußte, lange gesammelt hatte.

Fällt dir der große Brite nicht bei?
Was Spanien und Welschland gewesen?

3.

Dort lösche deinen brennenden Durst,
Dort aus dem Vollen dich letze!
Der Pöbel erzeugt das Schöne nicht,
Noch gibt er dem Schönen Gesetze.

---

15. Die junge Poesie[1].

(1838.)

Weil neu die Zeit, sei neu der Aufschwung des Gedichts!"
   „Verneint, bejaht hör' ich es lauten Schalles.
Was Wunder? Neu ist dem Pedanten nichts,
Dem Dummkopf aber alles!

---

16. Der bekehrte Dichter[2].

(1838.)

Die Festung Ehre, die er schwor
   Zu halten bis aufs Leben,
Hat endlich dem Belag'rungskorps
Aus Hunger sich ergeben.

---

17. Originalität.

(1839.)

1.

Nachahmer schilt das Ausland uns
   Und gibt uns spöttisch harte Namen;
Auf! Ahmen wir den Briten nach,
Von nun an nicht mehr nachzuahmen.

2.

Als ihr mit Sinn schriebt, mit Verstand und Takt,
Erkannte man die Muster schnell;

---

[1] Geht auf die Tendenzen des „jungen Deutschland" (Gutzkow, Laube, Wienbarg, Mundt, Kühne). — [2] Geht auf Jos. Chr. von Zedlitz.

Kaum aber völlig abgeschmackt,
Wart ihr auch originell.

3.

Ist der Verstand doch ewig eins
In allen, die da sind und je wurden!
Doch Eigentümlichkeit hat breiten Platz
Im ganz Verkehrten und Absurden.

—❊—

18. Der profunde Dichter.

(1839.)

Du denkst und denkst! Wir wollen gern dir's danken,
Doch gib dein Denken nicht, nein, gib Gedanken!

—❊—

19. Fehlgeburt[1].

(1839.)

Der Teufel wollte einen Mörder schaffen
Und nahm dazu den Stoff von manchem Tiere:
Wolf, Fuchs und Schakal gaben her das Ihre;
Nur eins vergaß der Ehrenmann: den Mut.
5   Da drückt' er ihm die Nase ein voll Wut
Und rief: „Lump, werd' ein Jud' und rezensiere!"

—❊—

20. Die neuen Deutschen.

(1839.)

Ob ihr weiter gebracht die Poesie?
Die Frage ist etwas verwickelt;
Erweitert habt ihr wirklich sie,
Da ihr die Prosa drangestückelt[2].

—◇◇◇—

---

[1] Geht auf Saphir; vgl. Gedicht Nr. 8 dieser Abteilung. — [2] Die Jungdeutschen forderten, die Prosa solle die gebundene Rede ablösen, und setzten Novelle, Roman, Prosadrama an Stelle des Epos und des Versdramas.

21. Die Deutschen.
(1840.)

Mit Schillern macht ihr's stumpf und träg,
    Wie längst mit Christus es geschehen,
Ihr billigt fröhlich seinen Weg,
Nur wollt ihr ihn nicht gehen.

—❊—

22. Die Schwestern.
(1840?)

Als Gott die Menschen schuf nach seinem Bilde,
    Sandt' er, der karg und unvollendend nie,
Zwei Engel in das werdende Gefilde,
    Die Prosa er genannt und Poesie.

Die eine, stark von Wuchs, mit sichern Händen,   5
    Betritt den Boden, festen Tritts und scharf,
Des Sämanns Tuch um ihre mächt'gen Lenden,
    Streut sie den Samen jeglichem Bedarf.

Die andre, zarten Bau's und schmächt'ger Glieder,
    Den kleinen Fuß von jedem Stein verletzt,   10
Trug, wie den leichten Vogel sein Gefieder,
    Ein Flügelpaar, den Schultern angesetzt.

So wandeln sie; die Ältre stark und tüchtig,
    Erkennt, was dieser Erde nützt und frommt,
Indes die Jüngre, eine Botin flüchtig,   15
    Die Kunde bringt, die hoch von oben kommt.

Doch ist sie leicht vergeßlich, schwanker Sinne,
    Sie weiß nur halb die Botschaft jener Welt;
Des wird die strenge Schwester zürnend inne,
    Der nur, was sicher und was ganz, gefällt.   20

Und einst zu Nacht, da scheinbar beide ruhten,
    Tritt sie, von Groll bewegt, wohl auch von Neid,
Still auf den Zehen zu der Leichtgemuten
    Und raubt ihr raschen Griffs das Flügelkleid,

25 Und paßt sich's an und schwingt sich in die Lüfte,
    Allein der schweren Glieder mächt'ger Bau
Trägt sie nicht höher als zum Felsgeklüfte,
    Das formlos schaut ins unbegrenzte Blau.

Dem Lichte näher, doch nicht den Gestalten[1],
30   In denen sich das Ew'ge selbst erkennt,
Fehlt unten Raum, den schweren Fuß zu halten,
    Nach oben Schwungkraft, die die Lüfte trennt.

Und doch zum Werk den trotz'gen Mut verbindend,
    Hört achtlos sie der Schwester Jammerruf,
35 Die, heißer Tränen sich am Boden windend,
    Die Saat erdrückt, die weise Sorgfalt schuf.

Ja, tauschen Amt nicht neu sie und Gebärde,
    Wird machtlos, was ein Gott so reich verlieh:
Kehr', deutsche Prosa, 'rück zur sichern Erde,
40   Nimm wieder Flügel, deutsche Poesie!

— ⋅✦⋅ —

23. Epistel.

(1840.)

Ihr wollt denn wirklich deutsche Poesie,
    Die es auch sei, nicht bloß nur so sich nenne?
Gerecht're Wünsche hörte man wohl nie,
Doch deutsche Art! Macht erst, daß ich sie kenne.

5 Ich weiß euch ruhig, fest, von schlichtem Sinn,
    Zum Handeln minder rührig als zum Denken;
Doch seh' ich auf des Tags Gestalten hin,
    Muß ich zum Widerspiel die Meinung lenken.

Da lärmt's und prahlt, und tobt und schreit und droht,
10 Vernichtet jede Stunde zehn Tyrannen[2],
    Will Freiheit, gält' es hundertfachen Tod,
Und führt doch Krieg nur mit den vollen Kannen.

---

[1] Der platonischen Ideenlehre entnommen. — [2] Geht auf die politische Literatur von Börne, Gutzkow, Laube, Herwegh u. a.

    Ihr rühmt der Väter Biedersinn und Art.
Historisch, nur historisch, ruft's hysterisch,
Im Glauben ruht das Heil der Gegenwart!   15
Und Strauß[1] macht euch mit seinen Mythen närrisch.

    Freund Hegel gibt euch einen neuen Gott,
Und Schelling stutzt euch zu auf neu den alten,
Die Welt aus nichts war schon ein hart Gebot,
Doch Nichts — das eine Welt — will gar nicht halten.   20

    Gefühl, rühmt man, daß euer Vorzug sei —
Drum kostet wohl Verstand euch Überwindung.
Doch als ihr totschlugt die Empfindelei,
Traf mancher harte Schlag auch die Empfindung.

    Und statt Gefühl, womit ihr euch begabt,   25
Find' ich euch kalt in holperichten Reimen,
Wo nur Gedanken, die man längst gehabt,
Zum Harlekin sich aneinander leimen.

    Ein Volk von Denkern? — und sprecht plappernd nach,
Was ihr gehört von nicht'gen Unterweisern,   30
Gervinus[2], Menzel[3] stehen wie zur Wach',
Bald abgelöst, in engen Schilderhäusern.

    Was heute gut, weicht morgen schon vom Platz,
So Billigung als Urteil ohne Stärke,
Ihr lebt von heut, euch häuft sich nie ein Schatz,   35
Ihr habt nur Bücher, aber keine Werke.

    Wo ist dann deutsche Art? — Auf, zeigt mir sie,
Statt Launen, immer bunter und vertrackter;
Und fordert ihr ihn von der Poesie,
So habt vor allem selber erst Charakter.   40

---

    [1] D. F. Strauß, „Das Leben Jesu", 1835. Ihm wirft Grillparzer vor, daß er die heiligen Geschichten in Mythen auflöse. — [2] Georg Gottfried Gervinus (1805—71), Geschichtschreiber und Literarhistoriker; Hauptwerke: „Geschichte der poetischen Nationalliteratur der Deutschen" (5 Bde.) und „Geschichte des 19. Jahrhunderts seit den Wiener Verträgen". — [3] Wolfgang Menzel (1798—1873), Literarhistoriker und Geschichtschreiber; verfaßte unter anderm „Geschichte der deutschen Dichtung von der ältesten bis auf die neueste Zeit" (2. Aufl., 3 Bde., Leipzig 1875).

Allein ihr möchtet sein, was ihr nicht seid. —
Geht in die Schule denn und lernt zu leben,
Und seid ihr zum Empfangen erst bereit,
Wird euch die Dichtkunst das Gemäße geben.

———◆———

24. Ästhetisch.

(1841—42.)

1.

Die eine Vorschrift nenn' ich, durch die du alle erfüllst:
Habe Talent, mein Lieber, und schreibe, was du willst.

2.

Willst du noch dazu die guten Autoren lesen,
So brauchst du nicht zu erfinden, was lange vor dir gewesen.

———✻———

25. Euripides an die Berliner[1].

(1843.)

Seid ihr so arm in eurem eignen Haus,
   Daß ihr Geräte borgt aus fremden Fernen?
Spricht das Gefühl nicht eignen Inhalt aus,
   Wie soll's im fremden sich zu finden lernen?
5 Was heut geschehn, preis' ich dem Lied nicht an,
   Und Gegenwärt'ges hab' ich nie besungen;
Was ist, ist dem Bedürfnis untertan,
   Vergangnes, weil verklärt, ziemt Dichterzungen.

Doch die Empfindung, die dem Liede lauscht,
10   Sie ist von heut und ist mit dir geboren,
Wie sich dein Selbst mit keinem andern tauscht,
   Ist, was du selbst nicht fühlst, für dich verloren.

Der Anteil liegt in Sachen, nicht im Wort,
   Dein Mitleid wecken nur verwandte Schmerzen;
15 Erbt auch der Geist durch die Geschlechter fort,
   Sich selber Grab und Wiege sind die Herzen.

---

[1] L. Tieck versuchte 1843 die „Medea" des Euripides auf der Berliner Bühne
einzuführen. Grillparzer läßt den griechischen Dichter selbst diesen Versuch kritisieren.

Wenn anders ich in meinen Tagen sang
    Als Äschylos, erreichbar wohl für keinen,
War's, weil ein andres Echo mir erklang
    Aus meiner Hörer Brust, als ihm aus seinen;   20

Und ihr, nach zwei Jahrtausend Zwischenraum,
    Das Widerspiel von meines Volkes Leben,
Wollt, was das Wissen euch verdeutlicht kaum,
    Dem Mitgefühl als weiche Nahrung geben?

Ehrt ihr mich, wohl, so eignet mich euch an,   25
    Füllt eure Adern straff mit meinem Blute,
Und so gestärkt, tut, wie ich selbst getan:
    Erzeugt das euch Gemäße und das Gute.

Und könnt nicht ihr's, noch denen ihr vertraut,
    So weint und klagt im här'nen Büßerhemde,   30
Nicht daß ihr stolz auf Mitgeborne schaut,
    Weil ihr euch angeheuchelt habt das Fremde.

Dem aber, der euch deutelt Neu und Alt[1],
    Sagt nur: es sei'n die schlechtsten der Insekten,
Die ihre Eier, weil sie selbst zu kalt,   35
    In fremde Körper auszubrüten legten.

Wer Leben schafft, das seiner Zeit gehört,
    Wär's auch im Raum und durch die Zeit begrenzter,
Tat mehr, als wer zum Sabbat aufbeschwört
    Die Schatten von Gespenstern für Gespenster.   40

—❈—

26. Vox populi[2].

(1844.)

Nach Beifall der Fürsten und ihrer Berater
    Hab' ich gefragt und getrachtet nimmer:
Mir gelten drei Schneider im Theater
    Mehr als ein König in seinem Zimmer.

—❈—

---

[1] Eben Ludwig Tieck. — [2] „Stimme des Volks"; vgl. den Schluß des Gedichtes Nr. 7 dieser Abteilung, S. 112.

27. Ihr seid gar wackre Pflüger ...[1]

(1844.)

Ihr seid gar wackre Pflüger
   Mit immer regem Mut,
Ihr wählt den besten Samen,
Und euer Feld ist gut.

5   Nur tut in eurem Eifer
   Ihr nimmer euch genug;
Kaum sprossen die grünen Saaten,
Geht neu darüber der Pflug.

   Und seht ihr ein Hälmchen Unkraut,
10   So tretet ihr in die Saat;
Der eine Distel gejätet,
Dafür zehn Halme zertrat.

   Man ackert doch nur, daß man ernte,
   Wer jätet, desgleichen tut;
15   Was nützt, wenn er Schlimmes entfernte,
Und bliebe nichts übrig, was gut.

   Laßt wachsen, immer wachsen,
   In Preußen, Schwaben, Sachsen,
Was eben kann und mag:
20   Es sichtet der Erntetag.

---

28. Tendenzpoesie[2].

(1844.)

Das Mittel ist probat für alt und jung,
   Nur blieb es fremd den schöpferischen Meistern:
Beim Mangel eigener Begeisterung
Sich aus der allgemeinen zu begeistern.

---

[1] Gegen die Überkritik gerichtet. — [2] Gegen die politische Poesie der 40er Jahre gerichtet; vgl. das Gedicht Nr. 23 dieser Abteilung (S. 119): „Epistel".

29. Goethe.
(1846.)

Er war nicht kalt, wie ihr wohl meint,
    Nur hielt er die Wärme zu wenig vereint,
Und da er sie teilte zuletzt ins All,
Kam wenig auf jeden einzelnen Fall.

30. Dorfgeschichten[1].
(1846.)

Im Schwarzwald pfalzt der Auerhahn
    Und hat's den Leuten zu Dank getan,
Doch wenn er sonst nichts als pfalzen kann,
Kommt uns die Langeweile an.

31. Der Kunstrichter.
(1846.)

Wenn der Humor der Scherz des Ernstes ist,
    Bist du fürwahr ein Humorist[2],
Am lächerlichsten, wenn du ernsthaft bist.

32. Die Klassiker.
(1848.)

Früh war euch der Grieche zu Handen,
    Nebst dem, was der Römer spricht.
Ihr last sie, eh' ihr sie verstanden,
Seit ihr sie verstündet, nicht.

33.
(1850.)

Shakespeare braucht keine Verteidigungswaffen[3],
    Er denkt wie Gott durch Bilden und Schaffen;

---

[1] Berthold Auerbach (1812—82), aus Nordstetten im württembergischen Schwarzwald, ließ seit 1845 seine „Schwarzwälder Dorfgeschichten" erscheinen. — [2] Geht auf Saphir und seine Zeitschrift „Humorist". — [3] Gegen Ludwig Tiecks „Shakespeare-Studien".

Und kannst du's in dir wiederholen nicht,
Man zergliedert kein Leben und kein Gedicht.

—◆◈◆—

34. Lope de Vega[1].

Du reicher Geist mit unbekannten Schätzen,
    Dir selber mehr als andern unbekannt,
Weil du nicht liebst an Zahlen Zahl zu setzen,
Nein, einzeln sie verschenkst mit voller Hand.

5   Wo irgend Gold in unerforschten Klüften,
Die Wünschelrute zeigt dir seine Spur;
Wie deine Spanier, die gen Abend schifften,
Befuhrst du alle Küsten der Natur.

Und was an Menschen, Pflanzen, Blumen, Tieren
10 Nur irgend da und sich des Daseins freut,
Das wobst du ein, der Göttin Bild zu zieren,
Die, täglich sterbend, stündlich sich erneut.

Die Mutter alles Wesenhaften, Guten,
Sie sitzt an deinem Born, der strömend quillt,
15 Und spiegelt sich in den kristallnen Fluten,
Ihr Selbst verwechselnd träum'risch mit dem Bild[2].

Und lächelt sie, so lächelst du ihr wieder,
Und grollt sie, gibst du ihr den Trotz zurück;
Durchsichtig, gleich der Wahrheit, deine Lieder,
20 Und täuschend nur, wie Täuschung auch das Glück.

Und so ein Kind, noch bei ergrauten Haaren,
Und auch ein Greis beim frühsten Kinderspiel,
Hast du für all' was Menschheit je erfahren,
Ein Bild, ein Wort, den Pfad und auch das Ziel.

—◆✳◆—

---

[1] Lope Felix de Vega Carpio (1562—1635), überaus fruchtbarer spanischer Dramatiker, von großem Einfluß auf Grillparzer; vgl. „Leben und Werke", S. 55* f. — [2] Die Poesie.

35. Nachruf.

(An Nikolaus Lenau, gestorben am 22. August 1850.)

So bist du hingegangen, armer Mann,
   Und bist im wüsten Irrenhaus erblichen,
Gehörend so im Ende denn auch an
   Der Zeit, der du in deinem Lauf geglichen.

Bestimmt, ein blühend grüner Ast zu sein   5
   An deines Vaterlandes Künstlerbaume,
Fandst du's zu eng in dem beengten Raume,
   Und, selbst als Baum zu gelten, lud's dich ein.

Also entrückt der vaterländ'schen Erde,
   Verpflanztest du, was so versprechend schien,   10
Hin, wo im Treibhaus am geheizten Herde
   Und unter Glas sie bleiche Pflanzen ziehn.

Der Triebe Keim blieb deiner Heimat eigen,
   Nur Laub und Holz, es ward mit dir versetzt.
Ein wenig gor der Saft noch in den Zweigen,   15
   Dann starb er ab, und du mit ihm zuletzt.

Daß du ein Ehrenmann, hat dich getötet,
   Daß du kein Tor, war deines Wahnsinns Grund,
Wem Selbsterkenntnis noch die Stirne rötet,
   Der straft sich Lügen selbst mit eignem Mund.   20

Vom Lob getragen und vom Ruhm beschienen,
   Fandst du dich selbst zu arm für solchen Wert,
Und ehrlich, so viel Beifall zu verdienen,
   Hast später Bildung du dich zugekehrt.

Mit österreich'scher alter Treue,   25
   Um auszufüllen, was dir noch zu weit,
Nahmst du die Torenweisheit, alt' und neue,
   Rasch auf in deines Ruhmes schwellend Kleid.[1]

Und weil dem Liebchen gerne nah der Buhle,
   Der Wind am stärksten da, woher er weht,   30

---

[1] Hinweis auf die Studien zu seinen größeren Werken, „Faust" (1836), „Savonarola" (1837), „Die Albigenser" (1842), in denen die politische und religiöse Freiheit verherrlicht wird.

Begabst du dich in Schwabens Dichterschule[1],
Wo fern ein Meister seinen Schülern steht.

Dort in der alten Heimat alter Sparren,
Zum Märchen schon gewordenen von je,
35 Dem Vaterlande der Genies und Narren,
Weil fix, als beiden eigen, die Idee —

Warst du von einem Männerkreis umgeben,
Die granweis, wie einst König Mithridat[2],
An Gift gewöhnt sich all ihr ganzes Leben,
40 So daß sie nun verdauen jeden Grad.

Du aber mit den unentweihten Kräften,
Der sein du wolltest, was für jene Scherz,
Du trankst dir Tod in jenen Taumelsäften,
Was für den Kopf bestimmt, es traf dein Herz.

45 Da trat, was du geflohn in allen Tagen,
Die Wirklichkeit dich an, von Inhalt schwer;
Halb Selbstsichüberheben, halb Verzagen,
Stand still die Uhr, der Zeiger wies nicht mehr.

Und so sei dir ein Lebewohl gesprochen,
50 Ob Tat und Wollen sich gleich noch so weit;
Was dich zerbrach, hat Staaten schon zerbrochen:
Dich hob, dich trug und dich verdarb die Zeit.

───◇───

36.

(1852.)

Die Volkspoesie, die eure Jünger
Lobpreisen mit so viel Emphatik,
Steht gleich mir mit der Volksmathematik,
Die eben nichts als die zehn Finger.

───◇◇◇───

---

[1] Seit 1831 hielt sich Lenau viel und gern in Schwaben auf, wo er freundschaftlich mit Gustav Schwab, Uhland und J. Kerner verkehrte. Uhland, der Meister der sogenannten schwäbischen Dichterschule, lebte doch still für sich. — [2] Besonders schwebt Justinus Kerner vor, der in der „Seherin von Prevorst" (1829) und anderen Schriften der Geisterwelt Einfluß auf die sichtbare Welt einräumt.

37. Goethe und Schiller.

(1853, März.)

Was setzt ihr ihnen Bilder von Stein,
    Als könnten sie jemals vergessen sein?
Wollt ihr sie aber wirklich ehren,
So folgt ihrem Beispiel und horcht ihren Lehren.

---

38. Poesie der Wirklichkeit[1].

(1853.)

1.

Ihr habt die Romantik überwunden,
    Nur daß in dem blutigen Krieg
Der teuer erkaufte Sieg
Die besten Truppen aufgerieben,
So daß nichts als Europa[2] übriggeblieben.   5

2.

    Doch wißt ihr auch, was Romantik heißt?
Mustert die Muster in eurem Geist.
Romantik weicht von der Dichtkunst nie,
Sie ist ihre Mutter: die Phantasie.

3.

    Fahrt ihr im Wirklichwahren fort,
Steht ihr mit Iffland[3] an einem Ort,
Wohl gar, phantasielos und ohne Gefühl,
Erhebt sich Gottsched[4] vom Sterbepfühl.

---

[1] Gegen die verstandesmäßige Nüchternheit der Realisten gerichtet. — [2] Gustav Kühnes Zeitschrift „Europa. Chronik für die gebildete Welt." „Junges Europa" nannte sich der Bund, den Mazzini in der ersten Hälfte der dreißiger Jahre aus dem „Jungen Italien", dem „Jungen Polen" und dem „Jungen Deutschland" schuf. Der Titel von Heinr. Laubes Roman „Das junge Europa" (Mannh., 1833—37) knüpft daran an. — [3] August Wilhelm Iffland (1759—1814), Schauspieler und Theaterdichter, Schauspieldirektor in Berlin (seit 1796); dichtete bürgerliche Schauspiele, ohne poetischen Schwung. — [4] Johann Christoph Gottsched (1700—1766), der verdienstvolle Vorkämpfer eines edleren Geschmacks in der deutschen Literatur, später wegen seiner nüchternen, verstandesmäßigen Einseitigkeit viel angegriffen und verspottet.

39. Literargeschichte[1].
(1853.)

Ihr kauft die Katze gern im Sack,
    Genießt das Lebend'ge im Buch,
Und statt zu prüfen mit dem Geschmack,
Begnügt ihr euch mit dem Geruch.

40. Sprachforschung.
(1853.)

Philosophie und Poesie,
    Verschlagen vom Wind der Emphatik,
Sie sind gestrandet, ich weiß nicht wie,
Auf der Sandbank der Grammatik.

41. Schillers Tadler[2].
(1854.)

Daß der Misère nichts Großes begegnen kann,
    Spricht als Satz die Misère denn freilich nicht an.

42. Reflexion.
(1854.)

Das Denken ist nicht der Empfindung geschenkt;
    Es wirkt als leitende Macht.
Nicht was der Dichter beim Dichten denkt,
Nein, was er von jeher gedacht.

43. Sonst und jetzt.
(1854.)

Solang' die Ideen geordnet und stet,
    Zeugt von Kraft wohl die Originalität;
Doch sind sie einmal gestört und im Fluß,
Ist originell jeder Hasenfuß.

---

[1] An die Literaturgeschichten von Menzel, Gervinus, Vilmar u. a. ist zu denken.
— [2] Nach Schillers Gedicht „Shakespeares Schatten", wo es von dem bürger=
lichen Trauerspiele heißt: „Aber ich bitte dich, Freund, was kann denn dieser Misère
Großes begegnen, was kann Großes denn durch sie geschehn?"

44.

(1855.)

Ob nun das Nibelungenlied
    Ein episch wirkliches Gedicht?
Man hört zwar alles, was geschieht,
Allein man sieht es nicht.

45. Goethe und Kestners Briefwechsel[1].

(1855.)

Nun endlich seid ihr doch im klaren;
    Ihr steht auf dem Boden des wirklich Wahren.
Es hat tatsächlich eine Lotte gegeben,
Ihr Nachtkamisol ist gemalt nach dem Leben.
Wenn wir von kleinen Rotznäschen lasen,   5
Hatten die Kinder wirklich schmutzige Nasen,
Und der Gatte, gestorben seit manchem Jahr,
War fürstlich hannövrischer Archivar.
Nur hätten wir's noch viel echter genossen,
Hätte sich Goethe wirklich erschossen.   10

46. Soll und Haben[2].

(1855.)

Daß die Poesie Arbeit,
    Ist leider eine Wahrheit;
Doch daß die Arbeit Poesie,
Glaub' ich nun und nie.

47. Consilium medicum[3].

(1855.)

Frau Poesie war krank.
    Verwitwet schon seit manchem Jahr,
Wuchs scheinbar stündlich die Gefahr.

---

[1] Joh. Georg Kestner, Goethe und Werther (2. Aufl., Stuttg., 1855). Aus diesem Briefwechsel ersieht man die tatsächlichen Unterlagen zu Goethes Jugendschrift „Die Leiden des jungen Werthers". — [2] Bezieht sich auf Gustav Freytags gleichnamigen, im Jahre 1855 erschienenen Roman und sein Julian Schmidtsches Motto: „Der Roman soll das deutsche Volk da suchen, wo es in seiner Tüchtigkeit zu finden ist, nämlich bei seiner Arbeit." — [3] Nicht ästhetische Theorien und Regeln können die Poesie fördern, sondern nur das Genie.

Die Stirne heiß,
Die Zunge weiß,
Die Haut bald Frost und bald im Schweiß,
Im ganzen Leib ein schmerzlich Jucken,
Von Krämpfen alle Nerven zucken.
Obschon noch rüstig und nicht alt,
Schien nah des Todes Nachtgewalt.
Doktores kommen von allen Seiten,
Die erst sich begrüßen und dann bestreiten,
Hippokratisch,
Homöopathisch,
Allopathisch,
Hydropathisch,
Antipathisch,
Philosophisch gebrüstet,
Historisch gerüstet,
Dogmatisch, kritisch,
Klassisch, britisch;
Schreiben Rezepte in langen Zeilen,
Umsonst! Die Kranke war nicht zu heilen.
Da kam ein Bader vom Land herein,
Besieht die Kranke beim Tagesschein,
Erforscht den Puls, die Zunge auch,
Befühlt die Weichen und den Bauch,
Zuletzt hebt er mit Lachen an:
„Die Wissenschaft hier wenig kann,
Der guten Dame fehlt ein Mann.“

48. Poesie der Arbeit[1].

(1856.)

Die Arbeit ist etwa auch poetisch,
Wir wollen da nicht streiten lang;
Doch ist die Wahrheit antithetisch,
Denn poetischer noch ist der Müßiggang.

---

[1] Vgl. das Gedicht Nr. 46 auf der vorigen Seite und die Anmerkung dazu

49. Verkehrte Welt.

(1856.)

Die Literarhistoriker
    Sind gegen mich gar strenge Richter,
Als wäre ich ein Literarhistoriker,
Und sie wären Dichter.

---

50. Künstlerische Form.

(1856.)

Wenn des Kindes Organe fertig sind,
    Weht der Geist sie an wie Luft und Wind.
Das Umgekehrte ginge freilich geschwind,
Doch aus dem Geist macht man kein Kind.

51.

(1856.)

Die Kritiker, will sagen: die neuen,
    Vergleich' ich den Papageien,
Sie haben drei oder vier Worte,
Die wiederholen sie an jedem Orte.
Romantisch, klassisch und modern
Scheint schon ein Urteil diesen Herrn,
Und sie übersehen in stolzem Mut,
Die wahren Gattungen: schlecht und gut.

---

52. Dramaturgisch.

(1856.)

Trotz allem Bemühn eurer Bühnenberater
    Fehlen noch drei Dinge zum deutschen Theater,
Danach seht euch zum Schluß noch um:
Schauspieler, Dichter und ein Publikum.

53.

(1857.)

Die Literatoren und Literatrinen
  Sind nicht übel, zu plaudern mit ihnen;
Doch sei nicht zu offen, ihr Maul ist nicht sicher,
Auch leih' ihnen niemals Geld oder Bücher.

54.

(1857.)

Wen setzen wir an Goethes Statt
  Zum geistigen Imperator?
Weiß nicht, wer die meisten Stimmen hat,
Grammatikus oder Kompilator.

55. Vischers Ästhetik[1].

(1858.)

1.

Wer sich deinem System vertraut,
  Wird bald sich ohne Obdach wissen,
Während du dein drittes Stockwerk gebaut,
Hat man die zwei untern abgerissen.

2.

Du trittst ruhig der Kritik entgegen,
So unangreifbar ist noch keiner gewesen:
Wer dich nicht gelesen, kann dich nicht widerlegen;
Wer dich widerlegen könnte, kann dich nicht lesen.

56. Deutsche Ästhetik.

(1858.)

Ihr teilt euern Garten streng in Beete,
  Seht zu, daß man sie fleißig jäte,

---

[1] Friedrich Theodor Vischer (1807—87), Verfasser von „Ästhetik, oder Wissenschaft des Schönen" (1847—58, 3 Bde.), Zusammenfassung der spekulativen Ästhetik von Kant bis Hegel.

Und kümmert euch nicht in euerm Sinn,
Wenn wirklich auch nichts wächst darin.

❈

57.

(1859.)

Unsre Ästhetiker und Dramaturgen
    Gleichen ebenso vielen Lykurgen,
Die uns Deutsche, die gemütlich=schwachen,
Zu Spartanern möchten machen.

❈

58.

(1859.)

Weil die Welt ein Wunder ist,
    Gibt's eine Poesie,
Was ihr nach seinen Gründen wißt,
    Wird euch ein Dasein nie.

⋙⋘

59. Ästhetik der Eitelkeit.

(1860.)

Warum euch die Mittelhochdeutschen so wert?
    Kommt gleich der Grund mir entgegen:
Indem ihr das Kindergestammel ehrt,
    Fühlt ihr euch zugleich überlegen.

Ist's doch mit Shakespeare viel anders nicht,   5
    Nur halb gilt das Seine, das Wahre;
Ihr schätzt ihn, beleuchtet von eurem Licht,
    Im Reflex eurer Kommentare.

◇

60.

(1860.)

Das Schicksal war nur für die Griechen wahr?
    Warum aber, christliche Leute[1],

---

[1] Man warf gegen das Schicksalsdrama ein, es widerspreche der christlichen Anschauung von der Selbstbestimmung des Menschen.

Wenn wahr es allein für jene war,
Erschüttert Ödip euch noch heute[1].

61. Erklärung.

(1861.)

Fragt ihr mich, was das Schöne sei?
    Seht zu, ob ich's verfehle;
Ein Gleichnis beut die Liebe mir:
Es geht vom Körper aus, gleich ihr,
    Und endigt in der Seele.

62. Ästhetisch.

(1862.)

Laßt mir doch das Wunderbare,
    Es haben's vor mir schon manche geehrt!
„Doch ist das Menschliche allein das Wahre."
Wahr, aber nicht der Mühe wert.

63. Vischers dritter Teil des „Faust"[2].

(1862.)

Die Bibel müßte schon die Lehre ein dir flößen:
    Die Scham des Vaters sollst du nicht entblößen.

64. Handwerk und Dichtung.

Ich hab' es tausendmal gesagt,
    Wer's nicht fühlt, kann's nicht dichten;
Ob nur das Wort — ob die Seele getagt,
    Wird erst die Nachwelt richten.

---

1 „König Ödipus" von Sophokles, ein Schicksalsdrama, freilich im antiken Sinne. — 2 Der Ästhetiker Friedrich Theodor Vischer (vgl. das Gedicht Nr. 55 dieser Abteilung) gab unter dem Pseudonym Deutobold Symbolizetti Allegoriowitsch Mystifizinski die Schrift heraus: „Faust. Der Tragödie dritter Teil" (1862; umgearbeitet und vermehrt in 2. Aufl. 1886), eine Satire auf die Ausleger des zweiten Teils von Goethes „Faust".

Dritte Abteilung.

Tonkunst.

1. In Moscheles' Stammbuch[1].

(1826, 10. Oktober.)

Tonkunst, dich preis' ich vor allen,
   Höchstes Los ist dir gefallen,
Aus der Schwesterkünste drei
Du die freiste, einzig frei!

   Denn das Wort, es läßt sich fangen,   5
Deuten läßt sich die Gestalt,
Unter Ketten, Riegeln, Stangen
Hält sie menschliche Gewalt.

   Aber du sprichst höh're Sprachen,
Die kein Häscherchor versteht;   10
Ungreifbar durch ihre Wachen
Gehst du, wie ein Cherub geht.

   Darum preis' ich dich vor allen
In so ängstlich schwerer Zeit;
Schönstes Los ist dir gefallen,   15
Dir und wer sich dir geweiht.

—❦—

2. Beethoven.

(1827, 26. März.)

Abgestreift das Band der Grüfte,
   Noch erschreckt, sich findend kaum,

---

[1] Ignaz Moscheles (1794—1870), Klaviervirtuos und Komponist aus der Wiener Schule, seit 1820 in Paris, dann in London, von 1846 ab in Leipzig.

Flog die Seele durch den Raum
Dünn und leicht gespannter Lüfte.
Krieg das Blitzen? War's ein Laut?
Ach! er hört[1] — er hört den Laut —
Stürmen jetzt wie Windesbraut,
Wehen nun wie Engelsschwingen,
Klänge nun, wie Harfen klingen.

Aufwärts! Aufwärts! — Kreis an Kreis,
Welt an Welt, vom Schwunge heiß,
Und der äußerste der Sterne
Zeigt noch gleich entfernt die Ferne.
Ward's Genuß schon? ist's noch Qual?
Sinne schwinden, Sinne bersten,
Denn das Letzte wird zum Ersten,
Und des Ganzen keine Zahl. —

Dunkel nun. Ha, Todesnacht,
Übst du zweimal deine Macht?
Aber nein, es führt nach oben,
Aus des Dunkels Schoß gehoben,
Strahlt der Tag in neuer Pracht.

Und ein Land streckt seine Weiten,
Gleich Oasen, die sich breiten
In des Sandmeers wüstem Grau'n,
Und durch seine Blumen schreiten
Männer, göttlich anzuschaun;
Klarheit strahlt aus ihren Zügen,
Lächeln schwebt um ihren Mund.
Ein befriedigtes Genügen
Gibt die Erdentnommnen kund. —
Doch der Angekommne, düster,
Stehet fern und blickt nicht um.
Gält' es ihm, ihr leis Geflüster?
Ihm ihr Winken, still und stumm?
Aber plötzlich fällt's wie Schuppen,

---

[1] Der Verklärte hat auch sein Gehör wieder gewonnen.

Offnen Sinnes eilt er hin;
Er erkennt die Meistergruppen,
Und die Meister kennen ihn.
Einer aus der Schar der Sänger   40
Hebt den Finger, lächelt, droht.
„Bach, ich kenne dich, du Strenger!
Rächst du ein verletzt Gebot?"
Ritter ohne Furcht und Tadel,
Auf der Stirn den Geisteradel,   45
Geht vorüber Gluck und weilt,
Nickt im Schreiten und enteilt.

„Haydn, Haydn! alter Vater!
Sei mein Schützer und Berater
In dem neuen, fremden Land."   50
Und der Alte faßt die Hand,
Küßt ihn auf die Stirn und weinet;
Doch war fröhlich, was er meinet:
„Bravo, Scherzo, Allegretto,
Hie und da hätt' ich ein Veto,   55
Doch ist's Blut von meinem Blut.
Ach! sie nennen's, glaub' ich, Laune;
Nun, ich war auch heitrer Laune,
Und das Ganze, wie so gut!"

Cimarosa[1] will noch zaudern,   60
Paësiello[2] wagt sich nicht,
Wenn sie je und dann auch schaudern,
Zeigt doch Neigung ihr Gesicht.
Höher fast um Kopfeslänge
Drängt sich Händel durchs Gedränge;   65
Da teilt plötzlich sich die Menge
Und der Glanz wird doppelt Glanz;
Mozart kommt im Siegeskranz.

---

[1] Domenico Cimarosa (1749—1801), italienischer Komponist melobien-
reicher Opern („Il matrimonio segreto"), zeitweise in Rußland (Katharina II.) und
Wien (Kaiser Leopold). — [2] Giovanni Paësiello (1741—1816), italienischer
Opernkomponist, zeitweise in Petersburg, Wien (Joseph II.) und Paris (Napoleon);
von großem Einfluß auf Mozart.

Und der Fremde will entweichen:
70 „Ach, was soll ich unter euch?
Als ich stand bei meinesgleichen,
Schien ich bis hierher zu reichen.
Aber hier? den Besten gleich?
Wo ich irrte, was ich fehlte,
75 Bald zu rasch, bald grübelnd wählte,
Kühn gewagt, zu leicht erlaubt,
Hat mir Mut und Kranz geraubt!"

Und der Meister wiegt das Haupt:
„Frage hier die Siegsgefährten,
80 Sie auch trog oft rascher Mut;
Doch kein Tadel folgt Verklärten,
Und der letzte Schritt auf Erden
Macht den letzten Fehler gut.
Geister können ja nicht sünd'gen!
85 Wenn's die Schüler breit verkünd'gen,
Nach es ahmen in Geduld,
Ihnen ist, nicht uns die Schuld.
Knaben lehrt man Silben scheiden,
Da genügt wohl Meister Duns[1],
90 Lernt von andern Fehler meiden,
Großes schaffen, lernt von uns.
Denn selbst Gift, an rechter Stelle,
Wird der Heilung frohe Quelle;
Rechtes, ohne Maß und Wahl,
95 Zeugt verderbenschwangre Qual.
Wer auch Richter über dir[2]?
Starke Könige der Seelen,
Lassen wir vom Volk uns wählen,
Doch gewählt, gebieten wir;
100 Und das Kunstwerk wie der Glauben,
Ob man klügelt, was man lehrt,
Läßt es sich kein Jota rauben,

---

[1] Duns, engl. dunce = Dummkopf, eingebildeter, geistloser Gelehrter (nach dem Scholastiker Duns Scotus, aus dem 13. Jahrhundert). — [2] Wer (von uns) sollte auch über dich Richter sein?

Hat's durch Wunder sich bewährt.
Drum tritt ein, sei nicht beklommen!
Es ist dein, was du genommen,   10
Und dein Wagen ist dein Wert!"

Ausgesprochen hat der Meister,
Endlos wächst der Chor der Geister,
Um den Aufgenommnen her
Wird's von Grüßenden nicht leer.   11
Shakespeare winkt ihm mit den Händen,
Zeigt Lope de Vega ihn,
Klopstock, Dante, Tasso wenden
Ihre Blicke freundlich hin.

Einer nur steht noch im weiten,   11
Wartet, bis die Flut verrinnt;
Kommt jetzt näher, hinkt[1] im Schreiten,
Kräftig sonst und hochgesinnt.
Byron ist's, der Feind der Knechte,
Mißt ihn jetzt mit stolzem Blick,   12
Beut ihm schüttelnd dann die Rechte,
Wirft das Auge scheu zurück:
„Bist du gern in dem Gedränge?
Magst du gern bei vielen stehn?
Sieh dort dunkle Buchengänge,   12
Laß uns miteinander gehn!" —

—◦◦—

3. Worte über Beethovens Grab zu singen.

(Einem seiner eigenen Posaunenstücke untergelegt.)

(1828, März.)

Du, dem nie im Leben
    Ruhstatt war, noch Haus,
Ruhe nun, du Müder,
Ruh' im Tode aus.

---

[1] Byron hatte bekanntlich einen Klumpfuß, den er beim Gehen nachschleifte

5   Und reicht Freundesträne
     Übers Grab hinaus,
     Hör' die eignen Töne
     Tief im stillen Haus.

———<>———

4. Paganini [1].

(1828.)

Du wärst ein Mörder nicht? Selbstmörder du!
     Was öffnest du des Busens stilles Haus
Und stöß'st sie aus, die unverhüllte Seele,
Und wirfst sie hin, den Gaffern eine Lust?
5   Stöß'st mit dem Dolch nach ihr und triffst;
Und klagst und weinst,
Und zählst mit Tränen ihre blut'gen Tropfen?
Dann aber höhnst du sie und dich,
Brichst spottend aus in gellendes Gelächter!
10 Du wärst kein Mörder? Frevler du am Ich,
Des eignen Leibs, der eignen Seele Mörder!
Und auch der meine — doch ich weich' dir aus!

———<>———

5. Klara Wieck [2] und Beethoven.

F-moll-Sonate.

(1838, 7. Januar.)

Ein Wundermann, der Welt, des Lebens satt,
     Schloß seine Zauber grollend ein
Im festverwahrten, demantharten Schrein
Und warf den Schlüssel in das Meer und starb.
5   Die Menschlein mühen sich geschäftig ab,
Umsonst! kein Sperrzeug löst das harte Schloß,
Und seine Zauber schlafen wie ihr Meister.

---

[1] Von dem Geigenvirtuosen Nikolaus Paganini erzählte das Gerücht, er habe, des Gattenmordes verdächtig, jahrelang im Kerker geschmachtet und dort seine Violine, die nur eine G-Saite gehabt, so meistern gelernt, daß er nun so dämonisch wirkte. — [2] Kaum sechzehnjährig, entzückte Klara Wieck, die spätere Gattin Schumanns, durch den einfach-schönen Vortrag der Sonate.

Ein Schäferkind, am Strand des Meeres spielend,
Sieht zu der haftig unberufnen Jagd.
Sinnvoll gedankenlos, wie Mädchen sind,　　　　　　10
Senkt sie die weißen Finger in die Flut
Und faßt und hebt und hat's. — Es ist der Schlüffel!
Auf springt sie, auf, mit höhern Herzensschlägen,
Der Schrein blickt wie aus Augen ihr entgegen;
Der Schlüffel paßt, der Deckel fliegt. Die Geifter,　　　15
Sie steigen auf und senken dienend sich
Der anmutreichen, unschuldsvollen Herrin,
Die sie, mit weißen Fingern, spielend, lenkt.

6. Zu Beethovens Egmont-Musik.

(Fragment.)

(Anfang 1834.)

Nach der Ouverture.

Vernommen habt ihr die gewalt'gen Töne,
　　Die, einem größern Geiste beigefellt,
Ein großer Geift vor euer Ohr gezaubert:
Beethoven, Goethe, wandelnd Hand in Hand,
Ein Paar, wie ihr vereint wohl nie mehr schaut.　　　5

Und einen Helden gehen sie zu feiern,
Die Ähnlichen, den sie sich schufen gleich:
Egmont, den Mann der fernen Niederlande.
Nicht, daß er war, wie staunend ihr ihn seht.
Ein Staatsmann war er und ein Hort der Schlachten,　　10
Wie andre mehr — sie aber zogen ihn
Empor in ihres Geiftes Sonnennähe
Und strahlten an ihn mit dem reinsten Licht,
Daß, ein Verklärter, er die Zeiten[1] lebt.
So war's die Art der Kunst seit ihrem Morgen,　　　15
Und wird es bleiben, bis ihr Abend graut.

---

[1] Alle Zeiten hindurch.

Besteiget denn, von Tönen hold geleitet,
Den Zauberwagen, der geflügelt naht;
Laßt euch von ihm in ferne Zeiten tragen,
20 Wo frisch der Sinn, verwegen war die Tat,
Und tretet schaudernd vor die ernste Bühne,
Wo Häupter fallen, Meinungen zur Sühne.

Der Vorhang rollt empor: ihr seid in Brüssel,
Vorm Tor der reichen, lebensfrohen Stadt.
25 Ein Armbrustschießen feiern sie da draußen,
Der Bürgersmann hält mit und der Soldat,
Der Jubel schließt vereinigend die Runde,
Der Spott macht sich durch laute Scharen Raum,
Die Keckheit hört erstaunt aus fremdem Munde,
30 Was sie gedacht und sich gestanden kaum.
Man schilt, man lobt, gibt zu, läßt sich gefallen,
Den Herrschern wird das Beste zugetraut;
Doch scheint das Jetzt nicht hoch in Gunst bei allen;
Wie priese man das Ehmals sonst so laut.

35 Die Armbrust knackt; zwei Kreise, drei, getroffen!
Der Sieger wird glückwünschend schon begrüßt;
Da tritt noch einer vor, ob kaum zu hoffen,
Hält er den Einsatz mit und zielt und schießt
Rein schwarz. Sein ist der Tag! Wie schreit die Menge
40 Und drängt sich zu und schüttelt ihm die Hand,
Und keiner will's beneiden und bestreiten,
Ist's einer doch, hört ihr! von Egmonts Leuten.
Egmont! Der Name jubelt durch die Stätte,
Die Taubheit selber hört's und ruft vereint;
45 Nicht König und nicht Staat, nicht Amt und Räte,
Er ist's, den das Vertrauen jubelnd meint.
Und jeder fügt ein Beiwort seinem Namen
Und glaubt genug ihn nicht gepriesen noch:
Der Siegesfürst von Saint=Quentin,
50 Der Held von Gravelingen!
Und Egmont, Egmont hoch!
So jubeln sie und zechen wohl noch lange.

Laßt uns zur halbverwaisten Stadt zurück;
Der Abend sinkt, und auf dem kurzen Gange
Zeigt eins und andres etwa sich dem Blick.   55
Der Torweg gähnt, des Marktes Seiten weichen,
Im Hause der Regentin schimmert Licht.
Die edle Frau, aus Östreichs mildem Stamme,
Wohl noch mit ihrem Kanzler sich bespricht.
Wir forschen nicht und gehn die kleine Gasse.   60
Ein kleines Pförtchen führt zur Wendelstieg',
Wie eng, wie schmal; die Glastür halb verhängt,
Drin Licht und Worte, wie sie Freunde tauschen. —
Wer liebend forscht, der darf wohl einmal lauschen.

Im Armstuhl sitzt ein Weib, schon was bei Jahren,   65
In niederländ'scher Tracht, ein wenig schwer;
Das dunkle Kleid sticht ab zur weißen Haube,
Die knapp läuft um die Faltenstirne her.
Sonst reinlich und behaglich, obschon ärmlich.

Ihr Aug' ruht lächelnd auf dem jungen Mann,   70
Der Garn gehängt um seine beiden Arme,
Sich und den Faden abzuwinden reicht,
Und dieser Faden läuft zu weißen Händen,
Und diese Hände wirbeln ihn zum Knäu'l.
Und drüber blitzt's aus dunkelbraunen Augen,   75
Die sich, so scheint's, des wirren Spieles freun;
Und seht, ein Mädchen ist's! — Nicht doch: ein Cherub,
Der, halb geflügelt Kind, halb Zornesbote,
Mit Adleraugen eine Welt bescheint.
Was ist sie schön!   Die runden Mädchenwangen,   80
Die lichte Stirn, das Näschen sehr bestimmt,
Die Augenbrauen scharf, der Mund so weich,
Und doch im stolzen Mitleid manchmal zuckend —
Ist sie? — Es ist das Mädchen, das Graf Egmont meint[1]
Zu dem er schleicht, den Mantel übers Kinn,   85
Und das die Nachbarinnen neidend schelten.

_____

[1] D. h. liebt (nach dem alten Wortsinn).

Sie aber weiß es, ist erfreut, betrübt,
In einem überselig: daß sie liebt,
Und wieder traurig bis zu lauten Zähren;
90 Dem Liebsten kann sie ganz, sie weiß es, nie gehören.

Drum möchte sie ein Knabe sein, ein Mann,
Ihm dienend nahn in gut und bösen Tagen,
Die Fahne nach im heißen Streite tragen,
Und Furcht und Hoffnung, Scham und Glück und Pein
95 Singt sie mit solchem Schlummerliede ein.

(Lied: „Die Trommel gerührt".)

So freue dich, denn kurz ist alle Freude,
Was dir im Wege blühet, nimm es mit;
Denn warnend hör' ich nah schon eine Stimme,
Und fernher kommt des Unheils dumpfer Tritt.

(1. Entreakt.)

—————

7. Auslegung.

(1839.)

Mozart darbte; Thalberg[1], Liszt
Laßt ihr Tonnen Gold erwerben:
Freilich! wer unsterblich ist,
Meint ihr, kann nicht Hungers sterben.

—————

8. Mozart.

(1841, 6. Dezember.)

Wenn man das Grab nicht kennt, in dem er Ruh' er=
worben,
Wen, Freunde, ängstet das? Ist er doch nicht gestorben!
Er lebt in aller Herzen, aller Sinn
Und schreitet jetzt durch unsre Reihen hin.

5 Deshalb dem Lebenden, der sich am Dasein freute,
Ihm sei kein leblos Totenopfer heute.

—————

1 Siegmund Thalberg (1812—79), Virtuos und Komponist.

Hebt auf das Glas, das Mut und Frohsinn gibt,
Und sprecht, es leerend, wie er's selbst geliebt:

„Dem großen Meister in dem Reich der Töne,
Der nie zu wenig tat und nie zu viel,   10
Der stets erreicht, nie überschritt sein Ziel,
Das mit ihm eins und einig war: das Schöne[1]!"

9. Stabat mater.
(1842, 31. Mai.)

Nun wohl, es ward euch dargebracht,
  Ihr habt es nicht erkannt[2],
In all der Tonkunst Zaubermacht,
In des Gefühles Farbenpracht,
Ihr wieft es von der Hand,   5
Ihr jauchztet wenigstens nicht laut,
Daß in der Zeiten Sand,
Der dürre Kräuter spärlich trägt,
Von Zweifelsdornen eingehegt,
Die Rose euch entstand,   10
Die dasteht mit gesenktem Haupt,
Euch bittend: „Seht mich an und glaubt,
Vergeßt für einen Augenblick
Euch selbst in des Genusses Glück!"
Ihr aber wieset es zurück.   15

Was liegt daran! das Werk besteht,
Und euer später Enkelsohn
Zahlt einst die Schuld des Vaters schon,
Wie ihr für eure Väter steht,
Die Mozarts „Don Juan" verschmäht.   20
Den Meister aber kümmert's nicht.
Er kennt die Welt. Mir deucht, er spricht:
„Wenn sie mit den Augen hört,

---

[1] Vgl. die Gedichte Nr. 2 und Nr. 10 dieser Abteilung, S. 138 und 148. — [2] Rossinis „Stabat mater" fand bei seiner ersten Aufführung im Jahre 1842 zu Wien kein Verständnis.

Mit den Ohren sieht,
Mit dem Kopfe fühlt
Und mit dem Gefühle denkt,
Ist sie nicht wert, daß man sich kränkt."

Eins aber ging verloren, eins,
Der Unschuld Glück, o Östreich, dein's!
In Deutschlands kalter Nebelnacht,
Wo kaum ein Sonnenstrahl mehr lacht,
Irrwische leuchten, fauler Dunst,
Mit der Natur einschlief die Kunst
Lagst du, oasenähnlich, da
Für den, der beßre Zeiten sah.
Ein lauer Hauch ging durch die Luft,
Durchwürzt von blauer Veilchen Duft;
Die Bäume standen hoch und frisch,
Von Licht und Schatten ein Gemisch;
Und wenn dein Wissen minder reich,
Was wahr, teilt Gott an alle gleich;
Drum gab's in deinen Tälern Schall,
Es klang das Lied der Nachtigall,
Indes an deiner Grenze Saum
Der heisre Sperling zwitschert kaum,
Und Papageien, sinnentfernt,
Nachplappern, was sie eingelernt.
Allein die Gletscher schreiten fort,
Es wächst das Eis von Ort zu Ort,
Und der Pedant, ein rauher Nord,
Er bläst dich an mit seinem Wort.

Was liegt daran! das Wort vergeht,
Die Welt, der Mensch, die Kunst besteht.

Doch wenn, nicht mehr wie sonst geneigt,
Das Lied dir, gleich den Nachbarn, schweigt,
Dann denke, still in dich gekehrt:
Sind wir noch es zu hören wert?
Nahm etwa der Erkenntnis Baum
Nicht dem des Lebens Luft und Raum?

10*

Die Wahl schon einmal schwer sich wies,　　　　60
Sie kostete das Paradies.

――――***――――

10. Zu Mozarts Feier.

(1842, 4. September.)

Glücklich der Mensch, der fremde Größe fühlt
　　Und sie durch Liebe macht zu seiner eignen.
Denn groß zu sein, ist wenigen gegönnt,
Und wer dem fremden Wert die Brust verschließt,
Der lebt in einem öden Selbst allein,　　　　5
Ein Darbender — wohl etwa ein Gemeiner.

　　Dem Land auch Heil, das sie gebar, gesäugt
Und aufgezogen an den Mutterbrüsten.
Denn die Natur gibt nur der Größe Geist,
Den Körper bildet an ihr die Umgebung,　　　　10
In der sie allererst den Tag geschaut,
Der Freunde Schar, der Mitgebornen Kreis,
Die sie mit Blick und Laut zuerst begrüßt,
Mit frommem Sinn bereitet ihr die Stätte.

　　Für Menschen, nur durch Menschen, wird der Mensch. 15
Darob auch mancher, mit der Hoheit Siegel
Bezeichnet von der Schöpferin Natur,
Noch spät durch irgend eine böse Narbe,
Durch einer Gliedmaß widrig wildes Zucken,
Durch etwas, das nicht schön, ob stumm, verkündet,　　20
Wie karg der Boden war, in dem die Pflanze
Des harten Daseins trübe Nahrung sog[1].

　　Drum sind wir stolz, obgleich demütig auch:
Denn hier ward er geboren, den wir feiern!
In dieses schlichten Landes engen Grenzen　　　　25
Scholl ihm zuerst des Lebens Herold: Ton.
Von diesen Türmen schwoll ein gläubig Läuten
Und lehrt' ihn glauben an die Ahnungen,

―――――――――

[1] Der Dichter denkt an sich selbst.

Die ohne andre Bürgen als ſich ſelbſt,
30   Und nur bewieſen, weil ſie ſich geſtaltet,
Zur Wirklichkeit verherrlichen den Traum.
Von dieſen Bergen zog der Gottesatem,
Gewürzt mit Kräutern und mit Blumenduft,
In ſeine jugendlich gehobne Bruſt.
35   Darum iſt er geworden auch wie ſie,
Wie dieſe Berge, ſeiner Wiege Hüter.
Wohl gibt es höh're — doch ſie decket Eis,
Gewalt'gere — allein das ſcheue Leben,
Es findet für den Fußtritt keine Spur
40   Und flieht mit Schaudern die erhabne Wüſte.
Er aber klomm ſo hoch als Leben reicht,
Und ſtieg ſo tief als Leben blüht und duftet,
Und ſo ward ihm der ewig friſche Kranz,
Den die Natur ihm wand und mit ihm teilet.
45   Nicht was der Menſch in ſeinem Dünkel denkt,
Was Gott, verkörpert in der Schöpfung, dachte,
War ihm der Leitſtern ſeines edlen Tuns.
Drum hing er feſt an deinen ew'gen Rätſeln,
Du Auge des Gemüts: allfühlend Ohr,
50   Und was den Weg nicht fand durch dieſe Pforte,
Schien Menſchen Willkür ihm, nicht Gottes Wort,
Und blieb entfernt aus ſeinem lichten Kreiſe.
Mit Raphael, dem Maler der Madonnen,
Steht er deshalb, ein gleich geſcharter Cherub,
55   Der Ausdruck und der Hüter wahrer Kunſt,
In der der Himmel ſich vermählt der Erde.

Wir aber, die wir dieſes Feſt begehn,
In ſtarrem Erz nachbildend jenen Mann,
Der weich war wie die Hände einer Mutter,
60   Laßt uns in gleich verwechſelndem Verwirren
Nicht auch des Mannes Sinn und Geiſt entgehn.
Nennt ihr ihn groß? er war es durch die Grenze;
Was er getan und was er ſich verſagt,
Wiegt gleich ſchwer in der Wage ſeines Ruhms.

Weil nie er mehr gewollt, als Menschen sollen,   65
Tönt auch ein Muß aus allem, was er schuf,
Und lieber schien er kleiner, als er war,
Als sich zum Ungetümen anzuschwellen[1].
Das Reich der Kunst ist eine zweite Welt,
Doch wesenhaft und wirklich wie die erste,   70
Und alles Wirkliche gehorcht dem Maß.

    Des seid gedenk, und mahne dieser Tag
Die Zeit, die Größres will und Kleinres nur vermag.

11. Beethovens neunte Symphonie.
(1842.)

Ob's mir gefällt, ob nicht gefällt,
    Sein Ruhm bleibt ganz und heil,
Denn jeder „Faust", es weiß die Welt!
Hat seinen zweiten Teil.

12. Liszt.
(1844.)

Du gleichst dem Engel mit dem Flammenschwerte,
    Der aufgestellt vor unsrer Unschuld Garten; —
Ein strenger Spruch, gerecht in seiner Härte,
Straft durch sich selber jegliches Entarten.

    Doch weigerst du die Pforten jener Räume,
Wo Unschuld mit sich selber ging zufrieden,   5
So zeigst du uns, ein Traumbild wacher Träume,
Das Bild des Glücks, das nicht mehr weilt hienieden.

    Eintauchend in die Welt der Leidenschaften,
Des Kampfs, des Streits, der wildverworrnen Grenzen,   10
Läßt du aus Augen, die an Eden haften,
Den Widerschein des dort Geseh'nen glänzen.

    Der Donner wird zum Strahl, der Strahl zum Lichte,
Auf Augenblicke schwinden Nebeldünste,

---

[1] Es liegt nahe, an Beethoven zu denken.

15 Die Luft der Heimat weht durch die Gesichte —
Eintracht in Zwietracht ist das Reich der Künste.

———— ✦ ————

13. Wanderszene.
(1844, 14. Dezember.)

Es geht ein Mann mit raschem Schritt —
Nun freilich geht sein Schatten mit —
Er geht durch Dickicht, Feld und Korn
Und all sein Streben ist nach vorn.
5 Ein Strom will hemmen seinen Mut,
Er stürzt hinein und teilt die Flut;
Am andern Ufer steigt er auf,
Setzt fort den unbezwungnen Lauf.
Nun an der Klippe angelangt,
10 Holt weit er aus, daß jeden bangt;
Ein Sprung — und sicher, unverletzt,
Hat er den Abgrund übersetzt.
Was andern schwer, ist ihm ein Spiel,
Als Sieger steht er schon am Ziel;
15 Nur hat er keinen Weg gebahnt.
Der Mann mich an Beethoven mahnt.

———— ✦ ————

14. Toast für Meyerbeer.
(1850.)

In dieser Zeit, wo jeder will,
Und möglichst hoch und möglichst viel;
Wo körperlos die Weltideen
Wie Geister durch die Straßen gehen,
5 Doch, kömmt's zu bilden, was gedacht,
Dem Wollen fehlt des Werkes Macht;
Wir von der Harmonie der Sphären
Die Reibung, nicht den Einklang hören:
Da laßt uns hoch den Meister ehren,
10 Der Großes will und, als ein Mann,
Was er gewollt, auch machen kann!

———— ✦ ————

15. In das Stammbuch des Dr. Moritz Herczegy.

(1849, 30. Mai.)

Die Stärke[1] braucht und nicht die Schwächen!
    Sonst wird der Kunst ihr Höchstes nie.
Geläng's der Tonkunst je zu sprechen,
Wär' sie verpfuschte Poesie.

— ⚹ —

16. In ein Stammbuch.

(1851.)

Tonkunst, die vielberedte
    Sie ist zugleich die stumme;
Das Einzelne verschweigend,
Gibt sie des Weltalls Summe.

— ◇ —

17. Felix Mendelssohn.

(1854.)

Jung bist du zwar gestorben, doch wardst du geboren alt;
    Dir fehlt der Jugend Frische und ihres Triebes Gewalt[2].

— ⚹ —

18. R. W.-Tendenz[3].

1.

Den wortgewordenen Geistesblick
    „Zu sätt'gen mit gleichem Tone —
Das ist die Zukunft der wahren Musik,
Ist aller Künste Krone."

2.
Antwort.

Könnt' einer den „Lear" betonen
Aus Shakespeares Worten heraus:
Ein Strahl zugleich von zwei Sonnen,
Den hielte kein Sterblicher aus.

---

[1] Die Stärke der Musik beruht darauf, daß sie Gefühle ausdrückt, ihre Schwäche sind die Gedanken. — [2] Felix Mendelssohn-Bartholdy ist für Grillparzer der verstandesmäßige (norddeutsche) Musiker, dem das echte, tiefe Gefühl fehlt. — [3] Die zwei Strophen verraten des Dichters Abneigung gegen Richard Wagner und seine Musik; vgl. das Gedicht Nr. 15 dieser Abteilung.

Vierte Abteilung.

Vaterland und Politik.

1. Recht und schlecht[1].

(1805.)

Mit frechen Feinden kriegen,
  Und sie auch stets besiegen,
    Das wär' schon recht;
Doch, ohn' ein Schwert zu ziehen,
5 Noch immer mehr zu fliehen,
    Ei! das ist schlecht!

Mit einem andern kämpfen,
  Der Feinde Rachgier dämpfen,
    Das wär' schon recht;
10 Doch Pläne, die nichts taugen
  Und nur das Land aussaugen,
    Ei! das ist schlecht!

Daß Schurken sich beraten
  Und Fürst und Land verraten,
15   Das ist nicht recht;
Doch sie zu pensionieren,
  Statt zu arkebusieren,
    Ei! das ist schlecht!

Im Siebenjähr'gen Kriege
20 Hatt' man sehr wenig Siege,
    Das war nicht recht;

---

[1] Spottgedicht des vierzehnjährigen Grillparzer auf die Fehler der Regierung und Heeresverwaltung zur Zeit der ersten Besetzung Wiens durch die Franzosen

Doch jetzt so schrecklich kriegen
Und auch nicht einmal siegen,
   Ei! das ist schlecht!

Dem Lande Frieden schenken   25
Und Land und Leut' bedenken,
   Das wär' schon recht;
Doch — jetzt den Frieden machen,
Worüber alle lachen,
   Ei! das ist schlecht!   30

Wenn man uns reformierte
Und alles anders führte,
   Das wär' schon recht;
Jedoch, es bleibt beim alten,
Die Schurken läßt man walten,   35
   Ei! wahrlich! das ist schlecht!

—◦—✦—◦—

2.
(1820.)

Wollt ihr die deutsche Knechtschaft kennen,
   So studiert die deutsche Geschichte;
Die aber für deutsche Freiheit brennen,
   Führt Livius[1] mit besserer Richte.

—◦—✦—◦—

3. Napoleon.
(Geschrieben im Jahre 1821.)

So stehst du still, du unruhvolles Herz,
   Und bist gegangen zu der stillen Erde?
  Was fünfzig Jahr' voll Hoheit und Beschwerde,
Voll Heldenlust nicht gab[2] und Heldenschmerz,
  Ist dir geworden in der stillen Erde;   5
Ein Sohn des Schicksals stiegest du hinab,
Verhüllt wie deine Mutter sei dein Grab.

---

[1] Der römische Geschichtschreiber, der die Geschichte des Freistaates Rom geschrieben hat. — [2] „Fünfzig Jahr'" ist als Einheit aufgefaßt, daher das Zeitwort im Singular.

Das Fieber warst du einer kranken Zeit,
   Bestimmt vielleicht, des Übels Sitz zu heben,
10 So flammtest du durchs aufgeregte Leben;
Doch wie des Krankenlagers Ängstlichkeit
   Dem Fieber pflegt der Krankheit Schuld zu geben,
Schienst du der Feind allein auch aller Ruh'
Und trugst die Schuld, die früher war als du.

15 Was sie gesündiget ohn' Unterlaß,
   Was sie gefrevelt seit den frühsten Tagen,
   Ward all zusammen auf dein Haupt getragen,
Du duldetest für alle aller Haß;
   Dich ließen sie nach jenem Schimmer jagen,
20 In dem sich jeder selber gern gesonnt,
Wie du gewollt; nur nicht, wie du gekonnt[1].

Denn seit du fort, fließt nun nicht mehr das Blut,
   In dem vor dir schon alle Felder rannen?
   Ward Lohn den wider dich vereinten Mannen?
25 Ist heilig das von dir bedrohte Gut?
   Ward Tyrannei entfernt mit dem Tyrannen?
Ist auf der freien Erde, seit du fort,
Nun wieder frei Gedanke, Meinung, Wort?

Dich lieben kann ich nicht! Dein hartes Amt
30 War: eine Geißel Gottes sein hiernieden;
   Das Schwert hast du gebracht und nicht den Frieden;
Genug hat dich die Welt darob verdammt!
   Doch jetzt sei Urteil von Gefühl geschieden;
Das Leben liebt und haßt, der Toten Ruhm
35 Ist der Geschichte heilig Eigentum.

Zum mind'sten wardst du strahlend hingestellt,
   Zu kleiden unsrer Nacktheit ekle Blöße,
   Zu zeigen, daß noch Ganzheit, Hoheit, Größe
Gedenkbar sei in unsrer Stückelwelt,
40 Die sonst wohl selbst im eignen Nichts zerflösse;

---

[1] Jeder von den Fürsten hat wie du gewollt, nämlich sich im Ruhmesschimmer
sonnen, aber er hat es nicht wie du gekonnt.

Daß noch die Gattung da, die, starker Hand,
Bei Cannä schlug, bei Thermopylä stand.

Und so tritt hin denn zu der Helden Zahl,
    Die annoch lebet auf der Nachwelt Zungen:
    Zum Alexander, der die Welt bezwungen,   45
Zum Cäsar, der mit tadelnswerter Wahl
    Am Rubikon der Herrschaft vorgedrungen[1],
Zum —— Stellt kein Held sich mehr als Gleichnis ein?
Und ist man streng da, wo die Wahl so klein?

Geh hin und sag' es an: „Der Zeiten Schoß,   50
    Er bring' uns ferner: Mäkler, Schreiber, Pfaffen,
    Die Welt hat nichts mit Großem mehr zu schaffen;
Denn ringt sich auch einmal ein Löwe los,
    Er wird zum Tiger unter so viel Affen:
Wie soll er schonen, was hält länger Stich,   55
Wenn niemand sonst er achten kann als sich?" —

Schlaf' wohl, und Ruhe sei mit deinem Tod,
    Ob du die Ruhe gleich der Welt gebrochen;
    Hat doch ein Höherer bereits gesprochen:
„Von anderm lebt der Mensch als nur vom Brot." —   60
    Das Große hast am Kleinen du gerochen,
Und sühnend steh' auf deinem Leichenstein:
„Er war zu groß, weil seine Zeit zu klein."

——————

4. Vision[2].
(Mitte März 1826.)

Um Mitternacht, in Habsburgs alten Mauern,
    Geht ein Verhüllter, rätselhaft zu sehn!
Man sieht ihn schreiten, weilen nun und lauern —
    Dann heben seinen Fuß und weiter gehn.

——————

[1] Der Herrschaft vorgedrungen, statt „zur Herrschaft". — [2] Als
Kaiser Franz I. von einer schweren Krankheit genesen war.

5 Vom Haupte zu den trägen Fersen nieder
　　Umhüllend rings fließt nächtiges Gewand,
Die Falten scharf; so zeichnen sich nicht Glieder,
　　Wo Leben noch die straffen Sehnen spannt.

Was hält er? Ist's ein Stab? Es blinkt wie Waffen —
10　　Des Schnitters Waffe haltend, zieht er ein!
Und wo des Mantels Säum' im Gehen klaffen,
　　Blickt kahl entgegen fleischentblößt Gebein.
Ich kenne dich! du Würger der Lebend'gen!
　　Was suchst im Heiligtume, Scheusal, du?
15 Hier darf das Alter nur die Tage end'gen,
　　Die Pflicht zu leben, gibt ein Recht dazu.

Jetzt steht er still, dort wo das Pförtchen schließet;
　　O schließe gut, o Pförtchen, schließ' ihn aus!
Doch aus dem Kleide, das ihn rings umfließet,
20　　Streckt er die dürre Knochenhand heraus.
Wie an die Flügel er die Finger stellet,
　　Da springen sie, weitgähnend, aus dem Schloß,
Und ein Gemach, vom Lampenschein erhellet,
　　Liegt seinem Aug', liegt seinem Arme bloß.

25 Und drin ein Mann auf seinem Schmerzensbette,
　　Wie ist die edle Stirn von Tropfen feucht!
Zwei Frauen neben ihm: wer säh's und hätte
　　Die Gattin nicht erkannt, die Mutter leicht?
Und eine Krone liegt zu Bettes Füßen:
30　　„Das ist ein König!" spricht der bleiche Gast,
„Und zwar ein guter, soll ich glauben müssen,
　　Das früh ergraute Haar zeugt nicht von Rast."

„Wohl auch als Gatte mocht' er sich bewähren,
　　Darum bewacht die Gattin jeden Hauch.
35 Durchs Schloß erschallen Seufzer, fließen Zähren,
　　Ein guter Herr und Vater also auch.
Und dennoch kann das alles mich nicht hindern,
　　Der Gattin Tränen halten mich nicht auf;
Den Vater raub' ich täglich seinen Kindern,
40　　Was vorbestimmt ist, habe seinen Lauf!"

Und er tritt ein.   Da summen leise Klänge
   Vom Schloßhof her in sein gespanntes Ohr.
Dort woget Volk, kaum faßt der Raum die Menge,
   Und jeder forscht, und jeder blickt empor.
Ein Weinender fragt einen, der da weinet,   45
   Und Tränen machen ihm die Antwort kund,
„Ob Hoffnung sei?" Was trüb der Blick verneinet,
   Pflanzt durch die Menge sich von Mund zu Mund.

Und alle Hände sind zum Flehn gefaltet,
   Auf jeder Lippe zittert ein Gebet;   50
Der Todespfeil, der einen Busen spaltet,
   Den blut'gen Weg zu aller Herzen geht. —
Da hält der Würger an, sieht nach dem Kranken,
   Dann nach der Menge, wogend ohne Ruh', —
Es stockt der Fuß, der Arm beginnt zu wanken,   55
   Und endlich — schreitet er der Türe zu.

Schon hört er nicht mehr das Gebet der Menge,
   Die Beßrungskunde jubelnd zu sich ruft;
Und an dem Ende der verschlungnen Gänge
   Schwingt er, ein Nachtgewölk, sich in die Luft. —   60
Im Gehen aber scheint er noch zu sprechen:
   „Nicht über meinen Auftrag geht die Pflicht;
Ich ward gesandt, ein einzig Herz zu brechen,
   So viele Tausend Herzen brech' ich nicht!"

<hr>

5. Mirjams Siegesgesang[1].

Kantate.

(1828.)

Rührt die Zimbel, schlagt die Saiten,
Laßt den Hall es tragen weit;

<hr>

[1] „Und Mirjam, die Prophetin, Aarons Schwester, nahm eine Pauke in ihre Hand; und alle Weiber folgten ihr nach hinaus mit Pauken am Reigen. Und Mirjam sang ihnen vor: ‚Lasset uns dem Herrn singen; denn er hat eine herrliche Tat getan: Mann und Roß hat er ins Meer gestürzt'." 2. Buch Mose, Kap. 15, Vers 20 und 21

Groß der Herr zu allen Zeiten,
Heute groß vor aller Zeit.
5 Chor. Groß der Herr zu allen Zeiten,
Heute groß vor aller Zeit.

Aus Ägypten, vor dem Volke,
Wie der Hirt den Stab zur Hut,
Zogst du her, dein Stab die Wolke,
10 Und dein Arm des Feuers Glut!
Chor. Zieh, ein Hirt vor deinem Volke,
Stark dein Arm, dein Auge Glut.

Und das Meer hört deine Stimme,
Tut sich auf dem Zug, wird Land.
15 Scheu des Meeres Ungetüme
Schau'n durch die kristallne Wand.
Chor. Wir vertrauten deiner Stimme,
Traten froh das neue Land.

Doch der Horizont erdunkelt,
20 Roß und Reiter löst sich los,
Hörner lärmen, Eisen funkelt:
Es ist Pharao und sein Troß.
Chor. Herr, von der Gefahr umdunkelt,
Hilflos wir, dort Mann und Roß.

25 Und die Feinde, mordentglommen,
Drängen nach dem sichern Pfad;
Jetzt und jetzt — da horch, welch Säuseln,
Wehen, Murmeln, Dröhnen — Sturm!
's ist der Herr in seinem Grimme,
30 Einstürzt rings der Wasserturm.

Mann und Pferd,
Roß und Reiter
Eingewickelt, umsponnen
Vom Netze der Gefahr,
35 Zerbrochen die Speichen ihrer Wagen,
Tot der Lenker, tot das Gespann.

Tauchst du auf, Pharao?
   Hinab, hinunter,
Hinunter in den Abgrund,
   Schwarz wie deine Brust.   40

Und das Meer hat nun vollzogen,
   Lautlos rollen seine Wogen:
Nimmer gibt es, was es barg?
   Frevlergrab zugleich und Sarg.

Drum mit Zimbel und mit Saiten   45
   Laßt den Hall es tragen weit,
Groß der Herr zu allen Zeiten,
   Heute groß vor aller Zeit.
Chor. Groß der Herr zu allen Zeiten,
   Heute groß vor aller Zeit.   50

—◇—

6. Klosterszene[1].
(1831.)

Ein Mönch in kleiner Zelle,
   Mit sorglichem Gesicht,
Halb in der Sonnenhelle,
   Halb in des Kreuzgangs Licht.

Es zeigt[2] von frommen Bitten   5
   Manch heilig Konterfei;
Von strengen, mäß'gen Sitten
   Der Korb Gemüs' dabei;

Daß innig noch sein Fühlen,
   Der Blumentopf zur Hand;   10
Des Wissens Durst zu kühlen
   Dient wohl der mächt'ge Band.

Doch dort mit ernstern Mienen
   Strahlt herberes Gerät;

---

[1] Für den Jahrgang 1832 des Taschenbuches „Vesta" bestimmt als Text zu dem Kupferstich nach Peter Fendis Bild „Karl V. im Kloster zu St. Just", aber von der Zensur beanstandet. — [2] Im Sinne von „zeugt".

Das sind des Panzers Schienen,
    In dem der Krieger geht.

Dort auch des Rosses Zäume,
    Des Sattels leere Wucht,
Auf dem durch blut'ge Räume
    Der Tod sein Opfer sucht.

Und brütend sieht er reiten
    Die Krieger dort im Tal;
Als dächt' er früh'rer Zeiten,
    Wo selbst in ihrer Zahl.

So mochte jener Kaiser,
    Der fünfte Karl genannt,
Als büßender Kartäuser
    Hinblicken auch ins Land.

So ward sein Auge trüber,
    Die Hand fuhr nach der Brust,
Ging seinem Geist vorüber,
    Was nun ihm erst bewußt:

Wie schöner als kein zweiter
    Von Gott er hingestellt,
Eh' er das: Immer weiter[1]!
    Zum Wahlspruch sich erwählt;

Wie Ländergier und Ehre
    In seiner Brust im Streit,
Halb Zögling der Tibere[2],
    Halb Ritter alter Zeit,

Bis jener Fürst der Franken[3],
    Mit Glück von ihm bekriegt,
Ihn in der Meinung Schranken,
    Der Mann den Mann, besiegt;

---

[1] „Plus ultra" hatte sich Karl V. zum Wahlspruch erkoren. — [2] Tiberius als Vertreter der herrschsüchtigen und gewalttätigen Fürsten. — [3] Franz I. von Frankreich, der in vier Kriegen meist unglücklich mit Karl kämpfte, aber immer wieder durch seine diplomatischen Künste ihm Schwierigkeiten bereitete, so daß Karl (1535) bei seiner Rückkehr aus Tunis in großer Erbitterung den Gedanken aussprach, mit seinem Gegner in persönlichem Zweikampf sich zu messen.

Und er, gestört sein Zielen   45
    Nach Ruhm aus sich allein,
Als Höchster nur ob vielen
    Noch Erster konnte sein[1].

Wie nun die schwere Rechte,
    Das trockene Gemüt   50
Dem menschlichen Geschlechte
    Die dürre Regel zieht;

Und was sich drüber hebet,
    Drückt nieder seine Hand,
Was eigne Bahnen strebet,   55
    Taucht er in Blut und Brand[2];

In des Gedankens Reiche,
    Den vielgestalt'gen Geist
Engt er zu öder Gleiche
    In Form, die er ihm weist.   60

Und so, ein Freiheitsbüttel,
    Umstellt er jeden Fleck,
Das Größte wird ihm Mittel,
    Ihm, dem das Kleinste Zweck,

Bis nun die junge Fichte,   65
    Mit Macht zum Grund gebückt,
Emporschnellt und zu nichte
    Das Band macht, das sie drückt.

Der meist ihm nachgetreten[3],
    Zuerst zur Freiheit ruft,   70
Daß die gesprengten Ketten
    Hinklirren in die Luft.

---

[1] Sein Ziel, das weltliche Haupt der Christenheit zu werden, wie einst Karl der Große, mußte er aufgeben und sich damit begnügen, unter vielen Fürsten Europas der erste zu sein (primus inter pares). — [2] Sein Verhalten gegen die Reformation, besonders der Schmalkaldische Krieg. — [3] Kurfürst Moritz von Sachsen, der ihn 1552 zum Passauer Vertrag zwang, dem Vorläufer des Augsburger Religionsfriedens von 1555.

Wie nun die Welt ihn widert,
    Weil nicht mehr sein Gepräg';
75 Er launisch sich erniedert,
    Weil aufwärts mehr kein Weg.

Und so, im Möncheskleide,
    Am Klosterbettelstab
Er mind'stens schmeckt die Freude,
80   Daß er sich selbst ihn gab;

Ja, auch noch mag genießen
    Des Kitzels linden Stich,
Sich rückersehnt zu wissen,
    Weil Schlimm dem Schlechtern[1] wich. —

85 So gräbt und kniet der Alte,
    Denkt wenig an die Welt,
Bis etwa durch die Spalte
    Ein ferner Schimmer fällt.

Mit einer raschen Wendung
90   Sein Leben vor ihm liegt;
Er denket seiner Sendung
    Und wie er ihr genügt.

Da wird sein Antlitz trüber,
    Die Hand fährt nach der Brust,
95 Und Schatten ziehn vorüber,
    Um die er einst gewußt.

Fühlt er nun Menschenachtung,
    So fühlt wohl auch der Mann:
Mit Reue und Betrachtung
100   Sei's noch nicht abgetan!

◇

7. Auf die Genesung des Kronprinzen[2].
(Ende 1832.)

Bist du genesen denn? Sei uns willkommen!
    Wir jubeln laut dir in Begeistrungsglut,

---

[1] In Spanien Philipp II., im Reich Ferdinand I. — [2] Des späteren Kaisers Ferdinand (1835—48).

11*

Des Schatzes ficher, der uns halb genommen,
　　Der Zukunft froh; denn du bist gut!

Mag sein, daß höchster Geistesgaben Fülle　　　　　5
　　Dereinst umleuchtet deinen Fürstenhut;
Wir forschen nicht, was Zukunft erst enthülle,
　　Des Einen sicher jetzt schon: daß du gut.

Denn was der Mensch erringen mag und haben,
　　Der Güte bleibt der höchste, letzte Preis;　　　10
Der Gipfel sie und Inbegriff der Gaben,
　　Das Einz'ge, was nicht altert, selbst im Greis.

Die Weisheit irrt, Bedächt'ge trifft der Tadel,
　　Die Tapferkeit erreicht nur, was ihr glückt,
Doch Güte, Herr, gleicht der magnet'schen Nadel,　　15
　　Zeigt nach dem ew'gen Pol hin, unverrückt.

Und Treue und Gerechtigkeit und Milde,
　　Sie sind nur Strahlen jenes ein'gen Lichts.
Als Gott den Menschen schuf nach seinem Bilde,
　　Sprach er: „Sei gut!" von Weisheit sprach er nichts.　　20

Doch gut nicht heut' nur, manchmal — immer, immer!
　　Ob Nutzen vor gleich schlaue Klugheit schützt;
Des einzeln Vorteil ist erborgter Schimmer,
　　Doch dauernd bleibt, was auch den andern nützt.

Und so ist denn der Gute auch der Weise;　　　　　25
　　Er ist der Feste, denn er bleibt sich gleich;
Er ist der Mächt'ge, denn in selbem Gleise
　　Mit seines Schöpfers Weltall rollt sein Reich.

Fühlst du es so in deinem Busen schlagen,
　　Dann tritt die Zukunft an mit frohem Mut;　　　30
Und jubelnd soll ein Enkelchor einst sagen:
　　Sein Volk war treu, und er war gut.

8. Klage[1].

(Anfang 1833.)

Mag noch ein Lied in dieser Zeit ertönen,
　　Die übertreibt all, was sie spricht und denkt,
So daß ihr Ohr, vorsichtig durch Gewöhnen,
　　Das Wahre selbst erst mindert und beschränkt.

5　Gib dein Gefühl, der Hörer wird's mißdeuten,
　　Lobst du mit Maß, erscheinst du rauh und hart;
Gelehrig, aber langsam sind die Zeiten,
　　Und rasch ist, rasch und blind die Gegenwart.

　　So kehrt denn heim, ihr meine wahren Zeilen,
10　　Du warm Gefühl, um das nur ich gewußt;
Und will die Welt nicht unsre Freude teilen,
　　So freun wir uns allein in stiller Brust.

9. Des Kaisers Bildsäule[2].

(1837.)

Laßt mich herab von dieser hohen Stelle,
　　Auf die ihr mich gesetzt zu Prunk und Schau,
Prunk, mir verhaßt, als noch die Lebenswelle
Durch diese Adern floß balsamisch lau.

5　Längst ist ja doch mein ird'scher Leib verwesen[3],
Und nun durch euch mein Geist getötet auch.
Soll hören ich mein Urteil hier verlesen
Von hoher Bühne, wie's bei Sündern Brauch?

　　Was ich geschaffen, habt ihr ausgereutet,
10　Was ich getan, es liegt durch euch in Staub,
Die Zeit wird lehren, was ihr ausgebeutet;
Mich wählt zum Hehler nicht für euren Raub!

---

[1] Als das vorstehende Gedicht boshaft mißdeutet wurde. — [2] Der Kaiser Joseph II. (1765—90), der die freien Anschauungen Friedrichs des Großen in Österreich einzuführen begann, wird, von seinem Standbild herab, redend eingeführt. — [3] Die starke Form des Partizips — statt der schwachen „verwest" — ist in der neueren Sprache selten.

Mir war der Mensch nicht Zutat seiner Röcke,
Als Kinder, Brüder liebt' ich alle gleich;
Ihr teilt die Schar in Schafe und in Böcke,　　　　15
Und mit den Böcken nur erfreut ihr euch.

Gerechtigkeit hielt ihre Wage mitten,
Ihr Arm traf Hoch und Niedrig gleicher Kraft;
Ihr fragt: wer ritt? nicht: wer wird überritten?[1]
Der Schade bleibt, als Schade schon bestraft.　　　20

Und über meine Völker, vieler Zungen,
Flog hin des deutschen Adlers Sonnenflug[2],
Er hielt, was fremd, mit leisem Band umschlungen,
Vereinend, was sich töricht selbst genug.

Den Spiegel deutscher Lehr' in Kunst und Wirken　　25
Trug er, von keinem Unterschied gehemmt,
Bis zu den letzten dämmernden Bezirken,
Wo noch der Mensch sich selbst und andern fremd.

Nun aber tönt's in wildverworr'nen Lauten,
Wie Trotz und Roheit sich der Menge beut,　　　　30
Dem Turme gleich, den sie bei Babel bauten,
Infolgedes die Menschen sich zerstreut.

Noch eines[3] war, das habt ihr noch gehalten,
Bis diesen Tag, aus Trägheit, Furcht, zum Spott:
Der Glaube fand sich längst in sich gespalten,　　　35
Mir war er eins, mit Recht, wie Mensch, wie Gott.

Und in der Brust, dem innerlichsten Leben,
Vergönnt' ich jedem seinen Weihaltar,
Der Lüge ist die äußre Welt gegeben,
Im Innern sei der Mensch sich selber wahr.　　　　40

Greift noch an dies! Die heil'ge Überzeugung,
Macht wieder sie zum leeren Formenspiel,

---

[1] Der Prozeß gegen Graf Esterhazy, der absichtlich eine Schutzwache überritten und beschädigt, ward eben damals niedergeschlagen. — [2] Josephs Streben, aus den österreichischen Erblanden einen Einheitsstaat unter deutschem Übergewicht zu machen. — [3] Die von Joseph im Toleranzedikt (20. Oktober 1781) gewährte Gewissensfreiheit ist jetzt wieder durch den wachsenden Einfluß der Kirche bedroht.

Der überirdisch unerklärten Neigung ——
Setzt ihr ein selbstgemachtes, rohes Ziel!

45   Entfaltet wieder sie, die schwarze Fahne,
Die meine fromme Mutter[1] schon verhüllt,
Den guten Enkel[2], macht ihn gleich dem Ahne,
Der, frommgetäuscht, die Welt mit Mord erfüllt[3].

Tut's, denn ihr wollt's! — Mich aber laßt von hinnen,
50 Treibt nicht mit meinem heil'gen Namen Scherz!
Man ehrt den Mann, verehrend sein Beginnen,
Bracht ihr mein Werk, zerbrecht auch dieses Erz!

Doch brächet ihr's in noch so kleine Trümmer,
Es kommt der Tag, der wieder sie vereint,
55 Und einst bei frühen Morgens erstem Schimmer,
Eh' noch ein Strahl die Kaiserburg bescheint;

Wenn ihr euch wälzt in schlummerlosen Träumen,
Weil Boten brachten blut'gen Krieges Wort,
Getäuschte Freunde mit der Hilfe säumen,
60 Und Stürme herziehn vom beeisten Nord[4];

Wenn Art und Stamm das eigne Volk entzweien,
Getrennter Zweck sie scheidet hin und dar[5],
Streitsücht'ge Pfaffen ihre Gläub'gen reihen
Um ihren, nicht des Vaterlands Altar;

65   In Scham sich eurer Heere Stirnen malen
Ob ihres Führers, den die Gunst berief;
Der Schatz nur reich an Ziffern und an Zahlen,
Der Schuldbrief aufgelöst in Schuld und Brief; —

Hört ihr es dann in gleichgemess'nen Tönen
70 Durch Straßen, schweigend noch von Volkes Ruf,
Auf funkensprühendem Granit erdröhnen
Wie eines ehr'nen Rosses Wechselhuf:

---

1 Maria Theresia hatte schon, z. B. in der Zahl der kirchlichen Festtage, Reformen durchgeführt. — 2 Kaiser Ferdinand, dessen „Güte" der Dichter schon 1832 gefeiert hatte (Gedicht Nr. 7 dieser Abteilung). — 3 Kaiser Ferdinand II. (1619 bis 1637), zur Zeit des Dreißigjährigen Krieges. — 4 Von Rußland her, das die Balkanstaaten und damit die Stellung Österreichs bedroht. — 5 D. h. „hin und her".

Dann denkt, ich kam zum jüngsten eurer Tage,
Was feig verdunkelt, kehrt zurück ans Licht,
Und mit der Weltgeschichte Demantwage 75
Geh' ich ob meinen Enkeln zu Gericht.

✦

10. Der neue Augustus.

(1838.)

Als unser großer Staatsmann nun verstand,
    Sein Schoßkind sei verlustig doch des Thrones,
Rief er, den Kopf wider die Wand:
„Carlos, redde mihi milliones"[1]!

✦

11. An Louis Philipp[2].

(1838.)

Zögernder Fabius! schlau gewannst du vermiedene Schlachten;
    Doch, wie der Schild seinen Mann, decket das Schwert
                                erst den Schild.

✦

12. Anerkennung.

(1839.)

Das Ausland schätzt und lobt uns allgemach,
„ Nur ihre Kenntnis unfrer muß ich dürftig nennen."
Mein Freund, der Mangel zieht den Vorteil nach,
Sie loben minder uns, wenn sie uns besser kennen.

✦

13.

(1839.)

Eisenbahnen, Anlehn und Jesuiten
    Sind unbestritten

---

[1] Metternich, der die Karlisten in Spanien unterstützt hatte, wird verglichen mit dem Kaiser Augustus, der nach der Niederlage des Varus im Teutoburger Walde ausgerufen haben soll: „Varus, gib mir meine Legionen wieder" („Vare, redde mihi legiones"). So sagt Metternich:„Carlos, gib mir meine Millionen wieder." — [2] Der kluge und vorsichtige französische König Ludwig Philipp (1830—48)

Die Wege, die wahren,
Zum Teufel zu fahren.

---

14. Politisch [1].

(1839.)

Grundsätze, Freund, Prinzipien
Sind's, die den Staatsmann führen,
Sie geben Haltung, hält man sie,
Und lassen sich ignorieren.

---

15. Bekehrung [2].

(1839.)

Mit Gott stand ich sonst nicht gar gut,
Nun mach' ich mich intim,
Er ist doch wahrhaft absolut
Und höchlich legitim.

---

16. Der kranke Feldherr [3].

(Mitte August 1839.)

Er ist verwundet, tragt ihn aus der Schlacht!
Ein tapfrer Kämpe war's, ein kühner Führer,
Der vorfocht in der Finsterlinge Schar.
Nun aber traf ein Pfeil des Lichtgotts [4] ihn
5 Und fuhr mit Macht hindurch, bis dahin, wo,
Tief unter Herz und Brust, sich Leber, Milz
Und Magen, Galle, Nieren, tier'scher Greu'l,
Und doch der Sitz des Lebens solcher Herrn,
Mit schicksalsschwangern Windungen begegnen.

---

wird mit dem römischen Feldherrn Fabius Cunctator (der Zögerer) verglichen, der im zweiten Punischen Kriege durch seine vorsichtige Kriegführung Hannibal große Schwierigkeiten bereitete. — [1] Geht auf das „System" des Fürsten Metternich. — [2] Fürst Metternich neigte nach seiner dritten Verheiratung offen dem Klerikalismus zu. — [3] Im August 1839, zu einer Zeit, als die orientalische Frage eine bedrohliche Wendung anzunehmen schien, war der österreichische Staatskanzler Fürst Metternich bedenklich erkrankt. — [4] Apollo, der Lichtgott, sendet tödliche Pfeile.

Der Pfeil jedoch, der ihn ins Leben traf,   10
Es war die Botschaft, daß der Legitimen einer,
Der Kopfabschneider Mahmud[1], Tods verblichen,
Und nun ein anderer der Legitimen,
Der Polenwürger Nikolaus[2], gewillt,
Kraft seines alt von Gott entsproff'nen Rechts,   15
Zu stehlen, was der Türk' vor Jahren stahl.
Das fuhr dem Mann, der, weil vom Wind geschwellt,
Sich für das Segel hielt des Schiffes dieser Welt,
Der seine Kraft, sein Schwert, durch Spitzen, Schleifen
Bis zu des Fadens Dünnheit abgenutzt   20
Und machtlos stand der Macht nun gegenüber —
Das fuhr ihm wie ein Blitzstrahl durchs Gehirn
Und warf ihn nieder, wo er annoch liegt.

Laßt ihn betrachten uns: Ein feiner Mann!
Die hohe Stirn, sie barg gewiß Verstand.   25
Doch ist Verstand ein doppeldeutig Ding,
Ein Diener, der nur gut durch seinen Herrn.
Ist der nun, der gebeut, kein reiner Wille,
Kein richt'ger Sinn, der Pfad und Wege weist,
Dünkt ihm sein Ziel Erklügeln, statt: Erkennen,   30
Mögt ihr ihn Fluch und keine Gabe nennen.

Und auch ein Herz, es spricht aus diesen Zügen!
Der war nicht taub für seines Nächsten Leid;
Wenn anders nicht der Stolz, die Eitelkeit,   35
Gelagert in den hochgezognen Brauen,
Verschlossen seines Fühlens weiches Ohr,
Ihn bannten in des Hochmuts stumme Nacht!
O, ew'ger Fluch bevorzugter Naturen,
Bevorzugt als begabt, als hochgestellt,   40
Statt auf betretnem Völkerweg voran,
Auf launisch = ausgewählt einsamer Bahn
Zu suchen, was der Welt gemeinsam frommt.
Beim Anfang tönen noch verwandte Stimmen,

---

1 Sultan Mahmud II. war im Juli 1839 gestorben. — 2 Nikolaus I. von
Rußland ließ die russische Flotte in den Bosporus einfahren.

Mahnende Leiter aus der nächsten Nähe;
45 Doch immer weiter abseits geht der Pfad
Durch Dickicht und Gebüsch. Mit sich allein,
Hat der Gedanke keinen Maßstab mehr
Als den Gedanken, der nur er, er selbst;
Der erste Fehlschluß zeugt den zweiten Irrtum,
50 Und der trägt schwanger Tausende im Schoß,
Die sich begattend und erzeugend, leisen Fortschritts[1]
In immer steigend unlösbarer Kette
Um Haupt und Brust, um Sinn und Wollen schlingen.
Es fehlt der Prüfstein des verwandten Strebens,
55 Die Billigung des ew'gen Menschensinns.
Und endlich spät zur lichten Welt gekehrt,
Steht das Erdachte als ein Scheusal da,
Sich selbst ein Greu'l, wenn gnädig ihm ein Gott
Beim Anfang solcher Bahn das Schaudernde
60 Gewiesen[2] in prophetischem Gesicht. —
Und dennoch prangt's und trotzt und droht und zwingt.
Bis endlich, der das Heil von allen will,
Den Frevler aufgreift von der frommen Erde
Und hinwirft, flach, Nebukadnezar gleich,
65 Daß mit dem Tier er fresse grünes Gras.

Das war so einer, dünkt mich. Hebt ihn auf,
Besorgt und pflegt, wenn nicht, begrabt ihn:
Denn, ob nicht tot, er lebt doch auch nicht mehr.

——◆——

17.

(1839.)

In Politik zwei wicht'ge kleine Dinger
Sind Daumen eben und Zeigefinger,
Sie halten die Feder,
Das weiß ein jeder.

---

[1] Der Vers hat einen Fuß zu viel; auch sonst entbehren die politisch-polemischen Gedichte Grillparzers, die nicht für die Öffentlichkeit bestimmt waren, der letzten Feile. — [2] Gewiesen hätte.

Doch Wicht'gres noch wird oft durch sie betrieben,   5
Wenn sie sich übereinander schieben.

18.

(1839.)

Homöopathisch ist die Kur:
    Heilt man mit Rückwärtsschritten,
Was Pfaffen und Ignoranz getan,
Durch Dummheit und Jesuiten.

19.

(1839.)

Nichts was nur echt historisch ist,
    Ging je in diesem Land verloren,
Drum herrschen zwei Parteien itzt:
Die Wichte und die Toren.

---

20. Postulata.

(1839.)

Preßfreiheit steht dort oben an,
    Wo — unschuldvolles Treiben! —
Das halbe Land nicht lesen kann,
Das andere nicht schreiben[1].

---

21. Reise nach dem Johannisberg[2].

(1840.)

Du großer Staatsmann! weide dich
    An dem befreiten Rhein;
Doch machtest du die Donau frei,
Es sollt' uns lieber sein.

---

[1] In Ungarn. — [2] Schloß Johannisberg am Rhein hatte Metternich 1816 als „kaiserlich österreichisches Lehen" erhalten.

22. Liberalismus.

(1840.)

Lern' erst, was Freiheit will zu Recht bedeuten,
Eh' Wort und Wahlspruch du entlehnst von ihr.
Nicht nur, daß selbst du dienstbar keinem zweiten,
Nein, auch kein zweiter dir!

---

23. Sie sollen ihn nicht haben . . .[1]

(1840?)

Sie sollen ihn nicht haben,
    Den grünen Donaustrand,
Da, wo die Ufer ragen
Ins Meer vom nahen Land.

5   Sie sollen dort nicht horsten
Mit langverhehltem Groll,
Von Fleiß und Bildung fordern
Der Roheit wüsten Zoll.

    Was soll der leichte Franke?
10 Er denkt und droht ja laut;
Eh' Tat noch der Gedanke,
Hat längst man vorgebaut.

    Doch jene düstern Schergen,
Die unterm Kleid den Stahl,
15 Den Haß im Busen bergen,
Die fürchte du zumal.

    Die zwar mit Eisen kämpfen,
Doch früher auch mit Gold
Den Wahrer deines Heiles
20 Halten in ihrem Sold.

    Dieselben erst begraben!
Die Waffen in die Hand!

---

[1] In Anlehnung an Beckers Rheinlied, das 1840 gegen Frankreichs Ansprüche
auf das linke Rheinufer erklang, fordert Grillparzer zum Kampf gegen die Finsterlinge auf, die den grünen Donaustrand knechten wollen.

Sie sollen ihn nicht haben,
Den grünen Donaustrand!

24.
(1841.)

Ein großer Staatsmann bist du, in der Tat!
Dir fehlt nur eins: ein großer Staat[1].

25.
(1841.)

Doch wenn du, großer Mann, nur unsre Beutel leerest,
So wünschten wir, daß du ein kleiner wärest[1].

26.
(1841—1842.)

Der Deutsche, er sieht fein und scharf,
    Fehlt's nicht an einem Augenglase;
Mit einem Kommentar auf der Nase
Schaut weiter er, als man erwarten darf;

    Erforscht der Dichter Herz und Nieren,   5
Kennt jede Schwellung ihrer Brust,
Weiß mehr von Dante und Shakespearen,
Als jene beiden selbst gewußt.

    Allein gebricht's am Augenglase,
Verdunkelt sich sein blöder Stern,   10
Und, was geschieht vor seiner Nase,
Liegt ihm auf hundert Meilen fern.

---

27. Quadrupel-Allianz[2].
(1842.)

Der Russe gibt die Fäuste her als Halt,
    Britannien Schiff und Kniff und Tücken,

---

[1] Die Politik Metternichs richtete Österreich auch finanziell zu Grunde. — [2] Das Bündnis von 1840 (Juli) bezweckte, die Türkei in ihrem bisherigen Zustand zu erhalten, gegenüber dem Plane Frankreichs (Thiers), in Ägypten ein neues

Der Preuße seines Ja moralische Gewalt,
Und Östreich für die Schläge seinen Rücken.

—◆——

28.
(1842.)

Zwei Könige[1], vom Weltgeist nicht verdorben,
   Vereinigen um sich mit edlem Streben:
Der eine große Männer, die gestorben,
Der andre kleine, die zur Zeit noch leben.

—◆——

29.
(1843, August.)

Die drei Damen: So ist dein Vaterland so schön?
   Papageno: Hmhm, hmhm, hmhmhm.
Damen: Und möchtest nichts drin anders sehn?
Papageno: Hmhm, hmhm, hmhmhm.
5   Damen: Was aber drückt dich etwa schwer?
Papageno: Hmhm, hmhm, hmhmhm.
Damen: Und wer's verschuldet, nenn' ihn, wer?
Papageno: Hmhm, hmhm, hmhmhm[2].

—◆——

30. Griechische Revolution[3].
(1843, Oktober.)

Ob's wohl dem Lande schlimm, ob gut,
   Liegt freilich noch in düstrer Weite;
Es kam, nur wie der Kranke tut,
Der, wenn er schlecht auf einer ruht,
5   Sich umkehrt auf die andre Seite.

—◆——

orientalisches Großreich neben dem türkischen zu errichten. Für Österreich war diese Quadrupel-Allianz deshalb ungünstig, weil sie nur der Orientpolitik Rußlands und Englands zu gute kam. — [1] Ludwig I. von Bayern errichtete die Ruhmeshalle Walhalla bei Regensburg, Friedrich Wilhelm IV. von Preußen berief nach seiner Thronbesteigung Männer wie Tieck, Rückert, Schelling, Mendelssohn nach Berlin. — [2] Persiflage auf den Polizeidruck in Österreich, nach Mozarts „Zauberflöte"; wie dem Papageno dort, ist in Österreich jedem der Mund verschlossen. — [3] Die Erhebung der Griechen gegen ihren König Otto I., die Grillparzer auf seiner Reise in den Orient selbst miterlebt hatte; vgl. „Leben und Werke", S. 51* f.

31. Der geniale König[1].

(1844.)

Er hat erweckt den Sophokles,
 Erweckt den Euripides,
Und möchte jetzt, zu aller Schrecken,
Den Herren Christus auch erwecken.

32.

(1845.)

Der Staat stützt sich auf Adel und Kirche,
 Die beide sich wieder nur stützen auf ihn:
Das gleicht dem Versuch des Baron Münchhausen,
Sich am eigenen Zopf aus dem Sumpfe zu ziehn.

---

33. Galizien[2].

(1846, Februar.)

Was gebt ihr der Regierung schuld
 Und klagt sie schmähend an?
Unschuldig ist sie ganz und gar,
Sie hat ja nichts getan.

---

34. Gebet.

(1846.)

O Gott! Laß dich herbei
 Und mach' die Deutschen frei,
Daß endlich das Geschrei
Danach zu Ende sei.

---

[1] Friedrich Wilhelm IV., unter dem die „Antigone" des Sophokles und die „Medea" des Euripides in Berlin aufgeführt wurden; vgl. das Gedicht Nr. 25 der zweiten Abteilung. Grillparzer spottet auch über seine kirchlichen Organisationen (1843 Einrichtung der Kreissynoden, 1844 der Provinzialsynoden). — [2] Der polnische Aufstand vom November 1845 veranlaßte die Besetzung Krakaus durch die „Schutzmächte". In Galizien stillten nun die rutenischen Bauern, während die österreichischen Behörden die Augen zudrückten, in blutigem Gemetzel ihre Rache an ihren polnischen Zwingherren.

35. Deutsche Ansprüche[1].

(1846.)

Es waren, wie euch wohl bekannt,
   Der frommen Männer sieben,
Die in der Wüste sich verbannt
Und schlafend dort geblieben.

5   So schliefen sie fünfhundert Jahr'
   Und träumten dies und jenes:
Vom Nichts, vom Geist, von Schein und Wahr
Viel Gutes und viel Schönes.

     Zuletzt jedoch der Schlaf zerrann,
10   Sie standen auf den Beinen,
Und jeden kam die Sehnsucht an
Nach Hause zu den Seinen.

     Sie gingen den bekannten Pfad,
   Nur schien er sehr verändert,
15   Er lief wie früher fort gerad,
Doch neu war er umrändert.

     Wo sonst ein Baum, da stand ein Haus,
   Statt Wiesen waren Gärten,
Das schien denn doch ein wenig kraus
20   Den wandernden Gefährten.

     Und nun die Menschen vollends gar,
   In sonderbaren Trachten,
Rückgebend jenes: „sonderbar",
Da sie der Wandrer lachten.

25   So kamen sie zur Stadt zuletzt,
   Zum Haus, das sonst das ihre,
Von Fremden fanden sie's besetzt,
Sie weisend von der Türe.

     Da eilen sie zur Obrigkeit
30   Und klagen, schmähen, weinen;

---

[1] Gemeint sind die deutschen Ansprüche auf das Herzogtum Schleswig gegenüber Dänemark.

Der Richter, sonst zum Schutz bereit,
Versteht kaum, was sie meinen.

Allmählich kommt er doch ans Ziel
Der stammelnden Erklärung,
Da spricht er denn vom Rechte viel,   35
Vor allem von Verjährung.

Er meint: „Es heilt wohl keine Macht
Die Schläge, die euch trafen;
Denn man verliert, zu spät erwacht,
Was man so lang' verschlafen."   40

* * *

36. Dem Geber der preußischen Konstitution[1].

(1847, April.)

Auf dein Erfindereigentum
Brauchst du kein Privilegium —
Wer Sachen will und nicht bloß Namen,
Versucht wohl kaum, dir's nachzuahmen.

* * *

37. Vorzeichen.

Geschrieben im Januar 1848[2].

Wenn sich der Untergang auf Staat und Haus gerüstet,
So schickt er seinen Herold erst voran,
Dem's nach der Umkehr des Gewordnen lüstet:
Den Wahnsinn, der den Sinn verkehrt in Wahn.

Der schlägt den Mörtel ab und löst die Fugen,   5
Damit des Meisters Arbeit leicht und kurz,
Die Stützen wanken, die den Giebel trugen,
Und weithin donnere der jähe Sturz.

Da ist ein zweckos Rennen, töricht Schaffen,
Ein Fliehen und ein Suchen auch der Not;   10

---

[1] Friedrich Wilhelm IV. berief zum 11. April 1847 den „Vereinigten Land=tag" nach Berlin. — [2] Als die von dem Hofrat Baron Hügel verfaßte Schrift „Über Denk=, Rede=, Schrift= und Preßfreiheit" erschienen war (Ende 1847).

Man zahlt mit Gold und schärft die schneid'gen Waffen,
Die färben soll des Eigners eigner Tod.

    Wie Robeam[1], als, die beim Volk in Ehren,
Den Steuerdruck ihm klagten als verhaßt,
15 Ausrief: den Zoll ums Doppelte zu mehren —
Sein Finger wiege gleich der sonst'gen Last;

    Als vor Byzanz[2] die Moslim schon zu schauen,
Und Einigkeit zu retten nur vermag,
Da stritten sich die Grünen und die Blauen,
20 Die Schwarzen ohnehin bis diesen Tag.

    Wenn nun ein Letztes hinweist auf die Frühern,
Ist auch ein Früh'res nur, weil eins zuletzt,
Und hörst du erst des Wahnsinns Lache wiehern,
Klingt's mit des Unheils Weinen schon versetzt.

25   Ich weiß ein Land, das lag so unbeweglich,
Es regte kaum die Glieder wie ein Wurm,
In Ringen schob sich's nach der Nahrung täglich,
Die Zeit war nur ein Glockenschlag vom Turm;

    Die nächste Nähe lag[3] auf hundert Meilen,
30 Die Dämmerung gab noch zu helles Licht,
Das Höchste schien der Niedern Schmach zu teilen[4],
Und Ruhe war nicht bloß der Bürger Pflicht.

    Da bäumt sich's plötzlich auf wie böse Fieber,
Ein schaurig Wehen geht durchs ganze Land,
35 In Wellen steigt's und stürzt sich brandend über,
Gelöst ist des Gewohnten altes Band.

---

    [1] Als Rehabeam (975—958 v. Chr.), den König von Juda und Nachfolger Salomons, sein Volk um Erleichterung der Lasten anging, „ratschlagte er mit den Jungen, die mit ihm aufgewachsen waren"; diese rieten ihm zu sagen: „Mein kleinster Finger soll dicker sein, denn meines Vaters Lenden." Er befolgte diesen Rat. (1. Könige 12; 2. Chronika 10.) — [2] Streit der politischen Parteien in Konstantinopel vor der Eroberung durch die Türken (1453); geschichtlich nicht genau, da die Zirkusparteien der Grünen und Blauen vielmehr im Anfang des byzantinischen Reiches (6. Jahrhundert) die Stadt vereinigt haben. — [3] Lag unbeweglich (Vers 25). — [4] Ruhe und Stagnation oben wie unten.

Das matte Aug' strengt an die blöden Sterne[1]
Und sucht des Übels Keim, der gar zu nah',
Mit leerem Grübeln in der weiten Ferne,
Erforscht, was wird, und nicht, was längst geschah!   40

Die bösen Fugen, die die Zeit gelichtet,
Und die die Trägheit kaum noch hielt in Haft,
— Laßt sehen, ob ein Anstoß sie verdichtet!
Der Widerstand verdoppelt ja die Kraft!

Stört sie im Schlaf der Feile dumpfes Nagen[2],   45
— Teilt andern mit des eignen Volkes Druck!
Die Kette, weiß man, wenn sie alle tragen,
Ist sie nicht Kette mehr, sie wird zum Schmuck.

Es mangelt Geld — geht bei dem Wucher borgen!
Ist Haben doch und Sollen beides Geld.   50
Verzehrt im Heute alle künft'gen Morgen!
Denn morgen ist das Ende ja der Welt.

Klagt euch das Denken seiner Freiheit Schranken,
— Ruft einen Büttel, der noch eng're gibt,
Der Krone Vorrecht seien die Gedanken,   55
Ein Vorrecht, das man etwa sparsam übt.

Doch halt! sie denken! Die in bessern Zeiten
Von Schlauheit nur und Selbstsucht ein Gemisch,
Sie fangen an, im Schulgezänk zu streiten,
Und zum Katheder wird der Aktentisch.   60

Vom Weltplan[3], von des Urvolks erstem Wandern,
Von Gott, der sie hausväterlich gesetzt
In Häuser, die das Eigentum von andern,
Die andrer Väter Söhne auch zuletzt!

Ist das der Wahn nicht, der betört die Sinne?   65
Und ist der Wahnsinn nicht der Untergang,

---

[1] Das Auge der Regierenden ist gemeint. — [2] Wenn die Österreicher sich sorgten um den durch den eisernen Druck bedrohten Staat, so suchten die Staatshäupter durch Übertragung dieses Bedrückungssystems auf andere Staaten (Italien, Ungarn, Polen) jenen Druck erträglicher zu machen. — [3] Vom Weltplan reden sie (die Staatsmänner, wie eben Hügel in seiner Schrift).

Wenn er befällt die Wächter auf der Zinne,
Die schützen sollen vor des Unheils Drang?

70 Das Unheil aber naht, so muß ich meinen,
Der Einsturz folgt, wenn erst kein Widerstand;
Die Tollheit hör' ich lachen, ich muß weinen,
Denn, ach, es gilt mein eignes Vaterland.

<hr>

38. Mein Vaterland.

(Im März 1848.)

Sei mir gegrüßt, mein Österreich,
Auf deinen neuen Wegen,
Es schlägt mein Herz, wie immer gleich,
Auch heute dir entgegen.

5 Was dir gefehlt zu deiner Zier,
Du hast es dir errungen,
Halb kindlich fromm erbeten dir
Und halb durch Mut erzwungen.

Die Freiheit strahlt ob deinem Haupt,
10 Wie längst in deinem Herzen,
Denn freier warst du, als man glaubt,
Es zeigten's deine Schmerzen.

Nun aber, Östreich, sieh dich vor,
Es gilt die höchsten Güter,
15 Leih nicht dem Schmeichellaut dein Ohr
Und sei dein eigner Hüter!

Geh nicht zur Schule da und dort[1]
Wo laute Redner lärmen,
Wo der Gedanke nur im Wort,
20 Zu leuchten statt zu wärmen;

Wo längst die Wege abgebracht,
Die Kopf und Herz vereinen,
Und, statt der Überzeugung Macht,
Der Mensch ein grübelnd Meinen;

<hr>

[1] Im übrigen Deutschland und in Frankreich.

Wo Falsch und Wahr und Schlimm und Gut   25
Sie längst auf Formeln brachten,
Rasch wechselnd die erlogne Glut
Gleich bunten Kleidertrachten;

     Wo selbst die Freiheit, die zur Zeit
Hinjauchzt in tausend Stimmen,   30
Halb großgesäugt von Eitelkeit
Und von der Lust am Schlimmen.

     Bleib du das Land, das stets du warst,
Nur Morgen wie sonst Abend,
Die Unschuld, die du noch bewahrst,   35
An heiterm Sinn erlabend.

     Denn was der Mensch erdacht, erfand,
Als Höchstes wird er finden:
Gesund natürlichen Verstand
Und richtiges Empfinden[1].   40

—❈—

39.

(1848.)

Seht an uns hier in kriegrischer Tracht,
     Wir sind die Wiener Studenten[2],
Haben studiert bei Tag und Nacht,
Und haben endlich auf eins gebracht,
Was Furcht und Gewohnheit trennten.   5

     Die ewige Herrschaft des ewigen Rechts,
Die Arzenei'n für die Seelen,
Die Polytechnik des Menschengeschlechts,
Die Philosophie, wo statt Wortgefechts
Die Geister zu Taten sich stählen.   10

     Die Prüfung aber war scharf und schnell,
Es gab ein schweres Examen,
Die Kugeln pfiffen die Fragen hell,

---

[1] Das sind die Eigenschaften, die Grillparzer den Österreichern immer nachrühmt.
— [2] Die Studenten waren an der Märzerhebung in Wien besonders beteiligt.

Der Tod stand nah' als grimmer Pedell,
15   Der Karzer war nicht bloß ein Namen.

Wir aber bestanden und sind graduiert,
Wer könnte, was wir nicht könnten?
Die Hefte, wobei wir die Feder geführt,
Sie werden wohl noch von der Nachwelt studiert.
20   Holla, die Wiener Studenten!

——⬦——

40.
(1848.)

Studenten, die nicht studieren,
   Garden, die nicht bewachen,
· Regierungen, die nicht regieren,
   Das sind mir schöne Sachen!

——⬦——

41. Feldmarschall Radetzky[1].
(Anfang Juni 1848.)

Glück auf, mein Feldherr, führe den Streich!
   Nicht bloß um des Ruhmes Schimmer,
In deinem Lager ist Österreich,
   Wir andern sind einzelne Trümmer[2].

5   Aus Torheit und aus Eitelkeit
   Sind wir in uns zerfallen;
In denen, die du führst zum Streit,
   Lebt noch ein Geist in allen.

Dort ist kein Jüngling[3], der sich vermißt,
10   Es besser als du zu kennen,
Der, was er träumt und nirgends ist,
   Als Weisheit wagt zu benennen.

---

[1] Der greise Radetzky, Befehlshaber der im lombardisch-venezianischen König-
reich stationierten kaiserlichen Truppen, der zuerst vor den Italienern (Sardiniern,
Garibaldi) nach Verona zurückgegangen war, hatte sich anfangs Juni durch Hilfs-
truppen verstärkt und schickte sich eben zum Angriff auf Vicenza an. — [2] Die einzelnen Nationalitäten (Deutsche, Ungarn, Slawen, Italiener), die ihre Sonder-
ansprüche erheben, drohen den Gesamtstaat zu zertrümmern. — [3] Hinweis auf die
Beteiligung junger Studenten an der Volksbewegung.

Und deine Garde[1], die nicht nur wacht,
Nein, auch bewacht und beschirmet,
Sie hat nicht der eigenen Sicherheit acht,   15
Wenn nachts die Trommel stürmet.

Der Bürger deiner wandernden Stadt,
Er weiß, diese Stadt ist sein Alles,
Die, wenn sie die Flamme ergriffen hat,
Ihn mitzieht zum Abgrund des Falles.   20

Und deine Minister, die Führer im Heer,
Sie führen das Schwert an der Seite,
Zu strafen, wenn's irgend nötig wär':
Gehorsam ist Frieden im Streite.

Die Gott als Slaw' und Magyaren schuf,   25
Sie streiten um Worte nicht hämisch,
Sie folgen, ob deutsch auch der Feldherrnruf,
Denn: Vorwärts! ist ung'risch und böhmisch.

Gemeinsame Hilf' in gemeinsamer Not
Hat Reiche und Staaten gegründet;   30
Der Mensch ist ein einsamer nur im Tod,
Doch Leben und Streben verbündet.

Wär' uns ein Beispiel dein ruhmvoller Krieg,
Wir reichten uns freudig die Hände.
Im Anschluß von allen liegt der Sieg,   35
Im Glück eines jeden das Ende.

<hr />

42.
(1848.)

Das Ministerium, hör' ich, war schwach!
Der eine sagt's, der andre sagt's nach.
Es sei denn schwach! Wir aber waren's nicht,
Die lachten, wenn der Pöbel hielt Gericht?
Die Eltern waren's nicht, die ihren Knaben   5
Kein Wort der Mahnung zugedonnert haben?

<hr />

[1] Spott über die Wiener Garden; vgl. das vorhergehende Epigramm.

Die Garde war es nicht, die, als es galt,
Dem Staat versagte ihres Beistands Halt?
Die Bürgertruppe nicht, die selbst zur Tat
Frei auf die Seite der Empörer trat?
Wir alle waren stark, die zugesehn,
Bis nun der Umsturz wirklich war geschehn?
Wollt fleckenlos ihr durch das Leben wandern,
Schiebt eure Schuld nur immer auf die andern!

✦

43.

(1848.)

Der Freiheitsdrang, der uns kam über Nacht,
    Wird, fürcht' ich, wenig leisten.
Wißt ihr, was mir ihn verdächtig macht?
Die Lumpe ergreift er am meisten.

✦

44. Radetzky.

(1848.)

Will dich der Reichstag nicht erkennen,
    Sei nicht erzürnt ob solchen Streichs!
Der Reichstag ist ein Tag des Reichs;
Doch die Jahrhunderte des Reiches,
Sie werden Schützer dich und Retter nennen,
Und, die besonnen, tun schon jetzt ein Gleiches.

✦

45. Einem Soldaten.

(1848.)

Hoch und erhaben steht des Lebens Baum
    Und breitet in den Luftkreis seine Äste,
In Grün und Gold erglänzt der breite Raum,
Und singend freun sich ungebetne Gäste.

    Von Blüt' und Frucht sind seine Zweige schwer,
Er läßt den Überfluß zu Boden fallen,
Und alles lagert froh sich um ihn her,
Daß er Genuß und reiche Labung allen.

Doch nur die eine Hälfte glänzt im Licht
Und gilt daher als Baum in jedem Munde,   10
Die zweite Hälfte sieht dein Auge nicht,
Weil sie sich birgt in tiefsten Bodens Grunde.

Dort saugt sie ein den erdgebornen Saft
Und treibt ihn in die lichte, bunte Höhe,
Sie gibt den Halt, des Widerstandes Kraft,   15
Damit dem Sturm das Laubdach widerstehe.

So schließt sich in sich selbst der stolze Bau,
Nach oben Fortschritt, Wechsel und das Neue,
Die Wurzel stetig, fest und altergrau,
Dasselbe, was beim Menschen heißt: die Treue.   20

Treu jedem Wort, das Mann dem Manne gab,
Treu jener Wahrheit, die mit uns geboren,
Dem Lande treu, das Wiege uns und Grab,
Dem Fürsten treu, dem wir den Eid geschworen.

Uns hat der Sturm geschüttelt letztes Jahr   25
Und abgestreift die Blüten und die Früchte,
An denen nichts als unser Dünkel wahr,
Nach kurzer Frist, so ging der Baum zunichte.

Allein die Wurzel hielt. Was Worte leer
Geraubt den weisheitstrunknen andern Ständen,   30
Das hielt ein einz'ger fest. Es war das Heer,
Im Herzen treu und stark in seinen Händen.

Sie riß nicht der Versuchung Stimme fort,
Die Pflicht entgegen setzten sie dem Wahne,
Sie hörten nur des Führers ernstes Wort   35
Und sahen nur die unbefleckte Fahne.

So steht der Baum in neuverjüngtem Saft,
Den sturmgebeugten Wipfel hoch erhoben,
Und halten wird ihn auch der Wurzel Kraft,
Beliebt's dem Sturm, von anderwärts zu toben.   40

46. Das österreichische Volkslied,

umgearbeitet bei der

Thronbesteigung Kaiser Franz Josephs I.[1]

(1848.)

Gott erhalte unsern Kaiser
Und in ihm das Vaterland!
Der du Kronen hältst und Häuser,
Schirm' ihn, Herr, mit starker Hand,
Daß ein Guter und ein Weiser,
Er ein Strahl von deinem Blick:
Gott erhalte unsern Kaiser,
Unsre Liebe, unser Glück!

Laß in seinem Rate sitzen
Weisheit und Gerechtigkeit,
Sieg von seinen Fahnen blitzen,
Führt das Recht ihn in den Streit;
Doch verschmähend Lorbeerreiser,
Sei der Friede sein Geschick:
Gott erhalte unsern Kaiser,
Unsre Liebe, unser Glück!

Mach' uns einig, Herr der Welten,
Tilg' der Zwietracht Stachel aus,
Daß wir nur als Söhne gelten
In desselben Vaters Haus,
Und ein Vaterherz beweis' er
Ungeteilt in kleinstem Stück;
Gott erhalte unsern Kaiser,
Unsre Liebe, unser Glück!

Mag dann eine Welt uns dräuen,
Er mit uns und wir für ihn!
Neu im alten, alt im neuen
Laß uns unsre Bahnen ziehn.

---

[1] Am 2. Dezember 1848 dankte Kaiser Ferdinand ab, sein Bruder Franz Karl verzichtete auf die Nachfolge, und dessen achtzehnjähriger Sohn Franz Joseph bestieg den Thron.

Wenn sein letzter Pulsschlag leiser,
Schau' er segnend noch zurück!
Gott erhalte unsern Kaiser,
Unsre Liebe, unser Glück!

---

47. Der Reichstag[1].
(Im Januar 1849.)

Wohlan! Werft um, reißt ein! macht euch nur laut!
    Verkennt der Gottheit stillgeschäft'gen Finger,
Und all, woran Jahrhunderte gebaut,
Erklärt es als der Willkür Sklavenzwinger.

Das schönste Werk der Weisheit und der Kraft,
Daß sie die Roheit, schwer genug, gebändigt,
Hebt's auf! Entlaßt den Pöbel seiner Haft,
Erklärt der Bildung Werk als schon beendigt.

Man meint das Volk. Hast du ein Volk dereinst,
Selbsthorchend auf der Ordnung leise Klänge,
Dann ist die Zeit, die du gekommen meinst,
Nicht jetzt, wo noch dein Volk die blöde Menge;

Die hergebracht Gewohntes überzeugt,
Nicht eignes Schöpfen aus des Denkens Quelle,
Die vor dem Thron, vertrauend und gebeugt,
Nicht auf dem Thron an ihrer rechten Stelle.

Macht alles gleich! hüllt in dasselbe Kleid
Der Menschheit urerschaffne nackte Blöße,
Bis alles ärmlich, wie ihr selber seid,
Und euer Maß die vorbestimmte Größe.

Was soll der Adel? Er ist unbequem,
Emporzuschaun ist ein verdrießlich Placken;
Seit selbst zu Gott es uns nicht mehr genehm,
Ermüdet es bedeutend unsre Nacken.

---

[1] Gegen die radikalen Reden und Beschlüsse des in Kremsier versammelten Reichstags bei Beratung der Grundrechte.

Allein die Schönheit ist ein Adel auch,
Du wählst ein schönes Mädchen unter hundert,
Talent und Geist, der Kunstbegabung Hauch
Sind Zufall, und doch auch als Wert bewundert.

Wenn in der Erblichkeit das Unrecht liegt,
Nenn' ich den Reichtum, dem ihr selbst gewogen,
Der auf den Sohn, der heut die Welt betriegt,
Vom Vater erbt, der einst die Welt betrogen.

Wär' das ein Adel, der euch läßlich scheint,
Dem ihr vergönnt, im Herrenhaus zu sitzen?
Laßt ihr, was euch vom Fürsten schmählich scheint —
Vom Rad des Mäklers euch mit Kot bespritzen?

Gebt euch zur Ruh'! — Wer endlich seid denn ihr,
Die ihr die Welt hinweist in neue Bahnen?
Soll ich, was etwa gar unschicklich hier,
An eure eigne Schwächlichkeit euch mahnen?

Nicht was ihr habt, nein, das nur, was euch fehlt,
Empfahl euch in des Pöbels hohe Gnaden,
Der trunken damals, als er euch gewählt,
Und taumelnd noch von seinen Barrikaden.

Wer kennt euch? Wessen Name klingt für voll,
Nicht selbst den Nachbarn neu durch seine Fremdheit?
Die Schweigenden verhehlend gift'gen Groll,
Die Redenden beredt durch Unverschämtheit.

Und ihr wollt uns des dunklen Rechtes Grund,
Das Grundrecht setzen ihr für alle Fernen?
Was unbefugt selbst aus der Weisheit Mund,
Das soll das Volk aus eurem Munde lernen?

Allein ihr seid bescheiden, wie mir deucht:
Der Geist der Zeit steht ein für eure Reden;
Den Geist der Zeit, ich ehr' ihn auch vielleicht,
Hat erst die Zeit den Geist, kundbar für jeden.

Doch schaut umher in aller Länder Kreis,
Wo lebt ein Mann, ein einz'ger unter allen,

Der Bürgschaft gibt, daß er das Echte weiß,
Daß Gottes Schöpferhauch auf ihn gefallen?

Gab's eine ärmre je als unfre Zeit
An Männern und an Werken und an Geistern?
Und aus so Vieler Mittelmäßigkeit
Wollt ihr Vortrefflichkeit des Ganzen kleistern?

„Allein die Bildung sei jetzt allgemein" —
Als wäre Bildung eine fert'ge Größe,
Die man, wie ins Gefäß den firnen[1] Wein,
Ein Totes in ein Unlebend'ges gösse!

Wie du die Bildung aufnimmst, sie erfaßt,
Das macht den fremden Geist in dir lebendig,
Das bunte Wissen, es vermehrt die Last,
Ein Tor ist, wer gelehrt und nicht verständig.

Die Großen aber, die, nun modernd längst,
Dich eingesetzt zu ihrer Bildung Erben,
Hat Einer je gedacht, wie du nun denkst?
Bürgt Einer, daß dein Umsturz nicht Verderben?

Darum erkennt der Zeit und euren Wert,
Zugleich den Wert von dem, was längst vorhanden,
Was sich zur zweiten Körperwelt verklärt,
Berechtigt durch Bestand, ob unverstanden.

Doch wie du Körper ändern sollst, ja mußt,
Soll sie der Zweck zum Nutzen dir gestalten,
So laß dich auch nicht schrecken den Verlust,
Zu ändern und zu bessern an dem Alten.

Wollt ihr auf festen Grund das Neue baun,
Soll Welt und Mitwelt euch's mit Danke lohnen,
Denn eurer Klugheit wollen wir vertraun —
Mit eurer Weisheit mögt ihr uns verschonen.

❖

---

[1] D. h. alten Wein.

48.
(1849.)

Auf die erste Revolution
    Kamen wieder die Bourbons.
Auf unsre allgemeine zweite
Kommen wohl wieder die alten Leute[1].

—✻❖✻—

49.
(1849.)

Ihr habt bei Nacht und Nebel gekriegt,
    Und euer Feind, er liegt besiegt;
Doch als man die Leiche beim Licht erkannt,
Da war's euer eigenes Vaterland.

—❖❖—

50. Louis Napoleon[2].
(1849.)

1.

Du hast die Stimmen in Wort und Schrift,
    Bist anerkannt wie ein Echter;
Nun fürchte dich nicht vor Dolch und Gift,
Dir droht ein Ärgres: das Gelächter.

2.

Napoléon,
Polisson[3],
Ein Gamin[4] in der Mitte,
Macht genau: Coquin[5] der Dritte.

3.

Ob er der Zweite, der Dritte gar,
Streit' einer bis er berste,
Eins ist gewiß und sicher wahr,
Daß keinenfalls er der Erste.

—✻❖✻—

---

[1] Ankündigung der Reaktion. — [2] Louis Napoleon, seit September 1848 Mitglied der Nationalversammlung, wurde am 10. Dezember 1848 auf vier Jahre zum Präsidenten der französischen Republik gewählt. — [3] D. h. Gassenjunge. — [4] D. h. Laufjunge. — [5] D. h. Schurke.

51.

(1849—50.)

Mach' dich erst von der Freiheit frei,
    Willst wirklich frei du werden:
Kein Sklave sein von der Menge Geschrei
    Heißt frei erst sein auf Erden.

———❦———

52. Warnung.

(1850.)

Willst du von Fortschritt reden, mein armer Christ,
    Mußt sicher du sein zu jeder Frist,
Daß du auf dem rechten Wege bist;
Sonst führt dein Plagen hart und viel
Dich immer weiter ab vom Ziel,
Und all dein Fortschritt will nichts bedeuten,
Als seitwärts oder rückwärts schreiten.

———❦———

53. Den Deutschen.

(1850.)

Da eure Phantasie, verwildert,
    Statt zu bilden, denn doch nur bildert,
Und euer Verstand, wenn ihr's nicht verübelt,
Statt zu denken vielmehr nur grübelt,
Machen sie aus euch, was Menschen nie noch kannten,
Ein Monstrum von phantastischen Pedanten.

———❦———

54. Windstille.

(1850.)

Der Radikalismus der Politik
    Zieht sich allgemach zurück,
Hoffen wir auch dem theologischen,
Dem spekulativ philosophischen,

Dem musikalisch ästhetischen,
Dem talentlos poetischen
Ein gleiches Geschick.
Zu aller Lebenden Glück.

―◇―

55.

(1852.)

Der Geist der Zeit ist nur ein Traum,
Oft ist nur Mode das Bewunderte,
Doch ein Geist macht sich immer Raum,
Der Geist, der stille, der Jahrhunderte.

Was klein um klein und Griff um Griff
Polypenartig sich erweitert,
Wird endlich zum Korallenriff,
An dem dein hohles Staatsschiff scheitert.

―◇―

56. Napoleon III.

(1852.)

Von seiner Weisheit tönt ein Geschrei
Bis in Europas letzten Winkel:
Mir scheint er klug aus Schurkerei
Und dumm aus Eigendünkel.

―◇―

57.

(1852.)

Sein besonnen und entschieden: Vorwärts!
Heißt im Nach=März wie im Vor=März,
Will man den rechten Sinn umschreiben:
Minister werden und Minister bleiben[1].

―◇―

58. Türkische Wirren.

(1853.)

Für Östreich bleibt's bei der Regel, der alten,
Rekonvaleszenten sollen sich ruhig verhalten.

―◇―

[1] Geht auf den leitenden Minister Graf Schwarzenberg (gestorben noch im Jahre 1852).

59. Englische Gevatterschaft[1].

(1854.)

Ihr schwärmt entzückt mit begeisterten Blicken
Für die Freiheit der Länder, die ohne Fabriken.

---

60. Lasciate ogni speranza, voi ch'entrate[2].

(1855.)

Wie dort an Dantes Schauerorte
     Steh' über Deutschlands Eingangspforte,
Bezeichnend seiner Weisheit Horte,
Freund Hamlets[3]: Worte! Worte! Worte!

---

61. Englisch.

(1855.)

Klebt man gar zu sehr am Alten,
     Wird's zuletzt doch morsch und faul:
Von eurer Freiheit habt ihr gar nichts behalten,
Als das ungewaschne Maul.

---

62. Konkordat[4].

(1855.)

1.

Um recht tugendhaft zu leben,
     Will ich meinen Diener zur Macht erheben,
Mir bei jedem sündhaften Streben
Eine Ohrfeige zu geben.

2.

Eilt, das Konkordat zu verkündigen,
Kastriert euch selbst, um nicht zu sündigen.

5

---

1 Bezieht sich auf die Haltung Englands im russisch-türkischen Kriege. — 2 „Laßt alle Hoffnung zurück, die ihr eintretet." — 3 Vgl. Shakespeares „Hamlet", 2. Aufzug, 2. Szene. — 4 Das Konkordat der reaktionären österreichischen Regierung sicherte der kirchlichen Macht die Oberhoheit in Österreich, erhob den Katholizismus zur Staatsreligion, überantwortete dem Klerus die Oberleitung des öffentlichen Unterrichts und machte die gemischten Ehen von kirchlicher Zustimmung abhängig.

63.

(1856.)

Viribus unitis[1], der schöne Spruch,
    Heilet nur halb der Trennung Fluch,
Wenn, was ihr als Völker eines nennt,
Ihr wieder als Glaubensparteien[2] trennt.

64.

(1856.)

Die spanische Inquisition
    Taugt nicht in unsern Tagen;
Ihr müßt euch begnügen schon,
Die Andersgläub'gen[3] sonst zu plagen.

---

65. Politik[4].

(1856.)

Ich sah einen Rudel Gassenbuben,
    Wie kaum entschlüpft aus des Lehrers Stuben,
Die warfen sich mit Ballen von Schnee
Und lachten, tat's einem im Fallen weh.
Sie waren mit Ekelnamen nicht faul
Und streckten die Zunge aus ihrem Maul.
„Ei", dacht' ich in meinem Sinne, „ei,
Und so was duldet die Polizei?"
Da gewahrt' ich Gold in ihren Haaren
Und sah erst, daß es Könige waren.

---

66. Italienische Frage.

(1856.)

Wollt ihr Dinge vor Brand bewahren, die glimmend sind,
    So bitt' ich euch vor allem: macht keinen Wind!

---

1 Mit vereinten Kräften. — 2 Gemeint sind nicht die Konfessionen, sondern der durch Konkordat und kirchliche Reaktion hervorgerufene Gegensatz innerhalb der katholischen Bevölkerung Österreichs. — 3 Auch damit sind die freier Denkenden gemeint, nicht die Angehörigen einer anderen Konfession. — 4 Geht auf den Krimkrieg.

67. Louis Napoleon.

(1856.)

Dein Oheim ist dein Ideal,
    Du suchst ihm in allem zu gleichen,
Schon ist die Kopie ganz Original,
    Bis auf das Meisterzeichen.

—❊—

68. In das Radetzky-Album.

(Am 2. November 1856.)

Was wundert ihr euch, daß er Wunder tut,
    Er, der da selber ein Wunder,
Der im Alter, das sonst hinterm Ofen ruht,
    Noch heiß von der Jugend Zunder.

Spart euer Wundern noch manches Jahr,
    Bis er, statt neunzig, hundert,
Bis grau seine Kraft, wie leider sein Haar,
    Jetzt, statt euch zu wundern, bewundert.

—❊—

69. König von Preußen[1].

(1857.)

Wie reich begabt, wie fähig war der Mann,
    Die Welt erkennt's und auch zum Teil bewundert's.
Ein Fehler klebte leider nur ihm an:
Er war ein Deutscher des neunzehnten Jahrhunderts.

—❊—

70. Phantasterei.

(1857.)

Die Deutschen hätten keine Phantasie?
    Ein Satz, der sich selber zerstört.
Die Deutschen haben überall sie,
    Wo sie nicht hingehört.

—❊—

---

[1] Friedrich Wilhelm IV. wurde im Oktober 1857 von einer unheilbaren Gehirnkrankheit befallen. Sein Bruder, Prinz Wilhelm, übernahm, zunächst als Stellvertreter, seit Oktober 1858 als Regent, die Regierung des Landes.

71. Magyaren.
(1857.)

Euer Ungrisch ist nichts als Rache,
    Aus politischem Zwist hervorgebrochen:
's ist nicht einmal eine Muttersprache,
Da eure Mutter sie nicht gesprochen.

✦

72.
(1857.)

Mit drei Ständen habe ich nichts zu schaffen:
    Beamte, Gelehrte und Pfaffen.

✦

73. Graf Thun[1].
(1857.)

Einen Selbstmord hab' ich euch anzusagen:
    Der Kultusminister hat den Unterrichtsminister totge-
                                                    schlagen.

✦

74. Stadterweiterung.
(1857, Dezember.)

Wiens Wälle fallen in den Sand;
    Wer wird in engen Mauern leben!
Auch ist ja schon das ganze Land
Mit einer chinesischen umgeben.

✦

75. Bei der Geburt des Kronprinzen Erzherzog Rudolf.
(Zum 21. August 1858.)

Als ich noch ein Knabe war,
    Rein und ohne Falte,
Klang das Lied mir wunderbar,
Jenes „Gott erhalte"[2].

    Selbst in Mitte der Gefahr[3],
Von Getös' umrungen,
Hört' ich's weit entfernt, doch klar
Wie von Engelszungen.

---

[1] Er hatte das Konkordat mit Rom abgeschlossen. — [2] Die österreichische Nationalhymne. — [3] Im Jahre 1848.

Und nun müd' und wegeskrank,
Alt, doch auch der Alte,
Sprech' ich Hoffnung aus und Dank
Durch das „Gott erhalte".

76.
(1859.)

Militär und Pfaffen
Geben nur zu schaffen,
Pfaffen und Militär
Machen Kopf und Beutel leer.

77. Französische Zustände.
(1859.)

Legitimität,
Autorität,
Nationalität[1],
Absurdität,
Servilität,
Bestialität.

78. Ungarisch.
(1859.)

Die Wettrenner und Tagdiebe
Sind stark in Vaterlandsliebe,
Sie wollen ein freies Nomadenglück:
Roß und Reiter aus einem Stück.

79. Preußen[2].
(1860.)

Du hast ein Heer und brauchst es nie,
Wie jener Mann mit seinem Parapluie,
Der es bei schlechtem Wetter abseit setzte,
Damit der Regen ihm's nicht benetzte.

---

[1] Napoleon III. förderte die Bewegung der Nationalitäten und zog 1859 für Italien gegen Österreich ins Feld. — [2] Gegen die Zurückhaltung Preußens im italienischen Kriege 1859 gerichtet.

80. Namensunterschied.

(1861.)

Was nennt ihr nicht von Christus euch?
Warum mit Jesus brüsten?
Weh, daß ihr Jesuiten seid,
Indes wir andern — Christen!

———

81. Feindesgefahr[1].

(1866.)

Die Hilfe Gottes, muß ich vermuten,
Liegt für uns heute ein wenig im weiten;
Denn nach diesem Leben hilft er den Guten,
In diesem Leben den Gescheiten.

———

82. Der König und sein Minister[2].

(1868.)

Ob dir die Tat, ob mir gehöre,
Entscheid' ich nicht in meiner Huld;
Ich lasse dir die ganze Ehre;
Doch nimm für dich auch alle Schuld.

———

83. Fortschritt.

(1869.)

Ein Mittel wird dem Fortschritt immer bleiben:
Wenn er nicht übertreffen kann, zu übertreiben,
Und bei der Einzelnen schmählicher Ermattung
Der Kultus der Nationen und der Gattung.

———

84. Den Deutschen.

(1871.)

Schreitet nicht so schnell fort, nur etwas gemach!
Ihr kommt euch sonst selber nicht nach!

---

[1] Während des Krieges mit Preußen, als ein Bettag angeordnet war —
[2] Geht auf König Wilhelm I. und Bismarck.

Fünfte Abteilung.

Polemisches und Epigrammatisches.

---

1. Lebensregel.
(1813.)

Frei in unendlicher Kraft umfasse der Wille das Höchste,
Aber vom Nächsten zunächst greife bedächtlich die Tat.

---

2. Der Zelot.
(1817.)

Beßre, beßre nur zu! Auch selbst das Gute verbeßre!
Alles sei besser und nichts sei am Ende mehr gut.

---

3. Der Purist.
(1817.)

Was nach Gallien klingt — fort aus dem Munde des
Deutschen!
Fort mit dem Sens commun[1], dann folgt von selbst das Genie.

---

4. Regel.

Willst die Bescheidenheit du des Bescheidenen prüfen, so forsche,
Nicht ob er Beifall verschmäht; ob er den Tadel erträgt!

---

[1] Sens commun, lat. sensus communis, Gemeinsinn; hier sind solche Fremd-
wörter gemeint, die den Kulturvölkern gemeinsam sind.

5. Das höchste Gut.

(1820, 10. August.)

Der Güter Höchstes, was uns Gott gegeben,
　　Was Himmelsfreuden in uns wiederklingt,
Es ist das klare, heitre warme Leben,
　　Was durch das Auge ein zum Herzen dringt.

✧⋮✧

6. Schwermut.

(1820.)

Kummer, nimm erst Gestalt! Nur das Formlose ängstet
　　　　　　　　　　　　　　und martert;
Hat sich der Feind 'mal gestellt, halb ist gewonnen der Sieg.

❖

7. Regen und Unmut.

(1828.)

Böses Wetter, böses Wetter!
　　Es entladen sich die Götter,
Reinigen ihr Wolkenhaus;
Und die Menschen baden's aus.

◆

8. Der Großmütige.

(1829.)

Im Schenken ohne Maß, bei Darlehn klug bedacht,
　　Entzückst du Bettler heut, die gestern du gemacht.

✧❖✧

9. Kunstvollendung.

(1835.)

Wenn einer feinsten Marmor nähm'
　　Und wüßt' ihn zu behandeln —
Prometheus' Stoff war niedrer Lehm,
Doch seine Bilder wandeln.

✳⋮✳

10. Pöbelliteratur.

(1835.)

Glaubt ihr, man könne kosten vom Gemeinen?
    Man muß es hassen, oder ihm sich einen.

Und tränkst du heute Götterwein,
— Jüngst noch Genosse schmutz'ger Zecher —
Du schenkst ihn auf die Hefen ein,
Die dir dein Gestern ließ im Becher.

11.

(1837.)

Ein Ochs ging auf die Wiese,
    Wo er nach Kräften fraß.
Da waren Blumen, Kräuter,
Es kümmert' ihn nicht weiter:
Für ihn war alles Gras.

---

12. Man hört wohl jammern viel und klagen . . .

(1837.)

Man hört wohl jammern viel und klagen,
    Es sei der Geist in unsern Tagen
In seinem tiefsten Recht verletzt,
Und von dem Handel, dem Gewerbe
Gekränkt an seinem alten Erbe,
Des angestammten Throns entsetzt.
Und wahrlich, sieht man bunt sich's regen
Das Dampfgerät auf Eisenwegen,
Die Spindel, die von selbst sich dreht,
Den Einklang unsichtbarer Hände,
Man schaudert und man glaubt am Ende,
Daß still der Puls des Lebens steht.
Das kommt daher nach richt'ger Meinung:
Für Körper gibt es Kraftvereinung,
Der Geist bleibt ewiglich allein.

13. Hegel.

(1839.)

Möglich, daß du uns lehrst prophetisch das göttliche
                                                    Denken;
Aber das menschliche, Freund, richtest du wahrlich zu Grund.

---

14. Kunstgeheimnis.

(1839.)

Ob der Schritt der richt'ge sei,
    Wenn's nur paßt und packt.
Auf dem Tanzsaal, im Geschäft
Lob' ich mir den Takt.

---

15. Der Kölner Verein[1].

(1839.)

Die Torheit wird der Mensch nicht los,
    Den Spröd'sten weiß sie selbst zu haschen,
Gib ihr dich drum im Scherze bloß,
Sie wird dich sonst beim Ernste überraschen.

---

16. Indische Philosophie.

(1841.)

Lobt mir ihr Wissen, ihre Kunst
    Und ihres Schauens Macht,
Ich frag' euch um dies eine nur:
Wohin es sie gebracht.

17.

(1841.)

Zwei Leben lebt der Mensch, weh, wenn es anders wäre!
    Das eine raubt der Tod, das andre bleibt: die Ehre.

---

[1] Im Jahre 1823 war der Kölner Karnevalsverein ins Leben gerufen worden:
im Jahre 1839 erhielt neben andern Wienern auch Grillparzer ein Diplom als
Ehrenmitglied des Vereins.

18. Strauß[1].
(1842.)

Was machst du, Freund, so viel Spektakel,
    Kehrst uns den Glauben um nach neuer Regel?
Ich mind'stens glaube lieber zehn Mirakel,
Als einen Hegel.

19.
(1843.)

Laß, ehrlicher Kant, sie reden,
    Sie kommen schon noch auf dich,
Die Leugner des Dinges an sich
Sind Denker außer sich.

20.
(1844.)

Vom Himmel träuft herab des Landmanns Segen,
    Doch tränkt den Boden auch des Landmanns Schweiß;
Ist das Talent der gottgesandte Regen,
Ist, was die Frucht gibt, immer nur der Fleiß.

21.
(1844.)

Den Himmel hätte das Talent hienieden schon auf Erden,
    Könnt' zehen Jahr' nach seinem Tod es erst geboren
           werden.

22.
(1845.)

Wer jemals Unrecht dir getan,
    Wird nimmer dir gerecht;
Sein Unrecht widert selbst ihn an,
Er setzt sich drum ins Recht,

---

[1] David Friedrich Strauß (1808—74), „Leben Jesu"; ein Schüler Hegels

5

Stellt dich so tief er irgend kann,
Denkt unwert dich und schlecht
Und ist nun ein gerechter Mann:
Sein Haß enthält sein Recht.

---

23. Kunsturteile.
(1846.)

Ob die Rechnung richtig sei,
    Wie man sie auch lobe,
Zeigt von allem Zweifel frei
Immer erst die Probe.

5

Des Verfahrens Widerspiel
Findet dich im Rechten,
Wenn, was Edlen wohlgefiel,
Auch mißfällt den Schlechten.

---

24. Kosmos[1].
(1847.)

Der Fehler der Deutschen ist immer gewesen,
    Wie rühmlich man sie sonst auch nennt,
Daß sie versuchen da zu lesen,
Wo man noch kaum den Buchstab' kennt.

---

25. Antwort.
(1847.)

„Ich will!" ist ein gewichtig Wort,
    Spricht mit sich selbst der Mann;
Doch steht genüber er der Welt,
So gilt doch nur: „Ich kann."

---

26. Christliche Liebe.
(1847.)

Wenn Hilfe du in Not begehrst,
    Hemmt niemand seinen Lauf;

---

[1] Alexander von Humboldt, „Kosmos" (1845—62).

Die Meinung, die du leicht entbehrst,
Dringt dir ein jeder auf.

◇

27.

(1848.)

Hör' ich den Weltgeist euch zitieren,
So find' ich das begreiflich meist.
Glück auf! Leiht euch die Welt den ihren,
Denn ihr habt keinen eignen Geist.

◇

28.

(1849.)[1]

Der Weg der neuern Bildung geht
Von Humanität
Durch Nationalität
Zur Bestialität.

✳✳

29.

(1849, April.)

Gesteh' dir's selbst, hast du gefehlt,
Füg' nicht, wenn Einsicht kam,
Zum falschen Weg, den du gewählt,
Auch noch die falsche Scham.

✳✳

30.

(1849.)

Tadeln ist leicht, wie ihr wohl wißt,
Und höchst bequemlich!
Doch eins gibt's, was noch leichter ist:
Nachbeten nämlich.

◇

---

[1] Derselbe Gedanke ist in dem folgenden Gedicht Nr. 33 auf die Sprache an-
gewandt, in dem Gedicht Nr. 77 der 4. Abteilung auf die französischen Zustände unter
Napoleon III.

31. Den Deutschen.
(1849.)

Dem Bergesgipfel naht ihr der Kultur,
　Von Feldern und Pfaden längst keine Spur,
Das Knieholz fängt bereits schon an,
Kaum kurzes Gras auf eurer Bahn,
5　Steigt ihr noch weiter, wie ich seh',
Erreicht ihr bald den ewigen Schnee.[1]

---

32. Hegel[2].
(1849.)

Du schreibst die Musik zum Weltentext,
　Singst, wie, was schon da ist, wird und wächst;
Doch wäre dein Tonstück nur Schall gewesen,
Hätten wir nicht früher den Text gelesen.

---

33. Zu Äsops[3] Zeiten sprachen die Tiere[4] ...
(1849.)

Zu Äsops Zeiten sprachen die Tiere,
　Die Bildung der Menschen ward so die ihre;
Da fiel ihnen aber mit einmal ein,
Die Stammesart sollte das Höchste sein.
5　„Ich will wieder brummen", sprach der Bär,
Zu heulen war des Wolfs Begehr,
„Mich lüftet's zu blöken", sagte das Schaf,
Nur einer, der bellt, schien dem Hunde brav.
Da wurden allmählich sie wieder Tiere,
10　Und ihre Bildung der Bestien ihre.

---

[1] Gegen das Überwiegen des kalten Verstandes bei den Norddeutschen. — [2] Vgl. das Gedicht Nr. 13 dieser Abteilung. — [3] Äsop (6. Jahrhundert v. Chr.), griechischer Fabeldichter. — [4] Vgl. das Gedicht Nr. 28 dieser Abteilung. Hier denkt Grillparzer besonders an die Ungarn; vgl. auch das Gedicht Nr. 71 der 4. Abteilung

34.

(1851.)

Die Zeitideen werden sich da am vollsten drängen,
Wo keine eignen ihnen den Platz beengen.

35.

(1851.)

Nicht alles, was wertvoll und hold,
Ist drum als ein Glück zu besagen:
Wer möcht' einen Zentner Gold,
Müßt' er ihn stets auf dem Rücken tragen.

36.

(1852.)

Der deutsche Geist zuhöchst in Kunst und Wissen stellt,
Hier, was er nicht versteht, dort, was ihm nicht gefällt.

37.

(1853.)

Verlieren und Haben
Sind zwei, obgleich verschiedne Gaben.
Denn, was der Mensch besitzt und hält,
Teilt er doch immer mit der Welt,
Erst an dem Tag, wo er's verloren,
Wird ihm zu eigen es geboren.

38. Naturwissenschaften.

(1853.)

„Der Mensch wird doch täglich gescheiter."
„Zuletzt ist doch vieles nur Schein.
„Zum wenigsten kommen wir weiter."
Ja, weiter in den Wald hinein.

39.
(1854.)

Geläng' es mir, des Weltalls Grund,
	Somit auch meinen, auszusagen,
So könnt' ich auch zur selben Stund
Mich selbst auf meinen Armen tragen.

40. Geisterstatistik.
(1855.)

In England Komfort und Industrie,
	In Frankreich verderbte Phantasie,
In Deutschland Klügeln und Grübeln
Sind die Quellen von allen Übeln.

41. Antispekulativ.
(1855.)

Einer Mühle vergleich' ich den Verstand,
	Die mahlt, was an Korn sich geschüttet fand;
Doch geschehen der Schüttungen keine,
So reiben sich selber die Steine
5	Und erzeugen Staub und Splitter und Sand[1].

42. Genealogisches.
(1855.)

Der Pedantismus und die Phantasie
	Vergingen sich, ich weiß nicht wie,
Und zeugten Mischlingskinder, die
Als Pflanzer sie nach Deutschland sandten:
5	Die sonst im Weltall unbekannten
Phantastischen Pedanten.

---

[1] Gegen die reine philosophische Spekulation, die nicht auf Erfahrung beruht.

43. Hegel.

(1855.)

Was mir an deinem System am besten gefällt?
Es ist so unverständlich wie die Welt.

***

44. Konjekturalgeschichte.

(1856.)

In aller Menschheit Urzustände
    Tragt ihr eures Geistes Licht;
Doch sieht man nicht die Gegenstände,
Man sieht nur euer Licht.

***

45.

(1856.)

Kunstliebe ohne Kunstsinn
    Bringt bei Fürsten wenig Gewinn.
Sie öffnet Kunstschwätzern ihr Ohr,
Und die Kunst bleibt einsam wie zuvor.

***

46. Begabung.

(1856.)

Bildung ist das Gleichgewicht,
    Talent ist ein Übergewicht,
Der Schwerpunkt nach e i n e r Richtung
In Tätigkeit und Dichtung.

***

47.

(1856.)

Wen immerdar man anders schaut,
    Der macht mir bange;
Nur ein Tier wechselt seine Haut:
Das ist die Schlange.

***

48. Humboldt[1].
(1856, Dezember.)

Daß er die Welt zum Begriff gemacht,
   Ist mir ein leeres Gemunkel;
Es hat sie schon Hegel durchsichtig gemacht,
Und gleich drauf war sie wieder dunkel.

49.
(1856.)

Fühlen und denken, wenn man's erwägt,
   Sind der Blinde, der den Lahmen trägt.

50.
(1856.)

Man spricht jetzt viel von dem Glauben.
   Der eine wünscht zu glauben,
Der andre glaubt zu glauben,
Der dritte hat den Glauben.
Allein der Glaube hat keinen.
Was mein ist, ist nur Meinen.

51. Neudeutsch.
(1856.)

Niemals etwas, über etwas
   Schreibt der Deutsche; wie am Metfaß
Sich die Fliege netzt die Füße
Und wird süß von fremder Süße.

52. Literatoren.
(1857.)

Ein Buch ist ein gar schönes Ding,
   Ein Gelehrter ist noch viel werter;

---

[1] Vgl. das Gedicht Nr. 24 dieser Abteilung.

Doch beide vereinigt wiegen gering,
Das Ganze heißt: Buchgelehrter.

53.
(1857.)

Schüler und Schulmeister
    Sind unsre großen Geister,
Schreien im Chorus sie,
Gibt's eine Akademie.

54.
(1857.)

Gewinnsucht und Eitelkeit
    Sind die Werboffiziere der Schlechtigkeit;
Ist das Handgeld aufgezählt,
Nimmt Gewissen das Fersengeld.

55. Systematik[1].
(1857.)

Das System bildet Pfade
    Durch das Ganze unsrer Besitzung,
Und fehlten sie, wär's schade,
Es hinderte jede Benützung.
Doch allzu verzweigte Pflege
Wär' ein Entgang zunächst;
Denn es ist das Eigne der Wege,
Daß drauf nichts wächst.

56. Glaube.
(1857.)

Der Ungläubige glaubt mehr, als er meint,
    Der Gläub'ge weniger, als ihm scheint.

---

[1] Gegen das Hegelsche System des Gesamtwissens gerichtet.

57.

(1857.)

Vertreibt die Phantasie
    Nicht aus der Poesie!
Sie läßt den Menschen nie
Und flüchtet, stört ihr sie,
Bis in die Nationalökonomie.

＊∶＊

58.

(1857.)

Der Tiefsinn wird gar leicht zum Stumpfsinn,
    Der Scharfsinn artet oft in Witz;
Halt' immer dich an den Natursinn:
In ihm hat Groß und Kleines Sitz.

59. Geologisch.

(1858.)

Euer geschmolzener Erdkern
    Ist etwa wohl auch von der Wahrheit fern;
Wie scheinbar Grund und Folge seien,
Sollte wohl Frucht und frohes Gedeihen,
Das Leben mit all seiner Angehörung
Abhängen vom Reste früh'rer Zerstörung?
So daß, wenn erloschen des Unheils Spur,
Mit einem tot die ird'sche Natur?
Die Erde ist Segen in Schale und Kern,
Und Wärme der zeugende Atem des Herrn.

60.

(1863.)

Niemals etwas, immer über,
    Über etwas schreib, mein Lieber!
So kommt Eignes zur Entfaltung,
Und das Fremde gibt die Haltung.

61.

(1864.)

Die Poesie und die Theologie
    Sind eben beide Phantasie,
Nur die eine erfindet ihre Gestalten,
Die andre spielt mit den vorhandenen alten.

❊❊❊

62. Ein Spruch Goethes.

(1865.)

„Was man in der Jugend wünscht, hat man im Alter
                                            genug"[1],
So sagen die Reichbegabten mit Fug;
Wir aber minderen Pfundes Verwalter,
Was wir jung hatten, wünschen wir im Alter.

❊❊❊

63.

(1865.)

Zwischen nichts wissen und Nichts wissen — [2]
    In diese zwei Teile ist die Menschheit zerrissen;
Aber Nichts wissen
Ist fruchtlos bis zum Tode beflissen,
Indes nichts wissen   5
Ein gottgefälliges Ruhekissen.

---

[1] „Was man in der Jugend wünscht, hat man im Alter die Fülle." Motto
zum 2. Teil von „Dichtung und Wahrheit". — [2] „nichts wissen", d. h. Unwissenheit,
„Nichts wissen", d. h. Einsicht in die Unmöglichkeit, sicheres Wissen zu erlangen.

Sechste Abteilung.

Freundeskreis. Denkblätter.

1. In ein Stammbuch.
(1816.)

In der Kunst, so wie im Glauben
Ist Dreieinigkeit das Wesen
Von dem Höchsten, Letzten, Einz'gen:
Wen das Wahre nicht erleuchtet
5   Und das Gute nicht erlöset
Von des alten Übels Banden,
Der wird nie das Schöne schaffen.
Zeigt gleich in geschiedenen Gestalten
Jede sich der drei Gewalten:
10   Nur aus der Vereinten Chor
Geht das Göttliche hervor.

>−>+<−<

2. An Helenen[1],
bei Zurückstellung des Buches: „Von der Nachfolge Christi".
(1817—1818.)

Christus folgen? Wie mich's dränge,
Fruchtet doch mein Streben nichts;
Heimisch nur im Reich der Klänge,
Bin ich fremd im Reich des Lichts.

5   Meine Augen, wie erreichten
Sie ein Ziel, so hoch und fern?
Jene Strahlen, die dir leuchten,
Blenden meinen trüben Stern.

---

[1] Marie Rizy, die Cousine des Dichters, die später (1831) ins Kloster ging

Doch hüllt Nacht mir Christus Pfade,
Klarer sind die deinen mir;   10
Folg' du ihm, ich folge dir:
Dein Weg führt gewiß zur Gnade.

3. In das Stammbuch einer Neuvermählten[1].

(Am 15. Januar 1818.)

Amor würfelt' einst mit Hymen,
    Und der kleine Gott der Liebe,
Schielend listig durch die Binde,
    Wirft beständig hohe Zahlen:
Vier und fünf und fünf und sechs,   5
Halb zu viel, halb nicht genug,
Niemals Paar, trotz List und Trug.
Da greift Hymen zu den Würfeln
Und wirft hoch nicht, aber gleich:
Eins und Eins. — Ein Jubelschrei!   10
Glück und Paar liegt in der Zwei.

4. In ein geschenktes Exemplar von Goethes Werken.

(Im März 1821.)

Wo du stehst im Kreis der Wesen,
    Stellt er sich als Führer ein;
Doch will er nicht nur gelesen,
Er will auch gelebet sein.

5. In das Stammbuch eines dänischen Tonkünstlers.

Für die vier Schwestern Fröhlich.

(1821.)

Nicht drei[2], um zu betören,
    Nicht neun, um zu belehren,

---

[1] **Charlotte Jetzer**, die sich an dem angegebenen Tage mit Grillparzers Vetter Ferdinand von Paumgarten vermählte; über des Dichters Liebe zu ihr vgl. „Leben und Werke", S. 37* und oben, S. 64. — [2] Drei Grazien; neun Musen; zehn kluge und zehn törichte Jungfrauen im Gleichnis.

Nicht zehn, je töricht und je klug,
Gerade vier, und zwar mit Fug,
Von allen jenen etwas — und genug.

⁕

6. In das Stammbuch einer Freundin[1].
(1825.)

Das bittere Gefühl, wie arm dies Leben,
    Wie ungenügend ird'schen Glückes Gunst,
Derselbe Wunsch, das nämliche Bestreben
Gab dich dem Glauben, mich der Kunst.
Ob scheinbar gleich sich unsre Pfade scheiden,
Sie gehn aus einem Punkt in gleiche Fernen, und
Ist nur die Welt ein abgeschloss'nes Rund —
So müssen irgendwo die Linien sich schneiden.

⁕

7. In Ferdinand Hillers[2] Stammbuch.
(Am 5. August 1827.)

Kommst du von Weimar, dem schönen Ort,
    Wohnen so Große wie Goethe dort,
Wohnen so Gute wie Eckermann,
Was sprichst du uns arme Wiener an?
Wir sind ein Völklein, dumpf und jung,
Nur stark in Lieb' und Bewunderung;
Gehst du nach Weimar, sei's mit mir,
Mein ganzes Wesen folget dir.

⁕

8. In das Stammbuch eines angehenden Seemannes.
(1827.)

Man hört wohl klagen oft und schwer:
    „Es sei die Erd' ein wildes Meer";
Doch ist die See auch festes Land,
Für den Mut, für den Verstand.

⁕

---

[1] Marie Rizy, als sie für das Kloster sich entschieden hatte; vgl. das Gedicht Nr. 2 dieser Abteilung. — [2] Ferdinand Hiller (1811—85), Klavierspieler und Komponist.

9. In das Stammbuch eines Offiziers.

Für die drei Schwestern Fröhlich.[1]

Für Netty.

    Bescheiden, tapfer, mäßig, klug,
    Wär' Lebensglücks das nicht genug?
    Doch ist noch eins und sei genannt:
    Was je du wirkst, werd' auch erkannt!

Für Betty.

    Ich, die dir diese Zeilen schreib',   5
    Ich bin kein Mann!
    Das Beste, was man Kriegern wünschen kann,
    Ist: Sei kein Weib!

Für Katty.

    Was du haben sollst,
    Was du nehmen darfst   10
    Und behalten kannst,
    Minder nicht, noch mehr,
    Habe, nimm, begehr'!

---

10. In Andersens[2] Stammbuch.

(1834.)

Gleicher Stamm erkennt sich wieder,
    Läg' inmitten eine Welt.
Gleiche Treue, gleiche Lieder
Nennen Dän' und deutsche Brüder,
    Leugnet's murrend gleich der Welt.   5

---

11. Für einen jungen Kaufmann[3].

(London, am 16. Juni 1836.)

Ein Kaufmann bin ich auch, ich selbst bin meine Ware;
  Doch schenk' ich nicht davon, ich trachte nach Gewinn.

---

1 Über die Schwestern Fröhlich vgl. „Leben und Werke", S. 49*ff. — 2 Hans Christian Andersen, der dänische Märchendichter, war 1834 längere Zeit in Wien und trat Grillparzer im Hause von dessen Oheim Joseph Sonnleithner näher. — 3 Gustav Figdor, an dem Grillparzer in London einen freundlichen Führer hatte.

Wer Herz um Herzen tauscht, dem folg' ich bis zur Bahre:
Du haft den Preis bezahlt, so nimm mich hin.

12. In ein Stammbuch.

(1837.)

Dein ist die Saat und der Fleiß, drum dein der Lohn
                                 des Bewußtseins;
Aber wie Regen und Tau träuft aus der Höh' der Erfolg.

13. In ein Stammbuch.

(1838.)

Mars und Amor, beide Krieger,
    Aber mit dem Unterschied,
Daß, wer standhält, dort der Sieger,
Hier der Sieger nur, der flieht.

14. In ein Stammbuch.

(1839.)

Haft du vom Kahlenberg das Land dir rings befehn,
    So wirst du, was ich schrieb und was ich bin, verstehn[1].

15. In ein Stammbuch.

Sonst steh' ich wohl mit etwas banger Scheu
    Vor Fremden von der Seine schönen Borden;
Denn aus der Sprachen lautem Vielerlei
Ist eine nur zu sprechen mir geworden.

Und eine zweite noch — vielleicht — wer weiß?
Allein vor dich hin kann ich freudig treten;
Verstehst du doch mein mütterliches Deutsch
Und überdies — die Sprache der Poeten.

---

[1] Ein oft angeführter Spruch Grillparzers; vgl. „Leben und Werke", S. 84*.
Der Kahlenberg liegt nordwestlich von Wien.

16. Für ein sechzehnjähriges Mädchen.

Jetzt im Mai schreib' ich dir dieses,
   Und du selber bist im Mai;
Flattre, bunter Sommervogel[1],
Sonnenwend' ist bald vorbei.
Und dann geht's an ein Verpuppen,
Spinnen, Weisen[2] — Nest und Ei,
Eh'standsfreuden, Krankensuppen —
Flattre! denn noch ist der Mai.

17. In das Gutenberg-Album.

(1840.)

Du lichte, schwarze Kunst!
   Ob Gutenbergs[3], ob Fausts,
War man mit Recht im Zweifel;
Denn halb stammst du von Gott,
Und halb hat dich der Teufel.

Doch laßt, wie sehr besorgt,
Vom Feind[4] euch nicht erschrecken;
Gott hat ihm Macht geborgt,
Er dient nur Gottes Zwecken.

Der Acker ist so weit,
Wer will ihn überblicken?
Die Sichel hält die Zeit,
Sie wird ihn schon beschicken.

Und wenn auch Unkraut wächst,
So hütet euch vor Jäten;
Ihr könntet im Bemühn
Die gute Saat zertreten.

---

[1] Schmetterling. — [2] D. h. Garn winden, haspeln. — [3] Johann Gänsfleisch zu Gutenberg und Johann Fust druckten in Mainz 1451 das erste Buch. — [4] Vom Teufel (dem bösen Feind).

18. Stammbuchblatt.

(1841?)

Des Menschen Dasein, alt wie jung,
    Lebt zwischen Hoffnung und Erinnerung.
Jung, sieht dem Wunsch er alle Tore offen,
Und alt, erinnert er sich — eben an sein Hoffen.

19. Zur goldenen Hochzeit.

(1842, 13. November.)

Golden, silbern, eisern, ehern
    Nennt die Alter man der Welt,
Und zum niedern von dem höhern
    Schreitet fort sie, wird erzählt.

Doch der Mensch in unsern Tagen
    Sieht die Alter sich verkehrt!
Jugend, die schon Sorgen plagen,
    Zeigt nur eisern ihren Wert.

Erzgewappnet geht das Leben,
    Selbst die Liebe wird zum Streit,
Und dem stets erneuten Streben
    Liegt der Ruhe Glück so weit.

Erst nach durchgekämpften Jahren
    Lacht das Schicksal wieder hold,
Und mit Silber in den Haaren
    Wird die Zeit, die Ehe — Gold.

20. In das Stammbuch eines Künstlers.

(1843.)

Wir Künstler, du und ich vielleicht,
    Wir liegen an dem Strand
Und schwimmen erst, wenn uns erreicht
    Des Wassers höchster Rand.

Wenn nun der Schnee in Bergen schmolz,
    Der Strom die Ufer drängt,
Treibt alles, Kahn und Laub und Holz,
    Im Schwalle bunt vermengt.

Ja, wohl am leichtsten schwimmt daher,
    Was ganz dem Zug sich gibt,
Indes das Schiff, beladen schwer,
    Nur langsam vorwärts schiebt.

21. In Oehlenschlägers[1] Stammbuch.
(Im Juli 1844.)

Was frag' ich viel um Nord und Süd,
    Streng abgeteilt nach Grenzen und Revieren,
Wenn so wie du der Norden glüht,
Des Südens Dichter aber frieren.

22. In ein Exemplar von „Des Meeres und der Liebe Wellen".
(1849.)

Die Wellen legen sich — nur gar zu sehr,
Allein die Liebe bleibt — es bleibt das Meer.

23. In das Album des Fräuleins Elisabeth Nose.
(Am 21. September 1851.)

Laß dir die Kunst der Garten sein,
    In dem du selbst dich lohnest;
Doch Häuslichkeit das feste Haus,
    In dem du sinnig wohnest.

---

[1] Adam Gottlieb Oehlenschläger (1779—1850), dänischer Dramatiker („Correggio"), schrieb auch deutsch und verbreitete die deutsche Romantik im Norden.

24. Einem angehenden Diplomaten.

(Am 30. Mai 1852.)

Du trittst nun in der Welt oft falsches Spiel,
 Mußt klügeln lernen, schweigen, lauern;
Mir, dem das Wesen, wie es war, gefiel,
Mengt in die Freude sich zugleich Bedauern.
5 Doch sind ja mannigfalt des Lebens Normen,
Die Wahrheit selbst nimmt Masken oft zum Scherz,
Und gibst du deinen Geist in neue Formen,
Bewahr' in seiner alten uns dein Herz.

---

25. Für ein kleines Mädchen.

(Anfang 1855.)

Das Denken sucht sich nach außen Raum,
 Im Fühlen sind wir daheim;
Und all unsers Wissens stolzer Baum
Hat im Herzen den fruchtbaren Keim.

26.

(1856.)

Glücklich der Künstler, der Bildung hat,
 Mit einer Klausel indessen:
Wenn es kommt zur schaffenden Tat,
Muß er auf seine Bildung vergessen.

---

27. In ein Stammbuch.

(1856—1859.)

Werde, was du noch nicht bist,
 Bleibe, was du jetzt schon bist;
In diesem Bleiben und diesem Werden
Liegt alles Schöne hier auf Erden.

---

28. In ein Stammbuch.

(1857.)

Poesie sei dein Begleiter,
    Aber nur dein Leiter nie:
Was gemessen, führt sie weiter,
Und was maßlos, adelt sie.

29. Einem Porträtmaler[1].

(Am 22. Mai 1858.)

Ich habe Menschen gemalt wie du
    Und wagte Ähnlichkeit zu hoffen,
Doch stimmte die Menge nicht immer zu;
Am wenigsten, die am meisten getroffen.

30. In ein neues Album[2].

(Am 9. Januar 1860.)

Am Eingang steh' ich hier,
    Der ich dem Ausgang nah'!
Und spreche stumm zu dir,
Die ich doch niemals sah.

Der Pförtner will ich sein
Für deiner Freunde Schar,
Und laß' ich jemand ein,
So sei er treu und wahr.

31. Stammbuchblatt.

(1860.)

Vier arme Saiten! — es klingt wie Scherz —
    Für alle Wunder des Schalles!
Hat doch der Mensch nur ein einzig Herz
Und reicht doch hin für alles.

---

[1] Amerling. — [2] Für Baronin Marie von Ebner-Eschenbach.

32. In das Stammbuch der Gräfin Enzenberg.

(Im Februar 1860.)

Will unsre Zeit mich bestreiten,
   Ich lass' es ruhig geschehn·
Ich komme aus andern Zeiten
   Und hoffe in andre zu gehn[1].

---

33. In Ludwig Loewes[2] Stammbuch.

(Am 9. Februar 1861.)

Wir sahen andere Zeiten,
   Nur liegen sie leider so fern,
Sie plaudern und lehren und streiten,
   Nur siegen hat keiner gelernt.

   Wir haben gemeinsam gerungen,
   Wir haben gemeinsam gesiegt;
Und selbst, wo mir's etwa mißlungen,
   Du stehst, wo der Dichter erliegt.

---

34. In das Stammbuch der Frau Berta von Preyß[3].

(Am 2. Juli 1865.)

Hat dir Schiller gefallen,
   Teilst du den Beifall mit vielen, mit allen;
Doch wenn du Goethe liebst,
Empfängst du nur, weil du gibst.

---

35. An König Ludwig II. von Bayern.

(Im Januar 1867.)

Ein hoher Fürst wünscht einem Dichter Glück,
   Ist das erhört in unserm deutschen Lande?

---

[1] Zuversicht auf spätere gerechte Würdigung; vgl. Gedicht Nr. 93 der 1. Abteilung. — [2] Bedeutender Schauspieler des Burgtheaters, Hauptdarsteller von Heldenrollen Grillparzers. — [3] Die Gattin von Grillparzers treuem Hausarzt und Freund; vgl. „Leben und Werke", S. 63*.

Zwar denk' an deine Väter ich zurück,
So hielten die sich's auch für keine Schande.
Kunſtliebe iſt ein ſchönes Morgenrot
Für einen Arbeitstag im Sonnenbrande;
Machſt du einſt wahr, was echte Dichtung bot,
So wünſch' ich Glück nicht dir, nur — deinem Lande.

                                       5

Die Ahnfrau.

Trauerspiel in fünf Aufzügen.

Personen.

Graf Zdenko von Borotin.

Berta, seine Tochter.

Jaromir.

Boleslav.

Günter, Kastellan.

Ein Hauptmann.

Ein Soldat.

Mehrere Soldaten und Diener.

Die Ahnfrau des Hauses Borotin.

Einleitung des Herausgebers.

In seinen dramatischen Jugendversuchen war Grillparzer von Schiller beherrscht gewesen. „Blanca von Kastilien", jenes langatmige Stück, das der Student 1807—1809 ausarbeitete, weist in mehr als einer Hinsicht auf den „Don Carlos" zurück. Dann hatten zwar Goethe und Shakespeare stark auf ihn eingewirkt und sogar zur Geringschätzung Schillers geführt, aber diese Gegenströmung war bald vorübergegangen. Als Grillparzer sich, von Schreyvogel gedrängt[1], der dramatischen Gestaltung seiner „Ahnfrau" zuwandte, wurde Schiller wieder sein Hauptführer. Bei der Wahl des Stoffes freilich und des Hintergrundes, auf den er seine Personen stellte, waren noch andere Einflüsse maßgebend. Auf den phantasiereichen Knaben hatten schon die Stücke der Wiener Volksbühne mit ihrer Räuber= und Märchenwelt einen tiefen Eindruck gemacht; später wirkten die Schriften der Romantiker und die durch sie angeregte Beschäftigung mit der südromanischen Literatur, zunächst mit Cervantes und Calderon, in der nämlichen Richtung auf ihn ein. An diese Vorbilder lehnte er sich nicht nur in der äußeren Form seines Dramas an, indem er ihren dramatischen Vers, den fallenden Rhythmus (Trochäus) mit vier Hebungen, herübernahm: die von ihnen behandelten phantastischen Stoffe ermutigten ihn auch, bei der Wahl seines Themas herabzusteigen in das Halbdunkel der Traum= und Geistergeschichten. Calderons Dramen, namentlich seine „Andacht zum Kreuze", haben unsere Dichtung bis in Einzelheiten hinein beeinflußt. Über andere Quellen zur „Ahnfrau" erzählt Grillparzer in der Selbstbiographie: „Ich hatte in der Geschichte eines französischen Räubers, Jules Mandrin, glaub' ich, die Art seiner Gefangennehmung gelesen. Von den Häschern verfolgt, flüchtete er in ein herrschaftliches Schloß, wo er mit dem Kammermädchen ein Liebesverhältnis unterhielt, ohne daß diese, ein rechtliches Mädchen, ahnte,

---

[1] Vgl. „Leben und Werke", S. 18*f.

welch einem Verworfenen sie Kammer und Herz geöffnet hatte. In
ihrem Zimmer wurde er gefangen. Der tragische Keim in diesem Verhältnis, oder vielmehr in dieser Erkennung, machte einen großen Eindruck auf mich.

„Ebenso war mir ein Volksmärchen in die Hände gefallen, wo die
letzte Enkelin eines alten Geschlechtes vermöge ihrer Ähnlichkeit mit
der als Gespenst umwandelnden Urmutter zu den schauerlichsten Ver-
wechslungen Anlaß gab, indem ihr Liebhaber einmal das Mädchen
für das Gespenst, dann wieder, besonders bei einer beabsichtigten Ent-
führung, das Gespenst für das Mädchen nahm.

„Beide Eindrücke lagen längere Zeit nebeneinander in meinem
Kopfe, beide in dieser Isolierung unbrauchbar. Im Verfolg des ersteren
wäre mir nie eingefallen, einen gemeinen Dieb und Räuber zum Helden eines Drama zu machen; beim zweiten fehlte der gespensterhaften
Spannung der sonstige menschliche Inhalt.

„Einmal des Morgens, im Bette liegend, begegnen sich beide Gedanken und ergänzen sich wechselseitig. Der Räuber fand sich durch
das Verhängnis über der Urmutter eines Geschlechtes, dem auch er
angehören mußte, geadelt; die Gespenstergeschichte bekam einen Inhalt. Ehe ich aufstand und mich ankleidete, war der Plan zur ‚Ahnfrau‘ fertig.“

Indem aber so Grillparzer seinen Helden zum Nachkommen der
schuldigen und vom Verhängnis verfolgten Urmutter eines Geschlechts
machte, lenkte er in die Bahn der Schicksalsdramen von Zacharias
Werner („Der 24. Februar“, 1809) und Adolf Müllner („Der 29.
Februar“, 1812, und „Die Schuld“, 1813) sowie zu deren Vorbild,
Schillers „Braut von Messina“, zurück. Die Verwandtschaft mit der
„Braut von Messina“ zeigt sich auch in manchen Einzelzügen der Ver-
wicklung, die hinwiederum auch dem antiken Stück eignen, an das
Schillers Fabel in der Hauptsache sich anlehnt, dem „König Ödipus“
von Sophokles. In allen drei Stücken findet sich eine Ur-Schuld (des
Laios, des alten Fürsten von Messina, der Ahnfrau), die auf den
folgenden Geschlechtern lastet. In allen drei Stücken ist der Held, unbekannt mit seinem Geschlecht, in der Fremde aufgewachsen (Ödipus,
Beatrice, Jaromir) und kommt, ohne es zu ahnen, in einen Liebesbund
mit Blutsverwandten (Jokaste, Manuel und Cesar, Berta). In
allen drei Dramen erfolgt nach schwerer Blutschuld durch Verwandten-
mord (unbewußter Vatermord im „Ödipus“ und in der „Ahnfrau“,

Brudermord in der „Braut") die Aufklärung über die wahre Herkunft (bei Ödipus und Jaromir durch Niederstehende, die einst das Kind fortgebracht haben) und damit der leidvolle Ausgang. Und noch mehr: alle drei Stücke sind Enthüllungsdramen, dunkle Beziehungen und Vorgänge werden in ihrem Verlauf aufgeklärt; doch liegt bei Ödipus auch die entscheidende Bluttat und die sittliche Verirrung vor dem Drama, in den beiden andern Stücken ist die Enthüllung mit der Tat eng verbunden.

Freilich steht, bei all diesen Ähnlichkeiten, Grillparzers Erstlings= werk doch in mancher Hinsicht hinter seinen Vorbildern zurück. Den Charakteren seiner Tragödie fehlt noch die folgerichtige Zeichnung; besonders auffallend ist der Widerspruch zwischen Jaromirs Vorleben und seinem Denken und Empfinden im Stück. Die Sprache zeigt keine individuellen Unterschiede, entbehrt der markigen Kraft und wird oft langatmig und überschwenglich.

Auch der Stellung, die die „höhere Macht" in dem Stücke Grill= parzers einnimmt, liegt eine etwas andere Auffassung zu Grunde wie bei Sophokles und Schiller. Zwar hat es der junge Dichter nicht min= der gut wie sie verstanden, diese Macht in ein geheimnisvolles, schauer= liches Dunkel zu hüllen und ihr eine gewisse Würde und Größe zu geben, die Grausen und Erschütterung zugleich erwecken; auch bei ihm ist nichts oder doch nur wenig zu spüren von den Zufälligkeiten und kleinlichen Winkelzügen, mit denen Werner und Müllner ihre Opfer zu Fall bringen. Das ist aber für den dramatischen Wert eines Stückes und für die viel umstrittene Frage über die „Schicksalstragödie" die Hauptsache, wie weit ein Dichter uns hineinzuzwingen vermag in den Glauben an das Walten einer höheren Macht im Menschenleben und an den Sieg der Notwendigkeit über die Freiheit. Dazu gehört freilich auch, daß der Dichter diese Macht und ihr Wirken in Einklang setzt mit den Eigenschaften und dem Verhalten seiner dramatischen Personen. Diesen Zusammenhang hat Grillparzer nicht überall herzustellen ver= mocht. Das zeigt sich nicht nur an Jaromir, sondern auch an dem Verhältnis des ganzen Geschlechts zu der Urmutter. Die Ahnfrau ist ja keineswegs, wie es am Anfang des Dramas scheinen kann, eine bloße Verkörperung von Phantasievorstellungen, auch keine bloß sym= bolische Gestalt: sie ist ein echtes Gespenst, eine dramatische Person, die nicht nur in den Gang der Ereignisse handelnd eingreift, sondern ihr eignes Schicksal erwartet und zuletzt erfährt; sie muß das Unglück des

Hauses Borotin mit ansehen und findet erst Ruhe und Erlösung nach
dessen Untergang. Das Ziel der Handlung ist also für die Ahnfrau
wie für ihre Nachkommen die Ausrottung des Stammes. Aber die
Wege, auf denen beide zu diesem Ziele geführt werden, laufen ziemlich
äußerlich nebeneinander her. Ursprünglich war das noch mehr der
Fall. Da wies Schreyvogel, dem der junge Dichter als dem Anreger
der Arbeit sein Werk vorgelegt hatte[1], auf diese Lücke hin. Er schrieb
in die Handschrift die bedeutsamen Worte: „Die Einwirkung der Ahnfrau auf das Schicksal ihrer Familie muß tiefer begründet werden. Dieses geschieht, wenn ihre Nachkommen (ohne es zu wissen) die Kinder
ihrer Sünde sind, deren Schuld und Leiden mit anzusehen sie verurteilt ist, bis das sündige Geschlecht ausgerottet, der ungerechte Besitz
verlassen und die geheime Untat enthüllt und vollkommen bestraft
ist. Diese Grundidee, die der Fabel eine allgemeine, tiefere Bedeutung
gibt, bestimmt zugleich den Charakter der Ahnfrau und macht das Gespenst zu einer wirklich tragischen Person. Sie warnt vor dem Bösen und nimmt teil an den Leiden, die sie nicht hindern kann; sieht
in dem Tod ihrer Angehörigen aber nur die Entsühnung des unglücklichen Geschlechts und die Befreiung von dem Hange zum Bösen, den
es von ihr angeerbt hat. Auch die Charaktere ihrer Nachkommen werden dadurch affiziert; keiner darf ganz rein, aber auch keiner durchaus
böse sein." Dieser Rat des bewährten Dramaturgen veranlaßte eine
Umarbeitung des Stücks zunächst für die Aufführung. Als dann die
Tragödie, abermals in anderer Gestalt, dem Druck übergeben wurde,
versäumte es der Dichter leider, die veränderte Auffassung auch im
einzelnen durchzuführen. Daher blieben innere Widersprüche nicht
aus. In der Form, die die Dichtung jetzt hat, wird zwar das sündige
Blut des Geschlechts wiederholt betont, aber außer dem Fehltritt der
Ahnfrau und den Taten Jaromirs wird eine schwere Schuld in dem
Geschlechte nicht erwähnt. Und wenn wir bei Berta wenigstens noch
das ungestüme Blut und die jähe Sinnlichkeit der Stammutter erkennen — sie verbindet sich dem unbekannten Jüngling und ist bereit,
um ihn, den Räuber, das Elternhaus zu verlassen, grade so wie
Beatrice aus dem Kloster flieht, kurz vor der Wiedervereinigung mit
den Ihrigen —: der alte Graf ist für seine Person frei von allem
Makel. Das Motiv, daß seine Ehe eine sündige war, hat der Dichter

---

[1] Vgl. „Leben und Werke", S. 19*.

zwar zuerst aufgenommen[1], aber für die Druckausgabe wieder bis auf
geringe Spuren beseitigt[2]. Auch der Widerspruch, daß der alte Graf
so stolz ist auf sein Geschlecht, trotz des Geständnisses, daß es von un=
reinem Blute stammt, ist auf die überstürzte Ausführung der Schrey=
vogelschen Gedanken zurückzuführen.[3]

Wenn diese und andere Mängel der Dichtung anhaften, so lassen
doch auch große Vorzüge den geborenen dramatischen Dichter erken=
nen. Die Tragödie hat eine streng geschlossene Handlung, die auch
zeitlich und örtlich geschickt zusammengezogen ist. Die Einzelgeschehnisse
rufen durch steten Wechsel, spannende Verwickelung und kraftvolle
Steigerung eine große Wirkung hervor. Bei allem Übergewicht der
Schicksalsmacht fehlt es doch nicht an dramatischem Kampf, ja in dem
Widerstand, den der alte Borotin so gut wie Jaromir dem Fluche und
dem Verhängnisse entgegensetzen, liegt der Hauptkonflikt des ganzen
Stücks. Mit vollem Recht sagt daher Heinrich Laube in seinem „Nach=
wort" (1. Aufl. der Werke, S. 158): „Die Ahnfrau strotzt von drama=
tischem Talente. Wir haben außer Schillers Jugendarbeiten wenig
Stücke in unsrer dramatischen Literatur, von welchen sich dies in so
hohem Grade sagen ließe wie von diesem ersten Stücke Grillparzers.
Es pocht und treibt darin ein Puls des Wortes, des Dranges, des
Lebens, welcher außerordentlich ist." Dazu kommen Vorzüge der poeti=
schen Gestaltung: die düstere, balladenartige Stimmung, die über dem
Ganzen lagert, die heiße Leidenschaft, die durch die lebhaft erregte, oft
stürmisch sich ergießende, gedanken= und bilderreiche Sprache glüht, das
Melodische in Ton und Wort, das durch das Versmaß, den vielfach
verwandten Reim und durch Klangmalerei noch unterstützt wird.

Aus diesen Vorzügen erklärt sich der außerordentliche Erfolg,
den das Stück von seiner ersten Aufführung (31. Januar 1817) im
Theater an der Wien an, trotz der heftigen Angriffe der Kritik, in
Österreich und im übrigen Deutschland gehabt hat. Später freilich
mußte es vor der Auffassung eines andern Zeitalters, das sich von der
Schicksalsidee abwandte, zurücktreten und erschien nur bei festlichen

---

[1] Vgl. die Lesarten zu V. 158, 1033, 2208 am Schlusse des Bandes. — [2] Vgl.
besonders V. 1033 und 2562 und die Anmerkungen dazu. — [3] Die einschneidenden
und doch nicht folgerichtig durchgeführten Änderungen, die auf Schreyvogels An=
regung zurückgehen, sind in dem Lesartenverzeichnisse am Schlusse des Bandes
kenntlich gemacht. Sie sind in ihrer Bedeutung gewürdigt in dem wertvollen Werke
von Josef Kohm, „Grillparzers Tragödie ‚Die Ahnfrau' in ihrer gegenwärtigen
und früheren Gestalt" (Wien, 1903).

Erinnerungstagen, z. B. am 80. Geburtstage des Dichters, wieder
auf der Bühne; der Versuch der Meininger, es aufs neue zu beleben,
hat keinen Widerhall gefunden, obwohl unsere Zeit den geheimnisvollen
Kräften auf der Bühne wieder eine größere Macht einzuräumen und
das Übergewicht der Notwendigkeit über die menschliche Freiheit stärker
zu betonen geneigt ist. Allein wenn diesem Erstlingswerk Grillparzers
auch die Bühne sich nur selten öffnet, sein poetischer Wert sichert ihm
doch die Unvergänglichkeit.

Seiner Exzellenz

dem Herrn

Grafen Ferdinand von Palffy-Erdöd,

k. k. geheimen Rate und Kämmerer, Hoftheater-Direktor
und Eigentümer des Theaters an der Wien

von dem

Verfasser.

Vorbericht zur ersten Auflage.[1]

Die Ahnfrau erscheint hier, wie sie geschrieben ist, ohne die Abkürzungen und Veränderungen, welche für die Darstellung zweckmäßig gefunden wurden. Nicht bloß die Länge des Stückes, sondern szenische Rücksichten verschiedener Art machten jene Veränderungen ratsam, und der Erfolg hat sie gerechtfertigt. Der Verfasser wünscht daher, daß sein Trauerspiel auch auf auswärtigen Bühnen in keiner andern Gestalt aufgeführt werde, als in derjenigen, worin es auf dem hiesigen Theater erschien.

Wenn der Beifall, den dieses Trauerspiel in der Aufführung fand, die Erwartungen des Verfassers weit übertraf, so ist er dagegen von den seltsamen Mißverständnissen nicht minder überrascht, welche über die moralische Tendenz seines Stückes hin und wieder entstanden und von literarischen Zwischenträgern mit unermüdlicher Geschäftigkeit verbreitet worden sind. Der Verfasser hofft, daß diese Mißverständnisse von selbst verschwinden werden, wenn man sich die Mühe nehmen will, sein Stück zu lesen. Seines Wissens findet sich darin keine Spur von dem abgeschmackten Irrglauben, den man ihm hat andichten wollen. Es ist ihm nicht in den Sinn gekommen, Verbrechen durch Verbrechen entsühnen zu lassen und in der Verkettung von Schuld und unglücklichen Ereignissen, welche den Inhalt seines Trauerspiels ausmacht, ein neues System des Fatalismus darzustellen. Shakespeare und Calderon haben den abergläubigen Wahn finsterer Zeiten mit ungleich größerer Kühnheit zu poetischen Zwecken benutzt, als es in der „Ahnfrau" geschehen ist, ohne daß man sie deshalb verketzert hätte. Das Schicksal spielt in der

---

[1] Dieser Vorbericht, welcher mit geringen Änderungen durch alle sechs Auflagen der Wiener Ausgabe wiederholt wurde, rührt nicht von dem Dichter selbst, sondern von seinem Freunde Joseph Schreyvogel her.

„Andacht zum Kreuz" und in dem „Fegefeuer des heil. Pa=
trik" (beide von dem angeblich chriftlichften aller Dichter) eine
weit mehr heidnifche Rolle als in dem gegenwärtigen Stücke,
worin eine Sünderin ihre geheime Untat durch den quälenden An=
blick der Schuld und der Leiden, die fie zum Teile felbft über ihre
Nachkommen brachte, auf eine dem jüdifchen und chriftlichen
Lehrbegriffe eben nicht widerfprechende Weife abbüßt. Der ver=
ftärkte Antrieb zum Böfen, der in dem angeerbten Blute liegen
kann, hebt die Willensfreiheit und die moralifche Zurechnung
nicht auf. Die Sophifterei der Leidenfchaften, welche der Ver=
faffer feinen tragifchen Perfonen in den Mund legt, ift nicht fein
Glaubensbekenntnis; fo wenig als die zufällige Wahl eines mär=
chenhaften Stoffes einen Beweis gegen die Orthodoxie feiner
Kunftanfichten abgibt. Der Verfaffer kennt die Schule nicht,
zu der man ihn zu zählen beliebt; und er weiß nicht, mit welchem
Rechte man einem Schriftfteller, der ohne Anmaßung und ohne
Zufammenhang mit irgend einer Partei zum erftenmal im Pu=
blikum auftritt, Ungereimtheiten zur Laft legt, die von anderen,
fei es auch zu feinem Lobe, gefagt werden mögen.

Den dichterifchen Wert oder Unwert feines dramatifchen
Verfuches gibt der Verfaffer den Kritikern gerne preis. Er ge=
fteht, daß fie in mancher Rückficht ungleich mehr Schlimmes
davon hätten fagen können, als bisher gefchehen ift. Daß er
niemanden Anlaß gegeben habe, ihn zur Befcheidenheit zu
ermahnen, ift er fich bewußt. Er denkt zu groß von der Kunft,
um eine hohe Meinung von fich felbft zu haben. Die Mufter
find ihm, wie es fcheint, zum Teile wenigftens, beffer bekannt
als denen, die ihn darauf verweifen. Er entbehrt den Rat fach=
kundiger und aufrichtiger Freunde nicht, und wohlmeinende
Kunftrichter jeder Art laffen es ihm auch nicht an öffentlichen
Zurechtweifungen fehlen. Wenn alfo feine künftigen Arbeiten
keinen größeren Wert haben follten als die gegenwärtige, fo
liegt die Schuld weder an feinen Vorbildern, noch an der Kritik,
fondern an der Befchränktheit feines Talents, deffen Mangel,
wie bekannt, durch nichts anderes, nicht einmal durch die Wohl=
meinung der Kritiker, erfetzt werden kann.

Erster Aufzug.

Gotische Halle. Im Hintergrunde zwei Türen. An beiden Seitenwänden, links und rechts, ebenfalls eine Türe. An einer Kulisse des Vorgrundes hängt ein verrosteter Dolch in seiner Scheide. Später Winterabend. Licht auf dem Tische.

Graf Borotin. Berta.

Der Graf

(am Tische sitzend und auf einen Brief hinstarrend, den er in beiden Händen hält).

Nun, wohlan! Was muß, geschehe!
Fallen seh' ich Zweig' auf Zweige,
Kaum noch hält der morsche Stamm;
Noch ein Schlag, so fällt auch dieser,
5 Und im Staube liegt die Eiche,
Die die reichen Segensäste
Weit gebreitet ringsumher.
Die Jahrhunderte gesehen
Werden, wachsen und vergehen,
10 Wird vergehen so wie sie;
Keine Spur wird übrigbleiben,
Was die Väter auch getan,
Wie gerungen, wie gestrebt,
Kaum daß fünfzig Jahr' verfließen,
15 Wird kein Enkel mehr es wissen,
Daß ein Borotin gelebt.

Berta (am Fenster).

Eine grause Nacht, mein Vater!
Kalt und dunkel wie das Grab.
Losgeriss'ne Winde wimmern
20 Durch die Luft, gleich Nachtgespenstern;

Schnee, so weit das Auge trägt,
Auf den Hügeln, auf den Bergen,
Auf den Bäumen, auf den Feldern;
Wie ein Toter liegt die Erde
In des Winters Leichentuch;   25
Und der Himmel, sternelos,
Starrt aus leeren Augenhöhlen
In das ungeheure Grab
Schwarz herab!

Graf.

Wie sich doch die Stunden dehnen!   30
Das ist wohl die Glocke, Berta?

Berta
(vom Fenster zurückkommend und sich dem Vater gegenüber zur Arbeit setzend).

Sieben Uhr hat's kaum geschlagen.

Graf.

Sieben? Und schon dunkle Nacht! —
Ach, das Jahr ist alt geworden,
Kürzer werden seine Tage,   35
Starrend stocken seine Pulse,
Und es wankt dem Grabe zu.

Berta.

Ei, kommt doch der holde Mai,
Wo das Feld sich kleidet neu,
Wo die Lüfte sanfter wehen   40
Und die Blumen auferstehen.

Graf.

Wohl wird sich das Jahr erneuen,
Diese Felder werden grünen,
Diese Bäche werden fließen,
Und die Blume, die jetzt welket,   45
Wird vom langen Schlaf erwachen
Und das Kinderhaupt erheben
Von dem weißen, weichen Kissen,
Öffnen ihre klaren Augen,

50 Freundlich lächelnd, wie zuvor.
Jeder Baum, der jetzt im Sturme
Seine nackten, dürren Arme
Hilfeflehend streckt zum Himmel,
Wird mit neuem Grün sich kleiden.
55 Alles, was nur lebt und webt
In dem Hause der Natur,
Weit umher, in Wald und Flur,
Wird sich frischen Lebens freuen,
Wird im Lenze sich erneuen;
60 Nie erneut sich Borotin!

Berta.

Ihr seid traurig, lieber Vater!

Graf.

Glücklich, glücklich nenn' ich den,
Dem des Daseins letzte Stunde
Schlägt in seiner Kinder Mitte.
65 Solches Scheiden heißt nicht Sterben,
Denn er lebt im Angedenken,
Lebt in seines Wirkens Früchten,
Lebt in seiner Kinder Taten,
Lebt in seiner Enkel Mund.
70 O, es ist so schön, beim Scheiden
Seines Wirkens ausgestreuten Samen[1]
Lieben Händen zu vertraun,
Die der Pflanze sorglich warten
Und die späte Frucht genießen,
75 Im Genusse doppelt fühlend
Den Genuß und das Geschenk.
O, es ist so süß, so labend,
Das, was uns die Väter gaben,
Seinen Kindern hinzugeben
80 Und sich selbst zu überleben!

---

[1] Ein Vers mit fünf Hebungen (vgl. V. 188f., 219, 743, 817, 1127, 1140 u. ö.).

Berta.

Über diesen bösen Brief!
Ihr wart erst so heiter, Vater,
Schienet seiner Euch zu freuen,
Und nun, da Ihr ihn gelesen,
Seid mit eins Ihr umgestimmt.   85

Graf.

Ach, es ist nicht dieses Schreiben —
Seinen Inhalt konnt' ich ahnen —
Nein, es ist die Überzeugung,
Die sich immer mehr bewährt:
Daß das Schicksal hat beschlossen,   90
Von der Erde auszustoßen
Das Geschlecht der Borotin.
Sieh, man schreibt mir, daß ein Vetter,
Den ich kaum einmal gesehen,
Der der einz'ge außer mir   95
Von dem Namen unsers Hauses,
Kinderlos, ein welker Greis,
Gählings über Nacht gestorben;
Und so bin ich denn der letzte
Von dem hochberühmten Stamme,   100
Der mit mir zugleich erlischt.
Ach! kein Sohn folgt meiner Bahre;
Trauernd wird der Leichenherold
Meines Hauses Wappenschild,
Oft gezeigt im Schlachtgefild,   105
Und den wohlgebrauchten Degen
Mir nach in die Grube legen. —
Es geht eine alte Sage,
Fortgepflanzt von Mund zu Mund,
Daß die Ahnfrau unsers Hauses,   110
Ob begangner schwerer Taten
Wandeln müsse ohne Ruh',
Bis der letzte Zweig des Stammes,

Den sie selber hat gegründet,
115 Ausgerottet von der Erde.

Nun wohlan, sie mag sich freuen,
Denn ihr Ziel ist nicht mehr fern!
Fast möcht' ich das Märchen glauben,
Denn fürwahr, ein mächt'ger Finger
120 War bemüht bei unserm Fall. —
Kräftig stand ich, herrlich blühend,
In der Mitte dreier Brüder;
Alle raubte sie der Tod!
Und ein Weib führt' ich nach Hause,
125 Schön und gut und hold wie du.
Hochbeglückt war unsre Ehe,
Und ein Knabe und ein Mädchen
Sproßten aus dem trauten Bund.
Bald wart ihr mein einz'ger Trost,
130 Meine einz'ge Lebensfreude,
Denn mein Weib ging ein zu Gott.
Sorgsam wie mein Augenlicht
Wahrte ich die teuern Pfänder,
Doch umsonst! Vergebliches Streben!
135 Welche Klugheit, welche Macht
Mag das Opfer wohl erhalten,
Das die finsteren Gewalten
Ziehen wollen in die Nacht?
Kaum drei Jahre war der Knabe,
140 Als er, in dem Garten spielend,
Von der Wärt'rin sich verlief.
Offen stand die Gartentüre,
Die zum nahen Weiher führt.
Immer sonst war sie geschlossen,
145 Eben damals stand sie offen —
(Bitter.) Hätt' ihn sonst der Streich getroffen!
Ach! ich sehe deine Tränen
Treu sich schließen an die meinen,
Weißt du etwa schon den Ausgang?

16*

Ach, ich armer, schwacher Mann   150
Habe dir wohl oft erzählet
Die alltägliche Geschichte.
Was ist's weiter? — Er ertrank;
Sind doch manche schon ertrunken!
Daß es just mein Sohn gewesen,   155
Meine ganze, einz'ge Hoffnung,
Meines Alters letzter Stab,
Was kann's helfen! — Er ertrank;
Und ich sterbe kinderlos!

Berta.

Lieber Vater!

Graf.

Ich verstehe   160
Deiner Liebe sanften Vorwurf.
Kinderlos könnt' ich mich nennen,
Und ich habe dich, du Treue!
Ach, verzeih' dem reichen Manne,
Der sein Habe halb verloren   165
In des Unglücks hartem Sturm
Und nun mit der reichen Hälfte,
Lang' an Überfluß gewöhnet,
Sich für einen Bettler hält.
Ach, verzeih', wenn das Verlorne   170
In so hellem Lichte glüht,
Ist doch der Verlust ein Blitzstrahl,
Der verklärt, was er entzieht!
Ja, fürwahr, ich handle unrecht!
Ist mein Name denn das Höchste?   175
Leb' ich nur für meinen Stamm?
Mag ich kalt das Opfer nehmen,
Das du mit der Jugend Freuden,
Mit des Lebens Glück mir bringst?
Meines Daseins letzte Tage   180
Seien deinem Glück geweiht!
Ja, an eines Gatten Seite,
Der dich liebt, der dich verdient,

Werde dir ein andrer Name
185   Und mit ihm ein andres Glück!
Wähle von des Landes Söhnen
Frei den künftigen Gemahl,
Denn dein Wert verbürgt mir deine Wahl.
Wie, du seufzest? — Hast wohl schon gewählet?
190   Jener Jüngling? — Jaromir —
Jaromir von Eschen, denk' ich.
Ist's nicht also?

Berta.
Wag' ich es?

Graf.
Glaubtest du, dem Vaterauge
Bleib' ein Wölkchen nur verborgen,
195   Das an deinem Himmel hängt?
Sollt' ich gleich wohl eher schelten,
Daß ich erst erraten muß,
Was ich längst schon wissen sollte;
War ich je ein harter Vater,
200   Bist du nicht mein teures Kind?
Edel nennst du sein Geschlecht,
Edel nennt ihn seine Tat;
Bring ihn mir, ich will ihn kennen,
Und besteht er auf der Probe,
205   So kann manches noch geschehn.
Fallen gleich die weiten Lehen
Als erloschen heim dem Thron,
Ein bescheidnes Los zu gründen,
Hat noch Borotin genug.

Berta.
210   O, wie soll ich —

Graf.
Mir nicht danke!
Zahl' ich doch nur alte Schulden.
Kann ich's spärlicher dir lohnen?

Haft nicht du's um mich verdient,
Hat nicht er's, der wackre Mann?
Denn er war's doch, der im Walde   215
Dir das Leben einst gerettet,
Und mit eigener Gefahr?
Ist's nicht also, liebe Tochter?

Berta.

O, mit augenscheinlicher Gefahr!
Hab' ich's Euch doch schon erzählet,   220
Wie in einer Sommernacht
Ich dort in dem nahen Walde
Mich lustwandelnd einst erging
Und, vom Schmeichelhauch der Lüfte,
Von dem Duft der tausend Blüten   225
Eingelullt in süß' Vergessen,
Weiter ging als je zuvor.
Wie mit einmal durch die Nacht
Einer Laute Klang erwacht,
Klagend, stöhnend, Mitleid flehend,   230
Mit der Tonkunst ganzer Macht,
Girrend bald gleich zarten Tauben
Durch die dichtverschlungnen Lauben,
Bald mit langgedehntem Schall
Lockend gleich der Nachtigall,   235
Daß die Lüfte schweigend horchten
Und das Laub der regen Espe
Seine Regsamkeit vergaß.
Wie ich so da steh' und lausche,
Ganz in Wehmut aufgelöst,   240
Fühl' ich mich mit eins ergriffen,
Und zwei Männer, angetan
Mit des Mordes blut'ger Farbe,
Mit dem Dolch den Augen dräuend,
Seh' ich gräßlich neben mir.   245
Schon erheben sie die Dolche,
Schon glaub' ich, die Todeswunde,

Schreiend, in der Brust zu fühlen;
Da teilt schnell sich das Gebüsche,
250 Reißend springt ein junger Mann,
Hoch den Degen in der Rechten,
In der Linken eine Laute,
Auf die bleichen Mörder zu.
Wie er ihnen obgesieget,
255 Wie er, einzeln, sie bezwang,
Wie die kühne Tat gelang,
Weiß ich nicht. In starre Ohnmacht[1]
War ich zagend hingesunken.
Ich erwacht' in seinen Armen,
260 Und zum Leben neu geboren,
Unbehilflich, schwach und duldend
Wie ein Kind am Mutterbusen,
Hing ich an des Teuren Lippen,
Seine heißen Küsse trinkend. —
265 Und, mein Vater, für das alles,
Was er erst für mich getan,
Konnt' ich wen'ger, als ihn lieben?

Graf.

Und ihr saht euch öfter?

Berta.
Zufall
Ließ mich drauf ihn wieder finden;
270 Bald — nicht bloß der Zufall mehr.

Graf.

Warum flieht er deines Vaters,
Seines Freundes, Angesicht?

Berta.

Obgleich edlem Stamm entsprossen,
Nur des Hauses edler Stolz,
275 Nicht sein Gut, kam auf den Erben.
Arm und dürftig, wie er ist,

---

[1] Durch die Ohnmacht bleibt verdeckt, ob Jaromir die Räuber wirklich besiegt oder nicht vielmehr sie (als ihr Hauptmann) durch ein Wort verscheucht hat.

Fürchtet er, hört' ich ihn sagen,
Daß der reiche Borotin
Andern Lohn für seine Tochter,
Als die Tochter selber, zahle.   280

Graf.

Ich weiß Edelmut zu ehren,
Wenn er sich und andre ehrt[1].
Bring ihn mir, er soll erfahren,
Daß dem reichen Borotin
Er sein reichstes Gut erhalten,   285
Soll erfahren, daß dein Vater
Für das Gold der ganzen Welt
Dich nicht für bezahlet hält —
Doch jetzt, Berta, nimm die Harfe
Und versuch es, meinen Kummer   290
Um ein Stündchen zu betrügen.
Spiel' ein wenig liebe Tochter!

(Berta nimmt die Harfe. Bald nach den ersten Akkorden nickt der Alte und
schlummert ein. Sobald er schläft, stellt Berta die Harfe weg.)

Berta.

Schlummre ruhig, guter Vater!
Daß doch all die süßen Blumen,
Die du streust auf meinen Pfad,   295
Dir zum Kranze werden möchten
Auf dein sorgenschweres Haupt. —
Ich soll also ihm gehören,
Mein ihn nennen, wirklich mein?
Und das Glück, das schon als Hoffnung   300
Mir der Güter größtes schien,
Gießt in freudiger Erfüllung
Mir sein schwellend Füllhorn hin.

Ich kann's nicht fassen,
Mich selber nicht fassen;   305
Alles zeigt mir und spricht mir nur ihn,

---

[1] Der Edelmut Jaromirs ehrt auch den Grafen, da er diesem die Demütigung
erspart, sich mit seinem Lohn abgewiesen zu sehen.

Den Wolken, den Winden
Möcht' ich's verkünden,
   Daß sie's verbreiten, so weit sie nur ziehn.
310 Mir wird's zu enge
In dem Gedränge;
   Fort auf den Söller, wie lastet das Haus!
Dort von den Stufen
Will ich es rufen
315   In die schweigende Nacht hinaus.
Und naht der Treue,
Dem ich mich weihe,
   Künd' ich ihm jubelnd das frohe Geschick;
An seinem Munde
320 Preis' ich die Stunde,
   Preis' ich die Liebe, preis' ich das Glück. (Ab.)

Pause.

Die Uhr schlägt die achte Stunde. Bei dem letzten Schlage verlöschen die Lichter;
ein Windstoß streift durchs Gemach; der Sturm heult von außen, und unter selt=
samem Geräusche erscheint die **Ahnfrau**, Bertan an Gestalt ganz ähnlich und in
der Kleidung nur durch einen wallenden Schleier unterschieden, neben dem Stuhle
des Schlafenden und beugt sich schmerzlich über ihn.

Graf (unruhig im Schlafe).

Fort von mir! — Fort! — Fort!
(Er erwacht.)

Ah — bist du hier, meine Berta?
Ei, das war ein schwerer Traum,
325 Noch empört sich mir das Innre.
Geh doch nach der Harfe, Berta,
Mich verlangt's, Musik zu hören.

(Die Gestalt hat sich aufgerichtet und starrt den Grafen mit weitgeöffneten, toten
Augen an.)

Graf (entsetzt).

Was starrst du so graß nach mir,
Daß das Herz im Männerbusen
330 Sich mit bangem Grausen wendet,
Und der Beine Mark gerinnt!
Weg den Blick! Von mir die Augen!

Also sah ich dich im Traume,
Und noch siedet mein Gehirn.
Willst du deinen Vater töten? 335

(Die Gestalt wendet sich ab und geht einige Schritte gegen bie Türe.)

Graf.

So! — Nun kenn' ich selbst mich wieder. —
Wohin gehst du, Kind?

Ahnfrau

(wendet sich an ber Türe um. Mit unbetonter Stimme).

Nach Hause. (Ab.)

Der Graf

(stürzt niedergedonnert in ben Sessel zurück. Nach einer Weile).

Was war das? — Hab' ich geträumt? —
Sah ich sie nicht vor mir stehn,
Hört' ich nicht die toten Worte, 340
Fühl' ich nicht mein Blut noch starren
Von dem grassen, eis'gen Blick? —
Und doch, meine sanfte Tochter! —
Heda, Berta! Berta!

Berta und Kastellan kommen.

Berta (hereinstürzend).

Ach, was fehlt Euch, lieber Vater? 345

Graf.

Bist du da! Was ficht dich an?
Sprich, was ist's, unkindlich Mädchen,
Daß du wie ein Nachtgespenst
Durch die öden Säle wandelst
Und mit seltsamem Beginnen 350
Lebensmüde Schläfer schreckst?

Berta.

Ich, mein Vater?

Graf.

Du, ja du!
Wie, du weißt nicht? Und noch haften
Deine starren Leichenblicke
Mir, gleich Dolchen, in der Brust. 355

Berta.

Meine Blicke?

Graf.

Deine Blicke!
Zieh nicht staunend auf die Augen!
Siehst du, so! — doch nein, viel starrer!
Starr? — die Sprache hat kein Wort!
360 Blickst du mich liebkosend an,
Um den Eindruck wegzuwischen
Jenes finstern Augenblicks?
All umsonst! Solang' ich lebe,
Wird das Schreckbild vor mir stehn,
365 Auf dem Todbett' werd' ich's sehn!
Scheint dein Blick gleich Mondenschimmer
Über einer Abendlandschaft,
O, ich weiß, er kann auch töten!

Berta.

Ach, was hab' ich denn begangen,
370 Das Euch also aufgeregt
Und Euch heißt die Augen schelten,
Die, den Euern bang begegnend,
Sich mit Wehmutstränen füllen?
Daß ich Euch im Schlaf verlassen,
375 Unbedachtsam fortgegangen —

Graf.

Daß du fortgingst? — Daß du hier warst!

Berta.

Daß ich hier war?

Graf.

Standst du nicht
Hier auf dieser, dieser Stelle,
Schießend deine kalten Pfeile
380 Nach des grauen Vaters Brust?

Berta.

Als Ihr schliefet?

Graf.
                    Kurz erst, jetzt erst!

Berta.

Eben komm' ich von dem Söller.
Als der Schlummer Euch umfing,
Ging ich sehnsuchtsvoll hinaus,
Nach dem Teuern umzuschauen.   385

Graf.
Schändlich! — Mädchen, höhnst du mich?

Berta.

Höhnen? — ich, mein Vater? — ich?
        (Mit überströmenden Augen zu Günter.)
Ach! sprich du! — Ich weiß nicht — kann nicht!

Günter.

Ja, fürwahr, mein gnäd'ger Herr,
Ja, das Fräulein kommt vom Söller;   390
Ich stand bei ihr, und wir schauten
In die schneeerhellte Gegend,
Ob kein Wanderer sich nahe.
Erst, als Ihr sie gellend rieft,
Eilte sie mit mir herbei.   395

Graf (rasch).
Und ich sah —

Günter.
                    Ihr sahet —?

Graf.
                            Nichts!

Günter.
Ihr saht etwa —?

Graf.
                    Nichts! nichts, sag' ich!
(Vor sich hin.) Es ist klar, ich hab' geträumt!
Wenn sich gleich die Sinne sträuben,
Das Gedächtnis es verneint,   400

Dem ist's so, ich hab' geträumt!
Kann der Schein sich also hüllen
Ins Gewand der Wirklichkeit?
Diese Hand seh' ich nicht klarer,
Als ich jenes Bild gesehn!
Und doch, meine sanfte Berta! —
Es ist klar, ich hab' geträumt! — —
Was stehst du so ferne, Berta?
Hast du keinen Vorwurf, Liebe,
Für den harten, rauhen Vater,
Der so bitter dich gekränkt?
Ach, so warst du schon als Kind,
Trugest immerdar zugleich
Der Beleid'gung herben Schmerz
Und das Unrecht des Beleid'gers.
Immer gut und immer schuldlos,
Schienst du stets die Schuldige.

Berta (an seiner Brust).

Und bin ich nicht wirklich schuldig?
Wenn auch nicht als Grund des Zornes,
Ach, doch als sein Gegenstand.

Graf.

Du verzeihst mir also, Berta?

Berta.

Ihr habt wohl geträumt, mein Vater!
Es gibt gar lebend'ge Träume!
Oder dieser Halle Dunkel,
Matt vom Kerzenlicht erhellt,
Täuscht' in trügender Gestaltung
Euer schlummertrunknes Aug'!
O, ich hab' es oft erfahren,
Wie die Sinne, aufgeregt,
Stumpfe Diener unsrer Seele,
Gern für wahr und wirklich halten
Die verworrenen Gestalten,

Die der Geist in sich bewegt.
Gestern nur, mein Vater, ging ich
In des Zwielichts mattem Strahl   435
Durch den alten Ahnensaal.
In der Mitte hängt ein Spiegel
Halb erblindet und voll Flecken.
Wie ich ihn vorübergehe,
Bleib' ich, meinen Anzug musternd,   440
Vor dem matten Glase stehn.
Eben senk' ich nach dem Gürtel
Nieder meine beiden Hände,
Da — Ihr werdet lachen, Vater!
Und auch ich muß jetzt fast lächeln   445
Meiner kindisch schwachen Furcht;
Doch in jenem Augenblicke
Konnt' ich nur mit Schreck und Grauen
Das verzerrte Wahnbild schauen —
Wie ich senke meine Hände,   450
Um den Gürtel anzuziehn,
Da erhebt mein Bild im Spiegel
Seine Hände an das Haupt,
Und mit starrendem Entsetzen
Seh' ich in dem dunkeln Glase   455
Meine Züge sich verzerren.
Immer sind es noch dieselben,
Und doch anders, furchtbar anders,
Und mir selbst nicht ähnlicher
Als ein Lebend'ger[1] seiner Leiche.   460
Weit reißt es die Augen auf,
Starrt nach mir, und mit dem Finger
Droht es warnend gegen mich.

Günter.

Weh, die Ahnfrau!

Graf

(wie von einem plötzlichen schrecklichen Gedanken ergriffen, vom Sessel aufspringend).

Ahnfrau?!

---

[1] Der Vers hat nach der ersten Hebung zwei Senkungen; vgl. B. 2515.

Berta (verwundert).

Ahnfrau?

Günter.

Saht Ihr nie ihr Bild im Saale,
Euch so ähnlich, gnäd'ges Fräulein,
Gleich als hättet Ihr dem Maler,
Lieblich wie Ihr seid, gesessen?

Berta.

Oftmals hab' ich's wohl gesehen,
Es mit Staunen mir betrachtet,
Und es war mir immer teuer
Wegen dieser Ähnlichkeit.

Günter.

Und Ihr kennet nicht die Sage,
Die von Mund zu Munde geht?

Berta.

Schon als Kind hört' ich's erzählen,
Doch ein Märchen nennt's der Vater.

Günter.

Ach, er fühlt's zu dieser Frist,
Wie er sich's auch selbst verhehle,
Fühlt's im Tiefsten seiner Seele,
Daß es mehr als Märchen ist.
Ja, die Ahnfrau Eures Hauses,
Jung und blühend noch an Jahren,
Berta, so wie Ihr, geheißen,
Schön und reizend, so wie Ihr,
Von der Eltern Hand gezwungen
Zu verhaßter Ehe Bund,
Sie vergaß ob neuen Pflichten
Langgehegter Liebe nicht!
In den Armen ihres Buhlen
Überfiel sie der Gemahl.
Dürstend, seine Schmach zu rächen,
Straft' er selber das Verbrechen,

Stieß ins Herz ihr seinen Stahl,
Jenen Stahl, den in der Blinde[1]
Man dort aufgehangen hat,   495
Zum Gedächtnis ihrer Sünde,
Zum Gedächtnis seiner Tat.
Ruhe ward ihr nicht vergönnet,
Wandeln muß sie ohne Rast,
Bis das Haus ist ausgestorben,   500
Dessen Mutter sie gewesen,
Bis weit auf der Erde hin
Sich kein einz'ger Zweig mehr findet
Von dem Stamm, den sie gegründet,
Von dem Stamm der Borotin.   505
Und wenn Unheil droht dem Hause,
Sich Gewitter türmen auf,
Steigt sie aus der dunkeln Klause
An die Oberwelt herauf.
Da sieht man sie klagend gehen,   510
Klagend, daß ihr Macht gebricht,
Denn sie kann's nur vorhersehen,
Ab es wenden kann sie nicht!

Berta.

Und das ist es —?

Günter.

　　　　　Das ist alles,
Was ich hier zu sagen wage,   515
Wenn gleich all nicht, was ich weiß.
Eines ist noch übrig, eines,
Das des Hauses ältre Diener,
Das der Gegend welke Greise
Bang sich in die Ohren raunen,   520
Das der Sage heil'ger Mund
Aus der Väter fernen Tagen
In die Enkelwelt getragen —

---

[1] Soviel wie Blende, Nische.

Eines, das den Schlüssel gibt
25   Zu so manchem finstern Rätsel,
Das ob diesem Hause brütet.
Aber wag' ich es zu sagen
Hier an diesem, diesem Ort,
Wo noch kurz zuvor der Schatten —

(Mit scheuen Blicken umhersehend; Berta schmiegt sich an ihn und folgt mit ihren Augen den seinigen.)

30   Runzelt Ihr die hohen Braunen,
Edler Herr? Ich kann nicht anders!
Meinen Busen will's zerbrechen,
Und es drängt mich's auszusprechen,
Beb' ich selber gleich zurück. —
35   Kommt hieher, mein Fräulein, hieher,
Und vernehmt und staunt und bebt.
Mit der Ahnfrau blut'ger Leiche
Ward der Sünde Keim begraben,
Aber nicht der Sünde Frucht.
40   Das Verbrechen, das des Gatten
Blut'ger Racheftahl bestraft,
War, wie jene Sage spricht,
Wohl das letzte ihres Lebens,
Aber, ach, ihr erstes nicht.
45   Ihres Schoßes einz'ger Sohn,
Den Ihr unter Euern Ahnen,
Unter Euern Vätern zählt,
Der des mächt'gen Borotin
Lehen, Gut und Namen erbte,
50   Er —

Graf.
Schweig!

Günter.
Es ist ausgesprochen,
Er, dem Vater unbewußt,
War das Kind geheimer Lust,
War das Kind verborgner Sünde!
Darum muß sie klagend wallen

Durch die weiten, öden Hallen,   555
Die die Sünde einer Nacht
Auf ein fremd Geschlecht gebracht.
Und in jedem Enkelkinde,
Das entsproßt aus ihrem Blut,
Haßt sie die vergangne Sünde,   560
Liebt sie die vergangne Glut.
Also harret sie seit Jahren,
Wird noch harren jahrelang
Auf des Hauses Untergang;
Und ob der sie gleich befreiet,   565
Hütet sie doch jeden Streich,
Der dem Haupt der Lieben dräuet,
Den sie wünscht und scheut zugleich.
Darum wimmert es so kläglich
In den halbverfallnen Gängen,   570
Darum pocht's in dunkler Nacht —

(Entferntes Getöse.)

Berta.

Himmel!

Günter.

Weh uns!

Graf.

       Was ist das?

(Das Getöse wiederholt sich.)

Fast gefährlich scheint dein Wahnsinn,
Er steckt auch Gesunde an.
An die Pforte wird geschlagen,   575
Einlaß fordernd. Geh hinab
Und sieh zu, was man begehrt.

(Günter ab.)

Berta.

Vater, du siehst bleich; ist's Wahrheit,
Was der alte Mann da spricht?

Graf.

Was ist wahr, was ist es nicht?   5

Laß uns eignen Wertes freuen
Und nur eigne Sünden scheuen.
Laß, wenn in der Ahnen Schar
Jemals eine Schuld'ge war,
585 Alle andre Furcht entweichen,
Als die Furcht, ihr je zu gleichen. —
Und jetzt komm, mein liebes Kind,
Führe mich nach meinem Zimmer.
Ist's gleich noch nicht Schlafens Zeit,
590 Ruhe heischt der müde Körper,
Hat er doch in einer Stunde
Mehr als manchen Tag gelebt.

(Ab mit Berta.)

Pause.

Dann stürzt wankend, mit verworrenem Haar und aufgerissenem Wams, einen zer-
brochenen Degen in der Rechten, Jaromir herein.

Jaromir (atemlos).

Bis hieher! — Ich kann nicht weiter!
Wankend brechen meine Kniee,
595 Es ist aus! — Ich kann nicht weiter.

(Sinkt gebrochen auf den Sessel hin.)

Günter (nachkommend).

Sagt doch, Herr, ist das wohl Sitte,
Einzudringen so ins Haus,
Achtlos auf mein mahnend Wehren?
Sprecht, was wollt Ihr? was begehrt Ihr?

Jaromir.

600 Ruhe! — Nur ein Stündchen Ruhe,
Nur ein kurzes Stündchen Ruhe.

Günter.

Was ist Euch begegnet, Herr?
Woher kommt Ihr?

Jaromir.

Dort — vom Walde —
Wurde — wurde überfallen —

17*

Günter.

Ach, man hört so manches Unheil　　　　605
Von den Räubern dort im Walde!
Wie bedaur' ich Euch, mein Herr!
Ach, verzeihet, wenn ich anfangs,
Eure bange Hast mißdeutend
Und das Fremde Eures Eintritts,　　　　610
Anders sprach, als ich gesollt.
Wenn's Euch gut dünkt, folgt mir, Herr,
Nach den oberen Gemächern,
Wo Euch würdig Speis' und Trank
Und willkommne Lagerstätte —　　　　615

Jaromir.

Nein, ich kann — ich mag nicht schlafen!
Laß mich hier in diesem Stuhl,
Bis die Sinne sich gesammelt
Und ich wieder selber bin.

(Er legt den Arm auf den Tisch und den Kopf darauf.)

Günter.

Was soll ich mit ihm beginnen?　　　　620
Ganz verwirrt hat ihn der Schreck.
Bleib' ich? geh' ich? laß' ich ihn?
Ich will's nur dem Grafen melden,
Mag er selber doch empfangen
Seinen sonderbaren Gast.　(Ab.)　　　　625

Jaromir.

Ha, er geht, er geht! — Was soll ich?
Sei es denn! — Nun Fassung, Fassung!

Der Graf und Günter kommen.

Günter.

Hier, mein gnäd'ger Herr, der Fremde!

Jaromir (steht auf).

Graf.

Laßt Euch doch nicht stören, Herr,
Und genießt der nöt'gen Ruhe.　　　　630

Hoch willkommen seid Ihr mir,
Doppelt wert, denn Euch empfiehlt
Eure Not und Euer Selbst.

Jaromir.

Mag mein Unfall mich entschuld'gen,
635 Wo ich selbst es nicht vermag.
Dort in jenem nahen Walde
Ward ich räub'risch überfallen.
Ich und meine beiden Diener
Wehrten lang' uns ritterlich:
640 Aber wachsend stieg die Menge,
Meine treuen Diener lagen
Hingestreckt in ihrem Blut.
Da gewahr' ich meines Vorteils,
Und ins dunkle Dickicht springend,
645 Schnell die Räuber auf der Ferse,
Such' ich fliehend zu entrinnen
Und das Freie zu gewinnen.
Gibt die Hoffnung schnelle Füße,
Leiht dafür das Schrecken Flügel.
650 Bald gewinn' ich einen Vorsprung,
Und heraus ins Freie tretend,
Blinkt mir Euer Schloß entgegen.
Gastfrei schien's mich einzuladen,
Zögernd folgt' ich — und bin hier.

Graf.

655 Halten wird Euch der Besitzer,
Was sein Eigentum versprach.
Was nur dieses Haus vermag,
Ist das Eure, Euch zum Dienste.

Berta (kommt).

Hört' ich hier nicht seine Stimme?
660 Ja, er ist's! — Mein Jaromir!

Jaromir.

Berta!

(Er eilt auf sie zu; plötzlich hält er ein und tritt mit einer Verbeugung zurück.)

Graf.

Wär' es etwa dieser?

Berta.

Ja, er ist's, er ist's, mein Vater!
Ja, er ist's, der mich gerettet,
Ja, er ist's, der teure Mann!

Graf.

Zieht Euch nicht so fremd zurück.   665
Seid Ihr doch nicht unter Fremden!
Schließt sie immer in die Arme,
Ihr habt Euch ein Recht erworben,
Ohne Euch wär' sie gestorben,
Daß sie lebt, ist Euer Werk!   670
Wohl mir, daß mir ward vergönnt,
Den zu sehen, dem zu danken,
Der mir meine letzten Tage,
Mir mein Sterbebett verschönt,
Mit dem Glücke mich versöhnt.   675
Komm an meine Brust, du Teurer,
Lebensretter, Segensengel!
Könnt' ich dankbar nur mein Leben
Für dich hin, du Guter, geben,
Wie du deines gabst für sie!   680

Jaromir.

Staunend steh' ich und beschämt —

Graf.

Du? An uns ist's, so zu stehn,
Ist doch unser Dank so wenig,
Ach, und deine Tat so viel!

Jaromir.

Viel? O, daß ich's sagen könnte,   685
Daß es etwas mich gekostet!
Daß ich eine Wunde trüge,
Eine kleine, kleine Narbe

Nur als Denkmal jener Tat!
690 Es kränkt tief, das Köstliche
Um so schlechten Preis zu kaufen!

Graf.

Ziert Bescheidenheit den Jüngling,
Nicht verkenn' er seinen Wert!

Berta.

Glaubt ihm nicht, o glaubt ihm nicht!
695 Er liebt, selber sich zu schmähen,
Ich weiß das von lange her!
Wie so oft lag er vor mir,
Er, der Treffliche, vor mir,
Meine Kniee heiß umfassend,
700 Und mit schmerzgebrochner Stimme
Rief er klagend, weinend aus:
Ich verdiene dich nicht, Berta!
Er nicht mich! er mich nicht! —

Jaromir.

Berta!

Graf.

Wolltet Ihr wohl, daß sie minder
705 Des Geschenkes Wert erkennte?
Trieb Euch gleich zu jener Tat
Nur des Herzens edles Streben,
Recht zu tun und groß und gut;
Laßt uns glauben, laßt uns schmeicheln[1],
710 Daß auf uns, auf unsre Not
Auch ein flücht'ger Blick gefallen,
Daß Ihr nicht nur bloß beglücken,
Daß Ihr uns beglücken wolltet.
Wer sich ganz dem Dank entzieht,
715 Der erniedrigt den Beschenkten,
Freund, indem er sich erhebt!

---

1 Laßt uns (uns damit) schmeicheln; vgl. V. 581: „Laßt uns (uns) freuen".

Jaromir.

Was erwidr' ich auf das alles!
Wie ich bin, vom Kampf ermüdet,
Von den Schrecken dieser Nacht,
Taug' ich wenig, zu bestehen   720
In der Großmut edlem Wettstreit.

Graf.

Mußtet Ihr mich erst erinnern,
Daß Ihr müd' und Ruhe dürstend!

Berta.

Ach, was ist ihm denn begegnet?

Graf.

Das auf morgen, liebes Kind.   725
Berta, komm und laß uns gehn.
Unser Günter mag ihn weisen
In das köstlichste Gemach.
Dort umhülle tiefer Frieden
Mit der Segenshand den Müden,   730
Bis der späte Morgen naht.
O, er hat ein weiches Kissen:
Ein noch unentweiht Gewissen,
Das Bewußtsein seiner Tat! —
So, noch diesen Händedruck,   735
So, noch diesen Segenskuß,
So, mein Sohn, jetzt geh zur Ruh'!
Ein Engel[1] drück' das Aug' dir zu!

Berta (den Alten abführend).

Schlummre ruhig!

Jaromir.

Lebe wohl!

Berta (an der Türe umwendend).

Gute Nacht denn!   740

---

[1] Auftakt vor der ersten Hebung des Verses.

Jaromir.

Gute Nacht!

(Graf und Berta ab.)

Günter.

So! nun kommt, mein wackrer Herr,
Ich will Euch zur Ruhe leiten.

Jaromir (in den Vorgrund tretend).

Nehmt mich auf, ihr Götter dieses Hauses,
Nimm mich auf, du heil'ger Ort,
745   Von dem Laster nie betreten,
Von der Unschuld Hauch durchweht.
Unentweihte, reine Stelle,
Werde, wie des Tempels Schwelle,
Mir zum heiligen Asyl! —
750   Unerbittlich strenge Macht,
       Ha, nur diese, diese Nacht,
       Diese Nacht nur gönne mir,
       Harte! und dann steh' ich dir!

(Mit Günter ab.)

Ende des ersten Aufzuges.

Zweiter Aufzug.

Halle wie im vorigen Aufzuge. Dichtes Dunkel.
Jaromir stürzt herein.

Jaromir.

Ist die Hölle losgelassen
Und knüpft sich an meine Fersen?   755
Grinsende Gespenster seh' ich
Vor mir, an mir, neben mir,
Und die Angst mit Vampirrüssel
Saugt das Blut aus meinen Adern,
Aus dem Kopfe das Gehirn!   760
Daß ich dieses Haus betreten!
Engel sah ich an der Schwelle,
Und die Hölle
Hauset drin! —
Doch wo bin ich hingeraten,   765
Von der innern Angst getrieben?
Ist dies nicht die würd'ge Halle,
Die den Kommenden empfing?
Hier des Alten Schlafgemach.
Still! die Schläfer nicht zu stören!   770
Stille!   Wenn sie würden innen
Hier mein seltsames Beginnen!

(An des Grafen Gemach horchend.)

Alles stille!

(An der Türe zur linken Seite des Hintergrundes.)

Welche Laute!
Süße Laute, die ich kenne,
Die ich einzuschlürfen brenne.   775

Horch! — ha! — Worte! — Ach, sie betet!
Betet! Betet wohl für mich.
Habe Dank, du reine Seele!

(Horchend.)

„Heil'ger Engel, steh uns bei!"
Steh mir bei, du heil'ger Engel!
„Und beschütz' uns!" — O, beschütz' uns!
Ja, beschütz' mich vor mir selber! —
O, du süßes, reines Wesen!
Nein, ich kann mich nicht mehr halten,
Ich muß hin, ich muß zu ihr.
Will vor ihr mich niederstürzen
Und an ihrer reinen Seite
Ruh' und Frieden mir erflehn!
Ja, sie möge über mir
Wie ob einem Leichnam beten,
Und in ihres Atems Wehn
Will ich heilig auferstehn!

(Er nähert sich der Türe; sie geht auf, und die **Ahnfrau** tritt heraus, mit beiden
Händen ernst ihn fortwinkend.)

Jaromir.

Ach, da bist du ja, du Holde!
Ich bin's, Teure, zürne nicht!
Wink' mich nicht so kalt von dir,
Gönne dem gepreßten Herzen
Die so lang' entbehrte Lust,
An der engelreinen Brust
Aus den himmelklaren Augen
Trost und Ruhe einzusaugen!

(Die Gestalt tritt aus der Türe, die sich hinter ihr schließt, und winkt noch einmal mit beiden Händen ihm Entfernung zu.)

Jaromir.

Ich soll fort? Ich kann nicht, kann nicht!
Wie ich dich so schön, so reizend
Vor den trunknen Augen sehe,
Reißt es mich in deine Nähe!
Ha, ich fühle, es wird Tag

In der Brust geheimsten Tiefen,
Und Gefühle, die noch schliefen,
Schütteln sich und werden wach. —
Kannst du mich so leiden sehn?
Soll ich hier vor dir vergehn?   810
Laß dich rühren meinen Jammer,
Laß mich ein in deine Kammer!
Hat die Liebe je verwehrt,
Was die Liebe heiß begehrt?

(Auf sie zueilend.)

Berta!   Meine Berta!

(Wie er sich ihr nähert, hält die Gestalt den rechten Arm mit dem ausgestreckten
Zeigefinger ihm entgegen.)

Jaromir (stürzt schreiend zurück).

Ha!   815

Berta (von innen).

Hör' ich dich nicht, Jaromir?

(Beim ersten Laut von Bertas Stimme seufzt die Gestalt und bewegt sich langsam
in die Szene. Ehe sie diese noch ganz erreicht hat, tritt Berta aus der Türe,
ohne aber die Gestalt zu sehen, da sie nach dem in der entgegengesetzten Ecke stehenden Jaromir blickt.)

Berta (mit einem Lichte kommend).

Jaromir, du hier?

Jaromir

(die abgehende Gestalt mit den Augen und mit den ausgestreckten Fingern verfolgend).

Da! da! da! da!

Berta.

Was ist dir begegnet, Lieber?
Warum starrst du also wild
Hin nach jenem düstern Winkel?   820

Jaromir.

Hier und dort, und dort und hier!
Üb'rall sie und nirgends sie!

Berta.

Himmel, was ist hier geschehen?

Jaromir.

Ei, bei Gott, ich bin ein Mann!
825 Ich vermag, was einer kann.
Stellt den Teufel mir entgegen
Und zählt an der Pulse Schlägen,
Ob die Furcht mein Herz bewegt!
Doch allein soll er mir kommen,
830 Grad', als grader Feind. Er werbe
Nicht in meiner Phantasie,
Nicht in meinem heißen Hirn,
Nicht in meiner eignen Brust
Helfershelfer wider mich!
835 Komm' er dann als mächt'ger Riese,
Stahl vom Haupte bis zum Fuß,
Mit der Finsternis Gewalt,
Von der Hölle Glut umstrahlt;
Ich will lachen seinem Wüten
840 Und ihm kühn die Stirne bieten.
Oder komm' als grimmer Leu,
Will ihm stehen ohne Scheu,
Auge ihm ins Auge tauchen,
Zähne gegen Zähne brauchen,
845 Gleich auf gleich! Allein, er übe
Nicht die feinste Kunst der Hölle,
Schlau und tückevoll, und stelle
Nicht mich selber gegen mich!

Berta (auf ihn zueilend).

Jaromir! mein Jaromir!

Jaromir (zurücktretend).

850 O, ich kenn' dich, schönes Bild!
Nah' ich mich, wirst du vergehn,
Und mein Hauch wird dich verwehn.

Berta (ihn umfassend).

Kann ein Wahnbild so umarmen?
Und blickt also ein Phantom?

Fühle, fühle, ich bin's selber,   855
Die in deinen Armen liegt.

Jaromir.

Ja, du bist's! Ich fühle freudig
Deine warmen Pulse klopfen,
Deinen lauen Atem wehn.
Ja, das sind die klaren Augen,   860
Ja, das ist der liebe Mund,
Ja, das ist die süße Stimme,
Deren wohlbekannter Laut
Frieden auf mich niedertaut,
Ja, du bist's, du bist's, Geliebte! —   865

Berta.

Wohl bin ich's, o wärst du's auch!
Wie du zitterst!

Jaromir.

               Zittern! zittern?
Wer sieht das und zittert nicht?
Bin ich doch nur Fleisch und Blut,
Hat doch keine wilde Bärin   870
Mich im rauhen Forst geboren
Und mit Tigermark genährt,
Steht auf meiner offnen Stirne
Doch der heitre Name: Mensch!
Und der Mensch hat seine Grenzen,   875
Grenzen, über die hinaus
Sich sein Mut im Staube windet,
Seiner Klugheit Aug' erblindet,
Seine Kraft wie Binsen bricht
Und sein Inn'res zagend spricht: 880
Bis hieher und weiter nicht!

Berta.

Du bist krank, ach, geh zurück,
Geh zurück nach deiner Kammer.

Jaromir.

Eher in die heiße Hölle,
885   Als noch einmal auf die Stelle!
Arglos und vertrauensvoll
Folgt' ich meinem Führer nach
In das weite Prunkgemach.
Müde, ruhelechzend steig' ich
890   Schnell das hohe Bett hinan,
Und das Licht ist ausgetan;
Wehend fühl' ich schon den Schlummer,
Mild, wie eine Friedenstaube
Mit dem Ölzweig in dem Munde,
895   Über meinem Haupte schweben
Und in immer engern Kreisen
Sich auf mich herniederlassen.
Jetzo, jetzo senkt sie sich,
Süße Ruhe fesselt mich. —
900   Da durchzuckt es meine Glieder,
Ich erwache, horch' und lausche.
Laut wird's in dem öden Zimmer,
Rauschend wogt es um mich her,
Wie ein wehend Ährenmeer,
905   Seltsam fremde Töne wimmern,
Zuckend fahle Lichter schimmern,
Es gewinnt die Nacht Bewegung,
Und der Staub gewinnt Gestalt.
Schleppende Gewänder rauschen
910   Durch das Zimmer auf und nieder,
Hör' es weinen, hör' es klagen,
Und zuletzt in meiner Nähe
Wimmert es ein dreifach Wehe!
Da reiß' ich des Bettes Vorhang
915   Auf mit ungestümer Hast:
Und mit tausend Flammenaugen
Starrt die Nacht mich glotzend an.
Lichter seh' ich schwindelnd drehen
Und mit tausend fahlen Ringen

Schnell sich ineinander schlingen,   920
Und nach mir streckt's hundert Hände,
Kriecht an mich mit hundert Füßen,
Fletscht auf mich mit hundert Fratzen;
Und an meines Bettes Füßen
Dämmert es wie Mondenlicht,   925
Und ein Antlitz tauchet auf
Mit geschloßnen Leichenaugen,
Mit bekannten, holden Zügen,
Ja, mit deinen, deinen Zügen.
Jetzt reißt es die Augen auf,   930
Starrt nach mir hin, und Entsetzen
Zuckt mir reißend durchs Gehirn,
Auf spring' ich vom Flammenlager,
Und durchs flirrende Gemach
Stürz' ich fort, der Spuk mir nach.   935
Wie von Furien gepeitscht,
Lang' ich an hier in der Halle,
Da hört' ich dich, Holde, beten,
Will zu dir ins Zimmer treten,
Da verstellt mir — Siehst du? Siehst du?   940

Berta.
Was, Geliebter?

Jaromir.
       Siehst du nicht?
Dort im Winkel, wie sich's regt,
Wie's gestaltlos sich bewegt!

Berta.
Es ist nichts, Geliebter, nichts,
Als die wilde Ausgeburt   945
Der erhitzten Phantasie.
Du bist müde, ruh' ein wenig.
Setz' dich hier in diesen Stuhl,
Ich will schützend bei dir stehn,
Labekühlung zu dir wehn.   950

Jaromir (sitzend, an ihre Brust gelehnt).

Habe Dank, du treue Seele!
Süßes Wesen, habe Dank!
Schling' um mich her deine Arme,
Daß der Hölle Nachtgespenster,
1055 Scheu vor dem geweihten Kreise,
Nicht in meine Nähe treten.
Lieg' ich so in deinen Armen,
Angeweht von deinem Atem,
Über mir dein holdes Auge:
1060 Dünkt es mich, auf Rosenbetten
In des Frühlings Hauch zu schlummern,
Klar den Himmel über mir.

Der Graf kömmt.

Graf.

Wer ist hier noch in der Halle?
Berta, du? und Ihr?

Berta.

Mein Vater —

Jaromir.

1065 Weiß ich doch kaum, was ich sagen,
Weiß kaum, wie ich's sagen soll.
Töricht werdet Ihr mich nennen,
Und fast möcht' ich's selber tun,
Hätt' ich nicht gehört, gesehen,
70 Fühlt' ich nicht im tiefsten Innern
Jede meiner Fibern beben,
Beben, ja; und Ihr mögt glauben,
Es gibt Menschen, welche leichter
Zu erschüttern sind als ich.

Graf.

75 Wie versteh' ich?

Berta.

Ach, so hört nur;
Oben in die Erkerstube
Hatte man ihn hingewiesen.

Schon senkt schlummernd sich sein Auge,
Da erhebt sich plötzlich —

Graf.
        Ah!
Zählt man dich schon zu den Meinen?   980
Ist's in jenen dunkeln Orten
Also auch schon kund geworden,
Sohn, daß du mir teuer bist.
Warum kamst du auch hieher!
Glaubtest du, getäuschter Jüngling,   985
Wir hier feiern Freudenfeste?
Sieh uns nur einmal beisammen
In der weiten, öden Halle,
An dem freudelosen Tische!
Wie sich da die Stunden dehnen,   990
Das Gespräch in Pausen stockt,
Bei dem leisesten Geräusche
Jedes rasch zusammenfährt,
Und der Vater seiner Tochter
Nur mit Angst und innerm Grauen   995
Wagt ins Angesicht zu schauen,
Ungewiß, ob es sein Kind,
Ob's ein höllisch Nachtgesicht,
Das mit ihm zur Stunde spricht.
Sieh, mein Sohn, so leben die,   1000
Die das Schicksal hat gezeichnet!
Und du willst den mut'gen Sinn,
Willst die rasche Lebenslust
Und den Frieden deiner Brust,
Köstlich hohe Güter, werfen   1005
Rasch in unsers Hauses Brand?
O, mein Kind, du wirst nicht löschen,
Wirst mit uns nur untergehn.
Flieh, mein Sohn, weil es noch Zeit ist.
Nur ein Tor baut seine Hütte   1010
Hin auf jenes Platzes Mitte,
Den der Blitz getroffen hat.

Jaromir.

Möge, was da will, geschehn,
Ich will euch zur Seite stehn,
Muß es, mit euch untergehn!

Graf.

Nun wohlan, ist das dein Glaube,
So komm her an meine Brust.
So, und dieser Vaterkuß
Schließt dich ein in unsre Leiden,
Schließt dich ein in unsre Freuden;
Ja, in unsre Freuden, Sohn.
Ist kein Dorn doch also schneidend,
Daß er nicht auch Rosen trägt.

(Der Alte setzt sich, von Jaromir und Berta unterstützt, in den Stuhl. Die beiden
stehen Hand in Hand vor ihm.)

So, habt Dank, habt Dank, ihr Lieben! —
Seh' ich euch so vor mir stehen
Mit dem freudetrunknen Auge,
Mit dem lebensmut'gen Blick,
Will die Hoffnung neu sich regen,
Und erloschne, dunkle Bilder
Aus entschwundnen schönern Tagen
Dämmern auf in meiner Brust:
Seid willkommen, Duftgestalten,
Froh und schmerzlich[1] mir willkommen! —

Jaromir.

Berta, sieh doch nur, dein Vater! —

Berta (mit ihm etwas zurücktretend).

Laß ihn nur, er pflegt so öfter
Und sieht ungern sich gestört;
Aber, Lieber, sei vergnügt!
Sieh, mein Vater weiß schon alles.

---

[1] Es liegt die Vermutung nahe, daß er bei dieser Erinnerung auch etwas zu bereuen habe; vgl. Einleitung des Herausgebers, S. 237, und Verzeichnis der Lesarten.

Jaromir (rasch).

Alles?

Berta.

Ja, und scheint's zu bill'gen!
Heute nur — er war so gut,   1040
Ach, so gut, so mild und sanft;
Sanfter, gütiger als du,
Der du kalt und trocken stehst,
Während ich nicht Worte finde
Für mein Fühlen, für mein Glück.   1045

Jaromir.

Glaube mir —

Berta.

Ei, glauben, glauben!
Besser stünd' es dem, zu schweigen,
Der nicht weiß, wie Liebe spricht.
Kann der Blick nicht überzeugen,
Überred't die Lippe nicht.   1050
Sieh, man hat mir oft erzählet,
Daß es leichte Menschen gebe,
Deren Liebe nicht bloß brennt,
Auch verbrennt und dann erlischt,
Menschen, die die Liebe lieben,   1055
Aber nicht den Gegenstand,
Schmetterlinge, bunte Gaukler,
Die die keusche Rose küssen,
Aber nicht, weil sie die Rose,
Weil sie eine Blume ist.   1060
Bist du auch so, Stummer, Böser?
(Vom Nährahmen eine Schärpe nehmend.)
Ich will dir die Flügel binden,
Binden — binden, Trotz'ger — binden,
Daß kein Gott sie lösen soll!

Jaromir.

Süßes Wesen! —   10
(Sie bindet ihm die Schärpe um.)

Graf (hinüberblickend).

Wie sie glüht,
Wie es sie hinüberzieht!
Aller Widerstand genommen,
Und im Strudel fortgeschwommen.
Nun wohlan, es sei! Der Himmel
1070 Scheint mir selbst den Weg zu zeigen,
Den ich wandeln soll und muß;
Stemmt sich gleich manches sich entgegen,
Glimmt gleich in der tiefsten Brust
Noch verborgen mancher Funke
1075 Von der einst so mächt'gen Glut.
Töricht Treiben! Eitles Trachten!
Der Palast ist eingesunken,
Nimmer, nimmer hebt er sich,
Kaum noch geben seine Trümmer
1080 Eine Hütte für mein Kind.
Wohl, es sei! Ach, wie so schwer
Lösen sich die Hoffnungen,
In der Jugend Lenz empfangen,
Holde Zeichen, eingegraben
1085 In des Bäumchens frische Rinde,
Aus des Alters morscher Brust.
Als sie mir geboren ward
Und vor mir lag in der Wiege,
Freundlich lächelnd, schön und hold,
1090 Wie durchlief ich im Gedanken
Die Geschlechter unsers Landes,
Sorgsam wählend, kindisch suchend
Nach dem künftigen Gemahl.
Fand den Höchsten noch zu niedrig,
1095 Kaum den Besten gut genug:
Damit ist's nun wohl vorbei!
Ach, ich fühl' es wohl, wir scheiden
Kaum so schwer von wahren Freuden,
Als von einem schönen Traum!

Berta (an der Schärpe musternd).

Halt mir still, du Ungeduld'ger! 1100

Graf.

Und ziemt mir so ekles Wählen?
Wenn es wahr, was er gesprochen[1],
Was im Nebel der Erinnrung
Aus der fernen Jugendzeit
Unbestimmt, in sich verfließend, 1105
Meine Stirn vorüberschwebt;
Wenn sie wahr, die alte Sage,
Daß der Name, den ich trage,
Der mein Stolz war und mein Schmuck,
Nur durch tief geheime Sünden — 1110
Fort, Gedanke! — Ha, und doch!

Berta (ihr Werk betrachtend).

So, nun steht es schön und gut.
Aber nun sei mir auch freundlich,
Daß mich nicht die Arbeit reue!

Graf.

Jaromir!

Jaromir (aufgeschreckt).

Was? — Ihr, Herr Graf! 1115

Graf.

Noch bist du uns Kunde schuldig
Von den Deinen, deiner Abkunft.
Jaromir von Eschen heißt du,
Fern am Rhein wardst du geboren,
Dienste suchst du hier im Heer, 1120
So erzählte mir mein Mädchen,
Aber weiter weiß ich nichts.

Jaromir.

Ist doch weiter auch nichts übrig.
Mächtig waren meine Ahnen,

---

[1] Vgl. V. 515 ff. und die Lesarten dazu.

1125 Reich und mächtig. Arm bin ich;
Arm, so arm, daß, wenn dies Herz,
Ein entschloßner, kräft'ger Sinn
Und ein schwergeprüfter, doch vielleicht
Grade darum festrer Wille
1130 Nicht für etwas gelten können,
Ich nichts habe und nichts bin.

Graf.

Du sagst viel mit wenig Worten. —
Also recht! du bist mein Mann!
Sieh, mein Sohn, ich bin ein Greis;
1135 Die Natur winkt mir zu Grabe,
Und ein dunkel, dumpf Gefühl
Nennt mir nah des Lebens Ziel.
Nie hab' ich dem Tod gezittert,
Und auch jetzt schreckt er mich nicht.
1140 Aber sieh dies Mädchen, sieh mein Kind.
Könntest du in meinen Tränen,
Hier in meinem Herzen lesen,
Was sie alles mir gewesen,
Du verstündest meinen Schmerz.
1145 Daß ich sie allein muß lassen
In der unbekannten Welt,
Das macht mich dem Tod erblassen,
Das ist's, was so tief mich quält.
Sohn, auf dich ist ihrer Neigung
1150 Schlaferwachtes Aug' gefallen;
Du weißt ihren Wert zu schätzen,
Weißt zu schützen, was dir wert[1];
Du gabst einmal schon dein Leben
Und wirst's freudig wieder geben,
1155 Wenn das Schicksal winkt, für sie.
Dir vertrau' ich dieses Kleinod,
Sohn, du liebst sie?

---

[1] Wortspiel!

Jaromir.

Wie mein Leben.

Graf.

Und du ihn?

Berta.

Mehr als mich selbst.

Graf.

Mög' denn Gottes Finger walten!
Nimm sie hin, die du erhalten! 1160

(Schläge ans Haustor.)

Graf.

Was ist das? — Wer naht so spät
Noch sich dieses Schlosses Toren?

Berta.

Gott, wenn etwa —

Graf.

Sei nicht kindisch.
Glaubst du wohl, verdächtig Volk
Wage sich an feste Schlösser, 1165
Wohl verwahrt und wohl bemannt?

Günter kommt.

Günter.

Herr, ein königlicher Hauptmann
An der Spitze seines Haufens
Bittet Einlaß an der Pforte.

Graf.

Wie? Soldaten?

Günter.

Ja, Herr Graf. 1170

Graf.

Weiß ich gleich nicht, was sie suchen,
Öffne ihnen schnell die Pforten;
Stets willkommen sind sie mir.

(Günter geht.)

Graf.

Was führt den hieher zu uns?
Und in dieser Stunde? Gleichviel.
Wird doch seine Gegenwart
Wohl die Stunden uns beflügeln
Dieser peinlich langen Nacht.

Berta.

Jaromir, geh doch zu Bette.
O, du bist noch gar nicht wohl!
Sieh, ich fühl's an diesem Zucken,
An dem Stürmen deiner Pulse,
Daß du krank, bedenklich krank!

Jaromir.

Krank? ich krank? was fällt dir ein!
Stürmen gleich die raschen Pulse,
Grad' im Sturme ist mir wohl!

Günter öffnet die Türe. Der **Hauptmann** tritt ein.

Hauptmann.

Ihr verzeihet, mein Herr Graf,
Daß ich noch in später Nacht
Eures Hauses Ruhe störe.

Graf.

Wer des Königs Farben trägt,
Dem ist stets mein Haus geöffnet;
Euch, mein Herr, auch ohne sie.

Hauptmann.

Hier grüß' ich wohl Eure Tochter?

Graf.

Ja, es ist mein einzig Kind.

Hauptmann.

Wie soll ich mich hier entschuld'gen?
Hart und rauh, mein schönes Fräulein,
Ist des Dienstes strenge Pflicht:

Er will nur, daß es geschehe,
Wie's geschieht, drum frägt er nicht.
Doch, bringt meine Ankunft Schrecken,   1200
Soll sie Schrecken auch zerstreun.
Jene mächt'ge Räuberbande,
Die die Geißel dieser Gegend —

Graf.

Ja, fürwahr, 'ne schwere Geißel!
Dieses Mädchen, meine Tochter,   1205
Daß sie lebt noch, daß sie ist,
Dankt sie nur dem kühnen Mute
Ihres wackern Bräutigams,
Jaromir von Eschen, hier.
Ja er selbst, noch diese Nacht   1210
Ward im Forst er überfallen,
Seine Diener ihm erschlagen,
Kaum entging er gleichem Los.

Hauptmann.

Diese Nacht?

Jaromir.

Ja, diese Nacht.

Hauptmann.

Und wann —?

Jaromir.

Vor drei Stunden etwa!   1215

Hauptmann
(ihn ins Auge fassend, dann zum Grafen).

Euer Eidam?

Graf.

Ja, mein Herr.

Hauptmann.

Reistet Ihr ein Stündchen später,
War Euch jene Angst erspart.
(Zu den übrigen.) Fürder mögt ihr ruhig sein

Und nichts Arges mehr befahren[1], 1220
Denn die euer Schrecken waren,
Jene Räuber, sind nicht mehr!
Lange schon auf ihren Fersen,
Überfielen wir sie heute.
Nach beherztem, blut'gem Streite 1225
Trat der Sieg auf unsre Seite,
Und die Mörderschar erlag.
Teils getötet, teils gefangen,
Retteten sich wen'ge nur:
Wir verfolgen ihre Spur. 1230
So kam ich in diese Gegend,
Kam an dieses Schloß, bin hier.

Graf.

Nun habt Dank, ihr wackern Krieger,
Habt den wärmsten, besten Dank!

Hauptmann.

Jetzt noch nicht, bis es vollendet. 1235
Ist der Stamm gleich schon gefallen,
Haften doch noch manche Wurzeln,
Und ich hab' mir's selbst geschworen,
Als man mich zur Tat erkoren,
Auszurotten diese Brut. 1240
Bauern haben ausgesagt,
Daß hier in des Schlosses Nähe,
In des nahen Weihers Schilf,
Den verfallnen Außenwerken
Sich verdächtig Volk gezeigt. 1245
Drum erlaubt, mein edler Graf,
Daß ich hier aus Eurem Schlosse
Meiner Späher Suchen leite,
Stets bereit, nach jeder Seite,
Wo es not tut, abzugehn. 1250
Bald, so hoff' ich, ist's vorüber;
Ringsum stehen meine Posten:

---

[1] Soviel wie befürchten.

Wenn sich auch in Busch und Feld
Einer noch verborgen hält,
Sollen sie ihn tüchtig fassen,   1255
Ihm ist nur die Wahl gelassen
Zwischen Ketten, zwischen Tod.

Graf.

Dieses Schloß ist nicht mehr mein;
Bis Ihr Euer Werk vollendet,
Ist es Euer, ist des Königs.   1260
O, wie lieb' ich diesen Eifer,
Der das Rechte schnell ergreift
Und fest hält, was er ergriffen.

Hauptmann.

Nicht mehr Lob, als ich verdiene.
Führ' ich hier des Rechtes Sache,   1265
Führ' ich meine auch zugleich.
Hat doch dieses Räubervolk,
Während ich am Hof des Königs,
Mir mein Stammschloß überfallen
Und geraubt, gebrannt, gemordet,   1270
Daß noch jetzt bei der Erinnrung
Mir das Herz im Busen bebt.
O, mich drängt es, zu bezahlen,
Was ich schwer nur schuldig bin!
Ich will schonen, grimmig schonen: 1275
Nicht der Tod in Kampf und Schlacht
Werde dieser Brut zu teile,
Nein, dem Rad, dem Henkerbeile
Sei ihr schuldig Haupt gebracht.

Berta.

Nicht doch! Wollt Ihr Menschen richten,   1280
Geht als Mensch ans blut'ge Werk!

Hauptmann.

Hättet Ihr gesehn, mein Fräulein,
Was ich sah, mit Schauder sah,
Ihr verschlösset Euer Herz,

1285 Wieset das geschäft'ge Mitleid
Gleich 'nem unverschämten Bettler
Von der streng geschloßnen Tür.
Jene rauchenden Ruinen,
Von der Flamme Glut beschienen,
1290 Greise zagend,
Weiber klagend,
Kinder weinend
An erschlagner Mütter Brüsten
Durch die leergebrannten Wüsten;
1295 Und dazu nun der Gedanke,
Daß die Geldgier, daß die Habsucht
Wen'ger feiger Bösewichter —

Jaromir
(vortretend und ihn hart anfassend).

Wollt Ihr dieses holde Wesen,
Ihrer Seele schönen Spiegel,
1300 Der auf seiner klaren Fläche
Rein die Schöpfung stellet dar,
Weil er selber rein und klar,
Mit der Rachsucht gift'gem Hauch,
Mit des Hasses Atem trüben?
1305 Laßt sie süßes Mitleid üben
Und in dem Gefallnen auch
Den gefallnen Bruder lieben.
O, es läßt der Binse wohl,
Der gebrochnen Eiche spotten!

Hauptmann.

1310 Rasch ins Feuer, wenn sie brach.

Jaromir.

Eure Zunge richtet scharf;
Doch, was vorschnell sie gesündigt,
Macht der Arm wohl zögernd gut.

Hauptmann.

Ha, wie nehm' ich diese Worte?

Jaromir.
Nehmt sie, Herr, wie ich sie gab.   1315

Hauptmann.
Wär' es nicht an diesem Orte —

Jaromir.
Legtet Ihr den Trotz wohl ab.

Hauptmann.
Warm seh' ich Euch Räubern dienen.

Jaromir.
Wer in Not ist, zähl' auf mich.

Hauptmann.
Nah' der Beste unter ihnen —   1320

Jaromir.
Ruft ihn! Vielleicht stellt er sich!

Graf.
Jaromir! was muß ich hören!
Führt der Eifer dich so weit,
Magst du meinen Gast beleid'gen,
Kannst du Menschen wohl verteid'gen,   1325
Welche selber sich verdammt?
Doch was gilt's, trotz dieser Hitze,
Hab' ich richtig dich erkannt,
Braucht es wen'ge Worte nur,
Und dem Fehlgriff folgt die Reue,   1330
Ja, du folgst uns selbst ins Freie
Auf der Bösewichter Spur.

Jaromir.
Ich?

Graf.
Ja, du!

Jaromir.
Ich, nimmermehr!
Wie? ich sollte einen Armen,
Einen Stiefsohn des Geschicks,   1335

Den die unnatürlich harte Mutter
Stiefgesinnt hinausgetrieben,
Fern von Wesen seiner Art,
Zu des Waldes Nachtrevieren,
1340   Wo im Kreis von Raubgetieren
Selber er zum Raubtier ward,
Wie, ich sollt' ihm, wenn er naht,
Alles bietend, was er hat,
Mit der Reue herben Zeichen,
1345   Statt der Hand, um die er bat,
Meinen blut'gen Degen reichen?
Wer tut das, und ist ein Mann?
Einen Feind mir, der noch ficht,
Doch zum Häscher taug' ich nicht!

Graf.

1350   Und wenn ich nun selber gehe
Und, des Königs Lehensmann,
Diese Häscher führe an,
Wirst du folgen?

Jaromir.
Ihr?

Graf.
Ja, ich.
Ich mag Menschenleben schonen,
1355   Weiß zu schätzen Menschenwert:
Doch laß uns nicht grausam sein
Gegen unsre bessern Brüder,
Um den schlimmen mild zu sein.
Ob das Herz auch ängstlich bebe,
1360   Laß uns tun die strenge Pflicht,
Und, damit der Gute lebe,
Mit dem Mörder zum Gericht!

Jaromir.
Recht gesprochen, recht gesprochen!
Daß die Kindlein ruhig schlafen,

Mit den Hunden vor die Tür!   1365
Mir ein Schwert! Ich will hinaus,
Will hinaus auf Menschenleben!
Ei, sie werden tüchtig fechten!
Ist das Leben doch so schön,
Aller Güter erstes, höchstes,   1370
Und wer alles setzt daran,
Wahrlich, der hat recht getan!
Waffen, Waffen! Gebt mir Waffen!
Fort, hinaus! Auf Menschenleben!
Laßt die Treiber fertig sein;   1375
Und dann wacker losgejagt,
Bis der späte Morgen tagt!
Waffen, Waffen! Heda! Waffen! —

Berta.

Sagt' ich es Euch nicht, mein Vater,
Er ist krank, gefährlich krank.   1380

Jaromir.

Ist's doch nur gerechte Strafe!
Seht doch, konnten sie es wagen,
Die Verruchten, rückzuschlagen,
Da auf sie das Schicksal schlug[1]!
Menschen, Menschen! — Toller Wahn!   1385
Außer uns, wer geht uns an?
Fort, hinaus aus unserm Kahn[2],
Der nur uns und Unsre faßt,
Fort hinaus, unnütze Last!
Wenn empor ein Schwimmer taucht,   1390
Schnell das Ruder wohl gebraucht:
Weg vom Rande deine Hände,
Daß sich unser Kahn nicht wende,
In dem Wellenstrudel ende!

Graf.

Jaromir, was ficht dich an?   1395

---

[1] Derselbe Gedanke wie V. 1335. — [2] Bild von Schiffbrüchigen, die, um sich zu retten, andere grausam opfern.

Jaromir.

Ach, verzeiht! Kaum weiß ich's selber!
Es ward mir die Jagdlust rege
Bei der fröhlichen Erzählung,
Wie die Netze sei'n gestellt,
1400 Und nun bald das Wild gefällt.

Graf (zum Hauptmann).

Ihr verzeihet wohl, mein Herr,
Seht, der Unfall dieser Nacht
Und dann noch so manches andre,
Hat sein Wesen so zerrüttet,
1405 Daß er kaum er selber noch.

Hauptmann.

So bewegt, in dieser Stimmung,
Ist nicht von Beleidigung,
Von Verzeihen nicht die Rede.
Pflegt der Ruhe, Herr von Eschen
1410 Unser widriges Geschäft,
Hat's gleich seine gute Seite,
Taugt für kein bewegt Gemüt.

Berta.

Wohl, mein Lieber, folge mir.

Jaromir.

Nicht doch! Laß mich, laß mich! Sieh,
1415 Mir ist wohl, wahrhaftig wohl.

Hauptmann.

Uns geziemt es, vorzuschlagen,
Anzunehmen steht bei Euch;
Und so nehm' ich denn jetzt Urlaub,
Zu vollenden mein Geschäft.

Graf.

1420 Doch, Herr, kennt Ihr auch die Räuber?
Daß Ihr arglos stille Wandrer
Nicht belästigt ohne Not?

Hauptmann.

Kennen? Ich nicht. Denn im Dunkeln
Überfielen wir sie heute,
Und in Kampfes blut'gem Ringen   1425
Sieht man auf der Feinde Klingen
Mehr als auf ihr Angesicht.
Doch im Vorgemache draußen
Harret einer meiner Leute,
Der, von seinem Trupp getrennt,   1430
Einst in ihre Hand geraten,
Der oft Zeuge ihrer Taten
Und die Räuber alle kennt.
Heda! Holla! (Soldat kommt.)

Hauptmann.
      Walter komme!   (Soldat ab.)

Graf.

Zwinge dich doch länger nicht,   1435
Jaromir, und geh zu Bette.
Leichenblaß ist dein Gesicht,
Und aus deinem düstern Auge
Blickt des Fiebers dumpfe Glut.
Geh zu Bette, lieber Sohn!   1440
    (Auf die Seitentüre rechts zeigend.)
Hier in diesem stillen Zimmer
Soll nichts deine Ruhe stören.

Berta.
Jaromir, laß dich erbitten.

Jaromir.
Wohl, ihr wünscht es, und es sei;
Fast fühl' ich mich selber unpaß.   1445
    (Das Schnupftuch an die Stirne pressend.)
      Walter kommt.

Hauptmann.

Komm! Wir machen jetzt die Runde,
Und du folgst mir!

Walter.

Wohl, Herr Hauptmann.

Hauptmann.

Ist dir dein Gedächtnis treu?
Wirst du jeden dieser Räuber
1450 Wieder kennen, der sich zeigt!

Walter.

Sicher werd' ich, sorget nicht!

Berta (Jaromir führend).

Wie du wankst! Sieh, hier hinein!
(Jaromir geht durch die Seitentüre rechts ab.)

Graf.

So, und jetzt geht denn mit Gott!

Hauptmann.

Eins ist vorher noch zu tun,
1455 Meines Auftrags leichtste Hälfte,
Die mir hier zur schwersten wird.
Aber sei's, ich muß. — Gar manches
Scheint dem Menschen überflüssig
Und ist's dem Soldaten nicht.
1460 Mein Herr Graf, Ihr mögt erlauben,
Daß ich Eures Schlosses Innres
Noch vor allem erst durchforsche.

Graf.

Dieses? Meines Schlosses, Herr?

Hauptmann.

Streng gemessen ist mein Auftrag,
465 Jede Wohnung zu durchsuchen,
Wem sie sei, wem sie gehöre,
Nach der flücht'gen Räuber Spur.
Mag ich ungestüm erscheinen,
Ich erfülle meine Pflicht;
470 Eignes Glauben, eignes Meinen
Schweiget, wo die hohe spricht.

19*

Und zudem, Ihr mögt verzeihen,
Wer bürgt Euch für Eure Leute?

Graf.

Und wer Euch, denkt Ihr, für mich.

Hauptmann.

Hätt' ich wirklich Euch beleidigt,   1475
So bedenkt —

Graf.

O laßt das! laßt das!
Wird es mir denn nimmer klar,
Welcher weite Abgrund scheidet
Das, was ist, von dem, was war.
Muß es mich denn immer mahnen!   1480
Ich gedachte meiner Ahnen,
Deren Wort hier, weit und breit
Mehr galt, als der höchste Eid,
Unter denen der Verdacht
Und des Argwohns finstre Macht   1485
Schamrot sich geweigert hätten,
Diese Hallen zu betreten.
Doch ich bin der Letzte und ein Greis,
Nun, so glaubt denn Euren Augen!

(Die Türen nach der Reihe öffnend.)

Kommt und seht! — Hier dies mein Zimmer —   1490
Meiner Tochter Schlafgemach —

(An der Türe nach Jaromirs Gemach.)

Hier —

Berta.

O, gönnt ihm Ruhe, Vater!

Graf.

Nun, Ihr saht ja erst vor kurzem
Meinen Eidam es betreten.

Hauptmann.

Ihr verlangt mich zu beschämen.   14

Graf.

Nur zu überzeugen, Herr!
Und nun kommt!

Hauptmann.
                    Wohin?

Graf.
                              Ins Freie
Mit Euch auf der Räuber Spur.

Hauptmann.
Wie, Ihr wolltet?

Graf.
                    Was ich muß.
1500 Bin ich nicht Vasall des Königs?
Und ich kenne meine Pflicht
Minder nicht als Ihr die Eure.
Drum, ohn' eine zweite Mahnung,
Laßt uns gehen —

Berta.
                    O, mein Vater!
1505 So bedenkt doch!

Graf.
                    Still, mein Kind!
Hier hör' ich nur eine Stimme,
Und die hat bereits gesprochen. —
Kommt, mein Herr, und sagt dem König,
Daß ich, Graf von Borotin,
1510 Kein Genoß der Räuber bin,
Sagt, daß in des Löwen Höhle
Statt des kräftigen, gesunden,
Einen welken Ihr gefunden,
Der gebeugt und hilflos zwar,
1515 (Aufgerichtet.) Aber doch noch Löwe war.
                    (Ab mit dem Hauptmann.)

Berta.

Ach, er geht, er hört nicht, geht,
Läßt mich hier allein zurück,
Der Verzweiflung preisgegeben
Und der Sorge Natterzahn.

Soll ich für den Vater beben,   1520
Fürchten, was dem Trauten droht?
Hab' doch nur dies eine Leben,
Warum zweifach mir den Tod?

(An der Türe von Jaromirs Gemach.)

Jaromir! Mein Jaromir! —
Keine Antwort, alles stille,   1525
Alles schweigend, wie das Grab.

Wie bezähm' ich diese Angst,
Wie bezähm' ich dieses Bangen,
Das mir schwül, wie Wetterwolken,
Auf der schweren Brust sich lagert.   1530
O, ich seh' es in der Ferne,
Es verhüllen sich die Sterne,
Es erlischt des Tages Licht,
Der erzürnte Donner spricht,
Und mit schwarzen Eulenschwingen   1535
Fühl' ich es, gehaltnen Flugs,
Sich um meine Schläfe schlingen.
O, ich kenn' dich, finstre Macht,
Ahne, was du mir gebracht.
Muß ich's vor die Seele führen!   1540
O, es heißt, es heißt verlieren!
Und des Unheils ganzes Reich
Kennt kein Schrecken, deinem gleich.
Weh! besitzen und verlieren,
Besitzen und verlieren! —   1545
Wohin seid ihr, goldne Tage?
Wohin bist du, Feenland?
Wo ich ohne Wunsch und Klage
Mit mir selber unbekannt

1550   Lebte an der Unschuld Hand;
        Wo ein Hänfling meine Liebe,
        Eine Blume meine Lust,
        Und der schmerzlichste der Triebe
        Noch ein Fremdling dieser Brust.
1555   War der Himmel auch umzogen,
        Heiter strahlte doch mein Sinn,
        Und auf spiegelhellen Wogen
        Taumelte das Leben hin.
        Spielend in dem Strahl der Sonne,
1560   Lockte mich des Bechers Rand,
        Und ich trank der Liebe Wonne
        Und ihr Gift aus seiner Hand.
        Seit sein Arm mich hat umwunden,
        Seit ich fühlte seinen Kuß,
1565   Ist das Feenland verschwunden,
        Und auf Dornen tritt mein Fuß:
        Dornen, die zwar Rosen schmücken,
        Aber Dornen, Dornen doch,
        In dem glühendsten Entzücken
1570   Fühl' ich ihren Stachel noch.
        Sehnend wünsch' ich seine Nähe,
        Und er kommt: wie jauchzt die Braut!
        Doch wie ich ins Aug' ihm sehe,
        Werden innre Stimmen laut,
1575   Tief im Busen scheint's zu sprechen,
        Wenn mein Blick in seinem ruht:
        Deine Liebe ist Verbrechen,
        Gottverhaßt ist diese Glut.
        Jenes dumpfe, trübe Brüten,
1580   Seines Auges starrer Blick
        Scheint Entfernung zu gebieten,
        Und ich bebe bang zurück;
        Doch will ich mich ihm entziehen,
        Trifft sein Blick mich weich und warm,
1585   Mit dem Willen, zu entfliehen,
        Flieh' ich nur in seinen Arm;

Und wie der Charybde[1] Tosen
Erst von sich stößt Schiff und Mann,
Dann verschlingt die Rettungslosen,
Stößt er ab und zieht er an.   1590
Wer mag mir das Rätsel lösen?
Ist es gut, warum so bang?
Ach, und führet es zum Bösen,
Woher dieser Himmelsdrang?
          (Mit ausgebreiteten Armen.)
Kann mein Flehen dich erreichen,   1595
Unerklärbar hohe Macht,
Die ob diesem Hause wacht,
So gib gnädig mir ein Zeichen,
Einen Leitstern in der Nacht!
Ist es Tod — (Es fällt ein Schuß.)   1600

    Ha! — Was war das? — Ein Schuß! —
Deut' ich es, das grause Zeichen?
Ward mein frevler Wunsch[2] erhört?
Weh mir! — Weh! — Ich bin allein! —
Ha, allein? — Was streifte da   1605
Kalt und wehend mir vorüber? —
Bist du's, geist'ge Sünderin[3]? —
Ha, ich fühle deine Nähe!
Ha, ich höre deinen Tritt!
          (An der Türe von Jaromirs Gemach.)
Jaromir, wach auf! wach auf!   1610
Schütze deine Berta! — Jaromir!
Nur ein Wort, nur einen Laut!
Daß du wachst, daß du mich hörst,
Daß ich nicht allein! — Bei dir! —
Schweigst du? — Ha, ich muß dich sehen!   1615

---

[1] Die Charybdis sprudelte in furchtbarem Schlunde die Gewässer hervor und schlang sie dann wieder hinab (Homer, „Odyssee", Ges. XII, V. 73 ff.; 235 ff.). — [2] Der Wunsch, die unerklärbar hohe Macht (das Schicksal, die Ahnfrau) möge ihr ein Zeichen senden. — [3] In ihrer Angst glaubt auch die bisher in ihrer Unschuld und Jugendfrische nicht von der Erscheinung heimgesuchte Berta, den schuldvollen wandelnden Geist um sich zu spüren.

Dich umfangen, dich umschlingen,
Sehen, fühlen, daß du lebst!

(Öffnet die Türe und stürzt hinein. Es fällt noch ein Schuß; heraustaumelnd)

Haltet ein! o haltet ein!
Alles leer! — das Fenster offen!
1620   Er ist fort! — ist tot — tot — tot!

Ende des zweiten Aufzuges.

Dritter Aufzug.

Halle wie in den vorigen Aufzügen.

Berta sitzt am Tische, den Kopf in die Hand gestützt.

Liebe, das sind deine Freuden,
Das, Besitz, ist deine Lust?
Wie sind dann der Trennung Leiden,
Und wie martert der Verlust?
(Sinkt in ihre vorige Stellung zurück.)
Pause.

Jaromir öffnet die Seitentüre rechts und will schnell zurück, da er jemanden erblickt.

Berta.

Jaromir! — Du weichst zurück?   1625
Weichst vor mir zurück? — O, bleib!
Wie hab' ich um dich gezittert,
O, Geliebter, wie gebebt!
Sprich, wie fühlst du dich?

Jaromir (scheu und düster).

Gut! Gut!

Berta.

Gut? O, daß ich's glauben könnte!   163
Jaromir, wie siehst du bleich!
Gott! Am Arm die Binde —

Jaromir.

Binde?

Berta.

Hier!

Jaromir.

Ei, Scherz!

Berta.

Ein blut'ger Scherz!
Sieh das Blut hier an dem Ärmel.

Jaromir.

1635 Hat's geblutet? Possen! Possen!

Berta.

Reiß mich doch aus dieser Angst!
Wo wardst du und wie verwundet?

(Ihre Augen begegnen den seinigen, er wendet sich schnell ab.)

Berta.

Du erbebst? du kehrst dich ab?

Jaromir (einige Schritte sich entfernend).

Nein, ich kann nicht, kann nicht, kann nicht!
1640 Seh' ich diese reinen Züge,
Senkt zu Boden sich mein Blick,
Und der finstre Geist der Lüge
Kehrt zur finstern Brust zurück.
Hölle, eh' du das begehrst,
1645 Laß zuvor dies Herz sich wandeln,
Und soll ich als Teufel handeln,
Mache mich zum Teufel erst!

Berta.

Jaromir! ich laß' dich nicht!
Steh mir Rede, gib mir Antwort!
1650 Wo wardst du und wie verwundet?

Jaromir (mit gesenktem Auge).

Schlafend ritzt' ich mich am Arme.

Berta.

Schlafend? Du hast nicht geschlafen!
Sieh, ich war in deiner Kammer,
Du warst fort, das Fenster offen!

Jaromir (erschreckend).

1655 Ha!

Berta.

Geliebter, laß mich's wissen!
O, du weißt nicht, welche Bilder
Schwarz vor meine Seele treten.
Heiß sie weichen, heiß sie fliehn!
Wo wardst du und wie verwundet?

Jaromir (mit Bedeutung).

Du begehrst's, so sei es denn!   1660
(Mit Absätzen.) Angelangt in meiner Kammer —
Hört' ich schießen, klirren, schreien —
Deinen Vater wußt' ich unten —
Wollte helfen — schützen — retten —
Weiß kaum selbst mehr, was ich wollte.   1665
(Gefaßter.) Wie ich nun so sinnend stehe,
Da gewahr' ich einer Linde,
Die die frostentlaubten Äste
Bis zu jenem Fenster streckt.
Ich ergriff die starken Zweige,   1670
Die sie hilfreich bot, und steige
Unbesonnen, unbedacht
Rasch hinunter in die Nacht.
Hundert Schritte kaum gegangen —
Fällt ein Schuß — ob Freund, ob Feind —   1675
Weiß ich nicht — genug — er traf.
Da erwacht' ich zur Besinnung,
Sah mit Schreck, was ich gewagt;
Weitergehen schien gefährlich,
Drum eilt' ich zurück zur Linde,   1680
Die herab mir half, und finde
Auch den Rückweg so zurück.

Berta.

Und bei allem dem befiel dich
Auch nicht ein, nicht ein Gedanke
Nur an mich, an meinen Schmerz?   1685
Einem Einfall hingegeben,
Wagtest lieblos du dies Leben,

Das zugleich das meine ist.
O, du fühlst nicht so wie ich!
Wenn dich gleiche Sehnsucht triebe,
Wüßtest du wohl, daß die Liebe
Auch das eigne Leben ehrt,
Weil's dem Teuern angehört.

Jaromir
(an seinem verwundeten Arm zerrend).

Tobe, tobe, heißer Schmerz,
Übertäube dieses Herz!

Berta.

Warum zerrst du so am Arme?
Deine Wunde ——

Jaromir.

Ist verbunden!

Berta.

Rauh die Schärpe umgewunden!
Harter, fühle meine Schmerzen,
Wenn du deine auch nicht fühlst.
Hier ist Balsam, hier ist Linnen ——
Mir den Arm! —— Ich will ihn heilen.
Reich mir ihn, ich will versuchen,
Ob es mir vielleicht gelingt,
Einen jener lieben Blicke,
Ein Geschenk in schönern Tagen,
Jetzt als Lohn davonzutragen.
Jaromir, ich will's versuchen,
Ob die Hand hier mehr erreicht,
Als dies Herz voll heißer Triebe,
Ach, und ob dein Dank vielleicht
Reicher ist als deine Liebe.
(Die Schärpe ablösend.)
Sieh doch nur die schöne Schärpe,
Die ich mühevoll gestickt
Und auf die, statt reicher Perlen,

1690
1695
1700
1705
1710
1715

Manche Träne frommer Liebe,
Dir einst teurer Schmuck, gefallen,
Sieh, wie ist sie doch zerrissen,
Ach, zerrissen wie mein Herz!

<small>(Sie verbindet ihn. Die Schärpe fällt vor ihr auf den Boden hin.)</small>

Berta.

Immer stumm noch, immer düster!   1720
Ach, du bist so sonderbar,
Im Gesichte wechselt Glut
Mit des Todes fahler Farbe,
Gichtrisch zuckt der bleiche Mund,
Und dein Aug' sucht scheu den Grund.   1725
Gott, du schreckst mich!

Jaromir (wild).

               Schreck' ich dich?

Berta.

Güt'ger Himmel, was war das?

Jaromir.

Horch — im Vorsaal — hörst du? — Tritte!
Fort!

Berta.

So bleib doch!

Jaromir.

               Nein, nein, nein!
Horch, man kömmt! — Schnell fort, fort, fort! 1730

<small>(Eilt ins Gemach zurück.)</small>

Berta.

Ist er's noch? Ist's noch derselbe?
Wie er bebte und erblich,
Wie sein Aug' zu Boden sank!
Himmel, wie er's auch verhehle,
Schwer ist noch sein Körper krank,   1735
Oder — schwerer seine Seele.

<small>**Ein Soldat** kömmt, ein abgerissenes Stück von einer Schärpe in der Hand.</small>

Soldat.

Ihr verzeiht, ist hier mein Hauptmann?

Berta.

Nein, mein Freund!

Soldat.

          Wo mag der sein?
Erst war er bei unsern Posten,
740 Und jetzt nirgends aufzufinden.
Glaubt' ihn schon zurückgekehrt,
Um der Ruhe hier zu pflegen.

Berta.

Und mein Vater?

Soldat.

        Ist bei ihm!
Habt nicht Angst, mein holdes Fräulein.
745 An den Räubern ist's, zu zittern,
Denn wir sind auf ihrer Spur.
Zielte Kurt ein bißchen schärfer,
Oder hatt' ich beßres Glück,
War der Räuberhauptmann unser.
750 Ja, der Hauptmann! Staunt nur, Fräulein!
Ei, ich war ihm nah genug,
Um ihn wieder zu erkennen!
Wie er da so um die Mauern
Und durch die Gebüsche kroch,
755 Da schoß Kurt nach ihm, und brav,
Denn, bei meiner Treu', es traf,
Hier am Arme.

Berta.

       Gott! — Am Arme?

Soldat.

Ja, am Arm, 's floß Blut darnach.
Taumelnd wankt' er hart und schwer,
760 Und es wollt' uns fast bedünken,
Jetzt müss' er zu Boden sinken.
Wie ich ihn so wanken sehe,

Ich hervor und auf ihn hin.
Hart faßt' ich ihn an am Gürtel
Und am Hals mit starker Hand,   1765
Trotz dem Sträuben, trotz dem Ringen,
Meint', es müsse mir gelingen:
Doch bald war er aufgerafft,
Packte mich mit Riesenkraft,
Wie ich mich verzweifelt wehrte,   1770
Mußt' ich dennoch auf die Erde,
Und der Höllensohn verschwand.
Ob wir rasch gleich nach ihm setzen,
All umsonst, und dieser Fetzen
Blieb statt ihm in meiner Hand.   1775

(Das Stück der Schärpe hinhaltend.)

Berta (es erkennend).

Ha!

(Sie läßt ihr Schnupftuch auf die Erde fallen, so, daß es die am Boden liegende
Schärpe bedeckt, und steht zitternd.)

Soldat.

Ei ja, mein schönes Fräulein,
Glaubt, fürwahr es ist kein Scherz,
Dem da in den Weg zu treten.
Ich war lang' in seinen Klauen,
Und noch jetzt denk' ich mit Grauen,   1780
Mit Entsetzen jener Zeit.
Wenn er so nach seiner Weise
Stand in der Gefährten Kreise,
Mit dem dunkel glüh'nden Blick,
Wie da nicht ein Laut entschwebte,   1785
Und der Mutigste selbst bebte,
Und der Ungestümste schwieg.
Bis er mächtig dann begann:
„Frisch, Genossen, drauf und dran!"
Jeder zu den Waffen eilte,   1790
Und der wilde Haufen heulte,
Daß es bis gen Himmel drang
Und die Gegend rings erklang.

Und dann fort der ganze Troß,
1795   Er voraus auf schwarzem Roß,
Wie des Teufels Kampfgenoß,
Heiß von Wut und Rachgier glühend,
Blitze aus den Augen sprühend.
Wo der Haufe sich ließ sehn,
1800   War's um Menschenglück geschehn,
Nichts verschonte ihre Wut,
Alles nieder! Menschenblut
Rauchte auf der öden Stätte
Mit den Trümmern um die Wette.
1805   Schaudert Ihr? Es ist darnach.
Doch gekommen ist der Tag,
Wo auch ihnen wird ihr Lohn,
Und der Henker wartet schon.

Berta.

Weh!

Soldat (den Fetzen auf den Tisch werfend).

Da lieg, unnützes Stück,
1810   Will noch 'mal hinaus zum Tanz,
Und was gilt's, ich bring' ihn ganz.
Gott befohlen, schönes Fräulein. (Ab.)

Berta.

Weh' mir! weh'! — Es ist geschehn!
(In den Sessel stürzend und die Hände vors Gesicht schlagend.)

Jaromir (die Türe öffnend).

Ist er fort? — Was fehlt dir, Berta?

Berta

(deutet mit abgewandten Blicken auf das am Boden liegende Schnupftuch hin)

Jaromir (es aufhebend).

1815   Meine Schärpe!

Berta

(hält ihm das abgerissene Stück vor, mit bebender Stimme).

Räuber!

Jaromir (zurücktaumelnd).

Ha! —
Nun wohlan! es ist geschehn!
Wohl, der Blitzstrahl hat geschlagen,
Den die Wolke lang' getragen,
Und ich atme wieder frei;
Fühl' ich gleich, es hat getroffen,   1820
Ist vernichtet gleich mein Hoffen,
Doch ist's gut, daß es vorbei.
Jene Binde mußte reißen
Und verschwinden jener Schein;
Soll ich zittern, das zu heißen,   1825
Was ich nicht gebebt, zu sein?
Nun braucht's nicht mehr, zu betrügen,
Fahret wohl, ihr feigen Lügen,
Ihr wart niemals meine Wahl:
Daß ich es im Innern wußte   1830
Und es ihr verschweigen mußte,
Das war meine gift'ge Qual.
Wohl, der Blitzstrahl hat geschlagen,
Das Gewitter ist vorbei;
Frei kann ich nun wieder sagen,   1835
Was ich auf der Brust getragen,
Und ich atme wieder frei. —

  Ja, ich bin's, du Unglückfel'ge,
Ja, ich bin's, den du genannt;
Bin's, den jene Häscher suchen,   1840
Bin's, dem alle Lippen fluchen,
Der in Landmanns Nachtgebet
Hart an, an dem Teufel steht;
Den der Vater seinen Kindern
Nennt als furchtbares Exempel,   1845
Leise warnend: „Hütet euch,
Nicht zu werden diesem gleich!"
Ja, ich bin's, du Unglückfel'ge,
Ja, ich bin's, den du genannt;

1850   Bin's, den jene Wälder kennen,
       Bin's, den Mörder Bruder nennen,
       Bin der Räuber Jaromir!

Berta.

Weh' mir, wehe!

Jaromir.

         Bebst du, Mädchen?
       Armes Kind, schon bei dem Namen
1855   Faßt es dich mit Schauder an?
       Laß dich nicht so schnell betören;
       Was du schauderst, anzuhören,
       Mädchen, das hab' ich getan!
       Dieses Aug', des deinen Wonne,
1860   War des Wanderers Entsetzen;
       Diese Stimme, dir so lieblich,
       War des Räuberarms Gehilfin
       Und entmannte[1], bis er traf;
       Diese Hand, die sich so schmeichelnd
1865   In die deinige getaucht,
       Hat von Menschenblut geraucht!

       Schüttle nicht dein süßes Haupt,
       Ja, ich bin's, du Unglücksel'ge!
       Weil die Augen Wasser blinken,
1870   Weil die Arme kraftlos sinken,
       Weil die Stimme bebend bricht,
       Glaubst du, Kind, ich sei es nicht?
       Ach, der Räuber hat auch Stunden,
       Wo sein Schicksal, ganz empfunden,
1875   Solche Tropfen ihm erpreßt,
       Ihm die Lust, zu weinen, läßt;
       Berta, Berta, glaube mir,
       Dessen Augen jetzt in Weinen
       Fruchtlos suchen nach den deinen,
1880   Ist der Räuber Jaromir!

---

[1] Entmannte den Wanderer, hielt ihn so lange in Bann, bis der Arm des Räubers ihn traf.

Berta.

Himmel! Fort!

Jaromir.

                    Ja, du haft recht!
Fast vergaß ich, wer ich bin!
Feige Tränen, fahret hin!
Darf ein Räuber menschlich fühlen?
Darf sein heißes Auge kühlen   1885
Einer Träne köstlich Naß?
Fort! Von Menschen ausgestoßen,
Sei dir auch ihr Trost verschlossen,
Dir Verzweiflung nur und Haß!
Wie ich oft mit mir gestritten,   1890
Wie gerungen, wie gelitten,
Darnach fragt kein Menschenrat;
Vor des Blutgerichtes Schranken
Richtet man nicht die Gedanken,
Richtet man nur ob der Tat!   1895
Nun, so weiht mich eurem Grimme,
Willig steig' ich aufs Schafott,
Doch zu dir ruft meine Stimme,
Auf zu dir, du heil'ger Gott!
Du hörst gütig meine Klagen,   1900
Dir, Gerechter, will ich's sagen,
Was mein wunder Busen hegt,
Du, mein Gott, wirst gnädig richten
Und ein Herz nicht ganz vernichten,
Das in Angst und Reue schlägt.   1905

Unter Räubern aufgewachsen,
Großgezogen unter Räubern,
Früh schon Zeuge ihrer Taten,
Unbekannt mit milderm Beispiel,
Mit dem Vorrecht des Besitzes,   1910
Mit der Menschheit süßen Pflichten,
Mit der Lehre Lebenshauch,
Mit der Sitte heil'gem Brauch;

Wirst du wohl den Räuberssohn,
Wirst, Gerechter, ihn verdammen,
Menschen ähnlich, schroff und hart,
Wenn er selbst ein Räuber ward?
Ihn verdammen, wenn er übte,
Was die taten, die er liebte,
Und an seines Vaters Hand
Dem Verbrechen sich verband?
Weißt du doch, wie beim Erwachen
Aus der Kindheit langem Schlummer
Er mit Schrecken sich empfand;
Seinem schwarzen Lose fluchte,
Zweifelnd einen Ausweg suchte,
Suchte, Himmel! und nicht fand.
Weißt du doch, wie seit den Stunden,
Als ich sie, ich sie gefunden,
Die mich nun bei dir verklagt,
Meinem wüsten Tun entsagt[1];
Weißt du — doch, wozu die Worte!
Wie mein Herz auch schwellend bricht,
Bleibt versperrt des Mitleids Pforte,
Du weißt alles, ew'ges Licht,
Und die Harte hört mich nicht.
Ab von mir bleibt sie gewendet. —
Nun wohlan, so sei's vollendet,
Ach, geendet ist's ja doch!
Ob mein Blut die Erde rötet,
Hat doch sie mich schon getötet,
Henker, sprich, was kannst du noch?

(Geht rasch der Türe zu.)

Berta (aufspringend).

Jaromir! —— Halt ein!

Jaromir.

Was hör' ich?
Das ist meiner Berta Blick!

---

[1] Wie (ich) entsagt (habe).

Ihre Stimme tönt mir wieder,   1945
Und auf goldenem Gefieder
Kehrt das Leben mir zurück.

(Auf sie zueilend.)

Berta! Berta! Meine Berta!

Berta.

Laß mich!

(Sie eilt fliehend gegen den Vorgrund. Jaromir erreicht sie und faßt ihre Hand,
die sie nach einigem Widerstreben in seiner läßt. Sie steht mit abgewandtem Gesichte.)

Jaromir.

Nein, ich laß' dich nicht!
Ach, soll denn der Unglückſel'ge,   1950
Kaum dem Schiffbruch nur entgangen,
Dem die Kraft schon schwindend sinkt,
Treibend auf der Wasserwüste,
Denn umklammern nicht die Küste,
Die ihm reich entgegen blinkt?   1955
Nimm mich auf! O, nimm mich auf!
Was aus meinem frühern Leben
Noch mir hafte, noch mir bliebe,
Alles, bis auf deine Liebe,
Als unwürdig deinem Blick,   1960
Stoß' ich's in die Flut zurück;
Als ein neues, reines Wesen,
Wie aus meines Schöpfers Hand,
Lieg' ich hier zu deinen Füßen,
Um zu lernen, um zu büßen.   1965

(Ihre Knie umfassend.)

Nimm mich auf! O, nimm mich auf!
Mild, wie eine Mutter, leite
Mich, dein Kind, wie's dir gefällt,
Daß mein Fuß nicht strauchelnd gleite
In der neuen, fremden Welt;   1970
Lehr' mich deine Wege treten,
Glück gewinnen, Glück und Ruh',
Lehr' mich hoffen, lehr' mich beten,
Lehr' mich heilig sein, wie du!

1975   Berta! Berta! und noch immer,
Und noch immer fällt kein Blick
Auf den Flehenden zurück?
Meine Berta, sei nicht strenger
Als der strenge Richter, Gott,
1980   Der mit seiner Sonne Strahlen
In des Sünders letzten Qualen
Noch vergoldet das Schafott. —
Ha, ich fühle — dieses Beben —
Ja — du bist mir rückgegeben!
     (Die schwach sich Sträubende in seine Arme schließend.)
1985   Berta! Mädchen! Gattin! Engel!
            (Aufspringend.)
Stürze jetzt die Erde ein,
Ist doch hier der Himmel mein!

Berta.

Jaromir, ach! Jaromir!

Jaromir.

Fort jetzt, Tränen, fort jetzt, Klagen!
1990   Mag das Schicksal immer schlagen,
Wenn dein Arm mich, Teure, hält,
Trotz' ich einer ganzen Welt.
Meine Schuld ist ausgestrichen,
Jubelnd bin ich mir's bewußt,
1995   Und Gefühle, längst verblichen,
Blühen neu in dieser Brust.
Wieder bin ich aufgenommen
In der Menschheit heil'gem Rund,
Und des Himmels Geister kommen,
2000   Segnend den erneuten Bund:
Unschuld mit dem Lilienstengel,
Liebe mit der goldnen Frucht,
Hoffnung, jener Friedensengel,
Der sich jenseits Kronen sucht.
2005   Nun stürmt immer, wilde Wogen,
Schwellt in himmelhohen Bogen,

In des Hafens sichrer Hut
Lach' ich der ohnmächt'gen Wut.

Und nun höre, meine Berta!
Lange noch, eh' ich dich kannte,   2010
Dacht' ich schon auf künft'ge Flucht.
Weit von hier, am fernen Rhein,
Ist ein Schloß, ein Gütchen mein,
Gelder, Wechsel stehn bereit,
Fertig, wie mein Wink gebeut;   2015
Dorthin, wo mich niemand kennt,
Wo man mich: von Eschen nennt,
Nach dem stillen Gütchen hin,
Dahin, Berta, laß uns fliehn.
Dort fang' ich auf neuer Bahn   2020
Auch ein neues Leben an,
Und nach wenig kurzen Jahren
Dünkt uns, was wir früher waren,
Wie ein altes Märchen, kaum
Klarer als ein Morgentraum.   2025

Berta.
Fliehen soll ich?

Jaromir.
                Kann ich bleiben?
Kann ich fliehen ohne dich?

Berta.
Und mein Vater?

Jaromir.
                Weib, und ich?
Wohl, so bleib': auch ich will bleiben.
Hier, hier sollen sie mich finden,   2030
Fassen, würgen, fesseln, binden,
Hier vor deinem Angesicht.
Wohl, so bleib', du gute Tochter,
Pflege deinen grauen Vater,
Führ' lustwandelnd ihn hinaus,   2035

Hin zu jener schwarzen Stätte,
Wo auf sturmdurchwehtem Bette,
Im durch dich vergoßnen Blut
Dein ermordet Liebchen ruht.
2040   Zeig' ihm dann am Rabensteine
Jene modernden Gebeine —

Berta.

Ach, halt ein!

Jaromir.
    Du willst?

Berta (halb ohnmächtig).
               Ich will!

Jaromir.

So hab' Dank, hab' Dank, mein Leben!
Schnell jetzt fort, ich kann nicht weilen,
2045   Hier wird mich ihr Arm ereilen,
Meine Spur ist schon entdeckt.
Dieses Schloß wird man durchspüren,
Sie durch die Gemächer führen,
Denn ihr Argwohn ist geweckt.
2050   Abwärts suchen jetzt die Späher,
Dieses Schlosses Außenwerke,
Seine halbverfallnen Gänge
Sind dem Räuber längst bekannt;
Dorthin will ich mich verbergen,
2055   Bis der Augenblick erscheint,
Der auf ewig uns vereint.

    Wenn erschallt die zwölfte Stunde
Und kein lebend Wesen wacht,
Nah' ich leise, leis' im Bunde
2060   Mit der stillen Mitternacht.

    Im Gewölbe, wo in Reihen
Deiner Väter Särge stehn,
Führt ein Fenster nach dem Freien,
Dort, mein Kind, sollst du mich sehn.

Und schnell eil' ich, wenn das Zeichen　　　2065
Von der lieben Hand erschallt,
Schnell dahin, wo unter Leichen
Mir dies liebe Leben wallt.

Dort, an deiner Väter Särgen,
Die Verdacht und Argwohn fliehn,　　　　　2070
Soll die Liebe sich verbergen,
Und dann schnell ins Weite hin.
Also kommst du?

Berta (leise).
Ja, ich komme.

Jaromir.
Also willst du?

Berta.
Ja, ich will.

Jaromir.
Jetzt leb' wohl, denn ich muß fort,　　　　2075
Daß sie uns nicht überraschen:
Lebend soll man mich nicht haschen.
Doch, noch eins, Kind, schaff' mir Waffen!

Berta.
Waffen? Waffen? Nimmermehr!
Daß du, von Gefahr gedrängt,　　　　　　2080
Selber nach dem eignen Leben ——

Jaromir.
Sei nur unbesorgt, mein Kind,
Seit ich weiß, wie du gesinnt,
Seit ich deinen Schwur gehört,
Hat mein Leben wieder Wert.　　　　　　2085
Auch bedürft' es nicht der Waffen;
Um mir Freiheit zu verschaffen,
Wär' dies Fläschchen wohl genug.

Berta.
Fort dies Fläschchen!

Jaromir.

Kind, warum?

Berta.

2090 Glaubst du denn, mir würde Ruh',
Glaubst, ich könnt' es bei dir wissen,
Ohne daß mein Herz zerrissen?

Jaromir.

Macht's dich ruhig, nimm es hin!
(Das Fläschchen auf den Tisch werfend.)
Doch nun schaff' mir Waffen, Waffen!

Berta.

2095 Waffen? Ach, woher?

Jaromir.

Ei, hängt nicht,
Hängt denn nicht an jener Mauer
Dort ein Dolch?

Berta.

Ach, laß ihn, laß ihn!
Zieh ihn nicht aus seiner Scheide,
Unglück hängt an dieser Schneide.
2100 Von dem Dolche, den du siehst,
Ward der Ahnfrau unsers Hauses
Einst in unglücksel'ger Stunde
Eingedrückt die Todeswunde.
Als ein Zeichen hängt er da
2105 Von dem nächtlichen Verhängnis,
Das ob unserm Hause brütet.
Blut'ges hat er schon gesehn,
Blut'ges kann noch jetzt geschehn!

Die **Ahnfrau** erscheint hinter den beiden, die Hände, wie abwehrend, gegen sie
ausgestreckt.

Berta.

Was starrst du so gräßlich hin?

Mann, du zitterst? ich auch bebe!   2110
Grabesschauder faßt mich an,
Leichenduft weht um mich her!
(Sich an ihn schmiegend.)
Ich erstarre! ich vergehe!

Jaromir.

Laß mich! — diesen Dolch da kenn' ich!

Berta.

Bleib zurück! Berühr' ihn nicht!   2115

Jaromir.

Sei gegrüßt, du hilfreich Werkzeug!
Ja, du bist's, fürwahr, du bist's!
Wie ich dich so vor mir sehe,
Tauchen ferner Kindheit Bilder,
Lang verborgen, lang entzogen   2120
Von des Lebens wilden Wogen,
Wie der Heimat blaue Berge,
Auf aus der Erinnrung Flut. —
An dem Morgen meiner Tage
Hab' ich dich schon, dich gesehn;   2125
Seitdem durch die Nacht des Lebens
Schwebtest du mir gräßlich vor
Wie ein blutig Meteor.
In der flucherfüllten Nacht,
Als ich auf der ersten Stufe   2130
Meinem furchtbaren Berufe
Scheu die Erstlinge gebracht,
Da sah ich mit bleichem Schrecken
In der Wunde, die ich schlug,
Statt des Dolches, den ich trug,   2135
Deine, deine Klinge stecken.
Und seit jenem Schreckenstag
Blieb dein Bild mir immer wach!
Sei gegrüßt, du hilfreich Werkzeug!
Lockend seh' ich her dich blinken,   2140

Und mein Schicksal scheint zu winken.
Du bist mein! drum her zu mir!
(Darauf los gehend.)

Berta (zu seinen Füßen).

Ach, halt ein!

Jaromir
(immer unverwandt auf den Dolch blickend).

Weg da! — Zurück!
(Er nimmt den Dolch, die Ahnfrau verschwindet.)

Jaromir.

Was ist das? Was ist geschehn?
2145 Als du dort noch flimmernd hingst,
Schien von deiner blut'gen Schneide
Auszugehn ein glühend Licht,
Das durch der Vergangenheit
Nachtumhüllte Nebeltäler
2150 Scheu, mit mattem Strahle flammte,
Und Gestalten, oft gesehn,
Wie in einem frühern Leben,
Fühlt' ich ahnend mich umschweben.
Diese Halle grüßte mich,
2155 Dies Gerät schien mir zu winken,
Und in meines Busens Gründen
Schien ich mir mich selbst zu finden!
Und jetzt ausgelöscht, verweht,
Wie ein Blitzstrahl kommt und geht.

Berta.

2160 Diesen Dolch! O, leg' ihn hin!

Jaromir.

Ich, den Dolch! Nein, nimmermehr!
Er ist mein, ist mein, ist mein!
Ei, fürwahr, ein tüchtig Eisen!
Wie ich ihn so prüfend schwinge,
2165 Wird mit eins mir guter Dinge
Und mein innres Treiben klar.

Scheint er doch so ganz zu passen:
Wen's mit dir, mein guter Stahl,
Mir gelingt, so recht zu fassen,
Der wird mich wohl ziehen lassen
Und kömmt nicht zum zweitenmal.
Nun leb' wohl! — Leb' wohl, mein Kind!
Mutig, froh! — Die Zukunft lacht!
Und gedenk': um Mitternacht!

2170

(Mit erhobenem Dolche ins Seitengemach ab.)

Ende des dritten Aufzuges.

Vierter Aufzug.

Halle, wie in den vorigen Aufzügen. Lichter auf dem Tische.

Berta sitzt, den Kopf in die flachen Hände und diese auf den Tisch gelegt. **Günter** kömmt.

Günter.

2175   Ihr seid hier, mein gnäd'ges Fräulein?

Mögt Ihr weilen so allein

In den düsteren Gemächern

Und in dieser, dieser Nacht?

Wahrlich, eine schreckenvollre

2180   Hat dies Aug' noch nie gesehn.

Wimmernd heult der Sturm von außen,

Und im Innern schleicht Entsetzen

Sinnverwirrend durch das Schloß.

Auf den dunklen Stiegen rauscht es,

2185   Durch die öden Gänge wimmert's,

Und im Grabgewölbe drunten

Poltert's mit den morschen Särgen,

Daß das Hirn im Kreise treibt

Und das Haar empor sich sträubt.

2190   Manches steht uns noch bevor,

Wandelt doch die Ahnfrau wieder;

Und man weiß aus alten Zeiten,

Daß das Großes zu bedeuten,

Schweres anzukünden hat,

2195   Unglück oder Freveltat!

Berta.

Unglück oder Freveltat?

Unglück, ach! und Freveltat.

Reichte nicht das Unglück hin,
Dieses Dasein zu vernichten,
Warum noch den schweren Frevel   2200
Laden auf die wunde Brust?
Warum, du gerechtes Wesen,
Noch mit des Gewissens Fluch
Deinen harten Fluch verschärfen?
Warum, Gott, zwei Blitze werfen,   2205
Wo's an einem schon genug?

Günter.

Ach, und Euer grauer Vater,
Draußen in dem Wintersturm
Bloßgestellt der Wut des Wetters
Und der blut'gen Räuber Dolch!   2210

Berta.

Dolch? — Was sagst du? — Welcher Dolch?
Gab ich? Nahm er nicht?

Günter.

              Liebes Fräulein,
Laßt den Mut nicht ganz entweichen!
Alle diese trüben Zeichen
Sind ja doch nur Wetterwolken,   2215
Die des Sturmes Nahn verkünden:
Doch nicht alle Donner zünden,
Und des Blitzes glüh'nder Brand
Liegt in Gottes Vaterhand.

Berta.

Du hast recht. — In Gottes Hand!   2220
Du hast recht! — Ja, ich will beten!
Er wird Hilf' und Trost verleihn;
Er kann schlagen, er kann retten,
Er kann strafen und verzeihn!

         (Am Sessel niederkniend.)

Günter (ans Fenster tretend).

Es erhellet sich die Gegend,   2225

Fackeln streifen durch das Feld,
Man verfolgt den Rest der Räuber,
Der sich hier verborgen hält.

Berta (knieend).

2230
Heil'ge Mutter aller Gnaden,
Laß mich dir mein Herz entladen,
Aus mich schütten meinen Schmerz;
Mild, mit weichem Finger streife
Von der Brust den Kummer, träufe
Balsam in dies wunde Herz!

Günter.

2235
Rund herum im Kreis sie stehen,
Jeder Ausweg ist verstellt;
Da mag keiner wohl entgehen,
Wie er sich verborgen hält.

Berta (in steigender Angst).

Hüll' ihn ein in deinen Schleier,
2240
Den Geliebten, mir so teuer,
Er ist ja zurückgekehrt![1]
Wollest gnädig ihn bewahren,
Führ' ihn durch der Späher Scharen,
Führ' ihn durch der Feinde Schwert!

Günter.

2245
Wär' doch Euer Vater hier.
Daß es ihn hinaus getrieben!
Wär' er doch bei uns geblieben,
Wenn — mit Schaudern denk' ich's mir!

Berta.

Schau' herab vom Sternensitze,
2250
Und auch ihn, auch ihn beschütze,
Dem man schon so viel geraubt;
Was den Teuern, Lieben dräuet,
Sei auf dieses Haupt gestreuet,
Sei gelegt auf dieses Haupt!

---

[1] Zurückgekehrt zur Frömmigkeit und Gesetzmäßigkeit.

Günter.

Jetzt scheint etwas aufgespürt!　　　　　　　2255
Alles eilt der Mauer zu,
Setzt er sich auch noch zur Wehr,
Der entkommt wohl nimmermehr.

Berta (in höchster Angst, fast schreiend).

Wend' es ab! — Ach, wende! wende!
Hier erheb' ich meine Hände.　　　　　　　2260
Oder ende! — ende! — ende!

Pause.

(Beide horchen mit der gespanntesten Aufmerksamkeit. Berta richtet sich langsam auf.)

Günter.

Horch! — Ein Schrei!

Berta.

Ein Schrei!

Günter.

Wieder Stille.

Berta.

Wieder Stille —

Günter.

Himmel! War das nicht die Stimme[1] —?

Berta.

Wessen Stimme?

Günter.

Fort, Gedanke!　　　　　　　2265
Das zu denken, wär' schon Tod!

Berta.

Wessen Stimme?

Günter.

Ei, nicht doch.
Alle stehen sie versammelt
Rings um einen Gegenstand,
Der, so scheint's, am Boden liegt.　　　　　　　2270

---

[1] Er glaubt die Stimme seines Herrn zu hören; vgl. V. 2309.

Berta.

Liegt? Am Boden liegt?

Günter.

Ich kann

Nicht hinvor[1] bis dahin blicken,

Denn des Hauses scharfer Vorsprung

Hemmt die Aussicht nach der Seite.

Doch dünkt mich, an jener Linde,

Die das Fenster dort beschattet —

Berta.

An der Linde?

Günter.

Ja, so dünkt mich.

Berta.

An der Linde? — Liegt am Boden?

Günter.

Wie ich sagte. Also scheint's.

Berta.

Gott, mein Jaromir!

Günter.

Ei, Fräulein,

Der schläft ruhig in der Kammer.

Berta.

Schläft? Ach, schläft, um nie zu wachen.

Günter.

Horch, man kommt. — Da laßt uns fragen,

Was sich unten zugetragen.

Hauptmann kommt.

Hauptmann.

Heda! Betten! Tücher! Betten!

Günter.

Ach, sagt an doch, edler Herr —!

(Berta steht bewegungslos.)

---

[1] D. h. nach vorn hin.

Hauptmann.

Ihr auch hier, mein holdes Fräulein?
Darauf war ich nicht bereitet;
Hilfe wollt' ich hier begehren,
Nicht des Unglücks Bote sein.   2290
Euer Vater ist —

Berta (schnell).

Und Er?

Hauptmann.

Wer, mein Fräulein?

Berta.

Und — die Räuber?

Hauptmann.

Noch ist es uns nicht gelungen.
Ach, und Euer Vater —

Berta.

Nicht? —
Nun habt Dank für Eure Botschaft!   2295

Hauptmann.

Botschaft? Welche Botschaft?

Berta.

Daß —
Ich erwarte, wollt' ich sagen,
Ich erwarte Eure Botschaft.

Hauptmann.

Hört sie denn mit wenig Worten —
Euer Vater ist verwundet.   2300

Berta.

Ist verwundet? Wie, mein Vater?
O, ich will ihn pflegen, warten,
Sorglos heilen seine Wunden,
Und er soll gar bald gesunden
An der Tochter frommer Brust.   2305

Hauptmann.

Nun, mich freut's, daß meine Botschaft
Euch gefaßter, mut'ger trifft,
Als ich fürchtete und — hoffte.

Günter.

Also war's doch seine Stimme!
Ich will alsogleich hinaus —

Hauptmann.

Bleib! Bereite lieber alles,
Denn man bringt ihn schon hieher.
Hart traf ihn der Stoß des Räubers —

Berta.

Ha! des Räubers?

Hauptmann.

Wohl, des Räubers,
Wessen sonst? doch ja, Ihr wißt nicht. —
Wir durchstreiften rings die Gegend,
Euren Vater in der Mitte,
Denn trotz meiner warmen Bitte
Blieb er, tief die Kränkung fühlend[1],
Die ich schuldlos ihm gebracht,
Helfend, leitend unter uns.
Horch! da rauscht's durch die Gebüsche,
Und die Wachen rufen's an.
Keine Antwort. Meine Leute,
Froh ob der gefundnen Beute,
Stürzen jubelnd drauf und dran.
Und nach einem jener Gänge,
Die in wildverworrner Menge,
Halb verfallen, weit umhin
Dieses Schlosses Wall umziehn,
Sahn wir einen Schatten fliehn.
Euer Vater stand der nächste,
Und mit vorgehaltnem Degen

_____
[1] Vgl. V. 1508 ff.

Stürzt er jugendlich verwegen
Nach dem Räuber in den Gang.   2335
Da ertönt ein matter Schrei,
Eilig stürzen wir herbei,
Euer Vater liegt am Boden
Ohne Leben, ohne Odem,
Seiner selbst sich nicht bewußt,   2340
Einen Dolch in seiner Brust.

Berta.

Einen Dolch?

Hauptmann.

Ja, liebes Fräulein!

Berta.

Einen Dolch?

Hauptmann.

Ja, einen Dolch!

Berta.

Fort! hinaus! hinaus! hinaus!

Hauptmann (sie zurückhaltend).

Bleibt doch, liebes Fräulein, bleibt doch!   2345
Seht, man bringt ihn.

Soldaten und Diener bringen den Grafen auf einer Tragbahre, die sie in der
Mitte der Bühne niedersetzen.

Berta.

Gott! mein Vater!
Laßt mich! laßt mich!

Hauptmann.

Ruhig, Fräulein!
Denn Ihr tötet Euch und ihn.
Ruhig!

Berta.

Ruhig? — Laßt mich! laßt mich!

(Sich losreißend und an der Bahre niederstürzend.)

Vater! Vater! o mein Vater!   2350

Graf (in Absätzen).

Ach! bist du es, meine Berta?
Gutes Mädchen, armes Kind!
Armes, armes, armes Kind!

Berta.

Vater, mir nicht diese Güte,
2355 Vater, mir nicht diese Huld,
Sie vergrößert meine Schuld!

Graf.

Wenn in jenem Augenblicke
Bei der Fackeln fernem Licht
Mich getäuscht mein Auge nicht,
2360 Wenn er's war, er, den ich meine,
Armes, armes Kind, dann weine
Um dich selber, nicht um mich! —
Wo ist Jaromir?

Berta (bebend, leise).

Ich weiß nicht.

Graf.

Wo ist Jaromir? mein Kind.

Berta (ihr Gesicht in die Kissen verbergend).

2365 Vater! Vater!

Graf.

Nun, es sei!
Fahre wohl denn, fahre wohl,
Meine letzte, einz'ge Hoffnung!
Wohl, die Sonne ist hinunter,
Ausgeglimmt der letzte Schein,
2370 Dunkle Nacht bricht rings herein.
Es ist Schlafens= — Schlafenszeit! —
Gutes Mädchen, armes Kind,
Klage, dulde, leide, stirb!
Dir kann nimmer Segen werden,
2375 Für dich gibt's kein Glück auf Erden,

Bist du ja doch meine Tochter,
Bist doch eine Borotin.

Günter.

Haltet ein, mein gnäd'ger Herr!
Eure matte, wunde Brust
Leidet unter Eurem Sprechen.   2380

Graf.

Laß mich, treuer Diener, laß mich
Noch einmal am Rand des Grabes
Diesem wüsten, wirren Leben,
Wüst und rauh und dennoch schön,
Noch einmal ins Auge sehn;   2385
Seine Freuden, seine Leiden,
Mich zum letzten, letzten Abschied
Noch einmal als Mensch mich fühlend,
Drücken an die Menschenbrust.
Noch zum letzten Male schlürfen   2390
Aus dem bittersüßen Becher —
Und dann, Schicksal, nimm ihn hin!

Berta.

Vater, nein! — Nicht sterben! Nein!
Nein, Ihr dürft nicht, dürft nicht sterben!
Seht, ich klammre mich an Euch,   2395
Seht, Ihr dürft, Ihr könnt nicht sterben!

Graf.

Willst du mit den Kinderhänden
In des Schicksals Speichen greifen?
Seines Donnerwagens Lauf
Hält kein sterblich Wesen auf.   2400

Ein Soldat kömmt.

Soldat (zum Hauptmann).

Eben hat man einen Räuber,
Der im Schilfe lag verborgen,
Von dem nahgelegnen Weiher,
Edler Herr, hier eingebracht.

Graf.

2405 Einen Räuber?

Berta.

Güt'ger Gott!

Graf.

Jüngling noch? Von schlankem Wuchse?

Soldat.

Nein, Herr Graf, beinah' schon Greis.
Er verlangt, mit Euch zu sprechen;
Wicht'ges hab' er zu verkünden,
2410 Wichtiges für ihn und Euch.

Hauptmann.

Mag der Bösewicht es wagen,
Dieses Mannes letzte Stunden —

Graf.

Laßt ihn kommen, lieber Herr!
Hat er sich gen mich vergangen,
2415 Will ich sterbend ihm verzeihn,
Oder ward vielleicht von mir
Ihm Beleid'gung oder Unbild,
Soll ich aus dem Leben scheiden,
Mit des Armen Fluch beschwert?

Hauptmann.

2420 Wohl, er komme! (Soldat ab.)

Günter.

Gnäd'ger Herr,
Unbequem ist dieses Lager;
Ihr erlaubt es wohl, wir tragen
Euch in Euer Schlafgemach.

Graf.

Nein, nicht doch! Hier will ich bleiben,
2425 Hier, in dieser heil'gen Halle!
Die des Knaben muntre Spiele,
Die des Jünglings bunte Träume,

Die des Mannes Taten sah,
Soll auch sehn des Greises Ende.
Hier, wo meiner Ahnen Geister   2430
Mich mit leisem Flug umschweben,
Hier, wo von den hohen Wänden
Eine lange, würd'ge Reihe,
Die noch jetzt der Ruhm erhebt,
Niederschaut auf ihren Erben;   2435
Wo die Väter einst gelebt,
Soll der letzte Enkel sterben.

Boleslav tritt ein, von den Wachen geführt.

Boleslav
(sich auf die Kniee niederwerfend).

Gnäd'ger Herr! ach, habt Erbarmen!
Laßt mich Gnade, Gnade finden,
Sprecht für mich ein mächtig Wort!   2440
Und zum Lohne will ich dann
Eine Kunde Euch erteilen,
Die schnell Euer Siechtum heilen,
Euch mit Lust erfüllen soll.

Graf.

Gibt's für mich gleich keine Kunde,   2445
Die so mächtig, wie du sprichst,
Doch versprech' ich dir zur Stunde,
Hier in meines Freundes Geist[1],
Wenn's zum Guten, was du weißt,
Sollst du gnäd'ge Richter finden,   2450
Gnädig auch bei schweren Sünden.

Boleslav.

Wohl, so hört, ach, und verzeiht!
Einst, jetzt sind's wohl zwanzig Jahre,
Ging ich eines Sommerabends,
Damals schon auf schlimmen Wegen,   2455
Hier an Eurem Schloß vorbei;

---

[1] Im Sinne meines Freundes, des königlichen Hauptmanns, der gegenüber
den Räubern Richter zugleich und Vollstrecker des Urteils ist.

Wie ich lauernd ringsum spähe,
Da gewahr' ich an dem Weiher,
Der an Eure Mauern stößt,
2460 Einen schönen, holden Knaben,
Kaum drei Jahre mocht' er haben;
Der warf spielend Stein auf Stein
In die klare Flut hinein.

Günter.

Güt'ger Gott!

Graf.
                    Was werd' ich hören!

Boleslav.

2465 Schön und köstlich war sein Kleid,
Und um seinen weißen Nacken
Hing ein funkelndes Geschmeid';
Mich gelüstet nach der Beute,
Ringsum schau' ich, nirgends Leute,
2470 Ich und er nur ganz allein.
Ich versuch's, ihn anzulocken,
Abzulocken ihn vom Schlosse,
Zeig' ihm Blumen, zeig' ihm Früchte,
Und der Knabe, froh und heiter,
2475 Folgt mir weiter, immer weiter,
Bei des Abends Dämmerschein
In den düstern Wald hinein.

Graf.

Ach, es war, es war mein Sohn!

Günter.

Und wir glaubten ihn ertrunken,
2480 In des Weihers Schlamm versunken,
Weil sein Hut im Wasser schwamm.

Graf.

Jubelst du in toller Lust,
Glaubst du, daß in Räubers Brust

Menschlichkeit und Mitleid wohnet?
Glaubst du, daß er ihn verschonet? 2485

Boleslav.

Ja, ich habe ihn verschont!
Morden wollten ihn die Brüder,
Daß nicht durch des Knaben Mund
Unsre Wege würden kund;
Doch ich setzte mich dawider, 2490
Und als die Gefährten schwören,
Nimmer soll er wiederkehren
Aus des Waldes Nacht heraus
In der Eltern heimisch Haus,
Da, Herr, dau'rte mich der Kleine, 2495
Da ward Euer Sohn der meine,
Bald vergaß er Euch und sich,
Und er ehrt' als Vater mich.

Graf.

Gott, mein Sohn! — er lebt! er lebt!
Aber wie? — Ha, unter Räubern! 2500
Ist wohl gar —? Weh! ist —

Boleslav (mit gesenkten Augen).

Was ich!

Graf.

Räuber? — Gott, er sagt nicht: Nein!
Schweigt erstarrt und sagt nicht: Nein!
Ha! mein Sohn ein Räuber, Räuber!
Hätt' ihn doch dein schwarzer Mund, 2505
Tückisch Wassergrab, verschlungen,
Besser, schien's mir gleich so hart,
Wär' sein Name nie erklungen,
Als mit Räuber jetzt gepaart.
Aber, ach, was fluch' ich ihm? 2510
Gott! hab' Dank für diesen Strahl!
Räuber? war's denn seine Wahl?
Bring ihn, Guter, bring ihn mir,
Auch für den Räuber dank' ich dir.

Boleslav.

2515 Er ist hier in Euerm Schlosse.

Graf.

Hier?

Boleslav.

Ja, Herr, Euch unbekannt.
Jener Fremde, der heut' abend
Matt und bleich um Zuflucht bat —

Berta.

Jaromir?

Boleslav.

Derselbe, ja!

Graf.

2520 Teufel! Schadenfroher Teufel!
Nimm's zurück, das Donnerwort!
Nimm's zurück!

Boleslav.

Er ist's, mein Herr!

Graf.

Widerruf!

Boleslav.

Ich kann nicht, Herr!

Graf
(sich mit höchster Anstrengung aller Kräfte vom Lager aufrichtend).

Widerruf!

Hauptmann (besänftigend zum Grafen).

Herr Graf!
(Auf Boleslav zeigend.)

Fort mit ihm!

Boleslav.

2525 Mein Herr Ritter!

Hauptmann.

Fort mit ihm!
(Boleslav wird abgeführt.)

Graf.

Er geht fort und sagt nicht: Nein!
So begrabt mich denn, ihr Mauern,
Und Verwüstung, brich herein,
Stürzet ein, ihr festen Säulen,
Die der Erde Ball getragen;   2530
Denn den Vater hat sein Sohn erschlagen!
(Zurücksinkend.)

Berta (in Ohnmacht sinkend).

Todespforte, tu dich auf!
Pause.
(Alle stehen in stummem Entsetzen.)

Graf.

Wie hab' ich so oft geklagt,
Daß ein Sohn mir ward versagt,
Kampfgerecht und lehenbar[1],   2535
Wie der Väter hohe Schar;
Seht des Schicksals gift'gen Hohn!
Seht, ich habe einen Sohn,
Es erhielt ihn mild am Leben,
Mir den Todesstreich zu geben!   2540

Wenn mein Aug' sich tränend netzte,
War die Klage ohne Not,
Väter, ich bin nicht der letzte!
Noch lebt einer! — am Schafott! — —
Was liegt dort zu meinen Füßen   2545
Und blinkt mich so blutig an?

Günter
(den Dolch aufhebend und hinhaltend).
'ѕ ist der Dolch, der Euch verwundet!

Graf.

Dieser war es?   Dieser Dolch?
Ja, du bist es, blutig Eisen,

---

[1] Mit allen ritterlichen Tugenden ausgestattet und dadurch, wie durch seine Abkunft, würdig, „die weiten Lehen" zu empfangen, die seit alters dem Geschlecht Borotin verliehen waren (vgl. V. 206 f.).

2550 Ja, du bist's, du bist dasselbe,
Das des Ahnherrn blinde Wut
Tauchte in der Gattin Blut!
Ich seh' dich, und es wird helle,
Hell vor meinem trüben Blick!
2555 Seht ihr mich verwundert an?
Das hat nicht mein Sohn getan!
Tiefverhüllte, finstre Mächte
Lenkten seine schwanke Rechte!

(Günter anfassend.)

Wie war, Alter, deine Sage
2560 Von der Ahnfrau früher Schuld,
Von dem sündigen Geschlecht,
Das in Sünden ward geboren,
Um in Sünden zu vergehn?
Seht ihr jenen blut'gen Punkt
2565 Aus der grauen Väterwelt
Glühendhell herüberblinken?
Seht, vom Vater zu dem Sohne
Und vom Enkel hin zum Enkel
Rollt er wachsend, wallend fort,
2570 Und zuletzt zum Strom geschwollen,
Hin durch wildgesprengte Dämme,
Über Felder, über Fluren,
Menschendaseins, Menschenglücks
Leicht dahingeschwemmte Spuren,
2575 Wälzt er seine Fluten her,
Uferlos, ein wildes Meer.
Ha, es steigt, es schwillt heran,
Des Gebäudes Fugen krachen,
Sinkend schwankt die Decke droben,
2580 Und ich fühle mich gehoben!
Tiefverhüllte Warnerin,
Sünd'ge Mutter sünd'ger Kinder,
Trittst du dräuend hin vor mich?
Triumphiere! Freue dich!
2585 Bald, bald ist dein Stamm vernichtet,

Ist mein Sohn doch schon gerichtet:
Nimm denn auch dies Leben hin,
Es stirbt der letzte Borotin!
(Sinkt sterbend zurück.)

Günter.

Gott! Es sprengen die Verbande[1]!
Weh', er stirbt!
(über ihn gebeugt, die Hand auf seine Brust gelegt, nach einer Pause.)
Er ist nicht mehr —   2590
Kalt und bleich sind diese Wangen,
Diese Brust hat ausgebebt.
Qualvoll ist er heimgegangen,
Qualvoll, so wie er gelebt.
Fahr' denn wohl, du reine Seele,   2595
Ach, und deine Tugenden
Tragen dich, wie lichte Engel,
Von der Erde Leiden los,
In des Allerbarmers Schoß.
Schlummre bis zum Morgenrot,   2600
Guter Herr! und was dies Leben,
Karg und hart, dir nicht gegeben,
Gebe freundlich dir der Tod!
(Er sinkt betend auf die Kniee nieder. Der Hauptmann und alle Umstehenden ent=
blößen die Häupter. Feierliche Stille.)

Hauptmann.

So, ihm ward der Andacht Zoll!
Und jetzt, Freunde, auf, zu rächen   2605
Das entsetzliche Verbrechen
Auf des blut'gen Mörders Haupt!

Günter.

Wie, Ihr wolltet?

Hauptmann.

Fort, mir nach!
(Ab mit seinen Leuten.)

---

[1] Soviel wie Verbände.

Günter.

Güt'ger Himmel! Haltet ein!
2610   Hört Ihr nicht? Es ist sein Sohn!
Meines Herren einz'ger Sohn!
Fräulein Berta! — Hört doch, hört!
(Dem Hauptmann nach.)

Berta (sich aufrichtend).

Rief man mir? — Nu, Berta, rief es,
Ei, und Berta ist mein Name. —
2615   Aber nein, ich bin allein!
(Vom Boden aufstehend.)
Stille, still! Hier liegt mein Vater,
Liegt so sanft und regt sich nicht.
Stille! Stille! Stille! Stille!

Wie so schwer ist dieser Kopf,
2620   Meine Augen trübe, trübe!
Ach, ich weiß wohl, manche Dinge,
Manche Dinge sind geschehn,
Noch vor kurzem erst geschehn;
Sinnend denk' ich drüber nach,
2625   Aber, ach, ein lichter Punkt,
Der hier an der Stirne brennt,
Der verschlingt die wirren Bilder!

Halt! halt! Sagten sie denn nicht,
Nicht, mein Vater sei ein Räuber?
2630   Nicht mein Vater, nicht mein Vater!
Jaromir, so hieß der Räuber!
Der stahl eines Mädchens Herz
Aus dem tiefverschloss'nen Busen,
Ach, und statt des warmen Herzens
2635   Legte er in ihren Busen
Einen kalten Skorpion,
Der nun grimmig wütend nagt
Und zu Tod das Mädchen plagt.
Und ein Sohn erschlug den Vater —
2640   (Freudig.) Und mein Bruder kam zurück,

Mein ertrunkner, toter Bruder!
Und der Bruder — halt! — hinunter!
Nur hinunter, da hinunter!
Fort in euern schwarzen Käfig!
    (Die Hand krampfig aufs Herz gepreßt.)
Nage, nage, gift'ges Tier,   2645
Nage, aber schweige mir!
    (Ein Licht vom Tisch nehmend.)
Ei, ich will nur schlafen gehn,
Schlafen, schlafen, schlafen gehn,
Lieblich sind des Schlafes Träume,
Nur das Wachen träumt so schwer!   2650
   (Ihre umherschweifenden Blicke auf den Tisch werfend.)
Was blinkt dort vom Tisch mich an?
O, ich kenn' dich, schönes Fläschchen!
Gab mir's nicht mein Bräutigam?
Gab zum Brautgeschenke mir's;
Sprach er nicht, als er mir's gab,   2655
Daß in dieser kleinen Wiege
Schlummernd drin der Schlummer liege?
Ach, der Schlummer! ja, der Schlummer!
Laß an deinem Rand mich nippen,
Kühlen diese heißen Lippen,   2660
Aber leise — leise — leise. —
(Sie geht auf den Zehenspitzen, mit jedem Schritt mehr wankend, auf den Tisch zu.
  Ehe sie ihn noch erreicht, sinkt sie zu Boden.)

Ende des vierten Aufzuges.

Fünfter Aufzug.

Schloßzwinger. Von allen Seiten halbverfallene Werke. Links an
einer Wand des Vorgrundes ein Fenster in der Mauer, im Hinter=
grunde ein Teil des Wohngebäudes mit der Schloßkapelle.

Jaromir kommt durch die Nacht.

Jaromir.

So — hier ist der Ort, das Fenster!
Hier, in diesen wüsten Mauern
Will ich tief verborgen lauern,
2665 Bis des Glückes Stunde schlägt.
(Auf und ab gehend.)
Fort, ihr marternden Gedanken,
Schlingt nicht eure dunkeln Ranken
Um dies weichliche Gefühl!
Pfui! der nie dem Tod gezittert,
2670 Fest und mutig, den erschüttert
Loser Bilder leichtes Spiel! —

Ha, und wenn ich ihn erschlug,
Ihn, der mich erschlagen wollte,
Was ist's, daß ich zittern sollte?
2675 Hat die Tat nicht Grund genug?
Hab' ich ihm den Tod gegeben,
War's in ehrlichem Gefecht,
Ei, und Leben ja um Leben,
Spricht die Sitte, spricht das Recht!
2680 Wer ist's, der darob errötet,
Daß er seinen Feind getötet,
Was ist's mehr? — Drum fort mit euch,
War ich sonst doch nicht so weich.

22*

Und wenn's recht, was ich getan,
Warum faßt mich Schauder an?   2685
Warum brennt es hier so heiß,
Warum wird mein Blut zu Eis?
Warum schien's, als ich es tat,
In dem schwarzen Augenblicke,
Teufel zögen mich zur Tat,   2690
Gottes Engel mich zurücke!

Als ich fliehend in den Gang,
Der Verfolger nach mir sprang,
Schon sein Atem mir im Nacken,
Jetzt mich seine Hände packen,   2695
Da rief's warnend tief in mir:
„Deine Waffen wirf von dir,
Und dich hin zu seinen Füßen,
Süß ist's, durch den Tod zu büßen!"
Aber rasch, mit neuer Glut   2700
Flammt empor die Räuberwut
Und ruft ungestüm nach Blut.
Vor den Augen seh' ich's flirren,
Hör' es um die Ohren schwirren,
Geister, bleich wie Mondenglanz,   2705
Wirbeln sich im Ringeltanz,
Und der Dolch in meiner Hand
Glühet wie ein Höllenbrand!
„Rette", ruft es, „rette dich!"
Und blind stoß' ich hinter mich.   2710
Ha, es traf! Ein wimmernd Ach
Folgt dem raschen Stoße nach,
Mit bekannter, süßer Stimme,
Mit erstorbner Klagestimme.
Bebend hör' ich sie erschallen.   2715
Da faßt ungeheure Angst
Mich mit kalten Eiseskrallen,
Wahnsinn zuckt mir durchs Gehirn;
Bebend such' ich zu entweichen

2720 Mit dem blut'gen Kainszeichen,
Flammend auf der Mörderstirn.
All mein Ringen, all mein Treiben
Kann den Ton nicht übertäuben,
Immer dröhnt mir dumpf und bang
2725 In das Ohr sein hohler Klang;
Und mag ich mir's immer sagen:
Deinen Feind hast du erschlagen,
Ruft der Hölle gift'ger Hohn:
„Das war keines Feindes Ton!" —

2730 Doch wer naht dort durch die Trümmer,
Eilig schreitend auf mich zu?
Tor! den Rückweg find'st du nimmer,
Ich muß fallen, oder du.
Denn wenn einmal nur der Tiger
2735 Erst gesättigt seine Wut,
Bleibt die Gierde ewig Sieger,
Und sein Innres schreit nach Blut. (Er zieht sich zurück.)

Boleslav kömmt.

Boleslav.

Gott sei Dank! Es ist gelungen,
Ledig bin ich meiner Haft,
2740 Doch von Mauern noch umrungen,
Und schon schwindet meine Kraft.
Daß ich ihn doch finden könnte,
Ihn, den Teuern, den ich suche,
Meinen, seinen, unsern Sohn.
2745 Werf' ich mich mit Jaromir
Zu des mächt'gen Vaters Füßen,
O, dann muß der Richter schonen,
Trifft desselben Schwertes Streich
Doch den Sohn mit mir zugleich.

Jaromir (hervortretend).

2750 Das ist meines Vaters Stimme!

Boleslav.

Jaromir! — du bist's?

Jaromir.
                    Ich bin's.
Boleslav.
Sei gesegnet!

Jaromir.
                    Großen Dank!
Ei, behaltet Euern Segen,
Räubers Segen ist wohl Fluch.
Und woher des Wegs, mein Vater,   2755
Welcher Dietrich, welche Leiter
Führt Euch in des Sohnes Arm?

Boleslav.
Ach, ich war in Feindeshänden!
An dem Weiher dort gefangen,
Ward ich in das Schloß gebracht;   2760
Doch benützend die Verwirrung,
Die des Grafen jähe Krankheit
Unter seine Diener streute,
Sucht' ich Rettung und entsprang.

Jaromir.
Und entsprangt? Ihr seid mein Mann!   2765
Seht, so hab' ich auch getan.
Denn uns blüht kein Glück, uns beiden,
Unter unbescholtnen Leuten,
In des Waldes Nacht und Graus
Fühlt ein Räuber sich zu Haus.   2770
Recht, mein Vater! Wackrer Vater!
Würdig eines solchen Sohns.

Boleslav.
Solchen Sohns? — Er weiß noch nicht! —
Jaromir, du nennst mich Vater!

Jaromir.
Soll ich nicht? — Wohl, tauschen wir!   2775
Nehmt den Vater Ihr zurück,
Doch erlaßt mir auch den Sohn!

Boleslav.

Wozu mag noch Schweigen frommen,
Ist die Stunde doch gekommen,
2780 Wo die Hülle fallen muß.
Nun, wohlan denn, so erfahre
Das Geheimnis langer Jahre,
Wer dir gab des Lebens Licht.
Laß den Dank nur immer walten,
2785 Denn ich habe dir's erhalten,
Wenn auch gleich gegeben nicht.

Jaromir.

Ha! — Wenn gleich gegeben nicht?
Nicht gegeben? Nicht gegeben?

Boleslav.

Nein, mein Sohn, nicht mehr mein Sohn.

Jaromir.

2790 Nicht dein Sohn? — Ich nicht der Sohn
Jenes Räubers Boleslav?
Alter Mann, ich nicht dein Sohn?
Laß mich's denken, laß mich's fassen,
O es faßt, es denkt sich schön!
2795 Ich gehörte mit zum Bunde,
Den verzweifelnd ich gesucht,
Und Gott hätte in der Stunde
Der Geburt mir nicht geflucht?
Meinen Namen nicht geschrieben
2800 Ein in der Verwerfung Buch,
Dürfte hoffen, dürfte lieben,
Und mein Beten ist kein Fluch?
(Boleslav hart anfassend.)
Ungeheuer! Ungeheuer!
Und du konntest mir's verhehlen,
2805 Sahst mich gift'ge Martern quälen,
Sahst des Innern blut'gen Krieg,
Ha, und deine Lippe schwieg!

Schlichst dich kirchenräuberisch
In des reinen Kinderbusens
Unentweihtes Heiligtum;   2810
Stahlst des teuren Vaters Bild
Von der gottgeweihten Schwelle,
Setztest deines an die Stelle!

Ungeheuer! Ungeheuer!
Wenn ich im Gebete kniete   2815
Und des Dankes Gegenstand,
Der, mir selber unbekannt,
In dem heißen Herzen brannte,
Lebensschenker, Vater nannte,
Segen auf ihn niederflehte,   2820
Schlichst du dich in die Gebete,
Eignetest dir, Mörder du,
Meiner Lippen Segen zu!
Sprich's noch einmal, sprich es aus,
Daß du dir den Vaternamen   2825
Wie ein feiger Dieb gestohlen,
Mörder! daß ich nicht dein Sohn!

Boleslav.

Ach! mein Sohn —

Jaromir.

                          Sprich es nicht aus!
Deine Zunge töne Mord,
Aber nicht dies heil'ge Wort! —   2830
Nicht dein Sohn! Ich nicht dein Sohn!
Habe Dank für diese Nachricht!
Mörder! darum haß' ich dich,
Seit ich Gottes Namen nenne,
Seit ich Gut und Böses kenne;   2835
Darum bohrten deine Blicke
Sich wie Meuchelmörderdolche
In des Knaben warme Brust;
Darum faßt' ihn kalter Schauder,

2840   Wenn du mit den blut'gen Händen
    Seine vollen Wangen strichst,
    Dich zu ihm herunter neigtest,
    Auf erschlagne Leichen zeigtest
    Und dein Mund mit Lächeln sprach:
2845   „Werd ein Mann und tu' mir nach!"
    Und ich Tor, ich blinder Tor,
    Ich verstand des eignen Innern
    Tief geheime Warnung nicht,
    Rang mit meinem weichen Herzen,
2850   Rang in fruchtlos blut'gem Ringen,
    Um ihm Liebe abzudringen
    Für des Mannes greises Haar,
    Der der Unschuld Henker war.
    Bösewicht, gib mir zurück,
2855   Was mir die Geburt beschieden,
    Meiner Seele goldnen Frieden,
    Meines Daseins ganzes Glück,
    Meine Unschuld mir zurück!

Boleslav.

Gott im Himmel! höre doch!

Jaromir.

2860   Und wo ist, wer ist mein Vater?
    Führ' mich hin zu seinen Füßen.
    Laß ihn einen Landmann sein,
    Der mit seiner Stirne Schweiß
    Seiner Väter Erbe dünget,
2865   Hin zu ihm, an seiner Seite
    Will ich gern, ein Landmann nur,
    Mit der sparsamen Natur
    Ringen um die karge Beute,
    Legen meiner Tränen Saat
2870   Mit dem Samen in die Erde,
    Froh, wenn mir die Hoffnung naht,
    Daß noch beides grünen werde.
    Laß ihn einen Bettler sein,

Ich will leiten seine Schritte,
Teilen seine dürst'ge Hütte,　　　　　　　　　　　2875
Teilen seine Angst und Not,
Teilen sein erbettelt Brot;
Will, wenn späte Sterne blinken,
Auf den nackten Boden sinken
Und mich reich und selig dünken,　　　　　　　　2880
Reicher als kein König ist,
Wenn der Schlaf mein Auge schließt.
Sprich, wo ist er? Führ' mich hin!

Boleslav.

Nun, wohlan, so folge mir!
Nicht ein niedrig dunkler Landmann,　　　　　　2885
Nicht ein Sklav' in Bettlertracht,
Nein, ein Mann von Rang und Macht,
Den des Landes Höchste kennen,
Und den Fürsten Bruder nennen,
Dem der Ersten Haupt sich beugt,　　　　　　　2890
Jaromir, hat dich gezeugt.
Heiß den düstern Mißmut fliehn,
Denn dein Los ist nicht so herbe,
Stolz sieh auf den Boden hin,
Du trittst deiner Väter Erbe,　　　　　　　　　2895
Bist ein Graf von Borotin!

Jaromir (zusammenfahrend).

Ha! —

Boleslav.

Deiner Kindheit erstes Lallen
Hörten dieses Schlosses Hallen,
Hier hast du das Licht erblickt,
Und bei des Besitzers Küssen　　　　　　　　　2900
Hast du, ohne es zu wissen,
Vaters Brust ans Herz gedrückt.

Jaromir (schreiend).

Nein!

Boleslav.

Es ist so, wie ich sagte!
Komm mit mir hinauf zu ihm.
2905 Des Gesetzes rauhe Stimme,
Hart und fürchterlich dem Räuber,
Mildert seinen strengen Ton
Gegen jenes Mächt'gen Sohn!
Komm mit mir, weil es noch Zeit.
2910 Hart verletzt liegt er darnieder,
Und wer weiß, ersteht er wieder.
Denn nur jetzt, in dieser Nacht,
In des Schlosses düstern Gängen,
Unsrer Brüder Spur verfolgend,
2915 Traf ihn eines Flücht'gen Dolch.

Jaromir.

Teufel! schadenfroher Teufel!
Tötest du mit einem Wort?
Glaubst du, weil ich keine Waffen?
Die Natur, die halb nichts tut,
2920 Gab mir Krallen, gab mir Zähne,
Gab zu der Hyäne Wut
Mir auch Waffen der Hyäne!
Natter, laß mich dich zertreten,
Senden dich ins Heimatland!
2925 Können deine Worte töten,
Besser kann's noch diese Hand!
(Auf ihn losgehend.)

Boleslav.

Er ist rasend! Rettung! Hilfe! (Fliehend ab.)

Jaromir.

Wär' es wahr? Ha, wär' es wahr,
Was des Untiers Mund gesprochen?
2930 Und wovon schon der Gedanke,
Nur das Bild der Möglichkeit

Meine raschen Pulse stocken,
Mir das Mark gerinnen macht.
Wär' es Wahrheit? — Ja, es ist!
Ja, es ist! es ist! es ist!   2935
Ja! tönt's durch die dumpfen Sinne,
Ja! heult's aus dem finstern Innern,
Und die schwarzen Schreckgestalten,
Die vor meiner Stirne schweben,
Neigend ihre blut'gen Häupter,   2940
Winken mir ein gräßlich: Ja!
Ha, und jener Klageton,
Der erscholl in blut'ger Stunde
Aus des Hingesunknen Munde,
Er ist meinem Ohre nah'   2945
Und seufzt wimmernd, sterbend: Ja!

    Er mein Vater, er mein Vater!
Ich sein Sohn, sein Sohn, und — Ha!
Wer spricht hier? Wer sprach es aus?
Aus das Wort, das selbst ein Mörder   2950
In des Herzens tiefste Falten,
Bleich und bebend, sich verbirgt,
Wer sprach's aus? Sein Sohn und Mörder!
Ha, sein Sohn, sein Sohn und Mörder!
        (Die Hände vors Gesicht schlagend.)
Was die Erde Schönes kennet,   2955
Was sie hold und lieblich nennet,
Was sie hoch und heilig glaubt,
Reicht nicht an des Vaters Haupt.
Balsam strömt von seinen Lippen,
Und auf wem sein Segen ruht,   2960
Der schifft durch des Lebens Klippen,
Lächelnd ob der Stürme Wut;
Doch wer in der Sinne Toben,
Gottesräuberisch, verrucht,
Gegen ihn die Hand erhoben,   2965
Ist verworfen und verflucht.

Ja, ich hör' mit blut'gem Beben,
Wie der ew'ge Richter spricht:
„Allen Sündern wird vergeben,
2970   Nur dem Vatermörder nicht!"

Sprenge deine starken Fesseln,
Gift'ges Laster, komm hervor
Aus der Hölle offnem Tor,
Laß sie los, die schwarzen Scharen,
2975   Die so lang gebunden waren:
Hinterlist mit Netz und Stricken,
Lüge mit dem falschen Wort,
Neid, du mit den hohlen Blicken,
Mit dem blut'gen Dolche, Mord!
2980   Meineid mit dem gift'gen Mund,
Gottesläst'rung, toller Hund,
Der die Zähne grimmig bleckt
Gegen den, der ihn gepflegt;
Brecht hervor, durchstreift die Welt
2985   Und verübt, was euch gefällt!
Was ihr auch getan, getrieben,
Ungestraft mögt ihr's verüben,
Euer Tun reicht nicht hinan,
Nicht an das, was ich getan!
2990   Ha, getan! — Hab' ich's getan?
Kann die Tat die Schuld beweisen,
Muß der Täter Mörder sein?
Weil die Hand, das blut'ge Eisen,
Ist drum das Verbrechen mein?
2995   Ja, ich tat's, fürwahr, ich tat's!
Aber zwischen Stoß und Wunde,
Zwischen Mord und seinem Dolch,
Zwischen Handlung und Erfolg
Dehnt sich eine weite Kluft,
3000   Die des Menschen grübelnd Sinnen,
Seiner Willensmacht Beginnen,
Alle seine Wissenschaft,

Seines Geistes ganze Kraft,
Seine brüstende Erfahrung,
Die nicht älter als ein Tag,   3005
Auszufüllen nicht vermag;
Eine Kluft, in deren Schoß
Tiefverhüllte, finstre Mächte
Würfeln mit dem schwarzen Los
Über kommende Geschlechte.   3010
Ja, der Wille ist der meine,
Doch die Tat ist dem Geschick,
Wie ich ringe, wie ich weine,
Seinen Arm hält nichts zurück.
Wo ist der, der sagen dürfe: 3015
„So will ich's, so sei's gemacht!"
Unsre Taten sind nur Würfe
In des Zufalls blinde Nacht —
Ob sie frommen, ob sie töten?
Wer weiß das in seinem Schlaf?   3020
Meinen Wurf will ich vertreten,
Aber das nicht, was er traf!
Dunkle Macht, und du kannst's wagen,
Rufst mir: Vatermörder! zu?
Ich schlug den, der mich geschlagen,   3025
Meinen Vater schlugest du! —

    Doch wer hält dies Bild mir vor?
Ha, wer flüstert mir ins Ohr?
Halt! laß mich die Kunde teilen!
Wunden, sprichst du, Wunden heilen   3030
Und Verwundete genesen.
Habe Dank, du güt'ges Wesen,
Segensbote, habe Dank!
Mit der Hoffnung auf sein Leben
Hast du meines mir gegeben,   3035
Das verzweifelnd schon versank.
Ja, er wird, er muß gesunden,
Heilen müssen jene Wunden,

Die der Hölle gift'ger Trug,
3040 Nicht der Sohn dem Vater schlug. ——
Ich will hin zu seinen Füßen,
Will die blut'gen Male küssen
Und des Schmerzes heiße Glut
Kühlen mit der Tränen Flut.
3045 Nein, in jenen düstern Fernen
Waltet keine blinde Macht,
Über Sonnen, über Sternen
Ist ein Vateraug', das wacht.
Keine finstern Mächte raten
3050 Blutig über unsre Taten,
Sie sind keines Zufalls Spiel;
Nein, ein Gott, ob wir's gleich leugnen,
Führt sie, wenn auch nicht zum eignen,
Immer doch zum guten Ziel.
3055 Ja, er hat auch mich geleitet,
Wenn ich gleich die Hand nicht sah;
Der die Schmerzen mir bereitet,
Ist vielleicht in Wonne nah'.

(Die Fenster der Schloßkapelle haben sich währenddem erleuchtet, und sanfte, aber
ernste Töne klingen jetzt herüber.)

Was ist das? — Habt Dank! Habt Dank,
3060 Säuselt, säuselt, holde Töne,
Säuselt lieblich um mich her,
Sanft und weich, wie Silberschwäne
Über ein bewegtes Meer.
Schüttelt eure weichen Schwingen,
3065 Träufelt Balsam auf dies Herz,
Laßt die Himmelslieder klingen,
Einzuschläfern meinen Schmerz.
Ja, ich kenne eure Stimme,
Ihr sollt laden mich zum Bund;
3070 Der mich rief in Donners Grimme,
Ruft mich jetzt durch euern Mund.
Laßt ihr mich Verzeihung hoffen?
Ihr tönt fort und sagt nicht: Nein,

Seht, die Pforten stehen offen,
Friedensboten, ziehet ein!   3075

(Die Töne nehmen nach und nach einen immer ernsteren Charakter an und beglei-
ten zuletzt folgende Worte:)

Chor (von innen).

Auf, ihr Brüder!
Senkt ihn nieder
In der Erde stillen Schoß,
    In der Truhe
    Finde Ruhe,   3080
Die dein Leben nicht genoß.

Jaromir.

Ändert ihr so schnell das Antlitz,
Unerklärte Geisterstimmen?
Habt so lieblich erst geschienen,
Zoget ein wie Honigbienen,   3085
Und jetzt kehrt ihr fürchterlich
Euren Stachel wider mich!
Das sind keine Friedensklänge,
Ha, so tönen Grabgesänge!
Dort in der Kapelle Licht —   3090
Stille, Herz! Weissage nicht!
Ich will sehen, sehen, sehen!
Sollt' ich drüber auch vergehen.

(Er klettert an verfallenem Gestein bis zum Kapellfenster empor.)

Gesang (fährt fort).

Hat hienieden
Auch den Frieden   3095
Dir dein eigen Kind entwandt,
    Dort zum Lohne,
    Statt dem Sohne,
Reicht ein Vater dir die Hand.
    Und den Blinden   3100
    Wird er finden,
Wie er Abels Mörder fand,

Das Verbrechen
Wird er rächen
3105   Mit des Richters schwerer Hand.

Jaromir
(wankend und bleich zurückkommend).

Was war das? — Hab' ich gesehn?
Ist es Wahrheit, Wahrheit, Wahrheit,
Oder spiegeln diese Augen
Nur des Innern dunkle Bilder
3110   Statt der lichten Außenwelt?
Starr und dumpf in wüstem Graus
Lag das weite Gotteshaus,
Seine leichenblassen Wangen[1]
Mit des Trauers Flor umhangen;
3115   Am Altar des Heilands Bild,
Abgewandt und tief verhüllt,
Als ob Dinge da geschehen,
Die's ihn schaudre anzusehen.
Und aus schwarzverhülltem Chor
3120   Wanden Töne sich empor,
Die um Straf' und Rache baten
Über ungeheure Taten.
Und am öden Hochaltar,
Ringsum eine Dienerschar,
3125   Lag, umstrahlt von dumpfen Kerzen,
Eine Wunde auf dem Herzen,
Weit geöffnet, blutig rot,
Lag mein Vater, bleich und tot.
(Die Lichter in der Kirche sind indessen ausgelöscht.)
Wie? mein Vater? Mag ich's sagen?
3130   Nein, lag der, den ich erschlagen:
Denn, was auch die Hölle spricht,
Nein, er war mein Vater nicht!
Bin ich ja doch nur ein Mensch,
Meine Taten, wenngleich schwarz,

---

[1] Die weißen Wände der Kapelle.

Sind ja doch nur Menschentaten,   3135
Und ein Teufel würde beben,
Gält' es eines Vaters Leben.
Hab' ich doch gehört, gelesen
Von der Stimme der Natur;
Wär' mein Vater es gewesen,   3140
Warum schwieg sie damals nur?
Mußte sie nicht donnernd schreien,
Als der Dolch zum Stoß geneigt:
„Halt! dem deine Hände dräuen,
Mörder, der hat dich gezeugt!"   3145
Und wenn sie, sie, die ich liebe,
Liebe? — Nein, die ich begehre,
Wenn sie meine Schwester wäre,
Woher diese heiße Gier,
Die mich flammend treibt zu ihr?   3150
Schwester! Schwester! toller Wahn!
Zieht es so den Bruder an?
Wenn uns Hymens Fackeln blinken,
Wir uns in die Arme sinken
In des Brautbetts Bindeglut,   3155
Dann erst nenn' ich sie mein Blut.
Mir wird Tag; die Nebel schwinden,
Es erhellet sich die Nacht:
Was ich suchte, will ich finden,
Was ich anfing, sei vollbracht.   3160
Glaubst du, Wünsche können retten,
Und entsühnen kann ein Wort?
Nie muß man den Weg betreten,
Wer ihn trat, der wandle fort.
Ich bin nicht zum Glück geboren,   3165
Nie blüht mir der Unschuldkranz:
Wer dem Teufel sich erkoren,
Nun wohlan, der sei es ganz.
Sie muß ich, ja sie besitzen,
Mag der Himmel Rache blitzen,   3170
Mag die Hölle Flammen sprühn

Und mit Schrecken sie umziehn.
Wie der tolle Wahn sie heiße,
Weib und Gattin heißt sie hier,
3175   Und durch tausend Donner reiße
Ich die Teure her zu mir.
Hier der Ort und hier das Fenster,
Die Entscheidungsstunde naht,
Naht, die Stunde der Gespenster,
3180   Und mahnt laut mich auf zur Tat.

(Im Hinaufsteigen.)

Schauderst, Liebchen? Sei nicht bange!
Sieh, du harrest nicht mehr lange,
In des Heißgeliebten Arm
Ruht sich's selig, ruht sich's warm.

(Durchs Fenster hinein.)

Hauptmann kommt mit **Soldaten**, die **Boleslav** führen.

Hauptmann.

3185   Suche nicht mehr zu entrinnen,
Du hast Sorgfalt uns gelehrt.
Ruhig, und nicht von der Stelle!
Aber wo ist dein Geselle?
Hier, sprachst du, verließ'st du ihn.

Boleslav.

3190   Ja, mein Herr!

Hauptmann.

Er ist nicht hier!

Soldat.

Herr, an jenem kleinen Fenster
Sah ich es von weitem blinken,
Und es wollte mich bedünken,
Daß ein Mensch in voller Hast
3195   Durch die enge Öffnung steige,
Und ich wette, Herr, er war's;
In des Schlosses innern Gängen
Suchet er wohl Sicherheit.

23*

Hauptmann.

Wohl, nicht mehr kann er entweichen,
Wo er sei, an jedem Ort   3200
Soll die Rache ihn erreichen.
Und nun folgt mir! Eilig fort!

(Ab mit den Soldaten.)

Grabgewölbe. Im Hintergrunde das hohe Grabmal der Ahnfrau mit
passenden Sinnbildern. Rechts im Vorgrunde eine Erhöhung, mit
schwarzem Tuch bedeckt.

Jaromir kommt.

Jaromir.

So! Hier bin ich! — Mutig! Mutig! —
Schauer weht von diesen Wänden,
Und die leisgesprochnen Worte   3205
Kommen meinem Ohre wieder,
Wie aus eines Fremden Mund.
Wie ich gehe, wie ich wandle,
Ziehet sich ein schwarzer Streif,
Dunkel, wie vergoßnes Blut,   3210
Vor mir auf dem Boden hin,
Und obgleich das Innre schaudert,
Sich empöret die Natur,
Ich muß treten seine Spur.

(Seine Hände begegnen sich.)

Ha, wer faßt so kalt mich an? —   3215
Meine Hand? — Ja, 's ist die meine.
Bist du jetzt so starr und kalt,
Sonst von heißem Blut durchwallt,
Kalt und starr wie Mörderhand,
Mörder=, Mörder=, Mörderhand!   3220

(Vor sich hinbrütend.)

Possen! — Fort! Gebt euch zur Ruh',
Fort, es geht der Hochzeit zu!
Liebchen! Braut! wo weilest du?
Berta, Berta, komm!

Die Ahnfrau tritt aus dem Grabmale.

Ahnfrau.
                    Wer ruft?[1]

Jaromir.

3225   Du bist's! Nun ist alles gut,
        Wieder kehret mir mein Mut.
        Laß mich, Mädchen, dich umfangen,
        Küssen diese bleichen Wangen —
        Warum trittst du scheu zurück,
3230   Warum starrt so trüb dein Blick?
        Lustig, Mädchen, lustig, Liebe!
        Ist dein Hochzeittag so trübe?
        Ich bin heiter, ich bin froh,
        Und auch du sollst's sein, auch du!
3235   Sieh, mein Kind, ich weiß Geschichten,
        Wunderbar und lächerlich,
        Lügen, derbe, arge Lügen,
        Aber drum grad' lächerlich.
        Sieh, sie sagen — Lustig! lustig!
3240   Sagen, du seist meine Schwester!
        Meine Schwester! — Lache, Mädchen,
        Lache, lache, sag' ich dir!

Ahnfrau (mit dumpfer Stimme).

Ich bin deine Schwester nicht.

Jaromir.

Sagst du's doch so weinerlich.
3245   Meine Schwester! — Lache, sag' ich!
        Und mein Vater — Von was anderm!
        Alles ist zur Flucht bereitet,
        Komm!

Ahnfrau.
                    Wo ist dein Vater?

Jaromir.
                                    Schweige!

Schweig!

---

[1] In der Schlußszene erscheint die Ahnfrau zweifellos als wirkliches Wesen.

Ahnfrau (steigend).
Wo ist dein Vater?

Jaromir.
Weib,
Schweig und reiz' mich länger nicht!   3250
Du hast mich nur mild gesehn,
Aber wenn die finstre Macht
In der tiefen Brust erwacht
Und erschallen läßt die Stimme,
Ist ein Leu in seinem Grimme   3255
Nur ein Schoßhund gegen mich;
Blut schreit's dann in meinem Innern!
Und der Nächste meinem Herzen
Ist der Nächste meinem Dolch.
Darum schweig!

Ahnfrau (mit starker Stimme).
Wo ist dein Vater?

Jaromir.
Ha! —   3260
Wer heißt mich dir Rede stehn? —
Wo mein Vater? — Weiß ich's selbst? —
Meinst du jenen bleichen Greis
Mit den heil'gen Silberlocken?
Sieh, den hab' ich eingesungen,   3265
Und er schläft nun, schläft nun, schläft!
(Die Hand auf die Brust gepreßt.)
Manchmal, manchmal regt er sich,
Aber legt sich wieder nieder,
Schließt die schweren Augenlider
Und schläft murrend wieder ein. —   3270
Aber, Mädchen, narrst du mich?
Komm mit mir hinaus ins Freie. —
Schüttelst du dein bleiches Haupt?
Eidvergeßne, Undankbare,
Lohnst du so mir meine Liebe?   3275
Lohnst du so, was ich getan?

Was mir teuer war hienieden,
Meiner Seele goldnen Frieden,
Welt und Himmel setzt' ich ein,
3280   Um dich mein zu nennen, mein!
Kenntest du die Höllenschmerzen,
Die mir nagen tief im Herzen,
Fühltest du die grimme Pein,
Könntest, Reine, du es wissen,
3285   Was ein blutendes Gewissen,
O, du würdest milder sein,
O, du sagtest jetzt nicht: Nein!

Ahnfrau.

Kehr' zurück!

Jaromir.

         Ha, ich? zurück?
Nimmermehr! nicht ohne dich;
3290   Geh' ich, Weib, so folgst du mir.
Und wenn selbst dein Vater käme
Und dich in die Arme nähme
Mit der graßen Todeswunde,
Die mit offnem, blut'gem Munde
3295   Mörder! Mörder! zu mir spricht,
Meiner Hand entgingst du nicht.

Ahnfrau.

Kehr' zurück!

Jaromir.

        Nein, sag' ich, nein.
(Man hört eine Tür aufsprengen.)

Ahnfrau.

Horch, sie kommen!

Jaromir.

         Mag es sein.
Leben, Berta, dir zur Seite,
3300   Oder sterben neben dir.

Ahnfrau.

Flieh, entflieh! noch ist es Zeit.
(Eine zweite Tür wird eingesprengt.)

Jaromir.

Berta, hierher, meine Berta.

Ahnfrau.

Deine Berta bin ich nicht!
Bin die Ahnfrau deines Hauses,
Deine Mutter, Sündensohn!   2305

Jaromir.

Das sind meiner Berta Wangen,
Das ist meiner Berta Brust!
Du mußt mit! Hier stürmt Verlangen,
Und von dorther winkt die Lust.

Ahnfrau.

Sieh den Brautschmuck, den ich bringe!   3310
(Sie reißt das Tuch von der bedeckten Erhöhung. Berta liegt tot im Sarge.)

Jaromir (zurücktaumelnd).

Weh mir! — Truggeburt der Hölle!
All' umsonst! ich laß' dich nicht!
Das ist Bertas Angesicht,
Und bei dem ist meine Stelle! (Auf sie zueilend.)

Ahnfrau.

So komm denn, Verlorner![1]
(Öffnet die Arme, er stürzt hinein.)

Jaromir (schreiend).

Ha!   3315
(Er taumelt zurück, wankt mit gebrochenen Knieen einige Schritte und sinkt dann
an Bertas Sarge nieder.)
Die Tür wird aufgesprengt. Günter, Boleslav, der Hauptmann und Soldaten
stürzen herein.

Hauptmann (hereinstürzend).

Mörder, gib dich! du mußt sterben!
(Die Ahnfrau streckt die Hand gegen sie aus. Alle bleiben erstarrt an der Türe
stehen.)

---

[1] Jaromir glaubt nicht, daß es die Ahnfrau ist; so erliegt er ihrer töblichen
Umarmung.

Ahnfrau (sich über Jaromir neigend).

Scheid' in Frieden, Friedenloser!

(Sie neigt sich zu ihm hinunter und küßt ihn auf die Stirne, hebt dann die Sarg=
decke auf und breitet sie wehmütig über beide Leichen. Dann mit emporgehobenen
Händen.)

Nun, wohlan! es ist vollbracht!
Durch der Schlüsse[1] Schauernacht,
3320   Sei gepriesen, ew'ge Macht!
Öffne dich, du stille Klause,
Denn die Ahnfrau kehrt nach Hause.

(Sie geht feierlichen Schrittes in ihr Grabmal zurück. Wie sie verschwunden ist,
bewegen sich die Eingetretenen gegen den Vorgrund zu.)

Hauptmann.

Ha, nun bist du unser —

Günter

(eilt dem Sarge zu, hebt die Decke auf und spricht mit Tränen).

Tot!

(Der Vorhang fällt.)

---

[1] Schicksalsschlüsse.

Anmerkungen des Herausgebers.

Gedichte (S. 1—226).

Vorbemerkung.

Wir verzeichnen folgende Abkürzungen:

„Selbstb."= Grillparzer, Selbstbiographie in den „Sämtlichen Werken", herausg. von August Sauer, Bd. 19, S. 9—192 (5. Ausgabe, Stuttg., o. J., J. G. Cottasche Buchhandlung Nachf.).

„Album" = Wiener Grillparzer-Album. Für Freunde als Handschrift gedruckt. Herausg. von Theobald Freiherrn von Rizy unter Mitwirkung von Dr. Wilhelm Vollmer (Stuttg., 1877).

„Jahrb." = Jahrbuch der Grillparzer-Gesellschaft, herausg. von Karl Glossy (Wien, 1891 ff.).

Jub. = Gedichte von Franz Grillparzer. Jubiläums-Ausgabe zum hundertsten Geburtstage des Dichters. 1791—1891. (Stuttg., 1891.)

Werke [1-5] = Sämtliche Werke, 1.—5. Ausg. (Stuttg., o. J., J. G. Cottasche Buchhandlung Nachf.).

Ehrhard = August Ehrhard, Franz Grillparzer. Sein Leben und seine Werke. Deutsche Ausgabe von Moritz Necker. (Münch., 1902.)

Erste Abteilung: **Persönliches** (S. 7—101).

1. **Cherubin** (S. 7). Nach „Selbstb.", S. 35 erregte der Gesang wie die Schönheit der Sängerin die Einbildungskraft des Dichters. Er wagte keine Annäherung und verschloß seine Verse. Viel später erfuhr er zufällig, daß die Künstlerin das Gedicht doch erhalten und vergebens nach dem Dichter geforscht habe. — Datierung: „Album", S. 429.

5. **Bertas Lied in der Nacht** (S. 10). Nach „Album", S. 556 das erste mit Grillparzers Namen abgedruckte Gedicht. — Dies Schlummerlied sollte „Ahnfrau", 1. Aufzug, Platz finden, wurde aber aus äußeren Gründen durch einige Harfenakkorde ersetzt. Vielfach komponiert, unter anderen von Franz Schubert. Vgl. „Album", S. 456.

6. **Licht und Schatten** (S. 10). Die Sängerin Altenburger wirkte, von Graz kommend, im Sommer 1817 an der Wiener Oper. Ihre liebliche Gestalt entflammte jung und alt; als Künstlerin war sie weniger bedeutend („Jahrb.", Bd. 1, S. 333 f.).

7. **Wie, du fliehst, geliebtes Leben** (S. 11). Nähere Beziehung unbekannt, vielleicht auch an die Altenburger gerichtet (vgl. das vorstehende Gedicht).

8. **Erinnerung** (S. 11). Schreyvogel schlug den Titel vor: „Nach-wehen" (vgl. „Jahrb.", Bd. 1, S. 181, und Bd. 7, S. 9).

9. **An einen Freund** (S. 12). „Album" und Werke[4] unter dem Titel: „An K. A. West" (Schriftstellername Schreyvogels, der sich auch Thomas West nannte). — Das Gedicht, ein Dank an den Mann, von dem Grillparzer „als ein halb Widerstrebender in die Literatur ein-geführt worden war", wurde nicht, wie beabsichtigt, in die 1. Auflage der „Ahnfrau" aufgenommen, weil Schreyvogel selbst dort gegen die Kritiker des Stücks — freilich anonym — das Wort ergriff. („Album", S. 457.)

10. **Bescheidenes Los** (S. 12). Von Theob. von Rizy („Album", S. 453) wegen des Gepräges „einer heiteren, von dem Stachel ernster Leiden-schaften noch unberührten Jugend" an die Spitze der Gedichte ge-stellt. Doch läßt das „einsam und allein" eher auf Resignation schließen.

11. **Der Verfasser der Ahnfrau** (S. 13). Zuerst „Album", S. 322 unter „Charakterköpfe deutscher Dichter" (1818). An eine Veröffentlichung hat Grillparzer (vgl. „Album", S. 543) wohl nicht gedacht; doch ist das Epigramm bezeichnend für sein Urteil über sein erstes Drama.

12. **Abschied von Gastein** (S. 13). Werke[1] an die Spitze der Gedichte gestellt, so auch wieder Jub. und Werke[5], weil es in einer vom Dichter in den vierziger Jahren gemachten Auswahl seiner Gedichte (vgl. Einleitung des Herausgebers, S. 4) die erste Stelle einnimmt. — Es ist ein Fragment, das aber nach Schreyvogels Urteil (Brief vom 29. Juni 1819 an den in Italien weilenden Dichter, „Jahrb.", Bd. 1, S. 182) schon „ein Ganzes" ausmacht und daher von ihm veröffentlicht wurde, gegen Grillparzers Willen, der es (Brief aus Florenz, 11. Juli 1899, „Jahrb.", Bd. 1, S. 184) mit ein paar Strophen schließen wollte. Ansätze dazu haben sich erhalten (vgl. Lesarten). August Sauer hat („Proben eines Kommentars zu Grillparzers Gedichten", „Jahrb.", Bd.7, S. 1–170) nach-gewiesen (S. 4–30), daß das Fragment 1818 in Gastein entstanden ist, aber erst 1819 nach der Rückkehr aus Italien von dem Dichter in das Gasteiner „Ehrungsbuch" eingetragen wurde, aus dem es dann später von unbekannter Hand entwendet worden ist. — Das Gedicht (besonders auch in der Fortsetzung) erinnert im Grundgedanken und Ausdruck an die „Sappho" (bes. 3. Aufz., 2. Szene), die am 21. April 1818 zum ersten-mal aufgeführt worden war; auf die verständnislose Kritik dieses Dramas ist die trübe, zwiespältige Stimmung des Gedichts zum Teil zurückzu-führen. Ähnliche Gedanken in Goethes „Tasso" (2. Aufz., 1. Szene und Schlußszene), dem Vorbilde zur „Sappho". Von Grillparzers Gedichten der 1. Abteilung sind verwandt: „Bann" (Nr. 19), „Incubus" (Nr. 33), „Jugenderinnerungen im Grünen" (Nr. 47, 15). — Neben „Feldmarschall Radetzky" (4. Abt. Nr. 41, S. 183) das populärste Gedicht Grillparzers.

13. **Ständchen** (S. 15). Der mutwillige Ton wie der Entwurf einer Strophe auf einem Studienblatt zur „Medea" deuten auf das Jahr 1818 (vgl. „Album", S. 454).

14. **Kennst du du das Land?** (S. 16). Der Hymnus steht in scharfem Gegensatz zu einem großen Gedicht „Italia" von Zacharias Werner,

das mit einem einleitenden Sonett in der „Aglaja" von 1819 (Herbst
1818 erschienen) stand, Italien als das heilige Land preist, in das der
Dichter als Pilger ziehe, das päpstliche Rom verherrlicht und vom Kreuz
als seinem „Asyl im Leben und im Sterben" alles Heil erhofft (vgl. Aug.
Sauer, „Jahrb.", Bd. 7, S. 85—94). Grillparzer erwartet dagegen in
Italien von der antiken Welt Neubelebung seines künstlerischen Sinns
und seines Selbstvertrauens, die durch den Tod der Mutter und körperliche Leiden so sehr erschüttert waren. Auch die Schlußstrophen sind
gegen Werner gerichtet (Kanzone „Vor Rom", 1809, in „Aglaja"
1820; vgl. Sauer a. a. O., S. 97 f.).

    15. **An die vorausgegangenen Lieben** (S. 18). Der Abschied von der
Heimat zur Reise nach Italien weckte Todesgedanken in dem Dichter.

    16. **Die Ruinen des Campo vaccino in Rom** (S. 18). Das mehr in-
teressante als poetisch wertvolle Gedicht stand zuerst „Aglaja", 1820,
S. 303—308, an letzter Stelle, wurde aber auf Befehl des Polizeipräsidenten Grafen Sedlnitzky noch vor der Ausgabe des Taschenbuchs aus den meisten Exemplaren entfernt. — „Selbstb.", S. 97: Bei
meiner Begeisterung für das Altertum, vermehrt durch den Eindruck dieser
Statuen und Monumente, stellte sich das neue Kirchliche oder vielmehr dem
Alten aufgedrungene Pfäffische ziemlich in Schatten. — Tagebuch auf der
Reise nach Italien, S. 216: ... all deine Kraft und all deine Pracht hat dich
nicht retten können, göttliche Roma, du bist erlegen, und auf den Zinnen
deiner Götter prangt das Zeichen, das hervorging aus diesen Klüften [den
Katakomben] und, langsam wandelnd, aber unabläßlich, dich überholte, als
du müde warst und nicht mehr fliegen konntest. — Das Gedicht ist ein Ausdruck der freien religiösen Ansichten Grillparzers, die von seinem
Vater herstammten und sich infolge der Entwickelung der österreichischen Verhältnisse unter Kaiser Franz noch verschärften. — Die
alten Ruinen werden personifiziert als übriggebliebene, halb sterbende
Helden jener kräftigen Zeit, die unwillig sind über das Neue, das ihnen den
Untergang brachte. Das antike Rom tritt in Gegensatz zum päpstlichen, das heidnische zum pfäffischen, die schöne, kraftvolle alte
Welt zu der flachen, kleinen Gegenwart. — Nahe verwandt ist das
Gedicht mit Schillers „Göttern Griechenlands", von denen es auch
im einzelnen beeinflußt ist (ähnliche Wendungen, Anrede an die per-
sonifizierte antike Welt, rhetorische Fragen, Strophenbau). Zu ähn-
lichen Gedanken wurden durch die römischen Ruinen angeregt: Kotzebue
(„Erinnerungen von einer Reise aus Liefland nach Rom und Neapel",
Berl., 1805), Seume („Spaziergang nach Syrakus"), W. von Humboldt
(kulturhistorisches Gedicht „Rom", 1806), A. W. Schlegel (Elegie „Rom",
1805), Byron („Manfred", 3. Aufz., 4. Szene). — Vgl. August Sauer,
„Jahrb.", Bd. 7, S. 30—135.

    17. **Am Morgen nach einem Sturme** (S. 23). — Ein Hymnus in freien
Rhythmen, wie das Gedicht Nr. 20 dieser Abteilung.

    19. **Der Bann** (S. 26). Entstanden Ende 1819, als Grillparzer mit
der Leidenschaft für Charlotte Paumgarten rang und die „Medea" zu
vollenden suchte. — Der Dichter leidet unter dem Zwiespalt zwischen

Leben und Kunst; bei aller Lebensglut fühlt er sich doch ohnmächtig gegenüber dem Leben und unfähig zu dauerndem Genuß, weil sein Dämon Phantasie ihm, wenn er das Schönste gefaßt zu haben glaube, in jedem Reiz Mängel zeige. — Dieser Gedanke berührt sich mit der Katastrophe der „Sappho", kehrt aber auch in der Lyrik öfter wieder, weil er den tragischen Zwiespalt in Grillparzers eigner Natur ausdrückt.

20. **Die tragische Muse** (S. 28). Zuerst in „Aglaja", 1822, aber zweifellos im Spätherbst 1819 gedichtet, als Grillparzer nach der Rückkehr aus Italien und dem Besuche von Gastein („Hochgebirge", V. 3 f.) sich der „Medea" wieder zuwandte. Zuerst waren die Einzelheiten des Plans „wie weggewischt", dann traten sie am Klavier auf einmal wieder lebendig vor die Seele. Vgl. „Leben und Werke", S. 27*.

21. **Abschied** (S. 30). Josephine von Verhovitz, geb. 1788, also nur drei Jahre älter als der Dichter, Gattin eines höheren Justizbeamten in Salzburg, war schon 1818 in Gastein mit Grillparzer und seinem Begleiter, dem späteren Erzbischof Ladislaus Pyrker, in freundschaftlichem Verkehr gewesen. So auch 1820. (Vgl. „Jahrb.", Bd. 1, S. 316; ebenda, S. 67 ff. vier Briefe von ihr an Grillparzer aus den Jahren 1820 und 1828.) Ihr einfaches und zugleich mildes Wesen übte auf den Dichter, den die Arbeit an der „Medea" überreizt hatte, einen wohltätigen Einfluß aus. (Vgl. „Album", S. 467.) Sie reiste am 1. August ab, der Dichter am 6.

23. **Der Genesene** (S. 33). Infolge von Überanstrengung bei der Arbeit am „Goldenen Vlies" hatte sich Grillparzer (nach „Album", S. 469) im Herbst 1820 eine schwere Erkrankung zugezogen.

24. **An der Wiege eines Kindes** (S. 34). Zuerst „Aglaja" 1822, doch etwa 1820 gedichtet. Die Mutter des Kindes war jene Charlotte von Paumgarten, geb. Jetzer, für die der Dichter 1819 nach der Rückkehr aus Italien leidenschaftlich empfand. Vgl. Gedicht Nr. 19 der 1. Abt., V. 25—28, und „Tristia ex Ponto" Nr. 47, 7.

28. **Das Spiegelbild** (S. 38). Das Wasser des Quells, in dem der Dichter sich spiegelt und dem er sein ganzes Inneres aufschließen möchte, ehe er merkt, daß auch andere sich darin spiegeln, dürfte wohl auf die Geliebte (Charlotte?) gehen, die doch nicht, wie er gedacht hatte, ihm allein gehört.

30. **Als sie, zuhörend, am Klaviere saß** (S. 40). Nach der Überlieferung war Franz Schubert (vgl. „Leben und Werke", S. 33*) der Klavierspieler. Vgl. Aug. Sauer, Grillparzer und Katharina Fröhlich, „Jahrb.", Bd. 5, S. 218—292, S. 231.

31. **Allgegenwart** (S. 41). Das Gedicht atmet die Heiterkeit einer glücklichen Liebe; der schalkhafte Ton ist dem Dichter selten so gut gelungen. Vgl. Sauer a. a. O., „Jahrb"., Bd. 5, S. 232 f.

32. **Vater unser** (S. 42). Die Kunsthandlung von Bohmanns Erben zu Prag, in der J. Führichs Radierungen zum Vaterunser erscheinen sollten, hatte den Dichter aufgefordert, dazu eine poetische Paraphrase zu schreiben. Die mit großer Wärme begonnene Aufgabe wurde nicht vollendet. (Vgl. „Album", S. 544.)

33. **Incubus** (S. 45). Von Rizy ("Album", S. 470 und 558) findet in den durchaus persönlichen Beziehungen dieses und des folgenden Gedichtes (zu Katharina Fröhlich) den Grund, weshalb Grillparzer sie beide nicht in der "Aglaja" seinem gewöhnlichen Leserkreise darbot, sondern zur Mitteilung an ihm Fernerstehende Castelli, dem Herausgeber des nicht besonders angesehenen Taschenbuchs "Huldigung der Frauen", überließ. Außer diesen sind nur noch wenige Gedichte von ihm dort zuerst erschienen. — Der scharfe, zersetzende Verstand, ein Erbteil des Vaters, artet bei Grillparzer oft in Krittelei aus sowohl gegen andere Menschen wie gegen Ideen und nicht zuletzt gegen sein eigenes Wesen und Dichten. — Nach unserem Gedicht macht diese Kritik auch vor der Geliebten nicht Halt, ein wichtiger Grund zu dem unglücklichen Verlauf dieser Liebe. Vgl. "Leben und Werke", S. 35*.

36. **Der Hoffammer** (S. 48). Wiederholt wurde Grillparzer bei der Beförderung übergangen. Vgl. "Leben und Werke", S. 26*.

37. **Bitte** (S. 48). Sinnverwandt mit "Rechtfertigung" (Nr. 43 der 1. Abt.), aber heiter, leichter im Ton, sehr verschieden von den gleichzeitigen "Tristia ex Ponto" und "Der Halbmond glänzet am Himmel" (Nr. 40 der 1. Abt.), das mit der "Bitte" auf demselben Gedenkblatt aus dem Jahre 1826 eingetragen ist. Vgl. "Album", S. 472.

38. **Sinnpflanze** (S. 49). Von Rizy ("Album", S. 473) ist geneigt, das Gedicht auf das "dämonische Wesen" zu beziehen, das in einigen der "Tristia ex Ponto" dem Dichter vorschwebt (Marie Daffinger). — Doch liegen dem empfindsamen Gemüte Grillparzers selbst Erfahrungen wie die hier geschilderte nicht fern.

39. **Was je den Menschen schwer gefallen** (S. 49). Ein erschütternder Ausdruck der Verzweiflung des Dichters an sich und seinem Können. Vgl. Tagebuchblatt vom 17. Juli 1826 ("Jahrb.", Bd. 3, S. 162): In diesen letzten Monaten war mein Zustand wirklich fürchterlich. Eine solche, durch nichts zu beschwichtigende Überzeugung, daß es mit aller geistigen Hervorbringung zu Ende sei, ein solches Versiegen aller inneren Quellen war mir noch nie angekommen. — — Ein unüberwindlicher Ekel ergreift mich bei allem, was mir vorkömmt, selbst die Lektüre interessiert mich nicht. Das Theater erregt mir Abscheu, und kömmt jemand auf das zu sprechen, was ich geschrieben, oder daß ich wieder etwas schreiben soll, so reißt sich ein so ungeheures Gefühl in meinem Innern los, ich sehe einen so ungeheueren Abgrund vor mir, einen so dunkel leeren Abgrund, daß ich schaudern muß, und der Gedanke, mich selbst zu töten, war mir schon oft nahe.

40. **Der Halbmond glänzet am Himmel** (S. 49). Nicht mit Sicherheit zu datieren, aber nach dem Gedanken und der schwermütigen Stimmung durchaus verwandt mit dem vorigen Gedicht.

41. **Spaziergänge** (S. 50). Von Theob. von Rizy ("Album", S. 472) aufs Jahr 1826 datiert (Zeit der Reise nach Deutschland). — Auch hier spiegelt sich die innere Rastlosigkeit und Mißstimmung des Dichters, aber es schimmert doch eine gewisse Resignation durch.

42. **Dezemberlied** (S. 52). Der Winter ruft den Dichter zu innerer Sammlung. Vgl. Nr. 46 der 1. Abt.

43. **Rechtfertigung** (S. 53). Nach dem „Ottokar" (1823 vollendet, 1825 erschienen) hatte Grillparzer lange geschwiegen. Seine Freunde vermuteten, er sei verbittert über den zweifelhaften Erfolg dieser Tragödie und wolle das Drama ruhen lassen. Bauernfeld, seit Ende 1826 mit ihm bekannt, ließ im August 1827 in der Wiener „Zeitschrift für Kunst, Literatur und Mode" (S. 799) anonym ein Gedicht „An Grillparzer" erscheinen, 10 Stanzen, „eine Art Mahnruf" zu erneuter Tätigkeit. Darauf antwortet Grillparzer hier, indem er neben dem Stocken der eignen Produktion (V. 10; 101 ff.) die Böswilligkeit und von ästhetischen Vorurteilen beherrschte Beschränktheit der Kritik und das durch diese bevormundete Publikum für sein Schweigen verantwortlich macht (V. 17—96); die Hemmungen von seiten der Zensur und Staatsgewalt werden (V. 97—100) nur angedeutet. Über die Engherzigkeit der ästhetischen Theorie, die hier auf die Brüder Schlegel zurückgeführt wird, heißt es in den (erst aus dem Nachlaß veröffentlichten) „Ästhetischen Studien II" (Werke [5], Bd. 15, S. 79 f.): Damals also, wo man Prinzipien für alles auffand, ging, wie natürlich, die Kunst auch nicht leer aus. Das Schöne war apriorisch erwiesen, die Kunstformen desgleichen, so daß, wenn sie zufällig verloren gegangen wären, man sie augenblicklich aus freier Faust wieder hätte erfinden können. Große Schubfächer wurden gezimmert für die Hervorbringungen aller Zeiten; da mußten sie unterkriechen, und was für das eine Schubfach als Grundwahrheit galt, war für das andere grundfalsch, als ob der Unterschied zwischen Mensch und Mensch in allen Lagen und Zeiten, weiß Gott, wie groß wäre. Dem gesamten Altertum ward als Marionettendraht die Schicksalsidee beigegeben, und Atriden und Labdakiden mußten sich abmartern, bloß um den breitgetretenen Heischesatz: daß niemand seiner Bestimmung entgehen könne, beispielsweise einzuschärfen. — Was nun, obschon man es mit der Konsequenz nicht sehr genau nahm — durchaus der Anwendung widerstrebte, ward als unwürdig und schlecht ausgeschieden; wie denn Euripides, einem schlechtbestandenen Schüler gleich, bis auf diesen Tag mit dem schwarzen Täfelchen herumgeht.

44. **Ständchen** (S. 57). Von Franz Schubert für eine Altstimme und Mädchenchor in Musik gesetzt (Op. 135) und am 11. August 1827 zum Geburtstag von Luise Gosmar, der Braut von Grillparzers Vetter und Freund Leopold von Sonnleithner aufgeführt (vgl. „Jahrb.", Bd. 1, S. 308). Josephine Fröhlich sang dabei die Altpartie („Album", S. 544 f.).

45. **Begegnung** (S. 58). Nicht genau zu datieren, doch schon in der ersten Zusammenstellung der „Tristia ex Ponto" (Ende 1827) als Nr. 6 aufgenommen, dann wieder ausgeschieden. Von Rizy („Album", S. 455) setzt das Gedicht des heitern Tones wegen in die Jugendzeit, doch zeigt das „Ständchen" (Nr. 44), daß dem Dichter auch 1827, in der traurigsten Zeit seines Lebens, freundlichere Stimmungen nicht fremd waren.

46. **An die Sammlung** (S. 59). Verwandt mit den Gedichten Nr. 42 und 50. — Die Mahnung zur Sammlung hat der Dichter um so nötiger, als, trotz seiner Richtung auf das Einsame und Innerliche, der stete Wechsel der Empfindungen und die grübelnden Gedanken (vgl.

die Gedichte Nr. 12, 19, 33) ihn hin und her warfen. Vgl. auch „Des
Meeres und der Liebe Wellen", 3. Aufzug, 1. Szene, V. 55—69.

47, 1—17. **Tristia ex Ponto** (S. 60). Zuerst „Vesta", 1835, vom
Dichter als zusammenhängendes Ganzes veröffentlicht. Der Titel weist
auf die Trauerlieder des von Augustus nach dem Pontus verbannten
römischen Dichters Ovid hin. Mit dessen Schicksal hatte Grillparzer
schon als Jüngling (etwa 1811) sein eignes Los verglichen in einer
düstern Ode „An Ovid" (Werke[1] als Einleitung den „Tristia ex Ponto"
vorausgestellt). In der zweiten Hälfte der zwanziger Jahre packte ihn
die hypochondrische Stimmung in verstärktem Maße (vgl. „Leben und
Werke", S. 36* ff.). Die schlimmen Verdrießlichkeiten vor und nach der
Aufführung des „Ottokar" verbitterten ihn und weckten neue Zweifel
an seinem poetischen Können. Vgl. „Selbstb.", S. 120: Daß unter sol=
chen Umständen in dem damaligen Österreich für einen Dichter kein Platz
sei, wurde mir immer deutlicher. Ich versank immer mehr in eine hypochon=
drische Stimmung. Er kommt sich vor wie geächtet und aus der Heimat
verbannt (= Ovid). Diese Stimmung spiegelt sich in den Gedichten
Nr. 1, 2, 15. Die Schuld, die er gegenüber Katharina Fröhlich auf sich
geladen, schlägt ihn noch mehr nieder (Gedicht Nr. 15, V. 73—108). Die
Reise nach Deutschland von 1826 bringt die erhoffte Erfrischung des
Gemüts nicht (Gedicht Nr. 4); dagegen wird sein Inneres bald nachher
durch die Leidenschaft für Marie Daffinger noch mehr aufgewühlt, da
deren rätselhaft-dämonische Natur ihn bald anzieht, bald abstößt (die
Gedichte Nr. 6, 8, 9); auch der Tod der einst geliebten Charlotte Paum-
garten wirkt erschütternd (Gedicht Nr. 7). Alles ist ihm mit einem
dunklen Schleier bedeckt; daher die Seufzer, Tränen und Klagen, ja
Selbstmordgedanken, die diese Gedichte kennzeichnen: sie sind der
Niederschlag der traurigsten Zeit im Leben und Seelenzustand des
Dichters (Gedicht Nr. 10, 16). — Beim Vorbereiten der Veröffentlichung
verteilte der Dichter unter diese schwermütigen Dichtungen einige
Poesien freundlicherer Färbung (Nr. 3; 5; 11—14) und gab dem Ganzen,
da er nun (1835) jene qualvolle Lebensepoche überwunden hatte, einen
versöhnenden und zuversichtlichen Schluß (Nr. 17). — 1. **Böse Stunden**
(S. 60) und 2. **Polarszene** (S. 61). Im Tagebuch von 1827 steht (vgl.
„Jahrb.", Bd. 3, S. 164): Wenn ich je dazu kommen sollte — aber ich werde
es nie tun — die Geschichte der Folge meiner inneren Zustände niederzu=
schreiben, so würde man glauben, die Krankheitsgeschichte eines Wahnsinnigen
zu lesen. Das Unzusammenhängende, Widersprechende, Launenhafte, Stoß=
weise darin übersteigt alle Vorstellung. Heute Eis, morgen Feuer und Flam=
men. Jetzt geistig und physisch unmächtig, gleich darauf überfließend, un=
begrenzt. — 7. **Verwandlungen** (S. 65). Am 16. Sept. 1827 erfuhr Grillparzer am Sterbebett Charlottens von Paumgarten, daß ihre Liebe zu
ihm tief — und nicht oberflächlich, wie er gedacht — gewesen sei und
der einzige poetische Punkt ihres Lebens. Tagebuch: Ich habe sie ver=
lassen, mißhandelt. Ich war vielleicht Mitursache ihres Todes.

48. **Willst du, ich soll Hütten bau'n?** (S. 79). Wohl auf das Verhältnis zu Katharina Fröhlich zu beziehen.

50. **Ruhe** (S. 80). Inhaltlich verwandt mit Nr. 42 und 46 der 1. Abt. — Das Gedicht zeigt eine wohltätige Wandlung im Gemüt des Dichters (besonders gegen Nr. 47, 15), daher ist es wohl in die Zeit um 1835/36 zu verlegen.

51. **Wenn der Vogel fingen will** (S. 81). Ein Seufzer über politischen Druck und Zensur.

54. **Entfagung** (S. 83). Auch in dem Tagebuch zur Reise nach Frankreich und England (Werke[5], Bd. 20, S. 54f.). — Das Gedicht läßt „ahnen, ein wie ungünstiger Boden für das Entstehen dauernder Genußgefühle des Dichters Seele gewesen ist. Schopenhauer hätte aus ihm für seine Lehre von der haltlosen Natur der Lust Belege schöpfen können" (J. Volkelt, Grillparzer als Dichter des Zwiespaltes zwischen Gemüt und Leben, „Jahrb.", Bd. 4, S. 41). — Die Beziehung auf Katharina Fröhlich ist zweifelhaft, weil „andere Herzensregungen dazwischen liegen" (A. Sauer, Grillparzer und Katharina Fröhlich, „Jahrb.", Bd. 5, S. 248 und 261).

55. **Jagd im Winter** (S. 84). Datierung ungewiß. Der Inhalt ist verwandt mit Nr. 51; der bewegte, kräftige Rhythmus und Reim sind beachtenswert. — Grillparzer war selbst Jäger; vgl. Tagebuchblätter, „Jahrb." Bd. 3, S. 184 u. 192.

62. **Abschied von Wien** (S. 88). Bei aller Heimatliebe („Leben und Werke", S. 52*f.) und allem Stolz des Österreichers auf den „unbefangenen, heiteren, wenig ausgebildeten, aber für alles empfänglichen Sinn" seiner Landsleute („Selbstb.", S. 148) verhehlte sich Grillparzer doch nicht, daß Wien etwas Verweichlichendes, der geistigen Tätigkeit Schädliches an sich habe.

66. **Weihnachten 1844** (S. 92). Zu der zweimal in demselben Jahre erfolgten Zurücksetzung vgl. „Leben und Werke", S. 52*. Der ihm vorgezogene Regierungsrat Eligius Freiherr von Münch-Bellinghausen (als Dichter: Friedrich Halm) mag seine Beförderung mit gemischten Empfindungen aufgenommen haben, da er noch am 15. Januar 1844 Grillparzer zum 53. Geburtstage in schwungvollen Versen als seinen Lehrmeister und sein Vorbild gepriesen hatte („Album", S. 490ff.).

67. **(1846)** (S. 93). Vgl. die Gedichte Nr. 37 und 43 der 1. Abt.

68. **An Wien** (S. 93). Grillparzer hat zwar kein Drama „Hannibal" geschrieben, aber eine in sich abgerundete Szene mit diesem Titel (1835), die in nur 176 Zeilen, mit scharfer Charakteristik und erschütternder Tragik, unmittelbar vor der Katastrophe von Zama den gewaltigsten Gegner des römischen Freistaats und die siegreiche Idee dieses Staates selbst, in seinem besten Bürger Scipio verkörpert, einander gegenüberstellt.

72. **(1848)** (S. 94). Schon 1842 hat Grillparzer in dem „Schreiben des Nachtwächters Germanikus Walhall" (Satiren, 2. Abteilung, Werke[5], Bd. 13, S. 174ff.) die politischen Lyriker Herwegh, Prutz u. s. w. lächerlich gemacht. (Vgl. Ehrhard, S. 133f.)

74. **Der Leopoldsritter** (S. 94). Die unter Metternich dem Dichter vorenthaltene Anerkennung spendete Kaiser Franz Joseph, besonders

auch mit Rücksicht auf das Gedicht „Feldmarschall Radetzky" (4. Abteilung, Nr. 52). Vgl. „Leben und Werke", S. 60*.

83. **Zn trüber Stunde** (S. 97). Zuversicht auf gerechtere Würdigung nach dem Tode. Vgl. Nr. 81 der 1. Abt.

Zweite Abteilung: Poesie (S. 102—135).

1. **Xenien** (S. 102). Die Xenien sind von Grillparzer nicht zur Veröffentlichung bestimmt worden. Über F o u q u é , den Grillparzer später
in Berlin persönlich kennen lernte (vgl. „Leben und Werke", S. 40*),
äußert er sich auch in den „Studien zur deutschen Literatur", 1820,
Werke⁵, Bd. 18, S. 87 f. — Über T i e c k sagt er (ebenda, 1826, S. 81 f.),
er habe Geist, aber nur geringes poetisches Talent; das eigentlich
Poetische, d. h. in schöner Steigerung Empfundene, sei bei ihm
fast nur angebildet; es fehle ihm der Sinn für alle und jede Form;
er sei ein guter poetischer Farbenreiber, wollte Gott, er wäre ein Maler
auch! — Den verderblichen Einfluß der Ästhetik der Brüder S c h l e -
g e l auf die Kritik geißelt der Dichter auch in dem Gedicht: „Rechtfertigung" (1. Abt., Nr. 43).

6. **Einem Grafen und Dichter** (S. 106). Weil der Autor der „Spaziergänge" sich mit seinem wahren Namen nicht genannt hatte, konnte
Grillparzer auch dieses Huldigungsgedicht nicht veröffentlichen; er
händigte es dem Grafen selbst ein und gab nur wenigen vertrauten
Freunden Kenntnis davon.

7. **Bretterwelt** (S. 107). Eine bittere Satire auf die oberste Bühnen-
leitung und auf die Theaterbesucher. Weder die aristokratischen
Oberleiter des Burgtheaters (Eisbär = Czernin, Waschbär = Fürstenberg, Gänserich = Dietrichstein), die auch des Dichters Geschick in
Händen gehabt hatten, werden verschont, noch die politischen Macht-
haber (Löwe = Metternich, Hyäne = Sedlnitzky), unter deren Druck
er so viel gelitten. Aber auch das Theaterpublikum aller Stände und
Menschengattungen kommt schlecht weg. Der Dichter ist erbittert
durch die Erfahrungen, die er bei seinen letzten Stücken („Hero", 1831,
„Traum ein Leben", 1834) gemacht hat, und über die Willkür der
höheren Beamten, der sein Freund Schreyvogel zum Opfer gefallen
war. Vgl. Carl G l o s s y , Aus Bauernfelds Tagebüchern, „Jahrb.", Bd. 5,
S. 62 (29. Juli 1832): „Gestern morgen um 7 Uhr starb Schreyvogel
an der Cholera oder an der Pensionierung. Pereat Czernin!" — Die
einzelnen Beziehungen des Gedichts hat August Sauer („Jahrb.", Bd. 7,
S. 135—160), zum Teil auf Grund der Überlieferung am Burgtheater
(Joseph Lewinsky) und in der Wiener Gesellschaft, dargelegt. — Haupt-
vorbild für den Dichter war Goethes „Faust" mit dem „Vorspiel auf
dem Theater", auf den auch manche Einzelheiten, namentlich in der
allgemeinen Schilderung des Publikums und der Aufgabe des Dichters (V. 65 bis Schluß), zurückgehen. — Die Verwendung der Tier-
fabel findet sich auch sonst bei Grillparzer; so schon 1826 in der politischen Satire „Der Zauberflöte zweiter Teil" (Werke⁵, Bd. 13, S. 121 ff.;

Bd. 5 der vorliegenden Ausgabe) und später zur Einkleidung seiner politischen Ansichten in der epigrammatischen Epoche. — Die Muse hatte er schon einmal als menschliche Gestalt sich gegenübergestellt in dem Gedicht „Tragische Muse" (1819; 1. Abt., Nr. 20), aber dort war sie seine Herrin, hier kommandiert er sie.

10. **Der deutsche Dichter** (S. 113). Satire auf die Charakterlosigkeit mancher Dichter der damaligen Zeit, die den wechselnden Geschmack der Menge befriedigten, statt sie zu leiten; zugleich auf die Menge selbst, die gegen die poetische Form, für Grillparzer eine Hauptsache, so gleichgültig ist.

12. **Uhland** (S. 115). Eine schöne Huldigung für den schwäbischen Dichter, in dem Grillparzer den einzigen lebenden Lyriker sah, und dem er 1836 auf der Rückreise von England in Stuttgart auch persönlich nahe trat. Vgl. „Leben und Werke", S. 49*.

13. **Uhlands Volkslieder** (S. 115). Die Volkspoesie ist in Grillparzers Augen minderwertig, da die Gabe der Dichtung ihm eine ganz individuelle ist. A. Foglar, Grillparzers Ansichten über Literatur, Bühne und Leben, S. 52 (Stuttg., 1891), erzählt, der Dichter habe gespottet, Uhland würde einen Umweg von 40 Meilen machen, um eine andere Lesart eines alten Liedes zu erlangen. Auch die Entstehung der Epen aus Volksliedern verwirft er. Eine Sage könne sich im Volke entwickelt haben, aber daß das Gedicht [das Nibelungenlied] sich im Munde des Volkes gemacht oder gebildet habe, ist eine analogielose und eigentlich Unmögliches voraussetzende Annahme (Werke[5], Bd. 18, S. 17). Vgl. auch Bd. 13, S. 182. — Scherer („Vorträge und Aufsätze", S. 217, Berl., 1874) weist darauf hin, daß jene Geringschätzung der Volkspoesie sich an Grillparzer gerächt habe, da seiner Lyrik der naive Reiz und die durchsichtige Form fehle, die Goethe gerade dem Volksliede abgelauscht habe. Vgl. Ehrhard, S. 111—113.

14. **(1837)** (S. 115). Auch die mittelhochdeutsche Dichtung (mit Ausnahme des Nibelungenliedes) stand Grillparzer nicht hoch. Urteilt er doch (Werke[5], Bd. 18, S. 36): Es ist noch eine Frage, ob man Walther von der Vogelweide einen eigentlichen Dichter nennen kann. Dichterische Glut und Phantasie fehlen beinahe ganz. Verstand und Empfindung kann man ihm nicht absprechen. Er ist größtenteils Reflexions- oder Spruchdichter. Mitunter hat er höchst glückliche Wendungen, sie sind aber selten.

16. **Der bekehrte Dichter** (S. 116). Der sonst freiheitlich gesinnte Joseph Christian von Zedlitz stand seit 1834 mit den maßgebenden Kreisen der Wiener Regierung auf besserem Fuße und trat 1838 förmlich in den Staatsdienst, indem er literarisch für Metternich und seine Pläne tätig war (besonders in Cottas „Allgemeiner Zeitung"). Deshalb mieden ihn seine früheren Freunde (Auersperg, Grillparzer) als Apostaten. Im Jahre 1843 schreibt Bauernfeld („Jahrb.", Bd. 5, S. 102): „Für Österreich haust oder hausiert Zedlitz darin [in der „Augsburger Allgemeinen"] nach Lust. Als ich mich gegen Grillparzer über ihn be-

klagte, lobte er sein Talent, entschuldigte seinen Leichtsinn, meinte auch: ‚Hunger tut weh!'" Daraus geht hervor, daß Grillparzer dem alten Kunstgenossen doch einen Teil des Wohlwollens erhalten hat, wie er auch eine günstige Kritik seines „Waldfräuleins" schrieb (Werke⁵, Bd. 18, S. 138), freilich ohne sie zu veröffentlichen, und nach seinem Tode die Grabschrift für ihn verfaßte:

> Er hat für Österreich gekämpft, gelebt und gesungen —
> Doch sein Name geht weit über Östreichs Grenzen.

Vgl. Eduard Castle, Der Dichter des „Soldatenbüchleins", „Jahrb.", Bd. 8, S. 33—107.

22. **Die Schwestern** (S. 118). Zum Inhalt des Gedichts vgl. „Ästhetische Studien" (Werke⁵, Bd. 15, S. 67), 1835: Es ist das Grundübel der Poesie (der lyrischen besonders) aller neueren (neuesten) Nationen, daß sie sich zur Prosa hinneigt. Nicht dadurch, daß sie trivial wird (das geschah eher in früheren Zeiten), sondern gerade, wenn sie sich erhebt. Ihre höchste Erhebung ist nämlich bis zum Gedanken, indes nichts poetisch ist als die Empfindung. Ebenda (S. 63), 1839: Ihr habt die Poesie zu etwas Menschlichem gemacht, sie ist aber ein Göttliches; sie ist nicht die Prosa mit einer Steigerung, sondern das Gegenteil der Prosa. In diesem Sinne klagt er im Jahre 1849 (Werke⁵, Bd. 18, S. 161), „Hero" und „Weh' dem, der lügt" seien infolge der Einmengung von Reflexion nicht das geworden, was sie hätten werden sollen, und ein paar andere Stücke in seinem Pulte sollten das Licht des Tages nicht erblicken, solange er lebe, weil ihnen jenes Lebensprinzip fehlt, das nur die Anschauung gibt und der Gedanke nie ersetzen kann. Vgl. auch Friedrich Jodl, Grillparzers Ideen zur Ästhetik, „Jahrb.", Bd. 10, S. 45—69.

23. **Epistel** (S. 119). Ablehnung der neueren Kunstrichtungen, deren Theorie (Hegel, Gervinus, Menzel) und Dichtung („Junges Deutschland") ihn abstieß; er wollte am liebsten stehen bleiben, wo Schiller und Goethe stand.

25. **Euripides an die Berliner** (S. 121). Schon 1841 war auf Anregung Ludwig Tiecks, den Friedrich Wilhelm IV. bald nach seinem Regierungsantritt als Theaterleiter nach Berlin berufen hatte, die „Antigone des Sophokles" mit den von Felix Mendelssohn komponierten Chören unter großem Beifall aufgeführt worden. In den folgenden Jahren dehnte Tieck diesen Versuch — doch ohne Erfolg — auf andere antike Stücke aus: „Medea" des Euripides (1844), „Ödipus auf Kolonos" des Sophokles (1845), „Hippolytus" des Euripides (1851). Vgl. „Album", S. 540.

26. **Vox populi** (S. 122). Im Theater beugte sich Grillparzer vor dem Urteil des Volkes, das die poetisch empfängliche Menschheit verkörpere, während das Urteil Einzelner, und wenn sie gesellschaftlich und intellektuell noch so hoch standen, ihm gleichgültig war. Vgl. den Schluß von „Bretterwelt" (Nr. 7). So sagte er zu Foglar: Mich ekelt die Gemeinheit der Leute und der Kritik an, obwohl ich das Urteil des Publikums immer geachtet habe, und wenn etwas nicht gefällt, so hat es gewiß einen Fehler (Foglar, a. a. O., S. 40; vgl. Ehrhard, S. 136 f.).

32. **Die Klassifer** (S. 124). Grillparzer hat sich Zeit seines Lebens gern und viel mit den Alten, namentlich mit Homer, den Tragikern, Thukydides, Aristoteles, beschäftigt. Vgl. „Leben und Werke", S. 51*, und „Tagebuchblätter", „Jahrb.", Bd. 3, S. 170 ff. (1828 u. 1829), 199 (1831), 228 (1851), 231 (1855).

34. **Lope de Vega** (S. 125). Datierung ungewiß, doch hat Grillparzer sich besonders im späteren Alter mit Lope eingehend beschäftigt, vgl. „Leben und Werke", S. 55* f. Umfangreich sind die Auszüge aus seinen Dramen und die Studien zu seiner Würdigung: Werke[5], Bd. 17. Grillparzer erklärt ihn für die poetischeste Natur der neueren Zeit (S. 82) und rühmt den Reichtum seines Talents, seine Naturwahrheit, künstlerische Empfindung und Darstellungsgabe (S. 11 f.). Von ihm war er bei der Wahl mehrerer Tragödienstoffe wie bei deren poetischer Behandlung beeinflußt (vgl. „Leben und Werke", S. 56* ff.).

35. **Nachruf** (S. 126). Grillparzer schätzte seinen Landsmann, den schwermütigen Lyriker, wie auch aus den „Studien zur deutschen Literatur" hervorgeht (Werke[5], Bd. 18, S. 146 f.), wo er ihm unleugbares poetisches Talent nachrühmt, das manchmal sogar ans Bedeutende streife; der Vers sei gut gebaut, der Verlauf der Empfindung oft untadelhaft; aber es werde selten ein Ganzes der Empfindung daraus; der Ausdruck sei schicklich, aber selten prägnant. Dabei herrscht eine unselige Schwermut vor, d. h. eine solche, die sich nicht durch das Gedicht kopfaufwärts befreien, sondern kopfabwärts tiefer hineinarbeiten will. Das alles verbreitet einen Qualm über diese Gedichte, der mir wenigstens, bei aller Anerkennung, höchst widerlich ist.

36. **(1852)** (S. 127). Vgl. zu Nr. 13 der 2. Abt.

38. **Poesie der Wirklichkeit** (S. 128). Grillparzer war nur ein Feind der Romantiker, sofern sie, wie Wilhelm Schlegel, ihren einseitigen, ästhetischen Maßstab an die Dichtwerke legten (vgl. 1. Abt. Nr. 43; 2. Abt. Nr. 1) oder dem Mystizismus verfielen, wie Friedrich Schlegel, oder sich unfähig zeigten, ihren Empfindungen und Gedanken reine Form und Anschaulichkeit zu geben. Dagegen ist er ihr Freund, sofern unter Romantik die unerschöpfliche Einbildungskraft und Begeisterung zu verstehen ist. In diesem Falle möchte er den „fatalen romanischen Namen" verdeutschen: „Jugend". (Vgl. Gespräch zwischen sich und der Romantik, Werke[5], Bd. 13, S. 187.)

47. **Consilium medicum** (S. 130). Soviel sich Grillparzer auch mit ästhetischen Studien beschäftigt hat, eins stand ihm stets fest, daß nämlich die philosophische Theorie den schaffenden Künstler nicht fördern könne; der lebendige Quell der Kunst ist ihm das Zusammenwirken eines selbständigen Verstandes und einer lebhaften Phantasie, eine überaus seltene Kombination (Werke[5], Bd. 15, S. 10), die sich eben nur beim Genius findet. Die Ästhetik ist darum nicht überflüssig, sie ist zwar keine Rechenkunst des Schönen, aber doch die Probe der Rechnung. Auch die richtigste Ästhetik würde zwar die spezifische Begabung oder das Talent nicht entbehrlich machen, uns aber doch vor dem ganz Verkehrten und Absurden bewahren (ebenda, S. 23).

Dritte Abteilung: **Tonkunst** (S. 136—152).

1. Ju Mojcheles' Stammbuch (S. 136). Den Gedanken, daß die
Tonkunst die einzig freie unter den Künsten sei, teilten bei dem
schweren Druck der Zensur und Polizei in Österreich alle Dichter
und Schriftsteller. Auch Beethoven gegenüber äußerte Grillparzer:
Den Mujikern kann doch die Zenjur nichts anhaben. Wenn man wüßte,
was Sie bei Ihrer Mujik denken! Vgl. A. Chr. Kalischer, Grillparzer
und Beethoven, in „Nord und Süd", Bd. 56, S. 80 (1891) (Ehrhard,
S. 141). — „Album", S. 524, teilt v. Rizy eine Übersetzung der
Strophen Grillparzers ins Englische mit, die Walter Scott, als Moscheles im Jahre 1828 in Edinburg ein Konzert gegeben hatte, in
dessen Album eintrug.

2. Beethoven (S. 136). Zedlitz wollte nach dem Hinscheiden Beethovens (26. März 1827) mit mehreren Freunden zu seinen Ehren einen
Zyklus von Gedichten herausgeben. Nur Gabriel Seidl und Grillparzer lieferten Beiträge, die dann in der „Aglaja" von 1828 mit einer
poetischen Einleitung und einem Schlußwort von Zedlitz erschienen
(vgl. „Album", S. 525). — Die gewaltige, herzergreifende Dichtung
wird dem großen Meister vollkommen gerecht. Auch zwei Reden,
die Grillparzer für die Beisetzung Beethovens und für die Enthüllung
seines Grabmals verfaßte, sprechen für seine Verehrung. Vgl. Werke[5],
Bd. 20, S. 213, 215 und 203—213, „Erinnerungen an Beethoven"
(Bd. 5 dieser Ausgabe). Daß er aber, getreu seinen künstlerischen
Grundsätzen, die an dem Tonwerk einschmeichelnden Wohllaut,
durchsichtige Form und scharfe Umrisse forderten und in Mozart das
höchste Muster sahen, gegen manche Werke Beethovens Einwendungen
und Bedenken hegte, zeigt sich nicht nur in unserm Gedicht (V. 40 ff.;
55 ff.; 60 ff.; 74 ff.; 80 ff.). Auch in Epigrammen bekennt er, daß manches ihm dunkel sei (vgl. Nr. 11; 13 der 3. Abt.). Im Jahre 1834 hat
er „Beethovens nachteilige Wirkungen auf die Kunstwelt" in vier
Punkten zusammengestellt (vgl. Werke[5], Bd. 15, S. 124; Bd. 5 dieser
Ausgabe). Über Grillparzers persönliche Beziehungen zu Beethoven
vgl. „Leben und Werke", S. 28*.

4. Paganini (S. 141). In Werke[1-4] und „Album" enthält die
Überschrift den Zusatz: Adagio und Ronde auf der G-Saite. „Album",
S. 527, bemerkt v. Rizy: „Die Person des Künstlers schien jede über
sein Vorleben zu Markt gebrachte, noch so phantastische Voraussetzung
zu bestätigen. ‚Der düstre Mann, in Märchen eingehüllt', übte schon
durch seine Erscheinung eine Art grauenhaften Zaubers über die
Menschen aus, dem auch unser Dichter nicht entging.

5. Clara Wieck und Beethoven (S. 141). Das Gedicht wurde, nach
„Album", S. 527, zuerst für die junge Künstlerin gedruckt; dann durch
die Zeitungen verbreitet, erregte es großen Anstoß bei einigen Klavier-
virtuosen, und ein Dichterling griff Grillparzer in grober Weise an.
Darauf schrieb dieser die Verse nieder:

> Darüber war nun alle Welt entzückt:
> Die Schlosser nur, die ungeschickt
> Kein Sperrzeug fanden für das harte Schloß,
> Sie tadelten die Lösung als zu rasch.
> Ein Grobschmied schloß sich ihrer Meinung an.

Diese „Knittelverse" wurden dann in Werke[1] irrtümlich als Fortsetzung des Gedichts aufgenommen.

6. **Zu Beethovens Egmont-Musik** (S. 142). Nach „Album", S. 529 gedichtet für eine Aufführung der Gesellschaft der Musikfreunde Wiens im Jahre 1834. Die Verse ersetzten denjenigen Teil des von Mosengeil verfaßten verbindenden Textes, den man aus Zensurrücksichten verworfen hatte. Anschütz trug die Verse mit großem Beifall vor.

8. **Mozart** (S. 145). Am 50. Jahrestage von Mozarts Tode veranstalteten der Hofschauspieler Löwe und der Opernsänger Wild eine Feier, bei der ein von L. A. Frankl verfaßter Toast von Löwe vorgetragen wurde. Darin war des Umstandes gedacht, daß die Grabstätte des großen Meisters nicht aufzufinden sei. Grillparzer, der schon am Abend selbst die letzte Strophe des vorliegenden Gedichts improvisiert hatte, die dann, sofort von Mozarts Sohn komponiert, von Staudigl vorgetragen worden war, dichtete am folgenden Morgen die beiden ersten Strophen hinzu. So erklärt sich die Form des Trinkspruchs („Album", S. 526 f.). — Die letzte Strophe faßt die künstlerischen Vorzüge des Gefeierten in knapper Form zusammen. Vgl. zu Ged. 2 und Ged. 10 der 3. Abt.

9. **Stabat mater** (S. 146). Für die italienische Musik und ganz besonders für Rossinis einschmeichelnde Melodieen hatte Grillparzer seit seiner Jugend sich erwärmt, sie schien ihm der Mozartschen Kunst nahe verwandt. Der Ton, die Melodie, die, ohne der Worterklärung eines Begriffs zu bedürfen, unmittelbar auf das Empfinden wirke und die dunkeln Gefühle ausdrücke, zu denen Gestalten und Worte nicht hinreichten, war ihm die wahre Musik. Von der ebenbürtigen Verbindung von Wort und Ton wollte er nichts wissen. Daher plante er wiederholt, als Seitenstück zu Lessings „Laokoon" ein Werk „Über die Grenzen der Poesie und Musik", um darzulegen, daß keine Oper vom Gesichtspunkt der Poesie betrachtet werden solle, sondern als ein musikalisches Bild mit darunter geschriebenem, erklärendem Texte. Somit war er ein Gegner der deutschen Oper (z. B. Weber, „Freischütz", „Euryanthe"; später R. Wagner, „Tannhäuser"). Doch mußte er — unser Gedicht zeigt, mit welchem Schmerz — erleben, daß jene verstandesmäßige Richtung, die Musik und Poesie vermengte, aus Deutschlands kalter Nebelnacht in Österreich eindrang und dieses Heimatland der wahren Musik bedrohte. — Vgl. Richard Batka, Grillparzer und der Kampf gegen die deutsche Oper in Wien, im „Jahrb.", Bd. 4, S. 119 bis 144.

10. **Zu Mozarts Feier** (S. 148). Das Gedicht war zur Feier der Enthüllung von Mozarts Standbild in Salzburg bestimmt, wurde aber nicht rechtzeitig fertig („Album", S. 526). Zum Grundgedanken vgl. Nr. 8

der 3. Abt. Mozart überschreitet nie die Grenzen der Schönheit (V. 41 ff.), vermeidet die Abstraktion (45 ff.) und sucht nur durch den Ton auf das Gemüt zu wirken (49 ff.); alle Maßlosigkeit liegt ihm fern (62 ff.).

14. **Toaſt für Meyerbeer** (S. 151). In Meyerbeer, dem Grillparzer in Paris und Berlin (1847) nahe getreten war (vgl. „Leben und Werke", S. 47*), sah er einen Gegner Webers; er rühmte in einer Kritik von „Robert der Teufel", diese Oper gehe von jener neudeutschen Ansicht ab, welche die Aufgabe der Oper lediglich in der öden muſikaliſchen Inſtru= mentierung eines Textes ſieht und findet (Werke⁵, Bd. 15, S. 133).

15. **In das Stammbuch des Dr. Moritz Herczegy** (S. 152). In dem Stammbuch gehen Grillparzers Worten die Verse von Ignaz Castello (1781—1862) voraus:

> Wort muß klingen wie Ton, und Ton muß sprechen wie Worte;
> Klingen und sprechen sie nicht, dann sind sie beide nichts wert.

Grillparzers Standpunkt ergibt sich aus der Anmerkung zu Ged. 9.

Vierte Abteilung: **Vaterland und Politik** (S. 153 — 199).

1. **Recht und ſchlecht** (S. 153). Das älteste Gedicht, dessen sich Grillparzer zu erinnern vermochte. Vgl. „Selbstb.", S. 34. Ein frühes Zeugnis der vom Vater eingepflanzten patriotischen und freien Gesinnung.

3. **Napoleon** (S. 154). Bei der Nachricht vom Tode Napoleons (er starb am 5. Mai 1821) gedichtet, aber mit Rücksicht auf die Zensur damals nicht veröffentlicht. — Die gedankenreichen Strophen werden dem Manne, der Österreich so schwer gedemütigt hatte und den Grillparzer zur Zeit seiner Übermacht wie alle deutsche Patrioten gehaßt hatte, in bewundernswerter Objektivität gerecht. — Er hatte sich viel mit dem dämonischen Manne beschäftigt und trug gerade damals manche seiner Züge auf seinen Ottokar über. Wie hier das „unruhvolle Herz" Napoleons zuerst erwähnt wird, so zeichnete sich der Dichter (1822, vgl. Werke⁵, Bd. 14, S. 93) den Gedanken auf, daß Napoleon zu seinen ungeheuren Unternehmungen angetrieben worden sei nicht durch das Verlangen, Frankreich oder die Welt zu beglücken, nicht durch Ruhmsucht, sondern durch das Bedürfnis seines unablässig bewegten Geistes nach immer neuen, immer stärkeren Reizmitteln. Es fehlte ihm die Fähigkeit zu genießen, darum mußte er handeln, wenn er ſich nicht ſelbſt verzehren wollte. — Seine Erhebung und seinen Fall sieht hier der Dichter als eine Tat des Schicksals an (V. 6, 30), seine Schuld als die seiner Zeit (V. 8 — 21) und der andern Fürsten, die nach seinem Sturz doch wieder zu dem alten Absolutismus zurückgekehrt seien (V. 22—28); dem Großartigen und Heldenhaften seiner Natur zollt er volle Bewunderung (V. 36 bis Schluß).

4. **Viſion** (S. 156). Das Gedicht fand bei seinem Erscheinen (20. April 1826 in der „Wiener Zeitschrift") in ganz Österreich enthusiastische Aufnahme, gab es doch der allgemeinen Volksempfindung Ausdruck. Vgl. „Album", S. 499: „Wer jene Tage gesehen hat, wird sich auch

der erschütternden Szenen erinnern, in denen sich damals zuerst die
ängstliche Besorgnis der Bevölkerung um ein so teures Leben, dann
aber der Jubel über die Erhaltung des Monarchen aussprach, dessen
ungeheure Popularität sich vielleicht bei keiner Gelegenheit in gleich
hellem Glanze gezeigt hatte." — Trotzdem wurde der Dichter wegen
dieser loyalen Strophen angegriffen und des Mangels der rechten Ehrfurcht gegen hochstehende Personen beschuldigt: während die Kaiserin Karoline Auguste allein die Pflege des Erkrankten besorgt habe,
spreche der Dichter (V. 27 f.) von zwei Frauen, der Mutter und der
Gattin, und schmälere das Verdienst der Kaiserin. Diese hämische
Insinuation, die um so törichter war, als in Wirklichkeit die Mutter
des Kaisers schon 1792 gestorben war (vielleicht soll es „Tochter"
statt „Mutter" heißen), kränkte den Dichter doch sehr tief. (Vgl.
„Leben und Werke", S. 42*.)

5. **Mirjams Siegesgesang** (S. 158). Nach „Album", S. 545 für Josephine Fröhlich gedichtet, von Fr. Schubert komponiert; sie sang
die Kantate in einem Konzert der Wiener Musikfreunde mit großem
Beifall. Strophen, Refrain und Reim vereinigen sich mit dem fallenden
Rhythmus zu starker Wirkung; der Untergang Pharaos hebt sich
durch andere Form vor dem Siegesgesang heraus.

6. **Klosterszene** (S. 160). Der Kupferstich Passinis nach einem Öl-
gemälde von Peter Fendi, das den Jahrgang 1832 des Taschenbuchs
„Vesta" schmückte und durch das Gedicht erläutert werden sollte,
stellt Karl V. dar, der am geöffneten Fenster seiner Klosterzelle zu
St. Just sitzt (San Juste in Estremadura; in Wirklichkeit wohnte er
nicht als Mönch im Kloster selbst, sondern in einem benachbarten
Hause als Privatmann); er scheint in tiefes Sinnen und Denken verloren, einem im Tale vorüberziehenden Trupp bewaffneter Reiter nach-
zublicken („Album", S. 546). — Platens Gedicht „Der Pilgrim vor
St. Just" (1819) berührt sich mit dem vorliegenden Gedicht, geht aber
nicht so in die Tiefe und ins Einzelne.

7. **Auf die Genesung des Kronprinzen** (S. 163). Über die Geschichte
dieses Gedichts berichtet Grillparzer ausführlich „Selbstb.", S. 148 ff.
Der Kronprinz, nachmalige Kaiser Ferdinand, über dessen Fähigkeiten manche gering gedacht hätten, während andere volksfreundliche
Gesinnungen bei ihm vermuteten, habe sich nach aller Urteil durch
große Gutmütigkeit ausgezeichnet. Das Gedicht sage, daß erst die
Zukunft seine geistigen Eigenschaften enthüllen müsse, vorderhand
mache es alle glücklich, zu wissen, daß er den höchsten Vorzug des
Menschen, die Güte, die in ihrem vollendeten Ausdruck selbst eine
Weisheit sei, besitze. Hinzuzufügen ist, daß doch auch (V. 21 ff.) angedeutet ist, daß diese Güte sich nicht zum Vorteil einzelner, sondern
der Gesamtheit dauernd bewähren müsse. Das ist eine Zukunftshoff-
nung, die Grillparzer schon im Jahre 1831 in dem Gedicht ausgesprochen hatte, mit dem die Kronprinzessin Maria Anna bei ihrer Ankunft in Wiener-Neustadt begrüßt wurde, mit den Worten:

Sei du die Sonne! Laß die Decke schwinden,
Die unfrer Zukunft Boden noch verhüllt!   („Album", S. 501.)

Jene Wendung mag die Zensur besonders veranlaßt haben, den Druck
des Gedichts zu verweigern; trotzdem wurde es sehr verbreitet, rief
aber große Erregung hervor und brachte dem Dichter vielen Verdruß.
„Feile Schufte" schrieben gegen ihn und sein so loyal gemeintes Gedicht. „Es war ein literarisch-dynastischer Aufruhr." Darauf antwortete Grillparzer mit der „Klage" (Nr. 8, S. 165).

9. **Des Kaisers Bildsäule** (S. 165). Ein geharnischter Protest gegen
die Geistesenge und den Polizeidruck des Systems Metternich, unter
dem Grillparzer persönlich so viel gelitten hatte. Er war von dem
Vater in den freien Anschauungen Josephs II. erzogen worden. —
Das Gedicht war nicht für die Öffentlichkeit bestimmt. — In den
Schlußstrophen zeigt sich der Dichter als Prophet.

10. **Der neue Augustus** (S. 168). Die spanischen Kämpfe zwischen
Christinos und Karlisten (1833—39) verfolgte Grillparzer mit leiden-
schaftlichem Interesse. So schrieb er 1836 in sein Tagebuch („Jahrb.",
Bd. 3, S. 218): Ich habe diese Nation immer geliebt, und die Möglichkeit,
sie unter die alte Brutalität rückführen zu sehen, macht mich schaudern. Vgl.
„Leben und Werke", S. 50* f.

11. **An Louis Philipp** (S. 168). Wie in der inneren Politik (gegenüber den Legitimisten, Bonapartisten und Republikanern) zeigte sich
der französische König auch in der äußeren Politik als ein kluger und
vorsichtiger Rechner. So hielt er sich in den spanischen Wirren, trotz
der Quadrupelallianz, die 1834 Frankreich mit England, Spanien und
Portugal gegen die Prätendenten Don Carlos und Dom Miguel (in
Portugal) geschlossen hatte, vom Kampfe selbst fern.

14. **Politisch** (S. 169). Zu gleicher Zeit mit diesem Epigramm entstand die Charakterstudie „Fürst Metternich" (Werke [5], Bd. 14, S. 149
bis 161; Bd. 5 dieser Ausgabe). Hier heißt es, Gentz habe durch den
Einfluß seiner Unterhaltung die Idee vom System in das mousseux
der geistreichen Natur des Fürsten gebracht; so seien ihm die Prinzipien zugeführt worden, von denen er bisher nichts geträumt hatte.
Dieses neue Element schmeichelte seiner Eitelkeit, weil es Würde und schein-
bare Konsequenz in seine Handlungen brachte; seinen aristokratischen Neigungen,
denn der Aushängeschild hieß: Bestehen, Legitimität; ohne auf der anderen
Seite seinem aphoristischen Geiste zu enge Schranken zu setzen, denn es hinderte
ihn nicht, von Zeit zu Zeit mit einzelnen Intrigen dazwischen zu fahren und
sein diplomatisches Gelüsten zu büßen . . .

16. **Der kranke Feldherr** (S. 169). Ähnliche Gedanken in der Studie
„Fürst Metternich" aus demselben Jahre, besonders am Schluß. In
einer Aufzeichnung aus derselben Zeit heißt es (Werke[5], Bd. 14, S. 161)
von Metternich: Eine in ihrer Art merkwürdige Erscheinung. Der Diplo-
mat in seiner vollständigsten Ausbildung und Bedeutung, die Gemütseigen-
schaften von Natur gut, aber abgestumpft durch den Gebrauch. Der Verstand
nach Art der Weiber fein, scharf, schnell auffassend, aber zugleich eng, ohne
Kraft und Tiefe, überhaupt mehr als Takt, denn als Denkvermögen wirkend.

Charakter bezibiert, ja energisch, versatil aus Mangel an Grundsätzen und doch wieder beharrlich, aber nur aus Hochmut und Rechthaberei.

35. **Deutsche Ansprüche** (S. 177). Am 8. Juli 1846 erließ König Christian VIII. von Dänemark einen „offenen Brief", in dem er die Absicht aussprach, die Unverletzlichkeit des dänischen Gesamtstaats zur Anerkennung zu bringen. Dagegen erhob sich nicht nur die deutsche Partei in den Herzogtümern Schleswig und Holstein, sondern die ganze deutsche Nation: in Adressen, Petitionen, Erklärungen von Kammern, öffentlichen Kundgebungen (das Lied: „Schleswig-Holstein, meerumschlungen", 1844 von Chemnitz gedichtet, von Bellmann komponiert) nahm man Schleswig als deutsches Land in Anspruch. Der Bundesrat freilich, an den sich die holsteinischen Stände gewandt hatten, antwortete mit einer nichtssagenden Erklärung (17. Sept. 1846).

36. **Dem Geber der preußischen Konstitution** (S. 178). Das Patent Friedrich Wilhelms IV. (vom 3. Februar 1847) bestimmte das Zusammentreten der Provinzialstände zur Beratung über Anleihen oder neue Steuern; ein vereinigter Ausschuß sollte periodisch — alle 4 Jahre wenigstens — sich versammeln; der Landtag zerfiel in eine Herrenkurie und eine Ständekurie, so daß man spottend von einem „Fünfkammersystem" (Provinzialstände, Ständekurie, Herrenkurie, vereinigte Versammlung, vereinigte Ausschüsse) sprechen konnte, während diese Vertreter so gut wie gar keine Rechte hatten.

37. **Vorzeichen** (S. 178). Schon 1845 hatten angesehene Schriftsteller, darunter auch Grillparzer, im Hause des Orientalisten Hofrat Hammer-Purgstall eine Bittschrift um Milderung der Preßgesetze verfaßt und dem Fürsten Metternich überreicht. Darauf war eine förmliche Antwort nicht erfolgt, unter der Hand erklärte der Fürst, man habe die Absicht einer Milderung gehabt, nun aber, nach diesem ungesetzlichen Schritt, bleibe alles beim alten. Infolgedessen war jene Bittschrift mit den Namen der Unterzeichner in auswärtigen Blättern veröffentlicht worden. Bald darauf erschien die Schrift des Barons Clemens Hügel, eines Vertrauten Metternichs, in der geradezu eine Verschärfung der Maßregeln gegen die Presse als unbedingt notwendig dargestellt wurde. (Vgl. „Album", S. 508; Grillparzers „Erinnerungen aus dem Jahre 1848", Werke[5], Bd. 20, S. 192 f., und seine Besprechung der Schrift, Werke[5], Bd. 14, S. 123 f.) In der Kundgebung sah Grillparzer ein Vorzeichen des Zusammenbruchs. Dieser Ansicht gibt das Gedicht Ausdruck, das Ehrhard, S. 67, als eine Paraphrase der Verse Racines bezeichnen möchte: „esprit d'imprudence et d'erreur, de la chute des rois funeste avant-courreur". — Das Gedicht entbehrt der bessernden Feile, vielleicht weil die Ereignisse so bald die Erfüllung jener Vorzeichen brachten. „Album", S. 188 f., ist es mit Änderungen abgedruckt, die den Mängeln abhelfen sollen.

38. **Mein Vaterland** (S. 181). Am 13. März 1848 überbrachten die Studenten, nach der allgemeinen Erhebung infolge der Februar-Revolution in Paris, den niederösterreichischen Ständen die Forderungen der Bevölkerung; es kam auch in Wien, fast ohne Blutvergießen, zum

Sieg der Volkssache: Metternich flüchtete nach England, Kaiser Ferdinand erließ am 15. März ein Manifest, welches den Anbruch einer neuen konstitutionellen Ära in Österreich ankündigte. — Das Gedicht eröffnete die 1. Nummer der „Constitutionellen Donauzeitung", die vom 1. April ab von Hock herausgegeben wurde, um zur Mäßigung zu mahnen („Album", S. 517). Zum Inhalt vgl. Grillparzers Entwurf zu einem Aufrufe an seine Mitbürger (Werke[5], Bd. 14, S. 171 ff.): Ich war immer stolz, ein Österreicher zu sein. — — Gesunder Menschenverstand und Natürlichkeit der Empfindung sind unscheinbare Güter; wer sie aber durch nachgeplapperte Theorien und unfruchtbare Vielwisserei verloren hat, ist übler daran, als wer auf sie allein beschränkt ist. Ich war immer stolz, ein Österreicher zu sein. — Und siehe da, der Tag ist gekommen, wo ihr meinen Stolz gerechtfertigt. — Ihr habt euch in diesen letzten Tagen als Österreicher benommen, als ein Volk, das Kopf und Herz im rechten Gleichgewicht hat, keines das andere unterdrückend und beide einander dienend. Und doch möchte ich ein Wort der Warnung sprechen.

39 u. 40. **1848** (S. 182 und 183). Über die Teilnahme der Studenten an der Erhebung schreibt Grillparzer in den „Erinnerungen aus dem Jahre 1848" (Werke[5], Bd. 20, S. 201 f.): Am ernsthaftesten, aber freilich auch am absurdesten nahmen es die Studenten, die sich als die Helden der Bewegung betrachteten. Da man mit Erteilung der Konstitution zögerte, wollten sie die Burg stürmen. Sie dachten dabei weniger an den Sieg als an die Ehre, für die Freiheit zu sterben. Sie stritten sich um den ersten Platz beim Angriff. Ich habe mich überzeugt, daß die Jüngern und Schwächern begehrten, vorangestellt zu werden, damit, wenn sie erschossen wären, die Ältern und Stärkern sich auf die Kanonen werfen könnten, ehe man noch Zeit hätte, wieder zu laden.

41. **Feldmarschall Radetzky** (S. 183). Vgl. „Leben und Werke", S. 60*. Während die Wiener für die italienische Erhebung schwärmten, ließ der Herausgeber der „Constitutionellen Donauzeitung", Ignaz Klemm, das Gedicht, das Hammer-Purgstall ihm übergeben hatte, an der Spitze seines Blattes (8. Juni 1848) erscheinen und in vielen Tausend Abdrücken in Wien und bei dem Heere verteilen. — Dankschreiben Radetzkys aus dem Hauptquartier zu Verona, 15. Juni 1848; vgl. „Jahrb.", Bd. 1, S. 270. — Über die Wirkung dieses populärsten unter allen Gedichten Grillparzers vgl. „Leben und Werke", S. 60*; über die Begeisterung des Dichters J. Chr. von Zedlitz, der gerade damals sein „Soldatenbüchlein" dichtete, vgl. „Jahrb.", Bd. 8, S. 98.

44. **Radetzky** (S. 185). Nach den Siegen von Custozza und Novara ernannte Wien den Feldmarschall zum Ehrenbürger; Grillparzer verfaßte die ihm zu überreichende Adresse (Werke[5], Bd. 14, S. 183). Im Reichstag aber wurde Radetzky angegriffen, worauf der Dichter ihm diese Trostverse widmete.

45. **Einem Soldaten** (S. 185). Verherrlichung der Treue des Heeres. Das Gedicht ward in das „Frühlingsalbum" aufgenommen, das Heliodor Truschka 1854 zur Vermählung des Kaisers Franz Joseph herausgab („Album", S. 522). Vgl. „Jahrb.", Bd. 9, S. 194.

46. **Das österreichische Volkslied** (S. 187). Vom Fürsten Schwarzenberg aufgefordert, dichtete Grillparzer unmittelbar nach dem Regierungsantritt des Kaisers Franz Joseph das einst für den Kaiser Franz von Hoschka gedichtete Lied, mit Beibehaltung der Haydnschen Melodie, um, reichte sein Gedicht aber erst auf erneute Aufforderung hin zur Vermählung des Kaisers 1854 ein. Er selbst war keineswegs von seinem Versuch befriedigt. Vgl. „Jahrb.", Bd. 1, S. 232 f. und S. 343.

47. **Der Reichstag** (S. 188). Der am 22. Juli 1848 in Wien zusammengetretene konstituierende Reichstag war im Herbst durch den von den Magyaren unterstützten Aufstand gestört worden. Nach Niederwerfung der Revolution durch den Banus von Kroatien und den Fürsten von Windischgrätz wurde unter der neuen Regierung (Fürst Felix Schwarzenberg) der Reichstag im Dezember nach dem mährischen Städtchen Kremsier berufen. Hier beschäftigte er sich (vom 4. Jan. bis 6. März 1849) mit der Beratung der „Grundrechte". Die Gefühle des strengen Monarchisten Grillparzer wurden verletzt durch die Reden und Beschlüsse über Kaisertum und Adel („Album", S. 521). Nach seiner Überzeugung ist das Volk noch nicht reif für die Freiheit; diese Vertreter wollen, statt das Alte zweckmäßig umzugestalten, ein Neues aufbauen, dessen Tragweite sie selbst nicht übersehen.

62. **Konkordat** (S. 194). Grillparzer, der schon 1837 schrieb: Der Staat hat keine Religion, aus dem einfachen Grunde, weil er sie alle hat, (Werke⁵, Bd. 14, S. 107) und 1852 erklärte, einen christlichen Staat gebe es nicht, weil der Staat eine weltliche, auf das starre Recht und den Nutzen gerichtete Anstalt sei (ebenda), war ein erbitterter Gegner des Konkordats. Vgl. „Leben und Werke", S. 60*.

71. **Magyaren** (S. 197). Schon um 1840 hatte Grillparzer in einem Aufsatz „Von den Sprachen" (Werke⁵, Bd. 14, S. 163 ff.) ausgeführt, ein wie großer Nachteil es für die Kultur Ungarns sei, wenn den Serbokroaten die magyarische Sprache statt der bis dahin in den öffentlichen Verhandlungen üblichen lateinischen aufgezwungen werde. Ein Ungar, der nichts als Ungarisch kann, ist ungebildet und wird es bleiben, wenn seine Fähigkeiten auch noch so gut wären.

Sechste Abteilung: **Freundeskreis. Denkblätter**
(S. 215—226).

2. **An Selenen** (S. 215). Marie Rizy, geb. 1791, also gleichalterig mit Grillparzer, eine Schwester Theobalds v. Rizy, früh religiös gerichtet, bereitete sich seit 1824 für das Kloster vor, empfing, nachdem Kaiser Franz 1830 die Niederlassung der Redemptoristen in Österreich gestattet hatte, 1831 das Ordenskleid als Schwester Maria Benedicta und wurde alsbald Oberin; sie starb 1852. Mit Grillparzer verband sie außer den Banden des Bluts auch ihre Begabung und seelenvolle Anmut (daher von ihm „Selene" = Mond genannt); doch brachten die verschiedenartigen religiösen Ansichten sie auseinander; ihr ist auch Ged. Nr. 6 dieser Abt. gewidmet, das „Album", S. 78, die

Überschrift hat (von dem Bruder Theob. v. Rizy, dem Herausgeber des
„Albums"): „Als sie ins Kloster ging". Vgl. „Jahrb.", Bd. 1, S. 315;
„Album", S. 471. — Briefe von ihr an Grillparzer sind veröffentlicht
im „Jahrb.", Bd. 1, S. 63 ff. Vgl. auch Sauer in „Jahrb.", Bd. 7, S. 80 ff.

10. **In Andersens Stammbuch** (S. 218). „Album", S.551, erzählt v.Rizy,
daß Andersen mit andern jungen Dänen, die zur Vollendung ihrer Bildung ins Ausland (nach Deutschland, Frankreich, Italien) gesandt waren,
im gastlichen Hause des Regierungsrats Joseph Sonnleithner (vgl.
„Leben und Werke", S. 8*) freundliche Aufnahme gefunden habe. Sonn-
leithners Gattin Wilhelmine, geb. Mariboe, stammte aus Kopenhagen.

17. **In das Gutenberg-Album** (S. 220). Dr. Heinrich Meyer gab 1840,
zur Erinnerung an die Erfindung des Buchdrucks (1451 das erste Buch,
ein „Donatus", von Gutenberg und Fust in Mainz gedruckt), ein Album
heraus, in dem unter anderm auch Beiträge von Feuchtersleben und Pyrker Aufnahme fanden; Grillparzers Verse wurden von der Zensur beanstandet (vgl. „Album", S. 505 f.), offenbar wegen der Schlußwendung.

21. **In Oehlenschlägers Stammbuch** (S. 222). Nach „Album", S. 550,
hatte Grillparzer den dänischen Dichter schon 1817 im Hause Pichler
kennen gelernt (Karoline Pichler, Denkwürdigkeiten, Bd. 3, S. 107,
Wien, 1844); die Eintragung der Stammbuchverse erfolgte aber im
Juli 1844 (vgl. Oehlenschläger, Meine Lebenserinnerungen, Bd. 4;
Leipz., 1850 f.).

30. **In ein neues Album** (S. 224). Marie von Ebner-Eschenbach
(geb. 1830 als Gräfin Dubsky) hat schon früh Beziehungen zu Grillparzer gehabt. Im Jahre 1847 legte ihm ihre Stiefmutter die Gedichte der 17jährigen Komtesse zur Beurteilung ihres Talentes vor.
Er gab das denkwürdige Gutachten ab: Die Gedichte zeigen unverkenn=
bare Spuren von Talent. Ein höchst glückliches Ohr für den Vers, Gewalt
des Ausdrucks, eine, vielleicht auch nur zu tiefe, Empfindung, Einsicht und
scharfe Beurteilungsgabe in manchen der satirischen Gedichte bilden sich zu
einer Anlage, die Interesse weckt und deren Kultivierung zu unterlassen wohl
kaum in der eigenen Willkür der Besitzerin stehen dürfte. (Vgl. Moritz
Necker im „Jahrb.", Bd. 8, S. 212 ff.)

35. **An König Ludwig II. von Bayern** (S. 225). Der König hatte
dem Dichter zum 76. Geburtstage als Verehrer seiner „genialen und
ergreifenden Dichtungen" seine aufrichtigen Glücks- und Segens-
wünsche ausgedrückt (vgl. „Jahrb.", Bd. 1, S. 267) und bezeugte ihm
auch 1871 und 1872 zum 15. Januar seine Begeisterung und Verehrung (ebenda, S. 268 f.; vgl. „Leben und Werke", S. 62*).

Die Ahnfrau (S. 227—361).

Quellen:

Neben Schiller („Räuber", „Braut von Messina") und Shakespeare
(„Romeo und Julie", „Richard III.") sowie den Schicksalstragödien
von Zacharias Werner („Der 24. Februar") und Adolf Müllner („Der
29. Februar", „Die Schuld"), die mehr im allgemeinen auf Grillparzers

Tragödie von Einfluß waren, hat deren Dichter mehrere Einzelquellen benutzt: außer Calderons Dramen, namentlich dessen Stück „Die Andacht zum Kreuze"[1], die Geschichte des französischen Räubers Mandrin und vermutlich einen Schauerroman „Die blutende Gestalt" u. s. w.[2] — Louis Mandrin (1714—55), Sohn eines im Kampfe mit den Garden gefallenen Falschmünzers, desertierte vom Militär und ward Führer einer Räuberbande. Nach einem abenteuerlichen Leben knüpfte er ein Liebesverhältnis an mit der schönen Isaura, einer vornehmen Dame, die mit ihrer älteren Schwester auf einem einsamen Schlosse wohnte. Anfangs zwar wurden seine Bewerbungen trotz seiner schönen Erscheinung abgewiesen; als er sich aber auf Rat seines Kameraden Roquairol für einen Baron du Mandrin ausgab, fand er Erhörung. Schon stand die Hochzeit nahe bevor, da ward die Räuberbande in ihrem Schlupfwinkel aufgehoben. Aus dem verzweifelten Kampfe mit den Soldaten des Königs rettete sich nur der Hauptmann mit wenigen Genossen. In dieser Not suchte Mandrin, von den Verfolgern hart bedrängt, Zuflucht bei Isaura, die von seinem wahren Gewerbe nichts ahnte. Niemand vermutete ihn auf dem Schloß, aber sein Versteck ward durch einen Zufall verraten. So umzingelten ihn die Häscher, als er gerade das Schloß verlassen wollte, und nahmen ihn vor den Augen der Geliebten fest. Isaura, die nun wußte, mit wem sie es zu tun habe, wendete sich mit Abscheu von ihm. Mandrin endete auf dem Schafott, das Edelfräulein ging in ein Kloster. Haben wir hier die Vorlage für den „Räuber" Jaromir, für sein Liebesverhältnis mit Berta, für Überfall, Kampf, Flucht, drohende Gefangennahme, endlich auch für die Erkennung des Räubertums ihres Geliebten durch Berta: so ist wohl auf den Roman zurückzuführen die gespenstige Gestalt der „Ahnfrau" und manche ihrer Beziehungen zu den Lebenden. Auch die „blutende

---

[1] Vgl. Josef Kohm, Grillparzers Tragödie „Die Ahnfrau" in ihrer gegenwärtigen und früheren Gestalt (Wien, 1903), besonders S. 43, 102, 116 f., 121 u. s. w. Übereinstimmung in dem Motiv der Geschwisterliebe: der Räuberhauptmann Eusebio und Julia sind, ohne ihre gemeinsame Abstammung zu kennen, zueinander in Liebe entbrannt. — Kohm verwirft den Roman „Die blutende Gestalt" als Quelle zur „Ahnfrau" und sucht als solche (S. 274 ff.) nachzuweisen die Sage von der weißen Frau Berta von Neuhaus (Madame Naubert, „Neue Volksmärchen der Deutschen. Drittes Bändchen. Leipz., 1792"). — [2] Vgl. Einleitung des Herausgebers S. 229 f. Eingehende Untersuchungen über beide Quellen verdanken wir Ludwig Wyplel: 1) Die Geschichte des Räubers Louis Mandrin als Quelle zur „Ahnfrau". Abhandlung zum 26. Jahresbericht der Staats-Oberrealschule im XV. Bezirke von Wien. (Wien, 1900.) Von den verschiedenen Darstellungen dieses Abenteurerlebens scheint der Dichter gekannt zu haben die „Historie de Louis Mandrin, depuis sa naissance jusqu'à sa mort" (Amsterdam, 1755). — 2) Ein Schauerroman als Quelle der „Ahnfrau" im „Euphorion", Bd. 7 (1900), S. 725—758. — Der Titel des Romans, der von Glossy in der Wiener Stadtbibliothek aufgefunden wurde, lautet: „Die Blutende Gestalt mit Dolch und Lampe oder die Beschwörung im Schlosse Stern bei Prag" (Wien und Prag, bei Franz Haas, o. J.). — Beide Abhandlungen sind oben zum Nachweis der Quellen benutzt; doch vgl. Kohm a. a. O., S. 43 f.

Gestalt Beatrix" ist die „Urmutter" eines adligen Geschlechts, die durch eine sündige Neigung sich schuldig macht. Dafür wird sie mit einem Dolch ermordet und muß nun „300 Jahre in geistiger Schauerlichkeit **wallen** und **wandeln** auf Lindenberg", „dann hat sie hinlänglich gebüßt" und darf Gutes stiften, indem sie den Geist der Wollust hindert, „sich Opfer zu häufen". Ähnlich sucht auch die Ahnfrau, besonders im letzten Akt, zu wirken, indem sie warnt, droht und mahnt. In Ort und Art des Auftretens, in der äußeren Erscheinung (mit „einem langen Schleier verhüllt"), in der Einwirkung des Spuks auf die Umgebung und in dessen Verwechselung mit einer lebenden Enkelin (Berta, im Roman Johanne) liegen weitere Übereinstimmungen. Aber nicht nur der allgemeine Charakter, sondern auch mehrere Einzelszenen der Tragödie gehen, wie sich unten zeigen wird, auf jene Vorlage zurück.

Erſter Aufzug (S. 239—265).

V. 1. Von Platen verspottet in der „Verhängnisvollen Gabel". Die Wendung „Nun wohlan!" kehrt in der „Ahnfrau" sehr oft wieder.

V. 17 ff. Anklänge an Schillers „Glocke" und an Müllners „Schuld" (Leipz., Reclam, o. J., S. 13); vgl. Kohm, S. 26 f.

V. 191 f. Die Mitteilungen über Jaromirs vornehme Herkunft (in der ersten Handschrift des Dichters Aufz. 2, nach V. 1115 in zusammenhängendem Lügenbericht gegeben, vgl. Lesarten) lehnen sich an Mandrin an; dort sagt Roquairol zu dem Räuberhauptmann: „... il faut vous appeler Monsieur du Mandrin; dire souvent, ma terre, mes gens, mes chevaux, mon équipage. On écoutera vos titres, et l'amour se glissera à l'ombre de votre noblesse..." Freilich wirkt bei Grillparzer mehr die Persönlichkeit und ritterliche Tapferkeit als jener Bericht, auch ist hier die Lüge durch den Zwang der Verhältnisse gemildert.

V. 219 ff. Die breite Erzählung Bertas ist nicht recht motiviert, da sie mit dem Vater oft von dem Vorfall gesprochen hat (vgl. V. 190 ff.). Doch gilt es hier, gerade ihre plötzlich ausbrechende **Liebe** zu begründen. — Der Gang in den Wald erinnert an den Roman „Die blutende Gestalt", wo Ambrosio, von Unruhe getrieben, in den Garten kommt. S. 121 ff.: „Üppig schmückten ihn die auserlesensten Blumen ... Jetzt erhöhte die Nacht noch den Zauber des Ganzen ... ein sanftes Lüftchen wehte den Duft der Orangenblüten die Alleen her, und die Nachtigall sträute ihren melodischen Gesang aus dem Dickicht einer künstlichen Wildnis. Nach dieser richtete Ambrosio seinen Schritt.... In sich selbst versenkt nahte er sich diesem Platze. Die allgemeine Stille hatte sich seinem Herzen mitgeteilt, und eine wollüstige Ruhe verbreitete eine angenehme Mattigkeit über seine Seele."

V. 228 ff. Das „Erwachen des Lautenklangs" auch im „Ständchen" (vgl. Bd. 1, S. 15 dieser Ausgabe) und in „König Ottokars Glück und Ende" (Aufz. 2, Schluß). — Auch der Räuber Moor spielt die Laute (Aufz. 4, Scene 5).

V. 260 f. Die Liebe kommt plötzlich und zieht Berta zu dem schönen Fremden hin wie Beatrice zu Don Manuel („Braut von Messina", Aufz. 1, Auftr. 7; Aufz. 2, Auftr. 1). Überhaupt ist bei der großen Liebe Bertas nicht Isaurens galantes Abenteuer mit Mandrin vorbildlich, hier waltet die volle dichterische Freiheit des Genius.

V. 289 ff. Das Ruhebedürfnis und der Schlaf kommen nach der erregten Unterredung und wichtigen Entscheidung etwas unvermittelt. — Statt der Harfenklänge sollte hier zuerst „Bertas Lied bei Nacht" (vgl. S. 10 dieses Bandes) stehen.

V. 304 ff. Strophenform, verbindender Reim, die Verwendung von zwei Senkungen, die Abwechselung von steigendem und fallendem Rhythmus kennzeichnen die Stelle als lyrische Einlage (nach Schillers Vorbild in „Maria Stuart", „Jungfrau von Orleans", „Braut von Messina"). So findet Bertas Glücksempfinden einen jubelnden Ausdruck. — Bis hierher entwickelt sich die Exposition vom Dunkel zum Licht, von der Trauer zur Freude. Einen starken Umschwung bewirkt danach die Erscheinung der Ahnfrau.

V. 321 f. Auch die „blutende Gestalt" erscheint mit Stundenschlag, ihr Nahen wird zuweilen durch Verlöschen der Lichter angekündigt. Der Wind „streift durchs Zimmer, der Sturm heult von außen". Sie spricht durch Gesten, sie winkt, wehrt ab, droht, ringt die Hände, wimmert und jammert. Ihre Gestalt und Kleidung stimmen mit denen der letzten lebenden Enkelin überein, so daß eine Verwechselung nahe liegt. „Ihre fest auf ihn gehefteten Augäpfel" sind „hohl und glanzlos" (V. 328, 342, 354); sie spricht gar nicht oder „in einem leisen Grabeston" (V. 337, 340) und schreitet langsam davon. Ihr Erscheinen verbreitet Entsetzen, so daß bei ihrem Anblick das Blut in den Adern erstarrt oder gefriert (V. 331, 341) und eine Art Lähmung eintritt. — Die Szene ist verspottet von Platen, „Die verhängnisvolle Gabel", Aufz. 1, Szene 3. — Die Traumerscheinung des Grafen erinnert an das Drama von Calderon „Die Andacht zum Kreuze", 2. Aufz.: Julia träumt von Eusebio, erwacht und sieht ihn vor sich.

V. 423 ff. Eigne Erfahrung des Dichters. Vgl. z. B. „Jahrb.", Bd. 3, S. 139 f., Glossy, Tagebuchblätter Nr. 50 (aus dem Jahre 1811): Wie die Phantasie täuschen kann, erfuhr ich heute besonders. Ich betrachtete ein Kupfer, auf dem unter andern ein die Achsel zuckender Mensch abgebildet war, und in dem Augenblicke schien es mir, als ob er wirklich die Schultern bewegte, sie auf und nieder zuckte; ich erschrak beinahe darüber, so lebhaft sah ich's. Vgl. Kohm, Zur Charakteristik der „Ahnfrau", „Jahrb.", Bd. 11, S. 22—76.

V. 481 ff. Daß der geschwätzige alte Diener Berta erst jetzt über die Ahnfrau aufklärt, fällt auf. Ebenso das Verhalten des Grafen, wenn dieser auch durch den Hinweis auf die Ahnfrau in grübelndes Nachsinnen versenkt erscheint.

V. 530 ff. Auch diese Eröffnung ist nicht hinreichend motiviert; in der ersten Fassung fehlt die Stelle (V. 514—586); vgl. Lesarten.

V. 587 ff. Der Weggang des Grafen ist um so weniger begründet,

als es gepocht hat und er Botschaft von Günter erwarten muß; in der
ursprünglichen Fassung des Stückes pocht es erst nach dem Weggang des Grafen.

V. 592 ff. Mit dem Eindringen Jaromirs in die Stille des Hauses
beginnt die eigentliche dramatische Handlung (erregendes Moment).

V. 681—726 fehlen in der ursprünglichen Fassung; vgl. Lesarten.

V. 732 ff. Eine neue Beschämung für Jaromir (tragische Ironie). —
Der Aufzug schließt mit einem friedlichen Bilde; in schroffem Gegensatz dazu steht der Anfang des 2. Aufzugs.

Zweiter Aufzug (S. 266—297).

Indem die Ahnfrau Jaromir zur Flucht aus dem Schlafgemach
treibt, übt sie einen bestimmenden Einfluß auf die Handlung des
Stückes aus. Denn einmal wird dadurch die Verlobung Jaromirs mit
Berta veranlaßt (vgl. V. 980 ff., 1016 ff., 1160; erste Stufe der steigenden Handlung), sodann hängt davon das Zusammentreffen mit dem
Hauptmann und die Gefahr der Entdeckung ab (2. Stufe) sowie die
ganze folgende Handlung.

V. 824 ff. Nachahmung von „Macbeth", Aufz. 3, Szene 4: der
König gegenüber Banquos Geist. In der Stelle liegt ein gewisser
Widerspruch zu der vorausgehenden und nachfolgenden Annahme
von wirklichen Gespenstern. Vgl. Kohm, „Jahrb.", Bd. 11. S. 38 ff.

V. 886 ff. Vgl. „Blutende Gestalt" S. 30: „Die blutende Gestalt
wählte [auf Lindenberg] das beste Zimmer im Hause". S. 44: „Mit
rastloser Seele warf sich Bernard, trotz seiner Ermüdung von einer
Seite auf die andere. Aber vergebens, der Schlaf floh bald seine
tieferschütterte Brust.... Auf einmal hörte er langsame und schwere
Tritte die Treppe heraufkommen. Unwillkürlich richtete er sich auf
dem Lager empor und zog die Vorhänge zurück ... Welcher Anblick
drückte sich in seine aufgerissenen Augen. Er sah einen belebten
Leichnam, lang und hager war ihr Gesicht, Wange und Lippe ohne
Blut, Totenblässe lag auf ihren Zügen ... die Erscheinung setzte
sich ihm gegenüber an den Fuß des Lagers und schwieg! Ihre Augen
waren voll Ernst auf ihn gerichtet. Bernard starrte das Gespenst
mit Entsetzen an, das keine Worte beschreiben können...." — S. 71:
„... da rauschte es plötzlich um ihn [Bernard] her, gleich als ob die
morschen Knochen von gewaltsamer Hand übereinander geworfen
würden, rasselten sie neben ihm ...; als dieser [der Rauch] allmählich ... sich hob, stand jene blutende Jungfrau im langen schleppen-
den Sterbekleide vor ihm da."

V. 893 f. Das Bild mutet fremdartig an im Munde des unter
Räubern aufgewachsenen Jaromir.

V. 913. Über die Weherufe in den Schicksalstragödien spottet
Platen, „Verhängnisvolle Gabel", Aufz. 1, Szene 4.

V. 916 ff. Reminiszenz an „Macbeth", Aufz. 3, Szene 4, und „Räuber", Aufz. 5, Szene 1.

V. 994 ff. Unheimliche Wirkung der Ähnlichkeit Bertas mit der Ahnfrau und der dadurch verursachten Verwechselungen.

V. 1026—1068 auf Schreyvogels Anregung hinzugedichtet; vgl. Lesarten.

V. 1116 ff. hatten ursprünglich eine wesentlich andere Fassung; vgl. Lesarten.

V. 1187 ff. Hierzu bemerkte Schreyvogel: „Der Hauptmann kann einiges Mißtrauen gegen Jaromir verraten". Daher schob der Dichter die Stelle V. 1214—1218 ein. Vgl. Lesarten.

V. 1219 ff. Hierzu bemerkte Schreyvogel am Rande des ersten Manuskripts: „Jaromir kann während dieser Unterredung nicht untätig sein. Er sagt einiges in Antwort auf die mißtrauischen Bemerkungen des Hauptmannes und muß mit diesem in Kontrast gestellt werden". Dadurch veranlaßt, dichtete Grillparzer die Stelle V. 1261—1368 hinzu und änderte auch weiterhin den Text; vgl. Lesarten.

V. 1241. Vgl. Mandrin: „Son nom était connu, un paysan le rendit." Ähnlich verrät in Calderons „Andacht zum Kreuze" (Leipz., Reclam, o. J., S. 40) der Bauer Gil dem die Räuber verfolgenden Erucio das Hauptquartier des Hauptmanns Eusebio; vgl. Kohm a. a. O., S. 102.

V. 1244 f. Auch in der „Blutenden Gestalt" befinden sich neben dem Schloß Stern halbstehende Mauerreste eines älteren Baues mit „schauerlichen Gewölben".

V. 1247 ff. Auch die Verfolger Mandrins setzen sich in einem Gebäude fest und rekognoszieren von dort aus: „Les Archers, qui étoient toujours en haleine, se logèrent dans une maison voisine pour l'observer".

V. 1290 ff. Anklang an Schillers „Lied von der Glocke" (Beschreibung der Feuersbrunst).

V. 1298 ff. Der Zusammenstoß Jaromirs mit dem Hauptmann, der zweite in dieser Nacht (vgl. V. 1224 ff., 603 f., 631 ff.), ist zugleich ein Vorspiel der späteren blutigen Kämpfe.

V. 1370 f. Erinnerung an Schiller (Schlußworte der „Braut von Messina" und Reiterlied in „Wallensteins Lager").

V. 1453—1489 sowie V. 1496—1515 sind bei der Überarbeitung des Stücks hinzugefügt, um die Teilnahme des Grafen an dem Streifzuge zu begründen; vgl. Lesarten.

V. 1516 ff. Der auf Schreyvogels Anregung eingefügte Monolog der einsamen Berta, schwankend zwischen Sehnen, Reue und Zagen, erinnert an den Monolog der Beatrice, „Braut von Messina", Aufz. 2, Anfang, und an Calderons „Andacht zum Kreuze". Einzelne Stellen klingen an Äußerungen Elvirens in Müllners „Schuld" (Aufz. 1, V. 476 ff.) an.

V. 1605 ff. Ähnliche Furchtempfindungen ohne wahrnehmbaren Grund auch in der „Blutenden Gestalt". Vgl. S. 36: „Die kühle Luft . . . schien ihm [Bernard] schauriger Grabesluft zu gleichen. Ein ihm unerklärbarer Schauer durchrieselte seine Gebeine . . ." S. 81: „Da lispelte eiskalte Grabesluft neben ihm vorüber." — „Geistig" für „gespenstig" ist auch der Quelle geläufig. — Beachtenswert ist, daß, wie der größte Teil des Monologs, so auch die Stelle von der „gei-

stigen Sünderin", in der sich Berta von dem Glauben an das geheimnisvolle Wirken der Ahnfrau angesteckt zeigt, in der ersten Fassung
der Tragödie fehlen; vgl. Lesarten.

V. 1610 ff. Der Aktschluß (Berta sucht Jaromir) steht in wirk-
samem Gegensatz zu dem Anfang des Aufzugs (Jaromir will zu Berta).

Dritter Aufzug (S. 298 — 318).

Der Gefahr, von dem Soldaten Walter, mit dem er im Kampfe
zusammengestoßen ist, entdeckt und festgenommen zu werden, ent-
rinnt zwar Jaromir noch einmal (3. und 4. Berührung des Räubers
mit den Häschern), aber Berta wird über seine wahre Natur aufgeklärt (3. Stufe der steigenden Handlung). Seiner stürmischen Werbung gelingt es, sie ganz zu sich herüberzuziehen, so daß sie bereit ist,
mit ihm zu fliehen (Höhe des Dramas). Der Aufzug wurde in der
ursprünglichen Fassung durch einen längeren Monolog Bertas eingeleitet (vgl. Lesarten), der dann auf Wunsch Schreyvogels wegfiel.

V. 1625—1661. Die Stelle wurde unter dem Einfluß Schreyvogels
stark umgeändert; vgl. Lesarten.

V. 1747. „Kurt" erinnert an Zacharias Werners „Söhne des Tals";
vgl. Sauer, „Jahrb.", Bd. 7, S. 83.

V. 1776. Wie Bertas erster Gedanke bei der Enthüllung auf die
Rettung des Geliebten gerichtet ist, so handelt zuerst auch Isaura, als
verkleidete Häscher den Bräutigam umzingeln: „Isaure les prit pour
des inconnus qui osaient insulter son Amant: elle engagea quelques
domestiques à le tirer du danger." Freilich ahnt Isaura nichts von der
Räubernatur Mandrins; als ihr diese im Augenblick der Verhaftung
bekannt wird, sagt sie sich von ihm los. Grillparzer hat nicht nur
Charakter und Verhalten seiner Heldin geändert, er hat auch die
Enthüllungsszene ganz von der Verhaftung Jaromirs getrennt und
läßt Berta die furchtbare Entdeckung zuerst in Abwesenheit des
Geliebten machen, dann diesen selbst entlarven.

V. 1776—1809, die in der ersten Fassung fehlen, sollen darauf
hinweisen, daß Walter den Räuberhauptmann genau kennt; vgl. Kohm
a. a. O., S. 148.

V. 1816. Im „Mandrin" wird an Isaura die plötzliche Frage gerichtet, „quelle part elle prenait au sort d'un contrebandier, d'un faux —
monnoyeur, d'un brigand". — Wie in der folgenden Szene Berta
schweigt, überwältigt von Schmerz und Verzweiflung, so heißt es im
„Mandrin" nach der Enthüllung: „Isaure demeura sans réponse; la
rougeur annonça sa confusion." Schreyvogel hatte für diese Szene mehr
Wechselwirkung empfohlen; Berta müsse sich mehr aussprechen, da
ihr Entschluß, den Vater um den Geliebten zu verlassen, nur durch
übermächtige Leidenschaft erklärlich werde. Aber der Dichter hielt an
jenem Zuge fest, da er offenbar dieses beredte Schweigen als wahr und
wirksam empfand. Dagegen läßt er Jaromir eine glühende Beredsam-
keit entwickeln und alle Anklagen selbst vorbringen, aber auch ent-
kräften, die Berta etwa ihm vorhalten könnte. Auch von Mandrin

heißt es: „M. avait une éloquence naturelle qui persuadait", . . . „son amour se tourna en exécration. Elle versa des larmes d'indignation et d'horreur." — Gewaltig wächst Jaromir über sein Vorbild hinaus; die Szene erinnert an Shakespeares „Richard III.", Aufz. 1, Szene 2 (Gloster gewinnt Anna), nur sehen wir hier wahres Empfinden eines im Grunde edlen Herzens, bei Richard eitel Heuchelei.

V. 1925. Auch Jaromir fühlt sich vom Schicksal verfolgt.

V. 2010 ff. stehen im Widerspruch zu der sonst von Jaromir vor-gegebenen Armut, stimmen aber mit den Angaben Mandrins, der von Gütern, Pferden und Gefolge spricht, die er besitze. — In der „Bluten-den Gestalt" gewinnt Siegmund von Lindenberg seine Geliebte Beatrix für die Flucht aus dem Elternhause nach seinem Schlosse, wo nie-mand ihn suchen werde. „Es war hart", so berichtet Beatrix (sie ist in dem Roman die „blutende Gestalt"), „den geliebten Vater zu ver-lassen, es war meinem verwahrlosten, nach Liebe dürstenden Herzen noch härter, den Geliebten zu verlassen; noch widersprach ich an-haltend seinen Worten, und doch hatte mein Herz bereits beschlossen, den guten Vater durch meine Flucht dem Grabe nahe zu bringen." Der Dialog zwischen Jaromir und Berta hat viele Berührungspunkte mit dem Gespräche zwischen Eusebio und Julia am Schlusse des ersten Aufzugs von Calderons „Andacht zum Kreuze" (vgl. Kohm a. a. O., S. 165 f.).

V. 2040 f. Auch den „Rabenstein" und die „modernden Gebeine" verspottet Platen, „Verhängnisvolle Gabel", Aufz. 3, Szene 3.

V. 2057 ff. Strophenform, halblyrische Einlage.

V. 2097. Der verhängnisvolle Dolch erinnert an den Dolch in Werners Schicksalstragödie „Der 24. Februar"; aber schon im antiken Drama (z. B. Euripides, „Phönissen", „Ödipus" des Seneca) und bei Goethe („Iphigenie in Tauris" und im Plan einer „Iphigenie auf Delphi") spielte das „fatale Requisit" eine Rolle; vgl. Minor, „Jahrb.", Bd. 9, S. 3 f. Gegen dieses „Requisit" geht schon der Titel von Platens sati-rischem Lustspiel.

V. 2104 ff. Hier wird von Berta das Verhängnis, das über ihrem Hause waltet, anerkannt und der Dolch in geheimnisvolle Beziehung dazu gesetzt. Auch diese Stelle fehlte in der ersten Fassung der Tra-gödie; vgl. Lesarten.

V. 2109 ff. Vgl. oben zu V. 1605 ff. — Die Erscheinung der Ahn-frau und die magische Wirkung des Dolches sind durch Bemerkungen Schreyvogels veranlaßt (vgl. Kohm a. a. O., S. 159, 162).

Vierter Aufzug (S. 319—338).

Der jetzige vierte Aufzug gehörte ursprünglich noch zu dem dritten Aufzuge, so daß das Drama im ganzen nur vier Aufzüge hatte. Den Übergang zu der Szene mit Günter bildete ein kurzer Monolog Bertas (vgl. Lesarten). Die Änderung ist auf Schreyvogel zurückzu-führen (vgl. Kohm a. a. O., S. 168 ff.).

2186 f. Dadurch wird die Schlußszene vorbereitet.

V. 2316 ff. Der Tod Burkards in der „Blutenden Gestalt" hat dem Dichter hier manchen Zug an die Hand gegeben. Ambrosio, der Übeltäter, scheut ebensosehr die Entdeckung wie Jaromir. Burkard wollte „den Elenden schrecklich entlarven". Ambrosio versuchte zu entwischen, aber Burkard ereilte ihn. Jetzt erinnerte sich Ambrosio, zur Vorsicht einen Dolch zu sich genommen zu haben, er hoffte, den Alten durch dessen Anblick zu schrecken. Schnell zückte er ihn. „Du bist des Todes!" rief er. . . . Burkard kannte sich vor Wut nicht, seine Schwäche vergessend, stürzte er gleich einem Rasenden auf Ambrosio, strauchelte — ach! und fiel in dessen vorgehaltenen Dolch. Der Stahl traf sein Herz; — ohne Laut sank er zu Boden.

V. 2392, 2398 ff. Hier wird noch einmal, kurz vor der letzten Enthüllung und dem Tode, von dem Grafen betont, daß das Schicksal sein und der Seinen Leben zum Untergang geführt habe.

V. 2401 ff. Auch in „Histoire de Mandrin" wird man zuerst einiger Räuber habhaft, und von diesen geht dann die Aufklärung über den Namen und die schließliche Entdeckung des Hauptmanns aus. Einzelne Motive dieser Erkennungsszene gehen auf „Die Andacht zum Kreuze" von Calderon zurück (Kohm a. a. O., S. 194).

V. 2515 ff. Es fällt auf, daß Boleslav das alles weiß (vgl. auch V. 2900), da doch Jaromir seit dem Kampfe im Walde von den Räubern getrennt war.

V. 2523—2526, die in der ersten Fassung fehlen, sind eingeschaltet, um die Entfernung Boleslavs zu begründen, der nicht hören soll, daß den Vater sein Sohn erschlagen hat; vgl. Kohm a. a. O., S. 192 ff.

V. 2532. Vgl. die Ohnmacht Beatricens in der „Braut von Messina".

V. 2533 ff. lauteten in der ursprünglichen Fassung wesentlich anders; vgl. Lesarten.

V. 2537 ff. Die Schicksalsidee findet hier den schärfsten Ausdruck; in der ersten Fassung war das weniger der Fall, vgl. Lesarten.

V. 2559 ff. Hier wird auf persönliche Schuld des Geschlechts und des Grafen selbst hingedeutet; in der zweiten Bearbeitung des Stücks war darüber noch mehr gesagt, vgl. Lesarten. Der Drucktext läßt sonst von einer Vererbung der Schuld der Ahnfrau und besonders von einer Sünde des Grafen nichts erkennen; auch hätte dieser, falls er die Sage von der Ahnfrau früher Schuld, von dem sündigen Geschlecht anerkennt, kein Recht, sich den „letzten Borotin" zu nennen (V. 2588).

V. 2589. In der Vorgeschichte des Romans von der „Blutenden Gestalt", wo der Vater der Beatrix (der „blutenden Gestalt") in einer Fehde von der Hand Siegmunds, des Entführers seiner Tochter, tödlich getroffen und sterbend auf Schloß Lindenberg gebracht wird, hat der Sterbende vor seinem Tode harte Seelenqualen zu erleiden. Über seinen Tod berichtet die „Blutende Gestalt" (S. 75): „Mit einem lauten Schrei stürzte der Alte zusammen, als er mich in seines Feindes Armen liegen sah; dies gab ihm den Todesstoß, er riß den Verband seiner Wunde los, ‚ich will sterben‘, rief er, ‚da ich meines Kindes Schande erlebt habe‘ . . .“

V. 2605 ff. Auch der Hauptmann ist nun in das Geheimnis eingeweiht; er weiß, daß der Edle von Eschen, der Sohn des Grafen, der Bräutigam Bertas, der Vatermörder und der Räuberhauptmann dieselbe Person ist. Indem er nun seinen Eifer, den Doppeltschuldigen zu fahen, erhöht, bereitet er die Katastrophe vor. So folgt auf die Aufklärung und den Tod des Grafen und Bertas (1. Stufe der fallenden Handlung) das letzte Schicksal des Haupthelden (2. Stufe: seine Aufklärung, Katastrophe: sein Tod).

V. 2613 ff. Wie der zweite, so schließt auch der vierte Aufzug mit einem Monolog Bertas. Ihr banges Ahnen hat sich schrecklich erfüllt. Ganz gebrochen, geistig umnachtet, geht sie in den Tod, der auch ihr nach dem Erlebten als einziger Ausweg bleibt.

Fünfter Aufzug (S. 339—361).

V. 2666 ff. In der „Blutenden Gestalt“ wird Ambrosio nach seiner Tat von „marternden Gedanken“ gepeinigt und „verjagt die furchtbaren Bilder“.

V. 2672 ff. Durch ähnliche Sophistereien sucht in der „Blutenden Gestalt“ Mathilde, der weibliche Dämon, Ambrosios Schuld zu mildern; sie stellt ihm vor, „er habe sich nur des allgemeinen natürlichen Rechts (V. 2679) der Selbsterhaltung bedient und sei sozusagen an Burkards Tode gar nicht schuld, da er selbst, blind vor Wut, in seinen Dolch“ gerannt sei.

V. 2692 ff. Hier scheint eine andre Situation aus der „Blutenden Gestalt“ vorzuschweben: Johanna will Ambrosio in den „unterirdischen Grüften“ entfliehen, er verfolgt sie mit gezücktem Dolche; „schon fühlte ihr Nacken die Wärme seines Atems ... Ambrosio holte sie ein, seine Hand hatte sich mit dem Dolche gehoben, mit von Grimm funkelnden Augen stieß er nach der Unglücklichen“.

V. 2795 ff. Die Vorstellung des Schicksals vermischt sich hier in auffallender Weise mit den religiösen Vorstellungen von Gott; der Gedanke berührt sich mit der Prädestinationslehre.

V. 2815 ff. Diese Tirade vom Gebet im Munde des Räubers berührt fremdartig.

V. 2896. Auch Jaromirs Aufklärung (3. Erkennung, 2. Stufe der fallenden Handlung) ist mit starker Erschütterung verbunden, weil er aus der Freude darüber, daß nicht ein Räuber sein Vater ist, in die schreckliche Erkenntnis der Wahrheit gestürzt wird (Peripetie).

V. 2900 ff. Vgl. die Bemerkung zu V. 2515.

V. 2995 ff. Jaromir erklärt damit seine Tat als vorsätzliche Notwehr (vgl. V. 3011). Den zufälligen Vatermord legt er dem Schicksal zur Last. Aber dieses erscheint ihm hier nur als blinder Zufall (vgl. V. 3017 f.).

V. 3076 ff. Die Aufbahrung der Leiche in der Schloßkapelle erinnert an den Ausgang der „Braut von Messina“.

V. 3138. Auch dies bleibt unerklärt, woher der unter Räubern auf-
gewachsene Jaromir seine Bildung hat; vgl. die Bemerkung zu V. 2815 ff.

3146 ff. Auch Ambrosio entbrennt nach der Tat leidenschaft-
licher als zuvor für Johanne. „Gleich als hätten die Verbrechen, zu
denen ihn bereits seine Leidenschaft verführt hatte, nur die Heftigkeit
seiner Liebe vermehrt, sehnte er sich jetzt mehr als jemals nach Jo-
hannens Liebe.“ Bei Jaromir ist diese plötzlich ausbrechende Leidenschaft nicht hinlänglich motiviert; sie erklärt sich nur als Zeichen des
bei ihm aufkeimenden Wahnsinns.

V. 3184 ff. So wird noch einmal der Zusammenstoß zwischen dem
Hauptmann und Jaromir hinausgeschoben; aber da ein Soldat ihn
durchs Fenster hat einsteigen sehen, ist er doch rettungslos verloren.
Die Verhaftung des Räubers (Motiv aus „Mandrin“) wird so mit der
Katastrophe zusammengelegt, nachdem sie, unter wirksamer Erhöhung
der Spannung, wiederholt (sechsmal im ganzen) nahe genug gewesen ist.

V. 3203. In der „Blutenden Gestalt“ wird auch die Gruft des ehemaligen Besitzers von Schloß Stern mit einem „hohen und prächtigen
Grabmal“ und einer Statue an demselben erwähnt. — In den „unterirdischen Gewölben“ wird Ambrosio von den „Rächern“ gefangen genommen. Als er dann später dem Tode verfallen erscheint, wird er
durch das Eingreifen der „blutenden Gestalt“ gerettet. — Sonst hat
die Schlußszene eine gewisse Verwandtschaft mit dem Ausgang von
„Romeo und Julie“.

V. 3222 ff. In der „Blutenden Gestalt“ erwartet Bernard die Geliebte (sie heißt auch Berta) vor dem Schloßtor; sie soll, als Gespenst
verkleidet, mit ihm entfliehen. „Jetzt sah er Bertan [es ist das Gespenst, das er für die Geliebte hält] aus den Flügeltüren treten. Sie ging
Bernarden entgegen. Liebetrunken, mit geöffneten Armen [vgl. V. 3227 ff.]
floh er ihr entgegen und drückte sie an seine Brust. Berta! rief er,
du bist mein, und ich bin dein auf ewig!“ Er trug sie in den bereit-
stehenden Wagen (vgl. V. 3247), aber auf der Fahrt zerschellte der
Wagen, Bernard stürzte einen Abhang hinab und verlor die Besinnung, die „blutende Gestalt“ verschwand.

V. 3296 ff. In der ersten Fassung wesentlich anders; vgl. Lesarten.

V. 3310. Es fällt auf, daß der Graf in der Kapelle aufgebahrt ist,
Berta in der Gruft. Für diesen Widerspruch, der freilich dem Schluß-
effekt zu gute kommt, findet sich in der „Blutenden Gestalt“ die Erklärung, die Hauswirtin scheue sich, zwei Leichen zugleich im Hause
zu haben. Kohm (a. a. O., S. 264 f.) meint, man habe Berta als Selbst-
mörderin still in der Gruft ihrer Väter beigesetzt.

V. 3315. Die Verhaftung Mandrins spielt sich ebenfalls vor einer
größeren Menschenmenge ab (den als Bauern verkleideten Häschern
und Bedienten Isaurens), so daß, wie hier, eine Massenszene entsteht. — Das Erstarren der Verfolger beim Winke der Ahnfrau findet
sein Vorbild in der „Blutenden Gestalt“: Ambrosio verfolgt Johanne,
die „blutende Gestalt“ tritt zwischen sie; im selben Augenblick naht
Eberhard (= Hauptmann) mit Soldaten. Plötzliches Erstarren durch-

floh Ambrosios Glieder; „Eberhard bebte zurück beim Anblicke der verschleierten, mit Blut befleckten Jungfrau, Schauer durchfloh ihn, obschon er ihr Gesicht nicht sehen, ihre geistige Gestalt nicht ahnen konnte." — Durch dies Erstarren der Verfolger gewinnt die Ahnfrau Zeit, ihre Sendung würdig zu vollenden. — Die Schlußworte der Ahnfrau, des Hauptmanns und Günters hatten zuerst eine andere Fassung (vgl. Lesarten), die an den Ausgang von Goethes „Faust", 1. Teil erinnert.

Lesarten.

Gedichte (S. 1—226).

Vorbemerkung.

Der vorliegenden Ausgabe von Grillparzers „Gedichten" wurde zu Grunde gelegt:

W^5 = Grillparzers sämtliche Werke [Fünfte Ausgabe] in zwanzig Bänden. Herausg. und mit Einleitungen versehen von August Sauer. (Stuttg. o. J., J. G. Cottasche Buchhandlung Nachf.) In Bd. 1—3: „Gedichte". — Hier nur eine Auswahl in abweichender Reihenfolge; vgl. die Einleitung des Herausgebers, S. 5f.

Verglichen wurden:

W^1 = Grillparzers Sämmtliche Werke, herausg. von Heinrich Laube (Stuttg., 1872). In Bd. 1: „Gedichte", herausg. von Josef Weilen.

A = Wiener Grillparzer-Album. Für Freunde als Handschrift gedruckt. Herausg. von Theobald Freih. v. Rizy unter Mitwirkung von Dr. Wilhelm Vollmer (Stuttg., 1877).

W^4 = Grillparzers Sämmtliche Werke. Vierte Ausgabe in sechzehn Bänden, herausg. von August Sauer, Bd. 1 (Stuttg., 1887).

J = Gedichte von Franz Grillparzer. Jubiläums-Ausgabe zum hundertsten Geburtstage des Dichters (1791—1891), herausg. von August Sauer (Stuttg., 1891).

Sonstige Abkürzungen:

S = August Sauer, Proben eines Commentars zu Grillparzers Gedichten. Im „Jahrbuch der Grillparzer-Gesellschaft", red. von Carl Glossy, Bd. 7, S. 1—170.

Agl = Aglaja. Taschenbuch (Wien, Wallishauser, 1819ff.).

HF = Huldigung der Frauen. Taschenbuch, herausg. von J. H. Castelli (Wien, 1823ff.).

WZ = Wiener-Zeitschrift für Kunst, Literatur und Mode, herausg. von Schickh, seit 1836 von Fr. Witthauer (Wien, 1826ff.).

V = Vesta. Taschenbuch für Gebildete (Wien, 1831ff.).

PO = Album zum Besten der Verunglückten in Pesth-Ofen, herausg. von Fr. Witthauer (Wien, 1838).

Einige andere Zeitschriften, in denen sich nur einzelne Gedichte zuerst gedruckt finden, sind am gegebenen Ort besonders verzeichnet.

Erste Abteilung: **Persönliches** (S. 7—101).

1. Cherubin (S. 7). Zuerst in dieser Fassung *A*, S. 429. Starke Abweichungen *W*[1].

2. Als mein Schreibpult zersprang (S. 8). Zuerst *A*, S. 438. — ₁₆ Weckt] Winkt *A* | ₂₀ zerbirst.] zerspringt. *A*.

3. An eine matte Herbstfliege (S. 9). Zuerst im „Conversationsblatt für wissenschaftliche Unterhaltung", S. 120 (Wien, 1819). — ₂ ge=lähmt?] erlahmt? *W*[1] *A W*[4].

4. Ohne Geld, doch ohne Sorgen (S. 9). Zuerst *W*[1], S. 279, doch unvollständig, vollständig in *A*; in *J* mit der Überschrift Froher Sinn. — ₁ doch] und *W*[1] *A W*[4] | ₂ Gibt's ein Glück, das meinem gleicht? | ₄ Aber Frohsinn nicht so leicht. *W*[1] *A W*[4].

5. Bertas Lied in der Nacht (S. 10). Zuerst in „Janus. Zeitschrift", herausg. von Fr. Wähner, S. 4 (Wien, 1818).

8. Erinnerung (S. 11). Zuerst *Agl* 1820, S. 176.

9. An einen Freund (S. 12). Zuerst *Agl* 1819, S. 149.

10. Bescheidenes Los (S. 12). Zuerst *W Z* 1841, S. 4. — ₁₈ Hätt'] Hab' *A*.

12. Abschied von Gastein (S. 13). Zuerst *Agl* 1820, S. 214. A. Sauer hat in *S*, S. 9 ff. neben dem *W*[5] zu Grunde gelegten Manuskript aus dem Anfang der vierziger Jahre, das Grillparzer selbst durchgesehen hat, hauptsächlich noch herangezogen: *H*[1] = erster Entwurf im Nachlaß, der auch *Agl* benutzt ist; *H*[2] = V. 65—70 auf der Rückseite eines Zettels vom 21. August 1818. — ₃ bitt'rer über herber *H*[1] | ₄ wiegtest *H*[1] | ₅ warum *Agl* | ₇ von wenigen] die wenige *H*[1] | ₃₃ Der Dichter, noch so hoch vom *H*[1].

> ₄₁ Wenn Freud und Lust der Menschen Wangen mahlen,
>   Ihm nicht, denn er hat andere gesehn;
>   Verletzender trifft ihn der Pfeil der Qualen,
>   Denn ach, wer singt, kann nicht im Harnisch gehn!
> ₄₅ Es wohnet seine Ruh in stillern Talen,
>   Es wohnt sein Glück auf andern, schönern Höhn;
>   Was ist, das reizt ihn nicht darnach zu streben,
>   Und was ihn reizt, das ist nicht hier im Leben.
>   So geht er durch des Daseins bunte Reihen,
> ₅₀ Des ew'gen Widerstreites sich bewußt.
>   Wenn ihm die Menschen Götterehre weihen,
>   Zu teu'r erkauft sie Menschenglücks Verlust;
>   Wenn ihm die Himmlischen die Gunst verleihen
>   Zu adeln, was er drückt an seine Brust.
> ₅₅ Dem Phryger gleich greift er nach Wein und Ähren
>   Und sieht sie schaudernd sich in Gold verkehren.
>   Nur wenn's in seltnen süßen Augenblicken
>   Es ihm gelungen, frei und los
>   Von all den goldnen Zauber = Stricken,
> ₆₀ Mit denen ihn ein neidscher Geist umschloß,
>   Das hingesunkne wunde Haupt zu drücken
>   Durch Gras und Blumen an der Erde Schoß,

Das welke Herz mit seinen matten Schlägen
Zu drängen seiner Mutter Brust entgegen;
Soweit in H^1, die Interpunktion ist ergänzt.

65 Wenn's ihm gelang, das wache Ohr zu schließen
Dem ew'gen Locker mit Syrenenlaut,
Der ihm für all sein Hoffen und Genießen
In weiter Ferne andre Welten baut,
Wenn er nur Blumen pflückend, die da sprießen,
70 Nicht sehnend mehr nach Paradiesen schaut,   65--70 H^1 H^2
Wenn er gelernt vergessen und ertragen.
Dann mag auch er von Glück und Freude sagen.   71. 72 H^2

Da schauet er mit sehnsuchtsvollen Blicken
Zur Erde hin, so schön, so hold, so groß,
75 Und ringt und strebt, und will's ihm glücken,
Auf Augenblicke seiner Bande los
Das hingesunkne müde Haupt zu drücken
78 Durch Gras und Blumen an der Mutter Schoß . . . 73--78 H^1.

13. Ständchen (S. 15). Zuerst in „Orpheus. Musikalisches Album",
herausg. von August Schmidt, S. 53 (Wien, 1843). *A*, S. 454 gibt noch
den Entwurf folgender für das Gedicht bestimmten Strophe:

Drum sing ich jetzt kühn und munter:
Sieh herab, du Schmuck der Frau'n!
Ach! und blickte sie herunter,
Wagtest du es, aufzuschau'n?
Soll man nicht der Liebe grollen?
Wollen, und doch nicht zu wollen!
Brim blim u. s. w.

14. Kennst du das Land? (S. 16.) Nach W^5, Bd. 2, S. 18 (auf Grund
einer Reinschrift in einem Oktavheft, das besonders Gedichte von
1820 und 1821 enthält). Zuerst *Agl* 1820, S. 286.

15. An die vorausgegangenen Lieben (S. 18). Zuerst *Agl* 1820, S. 240.

16. Die Ruinen des Campo Vaccino in Rom (S. 18). Nach W^5,
Bd. 1, S. 133 (auf Grund des zu dem Gedicht Nr. 12 dieser Abteilung
erwähnten Manuskripts aus den vierziger Jahren). *S*, S. 34 ff. hat daneben noch besonders herangezogen: *Agl* = erster, nachher entfern-
ter Druck in *Agl; H^2* = Reinschrift in Oktavheft (vgl. zu Gedicht
Nr. 14 dieser Abteilung); W^1 = Abdruck in W^1 nach einer jetzt
nicht zugänglichen Handschrift des Dichters. — ₁ Seid mir gegrüßt,
H^2 | ₃ Mondenschimmer H^2 | ₁₄ Warst W^1 hingestellt, H^2 | ₂₅ dies] das
W^1 | ₃₂ Doch nicht hier, — am äußern Rand. *Agl* | ₃₉ Frieden *Agl* | ₄₆
Priesterkleid! *Agl* | ₄₉ In] Sieh *Agl* reiche *Agl* | ₅₉ Sieh, vom Schicksal
dich gerochen, *Agl* Schau, für das, was er verbrochen, W^1 | ₆₀ Ist] Er
Agl | ₆₂ Wie in deinem Mönche=Zug! *Agl* Schmutz'ger Mönche düstrer
Zug, W^1 | ₆₃ Küsters *Agl* | ₆₉ In der stummen Schönheit Prangen, W^1
Schönheit=Prangen, H^2 | ₇₀ Kraft] Kalt W^1 wankend,] wank und *Agl* |

₇₅ Helden=Menge H^2 | ₇₈ Ob's auch ganz] Denn, ob's auch Agl | ₈₆ deiner
Kirche $H^2 W^1$ | ₈₇ Meinung] Kirche $H^2 W^1$ | ₉₄ Da] Die W^1 | ₉₆ Was
spricht, Heuchler, dann von dir? $H^2 W^1$ Wer] Was Agl | ₁₀₂ Martertod
$Agl H^2$ | ₁₀₄ Herrliche, Agl Herrliches, W^1 | ₁₂₀ Zier.] Thür.' W^1 | ₁₂₈
Geht] Geh' Agl.

17. Am Morgen nach einem Sturme (S. 23). Zuerst Agl 1820, S. 293.

18. Zwischen Gaeta und Capua (S. 24). Zuerst Agl 1820, S. 291. —
₁₈ du und] du, du $W^1 A$ | ₁₉ Blick] Nickt $W^1 A$.

19. Der Bann (S. 26). Zuerst Agl 1820, S. 278.

20. Die tragische Muse (S. 28). Zuerst Agl 1822, S. 4.

21. Abschied (S. 30). Zuerst Agl 1821, S. 285. — ₁₁ frommen]
frommem W^1.

22. Am Hügel (S. 32). Zuerst Agl 1821, S. 300.

23. Der Genesene (S. 33). Zuerst Agl 1821, S. 12. — ₂₃ ich] nun
W^1 | ₄₂ im] in $W^1 A$.

24. An der Wiege eines Kindes (S. 34). Zuerst Agl 1822, S. 178.

25. Vorzeichen (S. 36). Zuerst Agl 1821, S. 262.

26. Der Wunderbrunnen (S. 37). Zuerst Agl 1821, S. 161.

27. Werbung (S. 37). Zuerst Agl 1821, S. 172.

28. Das Spiegelbild (S. 38). Zuerst Agl 1822, S. 13. — ₁₀ Du Bäch=
lein, W^1.

29. Albumblatt (S. 39). — ₁ Ist gleich, $W^1 A$ | ₅ In flüchtigen $W^1 A$.

30. Als sie, zuhörend, am Klaviere saß (S. 40). Zuerst Agl 1822, S. 125.
— ₁₇ jetzt und] jetzt, nun $W^1 A$ | ₁₈ von] vor W^1.

31. Allgegenwart (S. 41). Zuerst Agl 1822, S. 243.

32. Vater unser (S. 42). Zuerst W^1. — ₄₆ und ₄₇ Willen $W^1 W^4 A$ |
₇₄ nicht meiner, Herr, $W^1 W^4 A$.

33. Incubus (S. 45). Zuerst HF 1823, S. 52. — ₁₈ Getreib W^1 |
₂₀ Schwingt W^1 | ₃₁ ein heuchelnder W^1 in heuchelndem $A W^4$ | ₄₀ des
All $W^1 W^4$.

34. Gedanken am Fenster (S. 46). Zuerst HF 1827, S. 191.

35. Todeswund (S. 47). Zuerst Agl 1825, S. 258.

37. Bitte (S. 48). Zuerst Agl 1827, S. 163. — ₁₄ Kehrt ohne Beute
er zurück, W^1.

39. Was je den Menschen schwer gefallen (S. 49). Zuerst A, S. 472.
₃ vermissen,] verlieren, A.

41. Spaziergänge (S. 50). Zuerst Agl 1829, S. 218.

42. Dezemberlied (S. 52). Zuerst Agl 1827, S. 161.

43. Rechtfertigung (S. 53). Zuerst im „Taschenbuch des K. k. priv.
Theaters in der Leopoldstadt", herausg. von E. J. Metzger, S. 47.
(Wien, 1828.) — ₄ Und wünschtest mich an einen $W^1 W^4 A$ | ₉₀ seinem
$W^1 W^4 A$.

45. Begegnung (S. 58). Zuerst V 1831, S. 185.

46. An die Sammlung (S. 59). Zuerst J, S. 174.

47. Tristia ex Ponto (S. 60). Zuerst V 1835, S. 23.

    1. Böse Stunde (S. 60). — ₅ In mir? W^1.

    2. Polarszene (S. 61). — ₁₆ in der Nacht. W^1.

9. **Trennung** (S. 66). — 18 Den $W^1 W^4 A$ | 34 entläßt: $A W^4$ | 51 von Niedern W^1.

10. **Sorgenvoll** (S. 69). — 14 das freche, neid'sche W^1.

15. **Jugenderinnerungen im Grünen** (S. 71). — 48 Doch Trug und Täuschung zahltest du dafür. W^1 | 67 Sphinxe W^1 | 121 Des Armen, W^1 | 137—140, 149—152 fehlt A, vgl. S. 486 | 163 O allzugut nur trafen W^1.

49. Trost (S. 79). Zuerst PO, S. 46.

50. Ruhe (S. 80). Zuerst, soweit ermittelt, in „Thalia, Taschenbuch", 1850 (Wien). Überschrift: Entschuldigung. W^1 Heimkehr. $A W^4 -$ 46 die Heimat] das Innre $W^1 W^4 A$.

51. Wenn der Vogel singen will (S. 81). Überschrift: Ohne Heim. W^1 Gebt mir, wo ich stehen soll. $A W^4$.

52. Hoch auf schwindligen Stegen (S. 83). Überschrift: Jugend= jahre. W^1.

53. Selbstbekenntnis (S. 83). Zuerst PO, S. 185. — 1 Ich bin es nicht, $W^1 A$.

54. Entsagung (S. 83). Zuerst im „Österreichischen Morgenblatt. Zeitschrift für Vaterland, Natur und Leben", red. von L. A. Frankl, 1840, S. 28 (Wien). Auch in Grillparzers Tagebuch zur Reise nach Frankreich und England (W^5, Bd. 20, S. 54 f.).

55. Jagd im Winter (S. 84). Zuerst W^1. — 20 So denkt, daß jene, W^1.

56. Wintergedanken (S. 85). Zuerst in den „Wiener Sonntagsblättern für heimatliche Interessen", red. von L. A. Frankl, 1847, S. 125 (Wien). 5 Blühen,] Frühling, $W^1 W^4 A$.

57. Entgegnung (S. 85). Zuerst im „Album aus Österreich ob der Enns", 1843, S. 100 (Linz). Überschrift: Antwort an die Epigonen. $A W^4$. Strophenfolge: 1. 4. 2. 3. 5 $A W^4$. — 5 Verachtend, $A W^4$.

58. Schweigen (S. 86). Zuerst in den „Wiener Sonntagsblättern", 1842, S. 138.

59. Der Gegenwart (S. 87). Zuerst WZ, 1843, S. 235. — 9 Aber Eines ahnt sie nicht | 10 Und wird's etwa spät erkennen: $A W^4$.

60. (1841—1842) (S. 87). Den Gedichten als Motto vorangestellt W^1.

62. Abschied von Wien (S. 88). Zuerst WZ, 1844, S. 11.

63. In der Fremde (S. 89). In Grillparzers Tagebuch auf der Reise nach Griechenland (T) (W^5 Bd. 20, S. 172: Morgens im Bette.). — 11 O Mensch, der nur zwei Fremden | 12 Und keine Heimat hat T.

65. Alma von Goethe (S. 90). Zuerst im „Album für die Überschwemmten in Böhmen", S. 141 (Prag, 1845).

67. (1846) (S. 93). Überschrift: Des Dichters Schweigen. $W^1 A W^4$.

69 und 70. (1848) (S. 93). Überschrift: Zwischen Extremen. $A W^4$. — 69, 2 Nennt jetzt der Freiheitstaumel mich servil; $W^1 A W^4$ | 4 Ich glaube fast; W^1 Möcht ich vermuten fast, ich sei $A W^4$ | 70, 4 Und raubt mir noch $W^1 A W^4$.

73. Entschuldigung (S. 94). Überschrift: Antwort auf müßige Fra=
gen. AW^4.

74. Der Leopoldsritter (S. 94). Überschrift: Beim Empfang des Leo=
poldordens. $W^1 AW^4$. — $_2$ in eigenem $W^1 AW^4$.

75. (1849) (S. 94). Überschrift: Den Vielwissern. A.

77. Appellation an die Wirklichkeit (S. 95). — $_7$ Da läßt $W^1 AW^4$
Da ließ JW^5.

79. Mein Charakterbild von Dr. Laube (S. 96). Überschrift: Meinem
Biographen. AW^4.

81. (1855) (S. 96). Überschrift: Biographisch. $W^1 AW^4$.— $_8$ Wird
wohl W^1 Wird wohl nach dem Tode erst klar. AW^4.

88. (1860) (S. 100). Überschrift: Den Epigonen. A.

91. Müßiggang (S. 100). Überschrift: Notgedrungener Müßiggang.
AW^4. — $_1$ soll ich? AW^4 | $_4$ hab' ich eben meine AW^4.

Zweite Abteilung: Poesie (S. 102—135).

1. Xenien (S. 102). Zuerst A, S. 322. Überschrift: Charakterköpfe
deutscher Dichter. A. Andere Anordnung A.

3. Märchen (S. 104). Zuerst HF, 1830, S. 286. — $_7$ geizig,] neidisch,
A | $_{11}$ hört, hält ab,] merkt, wehrt ab, A | $_{19}$ das Schöne will gewonnen
sein, A | $_{20}$ Es ruht und läßt nicht ruhn. A.

4. Goethe (S. 105). Zuerst PO, S. 47.

6. Einem Grafen und Dichter (S. 106). Zuerst A, S. 292; vgl.
S. 538. Nach dem im Jahre 1834 von Grillparzer dem Grafen Auersperg übergebenen Autograph.

7. Bretterwelt (107). Zuerst, soweit erwiesen, in „Thalia. Taschenbuch", herausg. von J. N. Vogl, S. 246 (Wien, 1852). Nach S, S. 136,
gibt es im Nachlaß Grillparzers eine Reinschrift ohne Stropheneinteil-
lung, die folgende Abweichungen von W^5 zeigt: $_{12}$ doch über zugleich |
$_{14}$ vermagst und] vermagst, wie | $_{21}$ noch die Menge] erst noch Jene | $_{28}$ dem
man vom Brunn den schönen Namen gab? | $_{33}$ rings] weit | $_{48}$ nun] jetzt | $_{55}$
formt über schafft | $_{58}$ dir] an | $_{61}$ vor allen] von allen | $_{64}$ der Fasern]
den Fasern | $_{78}$ fühlt hier der Troß sich frei; | $_{98}$ Heißt das: wie etwa sie sich
einst gedacht, | $_{99}$ Neid und Haß,] Welt und Gier, | $_{126}$ arg] hart über herb |
$_{127}$ Im Heimlichtiefsten blieb ein Fünkchen | $_{139}$ Was einzeln war, ist | $_{141}$
Dann sind sie dein [nach unser über Menschen) — Darum [über Drum)
vom Aug' die Wolke! — | $_{142}$ jenem] diesen | $_{143}$ Dann sprechen wir zum
Menschengeist [gestrichen, dann wiederhergestellt nach Erdengeist], zum
Volke. In einem Blatt, das V. 135—144 im ersten Entwurf enthält
(früher im Besitz von Jos. Weilen) finden sich noch folgende Abwei-
chungen von W^5: $_{136}$ verzehnfacht über gesteigert über verdoppelt | $_{139}$ Der
nach Das | $_{140}$ zuerst: Die Welle steigt und schwindet im Gewühl. | $_{141}$ zu-
erst: Drum also Mut! ⟨und⟩ Fort von dem Aug' die Wolke! — hierauf:
Dann aber — Fort von dem Aug die trübe Wolke! — zuletzt: deinem über
dem | $_{142}$ Dann sprechen wir über Erst das erreicht; | $_{143}$ zuerst: Dann
sprechen wir [zur] Menschheit, zu dem Volke.

8. Saphirs und Bäuerles nebeneinander hängende Porträte in der Kunstausstellung (S. 113). Überschrift: Vor den Porträts Saphirs und Bäuerle's. *A.* — ₂ Doch fehlt der Heiland in der Mitten. *A.*

9. Saphir (S. 113). — ₁ Auf dich folgt: auch *A* | ₂ Gar viel,] Laß sehn, *A* | ₄ Hellen] hellen *A*.

11. Kritik (S. 115). Überschrift: Abermals ein Recensent. *A W⁴.* — ₃ Wenn nun] Drum wenn *W¹ A W⁴.*

14. (1837) (S. 115). Überschrift: Volckspoesie. *A W⁴.* — 2, ₄ Was] Nicht, was *A W⁴.*

22. Die Schwestern (S. 118). Zuerst *HF*, 1841, S. 313. — ₃ werdende] irdische *W¹ A*.

23. Epistel (S. 119). Zuerst in „Pannonia. Beiblatt zur Preßburger Zeitung", red. von A. Neustadt, 1844, S. 71.

25. Euripides an die Berliner (S. 121). Zuerst in den „Wiener Sonntagsblättern" (vgl. zu Gedicht 56 der 1. Abt.), 1844, S. 801. — ₂ fremden, fernen? *A W⁴* | ₄ im] in *A W⁴* | ₁₅ Erbt] Wächst *A W⁴* | ₁₆ Nicht Erbschaft, nur Erwerb bereichert Herzen. *A W⁴*.

34. Lope de Vega (S. 125). Erst aus dem Nachlaß in *W¹*. — ₂₀ weil Täuschung auch ein Glück. *W¹* weil Täuschung alles Glück. *A W⁴* | ₂₂ Kindesspiel, *W¹ A W⁴*.

35. Nachruf (S. 126). Erst aus dem Nachlaß in *W¹*. Überschrift: Am Grabe Lenaus. *A W⁴*.

38. Poesie der Wirklichkeit (S. 128). — 1, ₂ Nur hat sich leider gefunden, Daß in dem blutigen Krieg *A W⁴* | ₅ Europa] Lumpe *W¹ A W⁴* | 2, ₁ Doch] Und *A W⁴* | 3, ₄ Erhebt sich euch Gottsched *A W⁴*.

40. Sprachforschung (S. 129). Überschrift: Sprachforschung über Alles. *A W⁴*.

42. Reflexion (S. 129). — ₂ leitende] gestaltende *W¹ A W⁴*.

54. (1857) (S. 133). Überschrift: Schwierige Kaiserwahl. *A W⁴.* — ₁ *A*. Wen wählen *A W⁴* | ₃ *B*. Weiß *A W⁴*.

Dritte Abteilung: Tonkunst (S. 136—152).

2. Beethoven (S. 136). Zuerst *Agl*, 1828, S. 210. Überschrift: Am Sarge Beethovens. *A W⁴.* — ₃₆ Da fällt's plötzlich ab wie Schuppen, *A W⁴* | ₆₉ Fremdling *W¹ A W⁴* | ₇₂ hierher] zu euch *A W⁴* | ₁₀₀ wie der] gleich dem *A W⁴* | auf ₁₀₄ folgt: Gleich den Besten sei geehrt! *W¹ A W⁴* | ₁₁₂ Lope de Vega'n *A W⁴*.

4. Paganini (S. 141). Zusatz zur Überschrift: Adagio und Rondo auf der *G*-Saite. *A W⁴.* — ₃ stöß't] jagst *W¹ A W⁴*.

5. Clara Wieck und Beethoven (S. 141). Zuerst *WZ*, 1838, S. 28. Überschrift: Clara Wieck. *F-moll*-Sonate von Beethoven. *A W⁴.* — ₁₄ blickt] blinkt *W¹ A W⁴*.

7. Auslegung (S. 145). Überschrift: Falsche Auslegung. *A W⁴.* — ₂ Golds erwerben? *A W⁴*.

9. Stabat mater (S. 146). — ₁₁ Die dasteht] Die Rose *A W⁴* | ₅₇ Sind wir es noch zu hören *A W⁴*.

10. Zu Mozarts Feier (S. 148). Zuerst *WZ*, 1843, S. 129. Überschrift: Zur Enthüllung von Mozarts Standbild in Salzburg. $W^1 A W^4$. —
₅₃ Mit] Nächst $W^1 A W^4$ | ₆₄ Wage] Schale $A W^4$.

13. Wanderszene (S. 151). Zuerst im „Album für die Überschwemmten in Böhmen", S. 142 (Prag, 1845). — ₁₁ sicher,] sieh da, $W^1 A W^4$.

Vierte Abteilung: Vaterland und Politik (S. 153—199).

3. Napoleon (S. 154). Zuerst in „Aurora. Taschenbuch" herausg.
von J. G. Seidl, S. 182 (Wien, 1851). — ₄ Voll] Was $W^1 A W^4$ | ₅ in der
stillen] nun im Schoß der $W^1 A W^4$ | ₉ Sitz] Grund $W^1 A W^4$ | ₁₃ der
Feind allein auch] allein der Feind nur $W^1 A W^4$ | ₃₂ darob] darum
$W^1 A W^4$ | ₃₇ Nacktheit] Halbheit $W^1 A W^4$ | ₄₀ selbst] gar $W^1 A W^4$ |
₄₇ der] zur $W^1 A W^4$ | ₄₈ als] zum $A W^4$ | ₅₉ Höherer] Größerer $W^1 A W^4$.

4. Vision (S. 156). Zuerst *WZ*, 1826, S. 369. — ₁ Um] Zu $W^1 A W^4$ |
₁₂ Blickt] Blinkt $A W^4$ | ₂₁ die Finger] den Finger $W^1 A W^4$ | ₄₅ fragt]
frägt $W^1 A W^4$.

5. Mirjams Siegesgesang (S. 158). Zuerst im „Monatbericht der Ge-
sellschaft für Musikfreunde" (Wien, 1829). — ₁₆ Schau'n] Schaun's $A W^4$ |
₂₆ dem sichern] auf sichrem $W^1 A W^4$ | ₄₄ Frevlergrab zugleich] Eine Wüste,
Grab $W^1 A W^4$ | Auf ₄₄ folgt: Chor. Tauchst du auf, Pharao?

<blockquote>
Hinab, hinunter,
Hinunter in den Abgrund,
Schwarz wie deine Brust,
Schrecklich hat der Herr vollzogen,
Lautlos ziehn des Meeres Wogen.
Wer errät noch, was es barg?
Frevlergrab zugleich und Sarg. — $W^1 A W^4$.
</blockquote>

6. Klosterszene (S. 160). — ₉ innig noch] weich und sanft $A W^4$ |
₂₄ Wo selbst] Und sich W^1 Wo er $A W^4$ | ₈₄ Schlimm] Schlecht $A W^4$.

7. Auf die Genesung des Kronprinzen (S. 163). Überschrift: Auf die
Genesung Ferdinands, des Gütigen. $A W^4$. — ₃ Des Schatzes] Des Glückes
$A W^4$ | ₁₈ ein'gen] selben $W^1 A W^4$ | ₂₁ manchmal—] manchmal? $W^1 A W^4$ |
₂₂ gleich] auch $W^1 A W^4$ | ₂₄ bleibt] frommt $A W^4$ | ₂₇ in selbem] im
selben $W^1 A W^4$.

8. Klage (S. 165). — ₂ denkt,] denkt? $A W^4$.

9. Des Kaisers Bildsäule (S. 165). Überschrift: Kaiser Josefs Denk=
mal. $W^1 A W^4$. — ₁₇₋₂₀ fehlt $W^1 A W^4$ | ₃₀ sich] sie $W^1 A W^4$ | ₃₆ mit
Recht,] wie Recht, $W^1 A W^4$ | ₆₂ hin und dar,] hie und dar, $W^1 A W^4$ | ₇₃ Dann
denkt, es naht der jüngste eurer Tage, $W^1 A W^4$ | ₇₄ Der tote Kaiser kam zu=
rück, $W^1 A W^4$.

12. Anerkennung (S. 168). Überschrift: Deutsches Selbstgefühl. $W^1 W^4$.
— ₂ Nur seine Kenntnis unsrer ist gering zu nennen. $W^1 W^4$.

15. Bekehrung (S. 169). Überschrift: Der bekehrte Minister. $A W^4$.
— ₂ mach'] macht' $A W^4$ | ₃ Ist er gleich uns doch absolut $W^1 A W^4$.

16. Der kranke Feldherr (S. 169). — ₃₉ (Bevorzugt bis hochgestellt,) $A W^4$.

17. (1839) (S. 171). Überschrift: Ein Matador der hohen Politik. *A W*⁴. — ₁ In hoher Politik zwei wichtige Dinger *A W*⁴ | ₅ Wicht'geres *A W*⁴.

18. (1839) (S. 172). Überschrift: Homöopathische Kur. *A W*⁴. — ₁ ist] heißt *A W*⁴ | ₂ Heilt man] Man heilt *A W*⁴.

19. (1839) (S. 172). Überschrift: Historische Entwicklung. *A W*⁴. — ₂ diesem] unserm *A W*⁴ | ₃ itzt:] drin: *A W*⁴.

20. Postulata (S. 172). Überschrift: Ungarische Postulata. *A W*⁴.

22. Liberalismus (S. 173). Überschrift: Falscher Liberalismus. *A W*⁴.

23. Sie sollen ihn nicht haben (S. 173). — ₅ horsten] hausen *W*⁴ | ₂₁ Deshalb ihr Fleisch den Raben! *W*⁴.

28. (1842) (S. 175). Überschrift: Zwei fürstliche Patrone. *A W*⁴.

29. (1843) (S. 175). Überschrift: Aus der Zauberflöte. *A W*⁴. — ₁ so schön?] nicht schön? *A W*⁴ | ₃ nichts] was *A W*⁴.

34. Gebet (S. 176). Überschrift: Stoßgebet. *A W*⁴. — ₄ Danach] Darnach *A W*⁴.

35. Deutsche Ansprüche (S. 177). Überschrift: Verschlafene Ansprüche. *A W*⁴. — ₁₇ da stand ein] stand nun ein *A W*⁴.

37. Vorzeichen (S. 178). — ₄₅ Nagen? — *A W*⁴ | ₄₉ Geld? — Geht *A W*⁴ | ₅₃ Schranken? — *A W*⁴ | ₅₆ (Ein bis übt.) *A W*⁴.

38. Mein Vaterland (S. 181). Zuerst in der „Constitutionellen Donauzeitung", herausg. von J. Klemm, red. von Hock, S. 7 (Wien, 1848).

41. Feldmarschall Radetzky (S. 183). Zuerst in der „Constitutionellen Donauzeitung", 1848, S. 535.

43. (1848) (S. 185). Überschrift: Wiener Märztage. *A W*⁴.

45. Einem Soldaten (S. 185). Zuerst im „Österreichischen Frühlingsalbum", herausg. von Heliodor Truschka, S. 114 (Wien, 1854). — ₄ ungebetne] drin beschwingte *A W*⁴ | ₂₇ Die nur für unsern Dünkel echt und wahr, *A W*⁴ | ₂₈ Noch kurze Frist, *A W*⁴ | ₃₀ andern] schwächern *A W*⁴ | ₃₂ in seinen] von *A W*⁴ | ₃₄ Und taub und blind dem allgemeinen Wahne, *A W*⁴ | ₃₅ Vernahmen sie nur ihres Führers Wort *A W*⁴.

47. Der Reichstag (S. 188). — ₉ Volk? *A W*⁴.

51. (1849—1850) (S. 192). Überschrift: Wahre Freiheit. *A W*⁴. — ₁ Macht euch *A W*⁴ | ₂ Wollt wirklich frei ihr *A W*⁴ | ₄ erst sein] sein erst *A W*⁴.

60. Lasciate ogni speranza, voi ch'entrate (S. 194). — ₂ Steht *A W*⁴ | ₃ Als Spruch aus Shakespeare's Wunderhorte, *A W*⁴ | ₄ Prinz Hamlets: *A W*⁴.

62. Konkordat (S. 194). — 1, ₃ Streben] Bestreben *W*⁴ | 2, ₂ sündigen.] versündigen. *W*⁴.

65. Politik (S. 195). Überschrift: Internationale Rauferei. *A W*⁴.

75. Bei der Geburt des Kronprinzen Erzherzog Rudolf (S. 197). Überschrift: Ein altes Lied. *A W*⁴.

81. Feindesgefahr (S. 199). Überschrift: Öffentliche Gebete bei Feindesgefahr. *A W*⁴. — ₂ heut *A W*⁴ | ₄ Auf Leben folgt: aber — *A W*⁴.

Fünfte Abteilung: **Polemisches und Epigrammatisches**
(S. 200—214).

1. Lebensregel (S. 200). — $_2$ vom] zum $W^1 A W^4$.
6. Schwermut (S. 201). — $_2$ 'mal] nur $A W^4$.
8. Der Großmütige (S. 201). Überschrift: Ein wohlthätiger Banquier. $A W^4$. — $_2$ Erquickst $W^1 A W^4$.
9. Kunstvollendung (S. 201). — $_{14}$ ‚Wenn bis behandeln?‘ $A W^4$.
10. Pöbelliteratur (S. 202). Überschrift: Den Halben. $A W^4$. — $_1$ Glaubt ihr,] Glaubst du, $A W^4$ | $_2$ Du mußt es hassen, oder dich ihm einen. $A W^4$.
11. (1837) (S. 202). Überschrift: Der Litterarhistoriker. $A W^4$.
17. (1841) (S. 203). Überschrift: Zwei Leben. $A W^4$. — $_2$ Das bis Tod,] Das eine stirbt mit ihm, $W^1 A W^4$.
22. (1845) (S. 204). Überschrift: Gerechtfertigtes Unrecht. $A W^4$.
23. Kunsturteile (S. 205). — $_5$ Verfahrens] Erfolges W^4.
25. Antwort (S. 205). Überschrift: Wollen und Können. $A W^4$.
27. (1848) (S. 206). Überschrift: Ein geflügeltes Wort. $A W^4$.
29. (1849) (S. 206). Überschrift: Guter Rath. $A W^4$.
33. Zu Äsops Zeiten sprachen die Tiere (S. 207). Überschrift: Sprachenkampf. $A W^4$.
37. (1853) (S. 208). Überschrift: Verschiedene Gottesgaben. $A W^4$.
48. Humboldt (S. 211). Überschrift: Alexander von Humboldt. $A W^4$. — $_1$ gebracht, $W^1 A W^4$.

Sechste Abteilung: **Freundeskreis. Denkblätter**
(S. 215—226).

3. In das Stammbuch einer Neuvermählten (S. 216). Überschrift: Einem Neuvermählten. $A W^4$.
7. In Ferdinand Hillers Stammbuch (S. 217). — $_7$ sei's] geh W^4.
12. In ein Stammbuch (S. 219). — $_2$ aus der Höh'] von den Höhn W^4.
14. In ein Stammbuch (S. 219). Überschrift: Des Dichters Heimat. $A W^4$.
17. In das Gutenberg-Album (S. 220). Überschrift: Zur Guttenberg-Feier. $A W^4$. — $_3$ Denn halb entstammst du Gott, $A W^4$.
19. Zur goldenen Hochzeit (S. 221). Zuerst HF, 1844, S. 396.
23. In das Album des Fräuleins Elisabeth Rose (S. 222). Überschrift: Einer Dilettantin. $A W^4$.
24. Einem angehenden Diplomaten (S. 223). — $_3$ das] dein $A W^4$.
33. In Ludwig Loewes Stammbuch (S. 225). — $_2$ so fern,] entfernt, $W^1 A W^4$.

Die Ahnfrau (S. 227—361).

Der vorliegenden Ausgabe von Grillparzers „Ahnfrau" wurde zu Grunde gelegt:

W^5 = Grillparzers sämtliche Werke in zwanzig Bänden, herausg. und mit Einleitungen versehen von August Sauer. Band 4 (Stuttg., J. G. Cotta'sche Buchh. Nachfolger, o. J.).

Damit stimmen, bis auf wenige Stellen, überein die früheren Gesamtausgaben (W^1—W^4) und die Einzelausgaben des Dramas:

A^1 = Die Ahnfrau. Trauerspiel in fünf Aufzügen. Von Franz Grillparzer (Wien, Wallishauser, 1817).

A^2 = Die Ahnfrau. Trauerspiel u. s. w. Zweite Aufl. (ebenda, 1819).

A^3 = Die Ahnfrau u. s. w. Dritte Aufl. (ebenda, 1819).

A^4 = Die Ahnfrau u. s. w. Vierte Aufl. (ebenda, 1822).

A^5 = Die Ahnfrau u. s. w. Fünfte Aufl. (ebenda, 1832).

A^6 = Die Ahnfrau u. s. w. Sechste Aufl. (ebenda, 1844).

Für die Entstehungsgeschichte und die Auffassung des Stückes sind von Bedeutung:

H^1 = Die erste, in Grillparzers Nachlaß (jetzt in der Wiener Stadtbibliothek) befindliche Handschrift der „Ahnfrau", 13 lose Bogen, von Schreyvogel mit Randbemerkungen versehen.

H^2 = Die zweite Handschrift, eine Umarbeitung der ersten, in der Grillparzer vielfach den von Schreyvogel gegebenen Winken folgte; sie bildete, nach Streichung einiger Stellen, die Grundlage für die Druckausgaben.

Vgl. ferner Jos. Kohm, Zur Charakteristik der ‚Ahnfrau' im „Jahrb.", Bd. 11, S. 74, Anm. 10; besonders wichtig ist: Jos. Kohm, Grillparzers Tragödie „Die Ahnfrau" in ihrer gegenwärtigen und früheren Gestalt (Wien, Konegen, 1903).

Erster Aufzug (S. 239—265).

₆ Segensäste] mächt'gen Zweige H^1 | ₇ Ausgebreitet weitumher. H^1 | ₁₀ wie sie. H^1 | ₅₃ Hilfe flehend streckt gen Himmel, H^1 | ₅₇ Wald] Hain H^1 | ₈₁ bösen] garst'gen H^1 | ₈₃ seiner Euch] Euch des Briefs H^1 | ₈₇ ahnden — H^1 | ₁₂₈ trauten] keuschen A | ₁₄₃ Weiher] Teiche H^1 | Auf ₁₅₈ folgt (für den Druck gestrichen):

> ⟨Er ging hin, weil ich gesündigt,
> Weil ich schuldvoll ihn gezeugt,
> Das ist, was mich niederbeugt.
> Innig liebt' ich deine Mutter
> Und sie mich. Allein ihr Vater,
> Dem mein rascher Sinn mißfiel,
> Setzt' uns ein zu fernes Ziel.
> Jugend, Leidenschaft verblenden,
> Und die Liebe gab uns früher
> Als die Kirche ihren Segen.

Als wir vor dem Altar standen,
Priesterhände uns verbanden,
Fühlte sie schon Mutter sich
Jenes allzufrüh Gebornen,
Jenes allzufrüh Verlornen.
Durch der Ehe heil'ge Bande,
Durch des frühern Wandels Reinheit,
Glaubt' ich mich des Unrechts bar,
Das des Lebens erstes war.
Aber nein, ein Richter wacht,
In der schreckensvollen Stunde,
Als mir ward die schwarze Kunde
Von des Knaben Tod gebracht,
Da erkannt' ich seine Macht.
Mädchen, Mädchen, hüte dich,
Denn auch du im eignen Busen,
In des Herzens warmem Blute,
Trägst du einen Widersacher,
Der wohl einst sich wirksam weist,
Deines Stammes dunklen Geist.
Aus der Kindheit des Geschlechts,
Die wie böser Krankheitsstoff
In des Stammes edlen Gliedern
Sich in gift'gen Winden sträuben
Und so faule Beulen treiben,
Bis die Krankheit Sieg erwirbt
Und der welke Körper stirbt.
Und gewiß, möcht ich's gleich leugnen,
Durch die Reihe der Geschlechter
Zieht sich's wie ein blut'ger Streifen,
Der die besten auch umwindet
Und nur spät bei einer Frau
In der Vorwelt Nebelgrau
In sich selber erst verschwindet.
Ein geheimer, mächt'ger Kitzel
Scheint in unserm Blut zu wohnen,
Der sich regellos empört,
Der nach Unrecht heiß begehrt,
G'rade weil es Unrecht ist.> H^2.

159 ich sterbe] so bin ich H^1 | 170—173 fehlt H^1 | 177—179 fehlt H^1 | 189
Meines Daseins] Nein, des Lebens H^1 | 190 Jenen unbekannten Jüngling?
H^1 | 192 Wag' ich es?] Lieber Vater! H^1 | 193—202 fehlt H^1 | 203 ff. Nun
wohlan! Führ' ihn zu mir! Und besteht er auf der Probe, So begrüß' ich ihn
als Sohn. H^1 | 207 Throne, H^1 | 213 f. Hat nicht er's um mich verdienet, Der
bescheidne, wackre Mann? H^1 | 230 stöhnend,] seufzend, H^1 flehend,] hei=
schend, H^1 | 233 dichtverschlungnen] dichtbewachsnen H^1 | Auf 267 folgt (statt
V. 268—280):

Graf.

Seit der Zeit faßt ihr euch öfter?

Berta.

Öfter, ja, und stets im Walde;
Denn er fürchtet, wie er spricht,
Daß der reiche Zierotin[1]
Andern Lohn für seine Tochter
Als die Tochter selber zahle. *H*[1].

282 fehlt *H*[1] | 283—288 soll bis hält —] fürchte nichts! *H*[1] | 293 In andrer
Fassung (auf einem losen Blatte) lautet der Monolog Bertas:

〈Ach, er schläft! — Verrätherische Saiten,
Könnt ihr andern Ruh' bereiten
Und laßt trostlos dieses Herz!
Hilfreich wiegt ihr fremden Kummer
In vergessensvollen Schlummer,
Machtlos nur bei meinem Schmerz.
Tönet, tönet, süße Saiten!
Helft mir das Gefühl bestreiten,
Das im Innern sich erhebt
Und mit Schauder mich durchbebt!
Ach, ich seh' es in der Ferne,
Es verhüllen sich die Sterne
Und der Tag erlischt in Nacht,
Der erboste Donner kracht.
Ich erkenn' dich, schwarze Nacht,
Ahnde, was du mir gebracht!
Muß ich's vor die Seele führen!
Ach, es heißt, es heißt verlieren.
Und des Unheils ganzes Reich
Hat kein Schrecken deinem gleich.
Bin ich nicht ein thöricht Mädchen!
Meinen tiefgeheimsten Wunsch,
Den ich lang mit Angst und Zittern
Hegte in der tiefsten Brust,
In beglückender Erfüllung
Steht er lockend vor mir da,
Und ich klag' und seufz' und jamm're!
Ach, ich möchte mich wohl freu'n,
Aber eine bange Ahnung
Schwül und schwer wie Wetterwolken

---

[1] So nannte Grillparzer in der ersten Fassung den Grafen nach dem
Geschlecht, dem bis 1801 das romantisch gelegene Schloß Ullersdorf in Mähren
gehörte, jenes altertümliche Gebäude, das mit seiner umherwandelnden weißen
Frau die Phantasie des jungen Dichters, als er mit dem Grafen Seilern in
der Nähe weilte, so sehr beschäftigt hatte; vgl. „Leben und Werke", S. 14* ff.

Liegt auf der beengten Bruſt.
Ach, beſitzen und verlieren,
Ja, beſitzen und verlieren!
(Zuſammenſchreckend.)〉

₂₉₇ Auf Haupt. — folgt: Schlummre ruhig und ein Engel Zeige dir das
Glück im Traum, Das die Wirklichkeit verſagt! *H*¹ | ₂₉₈ ihm gehören,] ihn be=
ſitzen, *H*¹ | Nach ₃₂₁ Pauſe bis ihn.] Die Ahnfrau erſcheint neben dem
Stuhle des Schlafenden und beugt ſich ſchmerzlich über ihn. *H*¹ | ₃₂₃ meine]
liebe *H*¹ | ₃₃₁ gerinnt,] gefriert! *H*¹ | Vor ₃₄₆ auf Graf folgt: (ſchwer Atem
holend). *H*¹ | ₃₈₃ Als ich Euch in Schlaf geſpielt, *H*¹ | ₃₈₅ Liebſten *H*¹ | ₃₈₇ Ich
Euch höhnen? — Vater! — ich? *H*¹ | ₃₉₅ herein. *H*¹ | ₄₁₉ f. Wenn bis Gegen=
ſtand.] Reizte ich Euch nicht zum Zorne? *H*¹ | Auf ₄₂₀ folgt: Strömet,
ſtrömet, holde Augen! Waſcht von dieſer kalten Stirne Das Gedächtnis jener
Stunde! *H*¹ | ₄₃₄ nur,] erſt, *H*¹ | ₄₄₉ ſchauen —] ſchauen. *H*¹ *A W*¹ | ₄₆₉
geſehn, *A W*¹ | ₄₈₁ euers *A* | ₄₈₃ fehlt *H*¹ | ₄₈₅ f. fehlt *H*¹ | ₄₈₇₋₄₉₀

    Sie vergaß zur böſen Stunde
    Der vor Gott geſchwornen Pflicht.
    In den Armen eines Buhlen
    Fand ſie einſtens ihr Gemahl.   *H*¹

₅₀₈ dunkeln] tiefen *H*¹ | ₅₁₄₋₅₉₂ geht auf Schreyvogels Einwirkung zu=
rück. Dafür ſteht *H*¹:

Berta.
Vater, du ſiehſt bleich; iſt's Wahrheit,
Was der alte Mann da ſpricht?

Graf.
Wahrheit oder nicht! Mein Kind,
Laß geduldig uns erwarten,
Was des Himmels Rat beſchließt.
Fällt das Los, laß es uns tragen
Würdevoll, wie wir gelebt!
Und der Tod ſoll ſelbſt nicht ſagen,
Daß ein Zierotin gebebt.
Und jetzt komm, geliebte Tochter,
Führe mich in mein Gemach.
Iſt's gleich noch nicht Schlafens Zeit,
Ruhe heiſcht mein müder Körper,
Hat er doch in einer Stunde
Mehr als einen Tag gelebt.
(Berta führt den Alten ab.)

Günter (die Lichter fortnehmend).
Ruhen? O, du guter Herr!
Ruhen mit der Angſt im Herzen,
Mit der nagenden Gewißheit,
Daß ſich deine Stunde naht!
Nur wenn Unheil droht dem Hauſe,
Steigt die Ahnfrau aus der Klauſe.

O, ich sehe, was uns droht.
Wär' ich doch nur selber tot!
   (Heftige Schläge am Hausthor.)
Doch was ist das? Welch Getöse!
Wer kommt noch so spät zu Gaste?
Will doch selbst sehn, was es gibt. (Ab.) H^1.

Auf 594 folgt:

Schwellend lechzt die trockne Zunge.
Muß ich denn schon untergehn,
Nun, so mag es hier geschehn! H^1

604 Dort — von Räubern überfallen. — H^1 | 605 so] gar H^1 | 621 ver=
wirrt] entmannt H^1 | 623 nur] doch H^1 | 626 f. fehlt H^1 | 632 f. Was
nur dieses Haus vermag, Ist das Eure, Euch zu Dienste. H^1 (vgl. V. 657f.). |
Vor 634 Ihr verzeihet wohl die Stunde Und die Weise meines Eintritts!
H^1 | 645 Schnell, die $H^1 A W^1$ | Mörder H^1 | 657 f. fehlt hier H^1 | 669 fehlt
$A W^1$ | Auf 670 folgt:

Dank dir, Himmel, daß du mir
Noch vor meinem nahen Ende
Hast vergönnt, dem zu danken u. s. w. H^1.

681—726 fehlt H^1. Dafür

Berta.

Aber sieh nur, lieber Vater,
Wie er bleich und düster sieht!

Graf.

Wohl, mit Recht mahnst du mich, Berta.
Ist's nicht wirklich schnöde Selbstsucht,
Nur sein Herz von Dank entladen,
Unbekümmert, daß der Gute,
Den der Worte Schwall belästigt,
Müde sich nach Ruhe sehnt?
Du hast recht, geliebte Tochter. H^1

729 Dort ruh' er in tiefstem Frieden H^1 | 730 fehlt H^1 | 731 Ruhig, bis der
Morgen naht! H^1 | 732 das weichste H^1 | 733 Ein beruhigtes Gewissen, H^1 |
740 steht hinter 742 und schließt den Aufzug. H^1 | 742 zur Kammer
führen. H^1 | 743—753 fehlt H^1.

Zweiter Aufzug (S. 266—297).

757 neben] hinter H^1 | 776 Still doch! — Worte! H^1 | Nach 778
(Horchend.) fehlt H^1 | 788 Frieden] Hilfe H^1 | 805 ich fühl es: H^1 | 814 Was ge=
treue Lieb' H^1 | 818 Ach, was ist dir doch, Geliebter? H^1 | 820 düstern] dunkeln
H^1 | 823 hier geschehen?] ihm begegnet? H^1 | 833 blickt $A W^1$ | 843 ihm
ins] in das H^1 | 847 Schlau] Feig H^1 | 854 küßt] küßt H^1 | 861 liebe]
holde H^1 | 869 nur] aus H^1 | 872 Tigermilch H^1 | 880 zagend] heulend H^1 |
881 hierher H^1 | 885 Auf Stelle! folgt: Ehrt ihr so die Pflicht des Hauses
Und des Gastes heilig Recht? H^1 | 886 Auf vertrauensvoll folgt: Über eure
süßen Worte H^1 | 897 auf mich] auf mir A | 940 Da vertritt mir — Siehst
du? Siehst du? Siehst du? H^1 | 946 Dahinter (für den Druck gestrichen):

<**Jaromir.**

Phantasie, ha, Phantasie!
Wer gab dir den süßen Namen,
Tückevolles Ungeheuer?
O, ich kenn' dich, bunte Schlange,
Die du anfangs schwach und klein,
Spielst im hellen Sonnenschein
Und im Wechsel leichter Sprünge
Schüttelst deine klaren Ringe,
Die in Gold und in Azur
Sich in stetem Wechsel malen,
Alle Farben der Natur
Wie im Spiegel widerstrahlen,
Ein willkommnes teures Spielwerk
In des Gauklers fert'ger Hand,
Bis nun groß und größer wachsend,
Nicht mehr gaukelnd,
Nicht mehr spielend
Nach der Brust, die dich genährt,
Die erwachte Kraft sich kehrt
Und dein Stachel und dein Gift
Deinen eignen Meister trifft.> H^2.

₉₆₄ Berta, du?

Berta.

Ach, lieber Vater!
Seht doch nur, mein Jaromir! H^1

₉₆₅₋₉₇₅ fehlt H^1 | ₉₆₉ fehlt AW^1 | ₉₇₈ fehlt H^1 | ₉₇₉ Da erscheint ihm plötzlich — H^1 | ₉₈₀ Hat es dich schon auch gegrüßt? H^1 | ₉₈₄ hierher! H^1 | ₉₉₉ spricht! H^1 | ₁₀₀₉ ist! H^1 | ₁₀₂₆₋₁₀₆₈ Mit bis fortgeschwommen.]

Scheint's vor meinem Blick zu dämmern
Und der Hoffnung dürres Reis
Treibt von neuem grüne Knospen. H^1

Sodann die Stelle (jetzt V. 1157 f.):

Sohn; du liebst sie?

Jaromir.

Wie mein Leben.

Graf.

Und du ihn?

Berta.

Mehr als mich selbst.

₁₀₃₃ Dahinter (für den Druck gestrichen):

<So stand ich mit ihrer Mutter
In der schönen, goldnen Zeit,
Als der Unschuld heil'ger Engel
Wie ein Bruder die Geschwister
Uns beschützend noch umfing,
Eh' das Dunkle noch gescheh'n,

Eh' [ich noch] mit eigner Hand
An mein eignes Glück gegriffen.
Brecht ihr auf, ihr alten Wunden?
Brecht ihr auf, o schmerzlich, schmerzlich!> *H*².
1098 Brust! *H*¹ | 1096 wohl nun *H*¹ | 1100—1153 fehlt *H*¹. Dafür:

[Graf.]

Aber fort mit diesen Bildern! —
Lieber, noch bist du uns schuldig
Deinen Namen, dein Geschlecht!
Hat dein Mut, dein grader Sinn
Gleich bewiesen, wer du bist,
Wie du heißt, weiß ich noch nicht.

Jaromir.

Wenig Worte reichen hin,
Euch mein Schicksal zu enthüllen.
Jaromir bin ich geheißen,
Und von Eschen ist der Name,
Den mit Ruhm die Väter trugen.
Weit von hier, im fernen Deutschland,
Wo der Rhein die mächt'gen Fluten
Zwischen reichen Fluren wälzt,
Lag das Stammschloß meiner Ahnen,
Hochberühmt war ihr Geschlecht,
Hochberühmt für Macht und Recht.
Doch das Unrecht mocht's nicht leiden,
Daß sein edler Widersacher
Sich gegründet solchen Sitz.
Was soll ich Euch lang erzählen,
Wie die Bosheit, wie der Neid
Ihre gift'ge Saat gestreut,
Falsche Freund' und off'ne Feinde
Schlau zu unserm Fall vereint!
Arm und hilflos starb mein Vater,
Ich, der Jüngling, stand allein,
Sah die Gegner höhnisch lachen
Und die Freunde Achsel zucken;
Grimmig war mein Herz bewegt.
Da beschloß ich fortzuziehen
Und das Vaterland zu fliehen,
Das so seine Kinder pflegt.
Kunde ward mir, daß in Böhmen
Eifrig man zum Kriege rüste;
Ich beschloß, mich einzufinden
Und ein neues Glück zu gründen.
So kam ich hierher, ein Zufall
Ließ mich Eure Tochter sehn —
Und das Weitere wißt Ihr selbst.

Graf.

Jawohl weiß ich's, edler Mann,
Weiß, wie du dich brav erzeigt,
Wenn es gleich dein Mund verschweigt.

Die Stelle blieb weg, weil Schreyvogel Jaromirs Fertigkeit im Lügen
tadelte; darum erscheint in H^2 und A derselbe Gedanke schon früher:
V. 190 f.; 201; 273 ff. | Auf 1166 folgt:

Jaromir.

Ich, mein Vater, will hinab.
Und wenn's doch ein Kühner wagte —

Graf.

Seht, es naht der Kastellan.
Deinen Schrecken, deinen Mut
Macht ein Wort wohl überflüssig.

Günter kömmt. H^1.

1174 hierher H^1 | 1196–1199 fehlt $A\,W^1$ | 1214–1218 fehlt H^1 | 1226 f. Stieg die
Schal' auf unsre Seite Und der Mörder Schale sank. H^1 | 1231 f. fehlt $A\,W^1$ |
1250 abzugehn! H^1 | 1251 ist's getan. H^1 | 1253 f. Dafür: Hält sich einer
hier verborgen, H^1 | 1261–1368 fehlt H^1. Dafür:

Und ich selbst in Eurer Mitte
Leite Eurer Späher Schritte;
Denn ich kenne diese Gegend,
Denn ich kenne dieses Schloß

Berta.

Ach, mein Vater!

Hauptmann.

Mein Herr Graf! —

Graf.

Glaubt Ihr denn, es sei des Mutes
Thöricht unbedachter Kitzel,
Der in meines Alters Wangen
Meiner Jugend Gluten jagt?
Gilt es denn nicht die Vollendung
Eines guten, großen Werkes,
Lang ersehnt und schön begonnen?
Gilt es denn nicht Menschenleben?
Und ich soll hier betend beben,
Ein entnervtes Jammerbild,
Wo es Menschenleben gilt?

Jaromir.

Ja, fürwahr! Ja, recht gesprochen!
Menschenleben, Menschenleben!

1373 f. Mir ein Schwert! Ich will hinaus, Will hinaus auf Menschenleben.
H^1 | 1379 Euch es H^1 | 1398 lustigen H^1 | 1414 Laß mich, laß mich, liebe
Berta! H^1 | 1418 f. Nun, beliebt's Euch, mir zu folgen, So beginnen wir die

Runde. H^1 | 1420 Räuber, H^1 | 1421 Ihr] wir H^1 | 1429 beläst'gen H^1 | 1423
Ich fürwahr nicht. H^1 | 1436 zur Ruhe! H^1 | 1443 erbitten! H^1 | 1444 sei!
H^1 | 1447 mir!] uns. H^1 | 1450 Kennen, wenn er sich dir zeigt? H^1 | 1451
ich,] ich's, H^1 | 1452 Dahinter: (Jaromir geht in die Seitenthüre rechter
Hand.) Gott, wie schlägt um ihn mein Herz! H^1 | 1453–1489 fehlt H^1. Dafür:

Hauptmann.

Nun, gefällt's Euch, mein Herr Graf?

Graf.

Halt! Eh' wir nach außen forschen,
Sei das Innre erst durchsucht!
Ja, ich wünsch' es, ich begehr' es,
Daß Ihr dieses Schlosses Zimmer
Noch vor allem erst besichtigt.

Hauptmann.

Mein Herr Graf, könnt' ich wohl glauben —

Graf.

Ei, seid Ihr gewiß, daß ich,
Dieser Räuber nächster Nachbar,
Ihrem Wüten bloßgestellt,
Wenngleich nicht um ihre Thaten,
Doch um ihre Wege weiß?
Und bin ich denn selbst gewiß,
Ob nicht einer meiner Leute,
Angelödert durch Versprechen,
Durch Belohnungen verführt,
Im Verkehr mit ihnen steht?
Ihr sollt, ich bestehe drauf!

1470 f. fehlt AW^1 | 1480 fehlt A | 1490 Hier, Herr Hauptmann, ist mein
Zimmer — H^1 | 1492 Hier — er hat sich eingesperrt. Berta. Gönnt ihm
Ruhe, lieber Vater! H^1 | Auf 1494 folgt: Hauptmann. Fast, Herr Graf, muß
ich vermuten, daß, mißdeutend meinen Eifer, H^1 | 1496–1620 fehlt meist H^1.
Dafür folgt auf 1495: (In der Ferne fällt ein Schuß.)

Berta.

Was ist das?

Hauptmann.

Ha! Meine Leute
Suchen einen von den Flücht'gen,
Den die Wächter aufgespürt.
Laßt uns gehn!

Berta.

Ach, bleibt, mein Vater!
Stellt nicht Euer Leben bloß
Der Verzweiflung der Verruchten!

Graf.

Laß mich, liebes Kind! Wohin
Mich der Unterthan, der Bürger,

Mich der Mensch gebietend ruft,
Dahin folg' ich, wär's zur Gruft.
(Mit dem Hauptmanne ab.)

Berta.

Gott, er geht, er hört nicht, geht! (vgl. V. 1516)
Wie bezähm' ich diese Angst, (V. 1527)
Wie bezähm' ich dieses Bangen, (V. 1528)
Das mir schwül wie Wetterwolken (V. 1529)
Auf der bangen Brust sich lagert! (V. 1530)
(An die Thüre von Jaromirs Gemach pochend.)
Jaromir, mein Jaromir! (V. 1524)
Keine Antwort, alles stille, (V. 1525)
Alles schweigend wie das Grab! (V. 1526)
Gott, wie wird das alles enden?
(Mit zum Himmel erhobenen Armen.)
Du wirst es zum Guten wenden.

Der Vorhang fällt.

Dritter Aufzug (S. 298—318).

In *H*[1] wird der dritte Aufzug (3. und 4. Aufzug der Druckausgabe)
eröffnet mit folgendem Monolog:

Halle wie in den vorigen Aufzügen. Lichter auf dem Tische.

Berta (tritt auf).

Beten will ich, Hilf' erbeten,
Und es falten sich die Hände,
Worte strömen von den Lippen;
Aber ach, Gebete sprechen
Heißt nicht beten. Meine Seele
Ist nicht bei den leeren Worten.
Ach, sie schwebt mit bangem Zagen
Um die Häupter meiner Lieben,
Und Gebet ohne Gedanken
Bringt Verderben, nicht Gewinn!

Wenn ich sonst mit reinem Sinne
Vor dem süßen Bilde kniete,
Vor dem Bild des Menschgewordnen,
Der mein Bruder und mein Gott,
Und von meines Bruders Liebe
Meines Gottes Hilf' erbat:
Ach, wie säuselte Erhörung
Da in meine bange Brust!
Wie das Herz sich schwellend regte,
Schien der Kummer abzusinken
Gleich der rauhen, dunkeln Hülle,
Die des Frühlings warmer Finger
Von dem zarten Keime streift,

Und die Hoffnung sproßte grünend
Aus der durchgesprengten Gruft
Siegestrunken in die Luft!
Schien die Hilfe noch so ferne,
Ich vertraute, sie war da;
Schien Erhörung gleich unmöglich,
Das Unmögliche geschah.

Wie ist alles denn verändert!
Lebt nicht mehr derselbe Gott?
Hört er nicht mehr, wenn ich rufe?
Ach, er ist noch stets derselbe,
Hat zu helfen Macht und Lust,
Und es hat sich nichts verändert
Als das Herz in dieser Brust.

Angst umnachtet mich und Grauen,
Jede Wolke scheint zu drohn,
Jenes kindliche Vertrauen
Ist aus meiner Brust entflohn.
Jedem düstern Zweifel offen,
Wank' ich ängstlich wie im Traum;
Ich vermag nicht mehr zu hoffen,
Und zu wünschen wag' ich kaum,
Ausgeglimmt des Glaubens Zunder,
Und von Furcht mein Herz bethört.
Dem versagen wohl die Wunder,
Der der Wunder nicht begehrt.

Setzt sich in den Stuhl, die Stirne in die Hand gestützt.

1621–1624 fehlt H^1 | Auf 1624 folgt die Bühnenbemerkung (nach dem
Monolog Bertas): Pause. — Jaromir, den linken Arm mit einer roten
Schärpe verbunden, öffnet leise seine Thüre und will, da er jemand erblickt,
schnell zurück. H^1 1626–1630
Laß doch sehn! — Wie fühlst du dich?

Jaromir (verstört).
Gott sei Dank! Ein bißchen schlimmer.

Berta.
Schlimmer?

Jaromir.
Besser, besser, besser! H^1.
1632 Binde? H^1 | 1633 **Jaromir.** Binde? Wo?

Berta.
Am Arme hier!

Jaromir.
Scherz! Ei, Scherz! H^1
1635 Hat's geblutet? Sieh doch, sieh doch! H^1 | 1637–1660 abweichend.

Jaromir.

Ich verwundet! — Ja, verwundet.
Mein Gedächtnis kehrt mir wieder,
Ich weiß wieder, was geschah.
Warum soll ich's dir verhehlen?
Als ihr hier mich eingeschlossen —

Berta.

Eingeschlossen? Wir?

Jaromir.

Nun, ihr
Oder ich, das gilt wohl gleich,
Und verschlossen ist verschlossen.

(Starr vor sich hinbrütend.)

Berta.

Nun, Geliebter!

Jaromir (auffahrend).

Sprich, ich höre!

Berta.

Ei, du wolltest ja erzählen.

Jaromir.

Ich? Wohl, ich besinn' mich!
O mein Kopf, mein armer Kopf!
Wer doch mir ein Mittel wüßte,
Das Gedächtnis rein zu glätten,
Diesen trügerischen Spiegel,
Der mich sinnverwirrend äfft!
Ach, zerbrecht ihn, milde Sterne!
Denn er zeigt nicht, wie er sah.
Was nur erst geschehn, scheint ferne,
Und das Ferne bleibt mir nah.
Doch ich soll dir ja erzählen!
Wohl, so hör', so gut ich's kann! H^1.

1661 Kaum war ich in meiner Kammer, H^1 | 1669 jenem] meinem H^1 | 1680 Wieder eil' ich zu der Linde, H^1 | 1685 meine Angst? H^1 | Auf 1700 folgt: (Die Tischlade öffnend.) H^1 | 1703 ihn mir! H^1 | 1719 Unachtsamer, sieh doch nur! H^1 | 1729 So fehlt H^1 | 1732 erbleichte, H^1 | 1733 zur Erde H^1 | 1740 Und jetzt sind' ich nirgends ihn. H^1 | 1758 und es gab Blut. H^1 | 1760 Und schon wollt' es uns bedünken, H^1 | 1776 von Ei bis 1809 Weh! fehlt H^1 | 1813 Güt'ger Gott! Es ist geschehn! H^1 | 1814 Berta?] Liebe? H^1 | 1876 fehlt $A W^1$ | 1892 Mörder fort! Wen kümmert das? H^1 | 1903 gnädig] billig H^1 | 1926 Ausgang H^1 | 1927 Güt'ger Himmel! H^1 | 1938 vollendet! H^1 | 1953 auf] in H^1 | 1958 An mir haftet, mir geblieben, H^1 | 1959 fehlt H^1 | 1965 Um] Bereit H^1 | 1973 hoffen] glauben H^1 | Nach 1985 Bühnenbemerkung fehlt H^1 | 1986 jetzt] nun H^1 | 2003 jener] dieser H^1 | 2039 ermordet] gewes'nes H^1 | 2040 dann am] auf dem H^1 | 2053 längst wohl H^1 | 2082 Dafür: Sollt' ich's wohl dem Henker sparen! Doch sei un=

besorgt, mein Kind! *H*¹ | ₂₀₈₈ *Reichte wohl dies Fläschchen hin.* *H*¹ | ₂₀₉₇
Auf Dolch? folgt: (*Geht hin und nimmt ihn herab.*) *H*¹ | ₂₁₀₀ ſiehſt,] zückſt,
*H*¹ | ₂₁₀₄₋₂₁₀₈ fehlt *H*¹, unter dem Einfluß Schreyvogels eingefügt in
*H*² und *A* | ₂₁₀₈ Daß hiernach die Ahnfrau erscheint, ist aus thea-
tralischen Rücksichten von Schreyvogel veranlaßt. | ₂₁₀₉₋₂₁₆₃ fehlt
*H*¹ | Auf ₂₁₂₅ folgt (für den Druck gestrichen):

<Und vernommen die Erklärung
Jener blutig ſchwarzen Flecken
In der Wärterin frühem Lied
Von der Ahnfrau dunkeln Thaten,
Von dem waltenden Geſchick.> *H*².

₂₁₅₄ Dieſe Hallen grüßten *A W*¹ | Vor ₂₁₆₄:

Jaromir.

Hat die Ahnfrau er getötet,
Soll die Enkelin er befrein.
Ei, ein tücht'ger Dolch fürwahr! *H*¹ | ₂₁₇₂ Horch,
man kömmt! Leb' wohl, mein Kind! *H*¹ | Auf ₂₁₇₄ folgt Monolog Bertas:

Leb' ich, wie iſt mir geſchehen!
Güt'ger Himmel! — Worte hör' ich,
Hohle Worte ohne Sinn.
Von den Lippen ſtrömen Laute,
Die der Geiſt, der ſtrenge Rechner,
Seine Fertigung vermiſſend,
Anſtaunt wie verfälſchte Wechſel,
Nachgeahmt mit ſchlauem Trug,
Und nicht einſchreibt in ſein Buch.
Starrend ſinken meine Glieder,
Meine Sinne ſchwinden. — Ganz
Gib mir mein Bewußtſein wieder,
Himmel, oder nimm es ganz! *H*¹.

Vierter Aufzug (S. 319—338).

Dieser bildete in *H*¹ mit dem jetzigen dritten Aufzug zusammen
den dritten Aufzug; auf Schreyvogels Rat erfolgte der Aktschluß
hinter ₂₁₇₄, um der Heldin und dem Zuschauer einen Ruhepunkt zu
gewähren. | ₂₁₈₀ nie] nicht *H*¹ ₂₂₀₇ ff. Dafür spricht Günter (für den
Druck gestrichen):

<Armes Fräulein, wie ſo traurig
Iſt der Tag, der Euch den Gatten,
Ehlich Glück Euch bringen ſoll!
O, wie ähnlich iſt er jenem,
Da der Kirche heilig Band
Euren Vater, Eure Mutter
Leider nur zu ſpät vereinte.
O, ich werd' ihn nie vergeſſen.
Mein Gebieter trüb und ſtumm,

Seine Braut in Thränen schwimmend,
Und ihr Vater wütend, tobend
Ob dem Schimpf, der seinem Stamm
Durch die schwache Tochter kam,
Die am Altar stumm und bleich
Braut und Mutter war zugleich.
Damals war's zum erstenmal,
Daß seit langen, langen Jahren
Sich die Ahnfrau wieder wies
Und die dunkle Gruft verließ.
Damals und dann noch einmal,
Als der Sohn, der Unglückssohn,
Den an ihrer Hochzeit Tagen
Seine Mutter schon getragen,
In des Weihers Schlund versank.
Dazumal erschien sie wieder,
Ging allnächtlich auf und nieder,
Seufzend, stöhnend, aber schweigend
An des Weihers gähnend Rand,
Mit der weißen Totenhand
Nach dem nahen Walde zeigend
In der Dämmrung Schimmerlicht.
Was sie meinte, weiß man nicht.
Aber wohl ging da die Sage,
Feindlich ihrem Stamm gesinnt
Habe sie das Unglückskind
In der Wasser schwarze Wogen
Selber sie hinabgezogen.
Und fürwahr, fast schien es auch,
Geisterhand nur könne üben,
Was so spurlos ist geblieben.
Nur des armen Knaben Hut
Fand man auf dem Wasser schwimmend,
Seinen Tod, sein Grab bezeichnend.
Doch was Euer Vater bot,
All' vergebens war das Mühn,
Jenen Weiher zu ergründen
Und den Leichnam aufzufinden.
Seit der Zeit her schlief die Ahnfrau
Fast zur Fabel schon geworden
Ruhig in der dunkeln Gruft,
Bis sich heute Euer Vater —
O, warum mußt' er hinaus,
Warum heute g'rad hinaus,
Der gebeugte, schwache Greis,
Bloßgestellt der Wut des Wetters
Und der blut'gen Räuber Dolch!⟩   *H*².

₂₂₀₈ Wintersturme, H^1 | ₂₂₁₁ Dolch? Dolch? — Was, Dolch? — Welcher Dolch? H^1 | ₂₂₁₉ güt'ger Hand! H^1 | ₂₂₂₀ fehlt H^1 | ₂₂₄₆ Daß ihn doch der Mut getrieben! H^1 | ₂₂₆₁ Die folgende Bühnenbemerkung fehlt H^1 | ₂₂₆₂ Stille —] Stille? — H^1 | ₂₂₆₆ wär'] ist H^1 | ₂₂₈₃ kömmt. H^1 | ₂₃₀₃ Sorglich H^1 | ₂₃₀₅ frommen Brust $H^1 A W^1$ | ₂₃₀₉ fehlt H^1 | ₂₃₁₀ Will ich doch sogleich H^1 | ₂₃₁₂ hierher. H^1 | ₂₃₁₄ Wie? Des H^1 | ₂₃₁₅ Wessen anders? Doch Ihr wißt nicht. H^1 | ₂₃₁₉₋₂₃₂₁ Dafür nur: Blieb er immer unter uns. H^1 | ₂₃₅₁ Berta?] Tochter? H^1 | ₂₃₅₆ verdoppelt H^1 | ₂₃₆₈ Wohl,] Ach, H^1 | ₂₃₇₁ fehlt H^1 | ₂₄₀₀ menschlich H^1 | ₂₄₂₀ Wohl,] Nun, H^1 | ₂₄₅₅ fehlt H^1 | ₂₄₆₄ Gott im Himmel! **Graf.** Darf ich's hoffen? H^1 | ₂₄₆₉ schau] seh' H^1 | ₂₄₉₀ setzte] stellte H^1 | ₂₄₉₅ Da erbarmte mich H^1 | ₂₅₀₁ Ist wohl gar? — ach, ist — H^1 | ₂₅₀₈ nie] mir H^1 | ₂₅₁₈ fehlt H^1 | ₂₅₂₃₋₂₅₂₆ fehlt H^1 | ₂₅₂₉ Stützen, H^1 | ₂₅₃₁ Die Bühnenbemerkung **Berta** (in Ohnmacht sinkend). fehlt H^1 | ₂₅₃₃₋₂₅₄₄ fehlt H^1 | ₂₅₄₈ fehlt H^1 | ₂₅₄₉ ff.

Ha, ich kenn' dich, blutig Eisen!
Ja du bist, du bist dasselbe,
Das des Ahnherrn blinde Wut
Färbte mit der Gattin Blut!
Ich erkenne dich, und hell
Wird's vor meinen trüben Blicken.
Seht ihr mich mit Staunen an?
Das hat nicht mein Sohn gethan,
Tief verhüllte, höh're Mächte
Führten seine schwanke Rechte! H^1.

₂₅₅₉₋₂₅₈₄ fehlt H^1, dafür nach schwanke Rechte:
Trittst du dräuend vor mich hin,
Schreckenvolle Warnerin?

₂₅₉₀ Auf die Bühnenbemerkung über Günters Haltung folgt: (Berta an der Leiche ohnmächtig hinstürzend.) H^1 | ₂₆₀₅ laßt uns rächen H^1 | ₂₆₁₃ rief] klang H^1 | ₂₆₁₇ Schlummert sanft H^1 | ₂₆₁₈ Stille, daß er nicht erwache! — H^1 | ₂₆₂₃ Noch] Nur H^1 | ₂₆₃₅ ihre Brust H^1 | ₂₆₃₆ kalten] gift'gen H^1 | ₂₆₅₀ träumt so] träumet H^1 | ₂₆₆₁ leise! — Bühnenbemerkung: Sie geht immer mehr wankend zum Tische zu, ehe sie ihn erreicht, sinkt sie zu Boden. H^1.

Der Vorhang fällt.

Fünfter Aufzug (S. 339—361).

In H^1 Vierter Aufzug. Bühnenbemerkung: Gegend vor dem Schlosse. Von allen Seiten halbverfallene Werke. Links ein Fenster in der Mauer. Im Hintergrunde u. s. w. (wie im Texte). | ₂₆₈₀ f. Frei und offen mag ich's sagen: Meinen Feind hab' ich erschlagen! H^1 | ₂₆₈₂ Und was mehr? H^1 | ₂₆₈₇ mein Blut] dies Herz H^1 | ₂₇₁₁ wimmernd] leises H^1 | ₂₇₄₁ schwindet meine] sinket mir die H^1 | ₂₇₄₂ f. Ach, daß ich es doch vermöchte, Den Geliebten aufzufinden, H^1 | ₂₇₄₅ mit Jaromir] an seiner Seite H^1 | ₂₇₆₆ ich] ich's H^1 | ₂₇₇₄₋₂₇₈₀ fehlt H^1 | ₂₇₈₁₋₂₇₈₃ Nun wohlan! Du sollst's erfahren, Dir auch will ich's offenbaren, Wem du dankst des Lebens Licht. H^1 | ₂₈₀₂ Mein Gebet, ach! ist kein Fluch? H^1 | ₂₈₂₈ Sprich's H^1 | ₂₈₄₉ weichen] eignen H^1 | 2855 fehlt H^1 | 2857 fehlt H^1 | 2865 Führ mich hin! An H^1 | 2866 gern] schlicht H^1 | 2892 fliehn! H^1 | 2909 Zeit! H^1 | 2911 fehlt H^1 | 2912 Nur erst jetzt H^1 | 2916 Teufel! Teufel! gift'ger Teufel! H^1 | 2933 Mir das] Und mein H^1 | Auf 2953 folgt Bühnenbemerkung: (Weicher.) H^1 | Auf 2954 folgt: (In sich versunken.) H^1 | 2961 durch des Lebens] ruhig über H^1 | 2962 Lächelt ob der Hölle Wut; H^1 | 2965 Gegen ihn, vom Feind versucht, Seine Hände hat erhoben, H^1 | 2966 und] ist H^1 | 2982 die grimmen Zähne H^1 | 3025 Meinen Feind hab' ich erschlagen, H^1 | 3038 jene] diese H^1 | 3056 Selbst als jene Tat geschah; H^1 | 3060–3075 sind in Strophen zu je vier Versen abgeteilt H^1 | 3071 euren H^1 | 3076 f. Seht, wir haben Ihn begraben H^1 | 3089 tönen] dröhnen H^1 | 3109 dunkle] wirre H^1 | 3111 im wüsten H^1 | 3128 Die folgende Bühnenweisung über das Auslöschen der Lichter fehlt AW^1 | 3131 die Hölle] das Innre H^1 | 3153 ff.

> Denn wenn wir in brünst'gem Ringen
> Schlangenähnlich uns umschlingen
> In des Brautbetts geiler Gluth, H^1.

3157 Mir] Es H^1 | 3165–3168 fehlt AW^1 | 3173 Wer sie sei, und wie sie heiße, H^1 | 3179 fehlt AW^1 | 3186–3188 fehlt H^1 | 3189 verließst du ihn.] hier fandst du ihn? H^1 | 3201 Soll] Muß H^1 | 3211 Boden] Wege H^1 | 3215 Ha, wer fasset meine Hand? H^1 | 3216 Meine? — Ja, es ist die meine! H^1 | 3227 umschließen, H^1 | 3228 Laß mich diese Lippen küssen! — H^1 | 3229 Warum schreckst du mich zurück? H^1 | 3234 sollst fröhlich sein! H^1 | 3239 sagten H^1 | 3240 Sagten, H^1 | 3247 fehlt H^1 | 3258 der] das H^1 | 3259 der] das H^1 | 3263 jenen bleichen] etwa jenen H^1 | Auf 3264 folgt: Schwarz mit Purpur rings umbrämt? Der ist müd zur Ruh gegangen. H^1 | 3265 Sieh, ich hab' ihn H^1 | 3266 Und er schläft, er schläft, er schläft! H^1 | 3274 Undankbare, Ungetreue, H^1 | 3283 Kenntest du die gift'ge Pein, H^1 | 3285 nagendes H^1 | 3296 Ich verließe dich doch nicht! Dahinter noch

> Du mußt mit! Und eher stieße
> Ich ihm auch zum zweiten Mal
> In die Brust den kalten Stahl,
> Weib, eh' ich zurück dich ließe.
> Nein, ich kehre nicht zurück.
> Ist mir alles Glück verschlossen,
> So sei wenigstens genossen
> Doch der Liebe volles Glück!

Ahnfrau.

Kehr' zurück!

Jaromir.

Nein, sag' ich, nein!
Sieh mich noch so strenge an,
Glaubst, so schnell sei es gethan,
Daß hier diese Flamme schwindet,
Weil sie schnell sich einst entzündet?
Was hier lodert glühend heiß,
Das dämpft keines Blickes Eis.

Ahnfrau.

Kehr' zurück!

Jaromir.

Komm her zu mir!
Laß mit einem heißen Kuß
Dir die lieben Lippen schließen!
Mädchen, komm, laß uns genießen!
Nichts ist wahr als der Genuß.
Toller Schwätzer wüst Getümmel
Mag auch schreien neben mir!
Hier auf Erden ist der Himmel,
Ist doch auch die Hölle hier.
Wer fragt nach der Seele Mängel?
Sicher ist mir nur der Leib.
Sieh, verschwunden ist der Engel,
Und ich sehe nur das Weib! H^1.

3298 Horch,] Hör', H^1 | 3299 f. Deinen Hals will ich umwinden, Hier, hier
sollen sie mich finden! H^1 | 3301 f. fehlt H^1 | 3304 deines] eures H^1 | 3308
Komm! Hier stürmet das Verlangen H^1 | 3311 Truggeburt] Gaukelbild
H^1 | 3312 Sei es! Nein, ich lass' dich nicht! H^1 | 3317 ff. Der Schluß der
Tragödie lautet H^1:

Ahnfrau.

Sterben! doch nicht am Schafott!

Sie neigt sich über Jaromir und küßt ihn auf die Stirne. Er zuckt ein wenig und
sinkt tot hin. Sie hebt die Sargdecke auf, breitet sie wehmütig über beide Leichen
und geht gesenkten Hauptes in ihr Grabmal zurück. Wie sie verschwunden ist,
bewegen sich die Eingetretenen gegen den Vorgrund.

Günter

eilt dem Sarge zu, hebt die Decke auf und spricht mit Thränen:

Tot!

Hauptmann
(vorstürzend).

Schon zur Hölle?

Günter

(die Leichen wehmütig anblickend, dann flehend und vertrauend mit offenen Armen
gegen Himmel blickend).

Schon bei Gott!

Ende.

Alphabetisches Verzeichnis der Anfangszeilen und Überschriften der Gedichte.

Inhalt.

Die Ahnfrau.

Druck vom Bibliographischen Institut in Leipzig.